Das Rätsel

JOHN
Katzenbach

DAS RÄTSEL

Psychothriller

Aus dem Amerikanischen
von Anke Kreutzer

Weltbild

Die amerikanische Originalausgabe erschien 1998 unter dem Titel
State of Mind bei Ballantine Books.

Besuchen Sie uns im Internet:
www.weltbild.de

Genehmigte Lizenzausgabe
für Verlagsgruppe Weltbild GmbH,
Steinerne Furt, 86167 Augsburg

Übersetzung: Anke Kreutzer
Umschlaggestaltung: Jarzina Kommunikations-Design, Köln
Umschlagmotiv: Corbis, Düsseldorf (©Julie Habel; ©Jon Hicks)
Gesamtherstellung: Bagel Roto-Offset GmbH & Co.KG, Schleinitz
Printed in EU
ISBN 978-3-8289-9075-3

2010 2009 2008 2007
Die letzte Jahreszahl gibt die aktuelle Lizenzausgabe an.

»Ich wollte das ideale Tier jagen«, erklärte der General. »Also fragte ich mich: ›Welche Eigenschaften hat die ideale Beute?‹ Und die Antwort lautete natürlich: ›Sie muss mutig sein, gerissen und vor allem ein vernunftbegabtes Wesen.‹«

»Aber kein Tier verfügt über Vernunft«, warf Rainsford ein.

»Mein lieber Freund«, sagte der General, »eines schon.«

Richard Connell, *The Most Dangerous Game*

PROLOG
DIE KÖNIGIN DER RÄTSEL

Ihre Mutter schlief unruhig im Zimmer nebenan; sie lag im Sterben. Es war fast Mitternacht, und der Luftzug, den der Deckenventilator träge durch den Raum schickte, schien die Hitze vom Tage nur anders zu verteilen.

Das altmodische Jalousienfenster stand einen Spaltbreit offen, um die lakritzschwarze Nacht hereinzulassen. Todeswütig warf sich eine Motte gegen die Scheibe. Sie sah dem Insekt eine Weile zu und fragte sich, ob es nun vom Licht gelockt wurde, wie die Dichter und Romantiker glaubten, oder ob es das Licht in Wahrheit hasste und sich in einer hoffnungslosen Attacke auf die Quelle seines Ärgers stürzte.

Sie spürte ein dünnes Rinnsal Schweiß zwischen den Brüsten und wischte es sich mit dem T-Shirt weg, ohne auch nur für einen Moment den Zettel aus den Augen zu lassen, der vor ihr auf dem Schreibtisch lag.

Es war billiges weißes Papier. Die Worte waren in einfachen Druckbuchstaben geschrieben:

DIE ERSTE PERSON BESITZT DAS,
WAS DIE ZWEITE PERSON VERSTECKT HAT.

Sie lehnte sich zurück und klopfte wie ein Trommler, der seinen Rhythmus sucht, mit dem Kugelschreiber auf den Tisch. Es war nicht ungewöhnlich, dass sie Gedichte und Notizen mit der Post bekam, kurze Texte unterschiedlichster Art, die verschlüsselte Botschaften enthielten. Meist handelte es sich dabei um – unerhörte – Liebesschwüre oder auch den Versuch, eine Verabredung zu forcieren. Zuweilen waren die Schreiben obszön. Das eine oder andere war eine harte Nuss – absichtlich so kompliziert zu knacken, so obskur, dass sie nicht weiter wusste. Immerhin verdiente sie damit ihren Lebensunterhalt, und so war es nur fair, wenn einer ihrer Leser den Spieß herumdrehte.

Diese spezielle Nachricht allerdings bereitete ihr Kopfzerbrechen, weil sie nicht in ihrem Postfach bei der Zeitschrift eingegangen war. Ebenso wenig über ihr berufliches E-Mail-Konto. Dieser Brief war an diesem Tag in den verblichenen, rostigen Briefkasten am Ende ihrer Auffahrt eingesteckt worden, damit sie ihn abends fand, wenn sie von der Arbeit kam. Und im Unterschied zu fast sämtlichen anderen Botschaften, die sie erhielt, fehlten Absender und Unterschrift. Das Kuvert war nicht gestempelt.

Der Gedanke, dass jemand wusste, wo sie wohnte, behagte ihr nicht.

Die meisten Menschen, die sich die Zeit mit den von ihr entworfenen kleinen Spielchen vertrieben, waren harmlos. Computerprogrammierer. Akademiker. Buchhalter. Hier und da ein Polizist, ein Anwalt oder Arzt. Viele dieser Berufsgruppen erkannte sie inzwischen daran, wie sie beim Lösen der Rätsel vorgingen, das war oft so unverwechselbar wie ein Fingerabdruck. Inzwischen konnte sie sogar einschätzen, welchen ihrer Stammkunden welche Spiele am besten lagen; manche waren versiert im Knacken von Kryptogrammen und Anagrammen, andere unschlagbar, wenn es darum ging, literarische Rätsel zu lösen, obskure Zitate zu erkennen oder auch wenig bekannte Autoren mit historischen Ereignissen zu verknüpfen. Diese Klientel löste ihre sonntäglichen Kreuzworträtsel mit Tinte.

Natürlich gab es auch andere.

Sie war stets auf der Hut vor Leuten, die ihre Paranoia in jeder versteckten Botschaft bestätigt sahen. Oder die in jedem Gedankenlabyrinth, das sie kreierte, Hass und Wut ausmachten.

Niemand ist wirklich harmlos, sagte sie sich. Heute nicht mehr.

An den Wochenenden fuhr sie mit ihrer halbautomatischen Pistole in einen Mangrovensumpf nicht weit von dem etwas heruntergekommenen, einstöckigen Drei-Zimmer-Haus aus Schlackenstein, das sie schon den größten Teil ihres Lebens mit ihrer Mutter teilte, und wurde zur geübten Schützin.

Beim Anblick der persönlich eingeworfenen Nachricht spürte sie, wie sich ihr Magen unangenehm zusammenzog. Sie öffnete die Schreibtischschublade und zog die kurzläufige Magnum, Kaliber .357, aus der Schatulle, um sie neben ihrem Monitor auf den Tisch zu legen. Sie gehörte zu dem halben Dutzend Waffen, das sie besaß, darunter auch ein geladenes, vollautomatisches Sturmgewehr, das an der Rückwand ihres Kleiderschranks am Haken hing.

»Es gefällt mir nicht«, erklärte sie laut, »dass du weißt, wer ich bin und wo ich wohne. Das verstößt gegen die Regeln.«

Als sie einsehen musste, dass sie nicht vorsichtig genug gewesen war, verzog sie das Gesicht und nahm sich vor, herauszufinden, wo die undichte Stelle war – welche Sekretärin oder Redaktionsassistentin ihre Anschrift verraten hatte – und alles zu tun, um sie zu stopfen. Die Geheimhaltung war ihr heilig; das verlangte nicht nur ihr Beruf, sondern auch ihr Leben. Sie sah sich den Wortlaut der Nachricht an. Auch wenn sie mit einiger Sicherheit sagen konnte, dass sich kein Zahlencode dahinter verbarg, stellte sie rasch ein paar Rechnungen an, verknüpfte die Buchstaben mit ihrem Stellenwert im Alphabet, addierte und subtrahierte, ging Variationen durch, um zu sehen, ob die Notiz einen Sinn ergab. Das Ganze erwies sich als fruchtlos. Egal, was sie versuchte, es kam nur Kauderwelsch heraus.

Sie fuhr den Computer hoch und schob eine Diskette mit berühmten Zitaten ein, ohne jedoch etwas auch nur annähernd Ähnliches zu finden.

Sie brauchte ein Glas Wasser und stand auf, um in die kleine Küche zu gehen. Neben dem Spülstein trocknete ein sauberes Glas. Sie füllte es mit Eis und Leitungswasser, das einen salzigen Beigeschmack hatte. Sie rümpfte die Nase und sagte sich, dass dies zu den kleinen Unannehmlichkeiten gehörte, die man in Kauf nehmen musste, um in den Upper Keys zu wohnen. Der größere Nachteil bestand darin, dass man isoliert und einsam lebte. Sie blieb im Türrahmen stehen, starrte auf das Blatt Papier am anderen Ende des Zimmers und fragte sich, wieso sie diesem kleinen Zettel erlaubte, ihr den Schlaf zu rauben. Sie hörte, wie ihre Mutter stöhnte und sich im Bett herumwälzte, und wusste schon, bevor sie rief: »Susan? Bist du da?«, dass sie aufgewacht war.

»Ja, komme schon«, antwortete sie.

Sie eilte ins Schlafzimmer ihrer Mutter. Früher war es bunt gewesen; ihre Mutter hatte gern gemalt und über die Jahre hinweg viele ihrer Bilder an den Wänden aufgehängt. Gemälde und exotische, fließende Kleider sowie Tücher, die wahllos über der Staffelei und anderen Gegenständen ausgebreitet waren – das hatte dem Zimmer Farbe gegeben. Jetzt war alles Tabletts mit Medikamenten und einem Sauerstoffgerät gewichen – in Schränke verbannt, um den Zeichen der Gebrechlichkeit zu weichen. Das Zimmer, fand Susan, roch nicht einmal mehr nach ihrer Mutter, sondern einfach nur antiseptisch. Hygienisch rein. Ein sauberer, weiß getünchter, desinfizierter Ort zum Sterben.

»Schmerzen?«, fragte die Tochter. Es war immer dieselbe Frage, und sie kannte die Antwort und wusste, dass sie nicht der Wahrheit entsprach.

Ihre Mutter setzte sich mühsam auf. »Nur ein bisschen. Nicht schlimm.«

»Willst du eine Tablette?«

»Nein, das wird schon. Ich habe gerade an deinen Bruder gedacht.«

»Soll ich ihn für dich anrufen?«

»Nein, dann macht er sich nur Sorgen. Er ist bestimmt viel zu eingespannt und braucht seine Ruhe.«

»Das glaube ich nicht. Ich denke, er würde gern mit dir reden.«

»Na ja, morgen vielleicht. Ich habe von ihm geträumt. Von dir auch, Schatz. Ich habe von meinen Kindern geträumt. Lassen wir ihn schlafen. Wieso bist du noch auf?«

»Ich habe noch gearbeitet.«

»Hast du die nächsten Rätsel entworfen? Was ist es diesmal? Zitate? Anagramme? Welche Stichworte willst du geben?«

»Nein, keins von meinen eigenen. Ich hab über etwas gebrütet, das mir jemand geschickt hat.«

»Du hast so viele Fans.«

»Die lieben nicht mich, Mutter. Es sind die Rätsel.«

»Das ist egal. Du solltest ruhig mehr Ruhm einstreichen. Du solltest dich nicht verstecken müssen.«

»Es gibt jede Menge Gründe, ein Pseudonym zu benutzen, Mutter. Das weißt du doch am besten.«

Die ältere Frau lehnte sich zurück. Sie war nicht wirklich alt, sondern nur von der Krankheit gezeichnet. Ihre Haut war erschlafft und bildete Falten an ihrem Hals, ihr Haar breitete sich zersaust über das Kissen aus. Es war immer noch kastanienbraun; ihre Tochter half ihr dabei, es einmal pro Woche zu tönen – ein Ritual, auf das sie sich beide freuten. Viel Eitelkeit war der Älteren nicht geblieben; das meiste war dem Krebs zum Opfer gefallen. Doch das Tönen ihrer Haare gab sie nicht auf, und ihre Tochter war darüber froh.

»Mir gefällt der Name, den du dir ausgesucht hast. Er ist sexy.«

Die Tochter lachte. »Bedeutend sexier als ich.«

»Mata Hari. Die Spionin.«

»Sicher, aber nicht die beste, wie du weißt. Man hat sie erwischt und erschossen.«

Ihre Mutter gluckste, und die Tochter lächelte bei dem Gedanken, dass die Krankheit sich vielleicht nicht ganz so schnell ausbreiten würde, wenn sie ihre Mutter nur öfter zum Lachen brachte.

Die Ältere wendete den Blick nach oben, als entdeckte sie an der Zimmerdecke eine Erinnerung.

»Ich kenne eine Geschichte«, erzählte sie lebhaft. »Ich habe sie einem Buch gelesen, als ich noch ziemlich jung war – Mata Hari soll sich, kurz bevor der französische Offizier dem Exekutionskommando den Schießbefehl erteilt hat, die Bluse aufgerissen haben, um ihre Brüste zu entblößen, als wollte sie den Soldaten sagen: Wagt es ja nicht, etwas so Schönes zu zerstören …«

Die Mutter schloss für einen Moment die Augen, als koste es sie Kraft, sich diese Anekdote ins Gedächtnis zu rufen; die Tochter setzte sich auf den Bettrand und nahm ihre Hand.

»Aber sie haben trotzdem geschossen. Wie traurig. Männer eben.«

Die beiden Frauen grinsten einen Moment.

»Es ist nur ein Name, Mutter. Und für jemanden, der sich Rätsel für Zeitschriften ausdenkt, passt er ziemlich gut.«

Die Mutter nickte. »Ich denke, ich nehme eine Tablette«, meinte sie. »Und morgen rufen wir deinen Bruder an. Er soll uns was über Mörder erzählen. Vielleicht kann er uns sagen, weshalb die französischen Soldaten dem Schießbefehl gehorchten. Bestimmt hat er eine Theorie. Wäre doch nett.« Sie lachte trocken.

»Ja, das wäre schön.« Die Tochter griff nach dem Tablett und öffnete ein Pillenfläschchen.

»Vielleicht doch lieber zwei«, überlegte die Mutter.

Die Tochter zögerte, dann schüttete sie sich die beiden Tabletten in die Hand. Die Mutter öffnete den Mund, und die Tochter legte ihr die Dragees auf die Zunge. Dann richtete sie ihre Mutter auf und hielt ihr den eigenen Becher Wasser an die Lippen.

»Schmeckt grässlich«, seufzte die Mutter. »Weißt du, dass wir, als ich klein war, das Wasser aus den Bergquellen der Adirondacks trinken konnten? Du stehst mit den Füßen im Bach und musst dich nur bücken, um es mit den Händen aufzufangen – das klarste, kühlste Wasser, das du dir denken kannst. Es war weich und schwer, als ob du etwas isst, wenn du es schluckst. Wunderbar rein und sehr kalt.«

»Ja, ich weiß – das hast du mir schon oft erzählt«, erwiderte die Tochter nachsichtig. »Das ist nicht mehr so. Nichts ist mehr so. Und jetzt versuch, ein bisschen zu schlafen. Du brauchst deinen Schlaf.«

»Hier ist alles so heiß. Es ist immer so heiß. Weißt du, manchmal kann ich nicht sagen, ob sich nur mein Körper so heiß anfühlt oder auch die Luft ringsum.«

Sie legte eine Pause ein, bevor sie sagte: »Nur noch ein einziges Mal, weißt du, nur noch ein Mal möchte ich dieses Wasser auf der Zunge spüren.«

Die Tochter legte den Kopf ihrer Mutter langsam auf das Kissen und wartete, bis ihre Lider schwer wurden und sich schlossen. Sie schaltete die Nachttischlampe aus und kehrte in ihr eigenes Zimmer zurück. Sie sah sich um und wünschte sich, irgendetwas zu entdecken, das nicht nur zweckmäßig und gewöhnlich war oder so herzlos wie die Pistole auf ihrem Computertisch. Irgendetwas, das verriet, wer sie war oder sein wollte.

Doch sie fand nichts. Stattdessen starrte ihr das Blatt entgegen.

DIE ERSTE PERSON BESITZT DAS,
WAS DIE ZWEITE VERSTECKT HAT.

Du bist einfach nur müde, dachte sie. Du hast hart gearbeitet, und für diese Zeit, für diese fortgeschrittene Hurrikansaison, ist es zu heiß. Viel zu heiß. Dabei wirbelten über den Atlantik immer noch mächtige Stürme, die von der Küste Afrikas ausgingen, aus dem Ozean Kräfte saugten, um in der Karibik oder – schlimmer noch – in Florida zu landen. Sie grübelte. Vielleicht wird einer über uns hinwegfegen. Spätsaison-Stürme. Tückische Stürme. Die alteingesessenen Bewohner der Keys behaupten, das wären die schlimmsten, aber eigentlich macht es keinen Unterschied. Sturm ist Sturm. Wieder starrte sie auf die Botschaft und redete sich trotzig ein: Eine anonyme Botschaft ist kein Grund zur Besorgnis, nicht einmal eine so kryptische wie diese.

Eine Weile bemühte sie sich, ihrer Lüge zu glauben, dann setzte sie sich wieder an den Schreibtisch und griff nach einem Block Papier.

»Die erste Person …«

Das könnte Adam sein. Vielleicht ist es biblisch.

Sie fing an, in größeren Zusammenhängen zu denken.

Die erste *Familie* – nun ja, das wäre der Präsident, allerdings wusste sie nicht, wie das funktionieren sollte. Dann kam ihr die berühmte Lobrede auf George Washington in den Sinn – »Erster im Krieg, erster im Frieden …« –, und sie arbeitete eine Weile in dieser Richtung weiter, was sich aber schnell als frustrierend erwies. Sie hatte keinen George in ihrem Bekanntenkreis. Auch keinen Washington.

Sie stieß einen tiefen Seufzer aus und wünschte sich, die Klimaanlage würde funktionieren. Sie rief sich ins Gedächtnis, dass sie ihr Können in Sachen Rätseln vor allem ihrer Geduld verdankte und Erfolg haben würde, wenn sie nur einfach methodisch heranging. Also tauchte sie die Finger ins Eiswasser, rieb sich die Nässe über Stirn und Hals und machte sich bewusst, dass kein Mensch ihr eine verschlüsselte Nachricht schickte, wenn er nicht wollte, dass sie die Botschaft auch entwirrte. Sonst würde er sie gar nicht erst schicken.

Es kam immer wieder vor, dass einer der regelmäßigen Leser ihrer Rätsel ihr eine Nachricht schickte, wenn auch stets an ihr

Pseudonym, ihre Büroadresse. Außerdem gaben diese ausnahmslos ihre eigene Adresse an – oft wiederum verschlüsselt –, da es diesen Leuten meistens viel mehr darum ging, ihr zu zeigen, wie brillant sie waren, als um die Chance, sie persönlich zu treffen. Über die Jahre hatte es tatsächlich ein paar Fälle gegeben, bei denen sie hatte passen müssen, doch solchen Niederlagen folgten jedes Mal Erfolge.

Sie starrte wieder auf die Worte.

Sie erinnerte sich an etwas, das sie einmal gelesen hatte, ein Sprichwort, eine Art Weisheit, die von Familiengeneration zu Familiengeneration weitergegeben wurde. *Wenn du wegrennst und du hörst Hufschläge hinter dir, dann gehe besser davon aus, dass es ein Pferd und kein Zebra ist.*

Kein Zebra.

Mach's nicht kompliziert, schärfte sie sich ein. Such nach der einfachen Antwort.

Also gut. Die erste Person. Die erste Person Singular.

Demnach *Ich*.

»Die erste Person besitzt ...«

Erste Person plus besitzanzeigendes Verb?

Ich habe ...

Sie beugte sich über ihren Block und nickte. »Wer sagt's denn«, murmelte sie leise.

»... was die zweite Person versteckt hat.«

Die zweite Person wäre dann *du*. Oder *dir ... dich*.

Sie schrieb: *Ich habe dich*. Sie nahm sich das Wort »versteckt« vor.

Einen Moment lang dachte sie, es läge an der Hitze, dass sie sich schwindelig fühlte, und sie atmete einmal tief durch, während sie nach dem Glas Wasser griff.

Das Gegenteil von verstecken wäre finden.

Sie betrachtete ihre Notiz und sagte laut:

»*Ich habe dich gefunden ...*«

Die Motte an der Scheibe ließ endlich von ihren verzweifelten Selbstmordversuchen ab und taumelte auf die Fensterbank, wo sie kurz vor ihrem Tod noch einmal zuckte.

Sie war allein. Eine nie da gewesene, plötzliche Woge der Angst brandete in die überhitzte Stille, und sie schnappte nach Luft.

EINS
PROFESSOR TOD

Seine dreizehnte Vorlesung in diesem Semester ging dem Ende entgegen, und er war nicht sicher, ob irgendjemand seinen Ausführungen folgte. Er blickte zu der Wand, in der sich früher einmal ein Fenster befunden hatte, doch heutzutage war es vernagelt und übertüncht. Er fragte sich für einen Moment, ob draußen ein klarer Himmel auf ihn wartete. Wohl eher nicht. Jenseits der grünen Wände des Hörsaals vermutete er eine grau verhangene Welt. Er wandte sich wieder seinem Kolleg zu.

»Haben Sie sich eigentlich schon einmal gefragt, wie Menschenfleisch schmeckt?«, fragte er unvermittelt.

Jeffrey Clayton, ein junger Mann, der sich betont unmodisch gab, so dass er anonym und farblos wirkte, dozierte über den eigentümlichen Hang eines bestimmten Typs von Serienkiller zum Kannibalismus, als er aus dem Augenwinkel heraus das stumme Alarmsignal unter seinem Pult rot aufblinken sah. Er unterdrückte den Anflug von Angst, der ihm in die Kehle stieg, und schaffte es, seine Ausführungen nur kurz zu unterbrechen, während er sich von der Mitte des kleinen Podests hinter sein Pult begab. Langsam glitt er auf seinen Stuhl.

»Und es ist kaum zu übersehen« – er tat, als blätterte er in seinen Notizen – »dass der Drang, das Opfer zu verschlingen, seine Vorläufer in primitiven Kulturen hat, wo der Glaube herrscht, dass man sich die Stärke oder Tapferkeit eines Feindes einverleibt, indem man zum Beispiel sein Herz isst, oder seine Intelligenz durch den Verzehr seines Hirns. Etwas auffällig Ähnliches findet man bei dem Mörder, der eine Obsession für die Eigenschaften seines Opfers entwickelt. Er sehnt sich danach, mit der Zielperson eins zu werden …«

Während er sprach, glitt seine Hand behutsam unter den Tisch. Misstrauisch ließ er den Blick über die Reihen der etwa hundert Studenten schweifen, die im schwach erleuchteten Hörsaal vor ihm unruhig auf ihren Stühlen saßen. So wie ein Kapitän allein auf hoher See den dunklen Ozean nach einer vertrauten Boje absucht, starrte er in die verschatteten Gesichter.

Doch er entdeckte nichts als den üblichen Nebelschleier: Langeweile, Geistesabwesenheit, den einen oder anderen Anflug von Interesse. Er suchte nach Hass. Nach Wut.

Wo bist du?, fragte er stumm. Wer von euch will mich töten?

Nach dem Warum fragte er nicht. Das Wieso und Warum war nach so vielen Toten nicht mehr wichtig und trat hinter der Häufigkeit und Alltäglichkeit zurück.

Das rote Licht unter seinem Pult blinkte weiter. Mit dem Zeigefinger drückte er ein halbes Dutzend Mal die Notsignaltaste. Sie würde bei der Campus-Polizei einen Alarm auslösen, die dann automatisch ein Sondereinsatzkommando schickte. Allerdings nur, wenn das System funktionstüchtig war, was er allerdings bezweifelte. In der Herrentoilette hatte am Morgen keine der Toiletten funktioniert, und er hielt es für unwahrscheinlich, dass die Universität eine komplizierte elektronische Verbindung instand halten konnte, wenn schon die sanitären Anlagen sie überforderten.

Er redete sich gut zu: Du schaffst das schon. Wäre ja nicht das erste Mal.

Er ließ weiter den Blick über den Hörsaal schweifen. Er wusste, dass der eingebaute Metalldetektor, der den Hintereingang zum Hörsaal erfasste, zu Funktionsstörungen neigte, andererseits vergaß er nicht, dass in diesem Semester ein Kollege dieselbe Warnung missachtet hatte und von zwei Schüssen in die Brust getroffen worden war. Der Mann hatte etwas von den schriftlichen Hausaufgaben für den kommenden Tag gemurmelt, während er auf dem Flur verblutete und ein geistesgestörter Studienabsolvent dem sterbenden Lehrer Obszönitäten ins Gesicht brüllte. Eine Fünf in einer Zwischenprüfung war offensichtlich der Grund für den Gewaltausbruch gewesen – eine Erklärung, die nicht mehr oder weniger plausibel erschien als irgendeine sonst.

Clayton gab, um eine solche Konfrontation zu vermeiden, grundsätzlich keine Noten, die schlechter waren als drei. Zu sterben, weil man einen Studenten im zweiten Jahr hatte durchfallen lassen – das war es nicht wert. Studenten, die er eindeutig am Rand einer mörderischen Psychose diagnostizierte, bekamen bei ihm automatisch eine Drei plus oder Zwei minus für ihre Arbeiten – ob sie nun welche einreichten oder nicht. Dem Sekretariat des Psychologischen Instituts war bekannt, dass jeder Student, dem Professor Clayton eine von diesen Noten gab, als Bedrohung einzustufen war, und so meldeten sie grundsätzlich jeden solchen Fall dem Campus-Wachdienst.

Im letzten Semester kam er auf drei, alle in seinem Einführungskurs über Verhaltensstörungen. Die Studenten hatten den Kurs in »Mordsspaß« umgetauft, was vielleicht nicht ganz die Stimmung traf, aber doch einigermaßen das Thema.

»... mit dem Opfer eins zu werden, ist letztlich Ziel und Zweck des Mordes. Dabei ist eine seltsame Mischung aus Hass und Begierde im Spiel. Oft wünschen sie sich, was sie hassen, und hassen, was sie sich wünschen. Außerdem geht es um Neugier und Faszination. Eine explosive Mischung aus widerstreitenden Gefühlen. Dies wiederum führt zu Perversion und zu Mord als Ventil ...«

Machst du das gerade durch?, fragte er die unsichtbare Quelle der Bedrohung.

Unter dem Tisch packte er mit der Hand den Griff der halbautomatischen Pistole, die er dort in einer Vorrichtung untergebracht hatte. Er legte den Zeigefinger an den Abzug und löste zugleich mit dem Daumen die Sicherung. Für einen

Moment wurde er wütend. Der Antrag auf Haushaltsmittel zur Anschaffung von kugelsicheren Westen war beim Senat nicht durchgegangen, und der Rektor, der sich auf Kürzungen berief, hatte es eben erst abgelehnt, Gelder zu bewilligen, um in Hörsälen und Übungsräumen die Überwachungskameras zu modernisieren. Allerdings sollte in diesem Herbst das Footballteam neue Trikots bekommen, und der Trainer der Basketballmannschaft durfte sich schon wieder zu einer Gehaltserhöhung beglückwünschen – nur der Lehrkörper wurde wie immer ignoriert.

Das Pult bestand aus Panzerstahl, und das Dezernat für Bau- und Haustechnik hatte ihm versichert, es sei allem gewachsen außer durchschlagkräftiger, Teflon ummantelter Munition. Natürlich wusste er so gut wie jedes andere Fakultätsmitglied, dass solche Kugeln in jedem x-beliebigen Sportgeschäft in Gehweite der Universität zu bekommen waren. Auch Sprengladungen und Dumdumgeschosse, solange man bereit war, die gepfefferten Preise im Umfeld des Campus zu zahlen.

Jeffrey Clayton war noch ein gutes Stück von der Lebensmitte, dem Schmerbauch, den wässrigen, desillusionierten Augen und dem nervösen, ängstlichen Tonfall entfernt – alles Dinge, die seine älteren Kollegen kennzeichneten. Seine Erwartungen an das Leben – von Anfang an höchst bescheiden – welkten erst seit Kurzem dahin wie eine Pflanze, die man in eine dunkle Ecke gestellt hat. Mit drahtigen Muskeln in Armen und Beinen war er immer noch flink wie ein Wiesel und seine wachen Augen – das rechte Auge litt gelegentlich unter einem nervösen Zucken – lagen hinter der altmodischen, randlosen Brille versteckt. Er hatte den Gang eines Athleten und die Körperhaltung eines Läufers – was er seit seinen Highschooltagen auch war. In der Fakultät schätzte man seinen süffisanten Humor; ein Gegengift, behauptete er, gegen sein unermüdliches Studium der Kausalzusammenhänge von Gewalt.

Ducke ich mich nach links, dachte er, habe ich die richtige

Schussstellung und bin durch das Pult abgeschirmt. Zwar wäre der Winkel falsch, um das Feuer zu erwidern, aber unmöglich wäre es nicht.

Er zwang sich zu einer stetigen, sonoren Vortragsweise. »In der Anthropologie gibt es eine Theorie, die besagt, dass mehrere primitive Kulturen nicht nur vermehrt Menschen hervorgebracht haben, die sich in der heutigen Gesellschaft wahrscheinlich zu Serienmördern entwickelt hätten, sondern dass man diese Männer sogar verehrt und ihnen eine herausragende Stellung eingeräumt habe.«

Er ließ den Blick fortgesetzt über die Zuhörer wandern. In der vierten Reihe saß rechts eine junge Frau, die sich nervös auf ihrem Platz wand. Ihre Hände zuckten auf dem Schoß. Amphetamin-Entzug?, spekulierte er. Kokainabhängige Psychose? Seine Augen schweiften weiter und blieben an einem hochgewachsenen jungen Mann genau in der Mitte hängen, der trotz des schummrigen Lichts, das die gelben Neonlampen an der Decke über den Hörsaal warfen, eine Sonnenbrille trug. Der Junge saß mit angespannten Muskeln reglos da, als hätte ihn die Paranoia wie mit Stricken an den Stuhl gefesselt. Er hatte die Hände vor sich auf dem Tisch geballt. Aber leer, wie Jeffrey Clayton augenblicklich sah. Leere Hände. Finde die Hände, die eine Waffe verstecken.

Er hörte seinem eigenen Vortrag zu, als käme seine Stimme von einem Geist, der über seinem Körper schwebte: »Es ist durchaus anzunehmen, dass etwa der Aztekenpriester, der die Aufgabe hatte, seinem Menschenopfer das Herz lebendig herauszureißen, na ja, dass er seinen Beruf genoss. Gesellschaftlich akzeptierter und geachteter Serienmord. Höchstwahrscheinlich ging der Mann jeden Morgen glücklich und zufrieden zur Arbeit – gab seiner Frau ein Küsschen auf die Wange, zauste den Kleinen die Haare, nahm seine Aktentasche, klemmte sich für die U-Bahnfahrt das *Wall Street Journal* unter den Arm und freute sich auf einen anregenden Tag am Opferaltar ...«

Er erntete verhaltenes Kichern, das er dazu nutzte, einen Ladestreifen in die Pistole einzulegen, ohne dass das metallische Klicken zu hören war.

In der Ferne läutete eine Glocke das Ende der Vorlesungsstunde ein. Die rund hundert Studenten im Hörsaal wurden unruhig und fingen an, ihre Jacken und Rucksäcke einzusammeln.

Das ist der gefährlichste Moment, dachte er.

Ans Auditorium gewandt sagte er laut: »Nächste Woche schreiben wir eine Klausur. Bis dahin sollten Sie alle die Protokolle von Charles Mansons Gefängnisverhören gelesen haben. Sie finden Kopien im Handapparat in der Bibliothek. Sie kommen auf jeden Fall in der Klausur vor ...«

Die Studenten standen auf, und er hatte unter dem Tisch die Pistole fest im Griff. Ein paar der jungen Leute wollten zu ihm nach vorne kommen, doch er winkte sie mit der freien Hand zurück.

»Die Sprechstundenzeiten hängen draußen aus. Jetzt habe ich keine Zeit ...«

Er sah, wie ein Mädchen zögerte. Neben ihr stand ein junger Mann. Die Arme eines Gewichthebers, das Gesicht von Akne entstellt, wahrscheinlich durch Stereoidmissbrauch. Der Professor fragte sich, ob dieselbe stumpfe Schere, mit der der Student die chirurgischen Eingriffe an seinem Sweatshirt vorgenommen hatte, auch für seine Frisur verantwortlich war. Normalerweise hätte er danach gefragt. Die beiden kamen nach vorne.

»Benutzen Sie den hinteren Ausgang«, wies Clayton sie laut an. Wieder wedelte er mit der Hand. Das Paar zögerte.

»Ich möchte mit Ihnen über mein Examen reden«, erklärte das Mädchen schmollend.

»Dann machen Sie einen Termin mit der Universitätssekretärin. Ich sehe Sie in meinem Büro.«

»Es dauert nicht lang«, versuchte sie, ihn zu beschwatzen.

»Nein«, erwiderte er. »Tut mir leid.« Er sah an ihr vorbei, dann wieder abwechselnd zu ihr und dem Jungen, jederzeit darauf gefasst, dass sich jemand durch das Gewühl der Studenten drängen könnte – eine Waffe in der Hand.

»Ach kommen Sie, Prof., geben Sie ihr doch 'ne Minute«, quengelte der Freund. Das aufdringliche Beharren passte ebenso gut zu ihm wie das Grinsen, das dank des Eisen-Piercings in der Oberlippe schief geriet. »Sie möchte *jetzt* mit Ihnen reden.«

»Ich bin beschäftigt«, antwortete Clayton.

Der Junge kam näher. »Ich glaube nicht, dass Sie so scheißbeschäftigt sind, dass –«

Doch seine Freundin legte ihm eine Hand auf den Arm, mehr war nicht nötig, um ihn im Zaum zu halten.

»Ich kann noch einmal wiederkommen«, lenkte sie ein. Sie schenkte Clayton ein kokettes Lächeln und entblößte dabei verfärbte Zähne. »Schon in Ordnung. Ich brauche eine gute Note, und ich kann gerne in Ihr Büro kommen.« Sie verstummte und strich sich mit der Hand durchs Haar, das auf der einen Seite ihrer Schädeldecke kurz geschoren war, während es ihr auf der anderen in üppigen Locken auf die Schulter fiel. »Unter vier Augen«, fügte sie hinzu.

Der junge Mann wirbelte herum und fragte sie, mit dem Rücken zum Professor: »Was soll das heißen?«

»Nichts«, gab sie immer noch lächelnd zurück. »Ich mach einen Termin.«

Dieses letzte Wort betonte sie verheißungsvoll, wobei sie Clayton anstrahlte und dabei vielsagend die Brauen hochzog. Dann schnappte sie sich ihren Rucksack und machte kehrt. Der Gewichtheber knurrte nur kurz in seine Richtung, dann folgte er eilig der jungen Frau. Clayton hörte verebbend ein Drängen: »Was zum Teufel sollte der Scheiß?«, während das Paar die Treppe zum hinteren Teil des Hörsaals hochstieg, bevor es dort im Dunkeln verschwand.

Mehr Licht, dachte er. In den hinteren Reihen gehen ständig die Glühbirnen kaputt, ohne ersetzt zu werden. Dabei sollte jeder Winkel ausgeleuchtet sein. Er spähte in den Schatten in der Nähe des Ausgangs und fragte sich, ob dort jemand versteckt war. Er ließ den Blick über die nunmehr leeren Stuhlreihen schweifen und versuchte, auszumachen, ob dort jemand im Hinterhalt lag.

Der stumme Alarm blinkte immer noch rot. Er hätte gern gewusst, wo das SWAT-Team blieb, bevor ihm klar wurde, dass es nicht kommen würde.

Er hämmerte sich ein: Ich bin allein.

Und merkte im nächsten Moment, dass das so nicht stimmte.

Die Gestalt räkelte sich lässig auf einem Stuhl ganz weit hinten am Rand der Dunkelheit und wartete. Er konnte die Augen nicht erkennen, doch er sah, dass der Mann, obwohl er sich klein zu machen schien, groß und kräftig war.

Clayton hob die Pistole und richtete sie auf die Gestalt. »Ich bringe Sie um«, drohte er in strengem, ausdruckslosem Ton.

Zur Antwort kam ein Lachen aus dem Schatten.

»Ich werde nicht zögern, Sie zu töten.«

Das Lachen verebbte, und eine Stimme sagte: »Professor Clayton, Sie erstaunen mich. Begrüßen Sie Ihre Studenten immer mit der Waffe in der Hand?«

»Wenn ich mich gezwungen sehe«, erwiderte Clayton.

Die Gestalt erhob sich von ihrem Sitz, und Clayton sah, dass die Stimme zu einem großen, nicht mehr ganz jungen Herrn in einem schlecht sitzenden Anzug mit Weste gehörte. Er hielt eine kleine Mappe in der Hand, die Clayton bemerkte, als der Mann in einer freundlichen Geste die Arme ausbreitete.

»Ich bin kein Student …«

»Offensichtlich.«

»… auch wenn ich die Sache über das Einswerden mit dem Opfer genossen habe. Stimmt das, Professor? Können Sie das belegen? Ich wäre neugierig, die Studien zu sehen, die eine solche Behauptung untermauern. Oder war das aus dem Bauch heraus?«

»Intuition«, erklärte Clayton, »gepaart mit Erfahrung. Es gibt keine aussagekräftigen klinischen Studien. Hat es noch nie gegeben, und ich bezweifle, dass es je welche geben wird.«

Der Mann lächelte. »Zweifellos haben Sie Ross und seine bahnbrechende Arbeit über Chromosomendefekte gelesen? Und wie sieht es mit Finch und Alexander und der Michigan-Studie über das genetische Profil von zwanghaften Mördern aus?«

»Sind mir vertraut«, erwiderte Clayton.

»Natürlich. Sie waren Ross' Forschungsassistent. Der erste, den er eingestellt hat, nachdem die Fördermittel bewilligt worden waren. Und mir ist zu Ohren gekommen, dass die andere Studie eigentlich komplett von Ihnen stammt. Unter deren Namen veröffentlicht, aber Ihre Arbeit, richtig? Bevor Sie Ihren Doktor gemacht haben.«

»Sie sind gut informiert.«

Der Mann kam langsam die Hörsaaltreppe herunter. Clayton zielte und hielt die Pistole mit beiden Händen. Er bemerkte, dass der Mann älter war als er selbst, wahrscheinlich Mitte bis Ende fünfzig, mit grau meliertem Haar, das er sehr kurz geschnitten trug. Trotz seines wuchtigen Körpers wirkte er agil, fast leichtfüßig. Clayton taxierte ihn, so wie er es mit einem Sportkonkurrenten tun würde: kein Langstreckenmann, aber ein ernst zu nehmender Sprinter, der gefährlich beschleunigen konnte.

»Langsamer bitte«, sagte Clayton. »Und halten Sie Ihre Hände so, dass ich sie sehen kann.«

»Ich versichere Ihnen, Professor, ich bin keine Bedrohung.«

»Da habe ich meine Zweifel. Sie haben beim Betreten des Hörsaals den Metalldetektor ausgelöst.«

»Ehrlich, Professor, ich bin nicht das Problem.«

»Auch das wage ich zu bezweifeln«, erwiderte Jeffrey Clayton in scharfem Ton. »Es gibt alle möglichen Bedrohungen und alle möglichen Probleme in dieser Welt, und ich habe das Gefühl,

Sie verkörpern ein paar davon. Öffnen Sie Ihr Jackett. Ohne hektische Bewegungen, wenn ich bitten darf.«

Der Mann war auf etwa fünf Meter herangekommen und blieb stehen. »Seit meinem Studium hat sich an der Uni einiges geändert«, meinte er.

»Was Sie nicht sagen. Zeigen Sie mir Ihre Waffe.«

Der Mann enthüllte ein Schulterhalfter mit einer ähnlichen Pistole, wie sie Clayton in der Hand hielt. »Darf ich Ihnen meinen Ausweis zeigen?«, fragte er.

»Gleich. Es gibt sicher noch eine Ersatzwaffe, nicht wahr? Am Fußgelenk vielleicht? Oder hinten in Ihrem Gürtel? Wo ist sie?«

Wieder lächelte der Mann. »Hinten im Gürtel.« Er hob langsam die Anzugjacke und drehte sich um, so dass eine zweite, kleinere Automatik in einem Halfter am unteren Rücken zum Vorschein kam. »Zufrieden?«, wollte er wissen. »Wirklich, Professor, ich bin in einer offiziellen Angelegenheit hier …«

»Offizielle Angelegenheit ist ein wunderbarer Euphemismus, der für alle möglichen gefährlichen Aktivitäten stehen kann. Und jetzt ziehen Sie langsam die Hosenbeine hoch.«

Der Mann seufzte. »Kommen Sie schon, Professor, erlauben Sie mir, mich auszuweisen.«

Clayton ruckte nur kurz mit dem Lauf seiner Pistole. Der Mann zuckte die Achseln und hob zuerst den Hosenaufschlag am linken, dann am rechten Bein. Am rechten kam ein drittes Halfter ans Licht, in dem ein Wurfmesser steckte.

»In meinem Fachgebiet kann man nicht vorsichtig genug sein.«

»Und um welches handelt es sich?«

»Nun, Professor, ich beschäftige mich mit demselben Thema wie Sie.«

Er legte eine Pause ein, so dass sich noch einmal ein Grinsen über seine Züge schieben konnte wie eine Wolke über den Mond.

»Mit dem Tod.«

Jeffrey Clayton deutete mit der Pistole auf einen Stuhl in der ersten Reihe. »Jetzt sehe ich mir gerne diesen Dienstausweis an«, sagte er.

Der Besucher steckte vorsichtig die Hand in die Jackentasche und zog ein Kunstledermäppchen heraus, das er dem Professor entgegenhielt.

»Werfen Sie es einfach hier hin, setzen Sie sich und verschränken Sie die Hände hinter dem Kopf.«

Zum ersten Mal flackerte Verärgerung in den Augen des Mannes auf, doch ebenso schnell gelang es ihm, seine Gefühle unter demselben, gelassen spöttischen Lächeln zu verbergen. »Finden Sie das nicht ein wenig überzogen, Professor Clayton? Aber wenn es der Wahrheitsfindung dient ...« Der Mann ließ sich auf dem gewünschten Platz in der vordersten Reihe nieder, und Clayton beugte sich vor, um die Dienstmarke entgegenzunehmen, zielte dabei aber mit der Waffe weiter auf die Brust des Fremden.

»Überzogen?«, gab er zurück. »Verstehe. Ein Mann, der kein Student ist, dafür aber mindestens drei Waffen trägt, betritt meinen Hörsaal durch den Hintereingang, ohne einen Termin zu haben, ohne sich vorzustellen; er scheint die eine oder andere Kleinigkeit über mich zu wissen, versichert mir augenblicklich, er sei keine Bedrohung, und legt mir nahe, keine Vorsicht walten zu lassen? Haben Sie eigentlich die leiseste Ahnung, wie viele meiner Kollegen in diesem Semester angegriffen wurden? Wie viele Schusswechsel es gegeben hat, in die Studenten verwickelt waren? Und wissen Sie, dass wir der Amerikanischen Bürgerrechtsunion eine einstweilige Verfügung verdanken, in deren Konsequenz wir die psychologische Unbedenklichkeitsprüfung bei der Immatrikulation neuer Studenten einstellen mussten? Angeblich ein Eingriff in die Privatsphäre und so. Reizend, nicht wahr? Jetzt können wir die Verrückten nicht mehr aussieben, bevor sie bewaffnet bei uns auf der Matte stehen.« Zum ersten Mal lächelte Clayton. »Vorsicht«, erklärte er, »ist ein unverzichtbarer Bestandteil des Lebens.«

Der Mann im Anzug nickte. »Da, wo ich arbeite, haben wir keine Probleme damit.«

Immer noch mit einem Lächeln antwortete der Professor: »Ich schätze, das ist gelogen. Sonst wären Sie nicht hier.«

Clayton klappte den Ausweis auf und sah einen goldgeprägten Adler über den Worten: ABTEILUNG STAATSSICHERHEIT. Der Adler wie die Aufschrift prangten über der unverwechselbaren, fast quadratischen Form des neuen Westlichen Territoriums. Darunter stand deutlich in roten Ziffern eine Einundfünfzig. Auf der anderen Seite fand sich der Name des Mannes, Robert Martin, mit Unterschrift sowie seinem Dienstgrad: Special Agent.

Dies war das erste Mal, dass Clayton ein Dokument des geplanten Einundfünfzigsten Bundesstaates zu sehen bekam. Er starrte eine Weile darauf, bevor er langsam sagte: »Mr. Martin, oder sollte ich Agent Martin sagen, falls das Ihr richtiger Name ist, Sie sind also bei der SS?«

Das Gesicht des Mannes verdüsterte sich. »Wir ziehen State Security, Staatssicherheit, vor, so viel Zeit muss sein. Die Abkürzung schätzen wir bekanntlich nicht, da sie hässliche historische Assoziationen weckt. Ich persönlich sehe das nicht so eng, aber andere sind da, sagen wir, sensibler. Im Übrigen ist der Ausweis ebenso wie der Name echt. Falls Sie es wünschen, können wir ein Telefon suchen, und ich gebe Ihnen eine Nummer, die Sie gerne anrufen können, um sich davon zu überzeugen. Wenn Ihnen dann wohler ist.«

»Ich wüsste nicht, wie ich mich mit irgendetwas, das den ›Einundfünfzigsten Bundesstaat‹ betrifft, wohlfühlen sollte. Wenn ich könnte, würde ich dagegen stimmen, das er eingeführt wird.«

»Glücklicherweise zählen Sie mit dieser Meinung zu einer klaren Minderheit. Und waren Sie überhaupt schon mal da, Professor? Haben Sie schon mal dieses Maß an Schutz und Sicherheit erlebt, das wir dort genießen? Nicht wenige sind der

Überzeugung, dass er für das wahre Amerika steht. Ein Amerika, das in dieser modernen Welt verloren gegangen ist.«

»Und nicht wenige glauben, dass Sie alle verkappte Faschisten sind.«

Wieder grinste der Agent, und dieses selbstzufriedene Lächeln verbannte den Anflug von Ärger aus seinem Gesicht.

»Fällt Ihnen nichts Besseres als dieses abgegriffene Klischee ein?«, gab Agent Martin zurück.

Clayton antwortete nicht gleich. Er warf dem Agenten die Dienstmarke wieder zu. Ihm fiel das von Brandwunden vernarbte Hautgewebe an der Hand des Mannes ins Auge und die überaus kräftigen Finger. Er schätzte, dass die Faust des Agent für sich allein schon eine schlagkräftige Waffe war, und fragte sich, ob er auch an anderen Körperteilen Narben trug. In dem schwachen Licht konnte er gerade noch eine rötliche Stelle an Martins Hals ausmachen, und er wurde neugierig auf die Geschichte, die sie erzählte; was auch immer passiert sein mochte, es hatte höchstwahrscheinlich eine beträchtliche Wut zurückgelassen, die im Kopf des Agenten widerhallte. Das gehörte in der Psychologie der Verhaltensstörungen zu den elementaren Lektionen. Clayton hatte über die Kausalität von Gewalt und körperlicher Deformation ausgiebig geforscht, und deshalb nahm er sich vor, diesen Aspekt Martins im Auge zu behalten.

Der Professor ließ ganz langsam die Waffe sinken, legte sie vor sich auf den Schreibtisch und schlug mit den Fingern auf dem Metall einen kurzen Trommelwirbel. »Egal, worum Sie mich bitten wollen, ich werde es nicht tun«, erklärte er nach kurzem Zögern. »Egal, was Sie von mir wollen, ich hab es nicht und kann es nicht. Es interessiert mich nicht, weshalb Sie hergekommen sind.«

Agent Martin bückte sich und griff nach der Ledermappe, die er zu seinen Füßen abgestellt hatte. Er warf sie aufs Podium, wo sie mit einem Klatschen zu Boden fiel, das durch den ganzen Hörsaal hallte. Sie rutschte mit einem ratschenden

Geräusch bis zur Ecke von Claytons Pult. »Werfen Sie nur einen Blick darauf, Professor.«

Clayton wollte sich danach bücken, hielt jedoch inne. »Und wenn ich es nicht tue?«

Martin zuckte die Achseln, wobei jedoch dasselbe Grinsen einer Grinsekatze wie wenige Minuten zuvor seine Lippen umspielte. »Oh, das werden Sie, Professor. Das werden Sie. Es würde Ihre Willenskraft übersteigen, mir diese Tasche zurückzuschieben, ohne nachzusehen, was drin ist. Nein, das machen Sie nicht. Ihre Neugier ist längst geweckt, und sei es auch nur ein *akademisches* Interesse. Sie sitzen mir gegenüber und fragen sich, was mich wohl dazu bewogen hat, die heile Welt, in der ich lebe, zu verlassen und hier raus zu kommen, wo so ziemlich alles passieren kann?«

»Es interessiert mich nicht die Bohne, wozu Sie gekommen sind. Und ich werde Ihnen nicht helfen.«

Der Agent schwieg, und es sah nicht so aus, als dächte er über die Weigerung des Professors nach, sondern über eine andere Überzeugungsstrategie. »Sie haben mal Literatur studiert, wenn ich recht informiert bin?«

»Sie scheinen überaus gut informiert zu sein. Ja.«

»Langstreckenläufer und obskure Bücher. Sehr romantisch. Aber auch ziemlich einsam, oder?«

Clayton starrte den Agenten schweigend an.

»Professor und Einsiedler in einer Person, nicht wahr? Was mich betrifft, so hab ich schon immer mehr für Sport übrig gehabt. Ich war in der Hockeymannschaft. Ich ziehe es vor, mein Gewaltpotenzial zu kanalisieren, es in geordnete, gesellschaftlich akzeptierte Bahnen zu lenken. Wie auch immer, erinnern Sie sich an die Szene am Anfang des großen Romans von Monsieur Camus, *La Peste*? Delikater Moment im Glutofen der nordafrikanischen Stadt, als der Arzt, der für die Gesellschaft immer nur Gutes getan hat, sich auf einmal umschaut und sieht, dass Ratten aus dem Schatten taumeln, um in der sengenden Hitze und dem gleißenden Licht zu sterben. Und der Mann erkennt, nicht wahr, Professor, dass etwas Schreckliches bevorsteht. Denn es ist ein unerhörter Vorgang, dass eine Ratte zum Sterben aus der Gosse und Kloake und Dunkel herausgekrochen kommt. Erinnern Sie sich an diese Szene, Professor?«

»Ja«, erwiderte Clayton. Als Student hatte er in einem Seminar über apokalyptische Literatur Mitte des zwanzigsten Jahrhunderts für seine Argumentation in der Abschlussklausur genau dieses Bild verwendet. Er wusste augenblicklich, dass der Agent, der vor ihm saß, diese Arbeit gelesen hatte, und ihn überkam dieselbe Panik wie in dem Moment, als er das rote Licht hatte aufleuchten sehen.

»Diese Situation ist irgendwie dieselbe, nicht wahr? Sie wissen, dass etwas Schreckliches zu Ihren Füßen liegen muss, denn weshalb sonst sollte ich meine eigene persönliche Sicherheit aufgeben, um zu Ihnen in den Hörsaal zu kommen, wo eines Tages nicht einmal mehr diese halbautomatische Pistole Ihnen angemessen Schutz bieten kann?«

»Sie klingen nicht wie ein Polizist, Agent Martin.«

»Bin ich aber, Professor. Ein Polizist für unsere Zeit und unsere Verhältnisse.« Er deutete mit einer vagen Geste auf das Alarmsystem des Hörsaals. In den Ecken unter der Decke waren altmodische Videokameras installiert. »Die funktionieren nicht, oder? Sind offenbar mindestens zehn Jahre alt. Vielleicht auch älter.«

»Beides richtig.«

»Aber man lässt sie absichtlich da hängen, nicht wahr? Immerhin könnten sie bei jemandem einen Hauch von Bedenken auslösen, richtig?«

»Das ist vermutlich die Logik dahinter.«

»Ich finde das interessant«, meinte Martin. »Wer zweifelt, zögert vielleicht. Das würde Ihnen die Zeit verschaffen, die Sie brauchen, um ... ja, was? Zu fliehen? Ihre Waffe zu ziehen und sich zu verteidigen?«

Clayton spielte mehrere Reaktionen gedanklich durch, verwarf sie aber alle. Stattdessen starrte er auf die Mappe am Boden. »Ich habe den Behörden schon bei mehreren Gelegenheiten geholfen. Es war immer eine ziemlich undankbare Sache.«

Der Agent unterdrückte ein leises Lachen. »Für Sie vielleicht. Die Polizei ihrerseits war Ihnen überaus dankbar. Sie werden wärmstens empfohlen. Sagen Sie, Professor, ist die Wunde an Ihrem Bein gut verheilt?«

Clayton nickte. »Das wissen Sie zweifellos selbst«, erwiderte er.

»Der Mann, der Sie Ihnen beigebracht hat – was ist aus dem geworden?«

»Ich vermute, die Antwort kennen Sie genauso gut wie ich.«

»Ja, in der Tat. Er sitzt im Todestrakt in Texas, nicht wahr?«

»Ja.«

»Alle Berufungsverfahren ausgeschöpft, richtig?«

»Ich denke ja.«

»Dann sollte er jeden Moment die Todesspritze bekommen, meinen Sie nicht?«

»Nein, das meine ich nicht.«

»Werden Sie eingeladen, Professor? Ich finde, bei der Soiree müssten Sie als Ehrengast zugegen sein. Ohne Ihre Arbeit hätte man ihn nicht geschnappt, ist doch so, oder? Wie viele Menschen hat er noch gleich umgebracht? Waren es sechzehn?«

»Nein, siebzehn. Prostituierte in Galveston. Und einen Polizisten.«

»Ah, richtig. Siebzehn. Sie hätten leicht der achtzehnte sein können, wären Sie nicht so fix gewesen. Mit einem Messer, oder?«

»Ja, er hat ein Messer benutzt. Viele verschiedene Messer. Zuerst ein großes italienisches Schnappmesser mit einer fünfzehn Zentimeter langen Klinge. Dann hat er zu einem Jagdmesser gewechselt, mit einer gezackten Schneide, gefolgt von einem Skalpell, und zuletzt wählte er ein altmodisches Rasiermesser.

In ein, zwei Fällen hat er ein gewetztes Buttermesser verwendet, und das alles hat der Polizei reichlich Kopfzerbrechen bereitet. Aber ich glaube nicht, dass ich dieser Exekution beiwohnen will, nein.«

Der Agent nickte, als verstünde er etwas, das zwischen den Zeilen mitschwang. »Ich kenne Ihre sämtlichen Fälle, Professor«, sagte er kryptisch. »Viele waren es ja nicht, wie? Und jedes Mal haben Sie sich geziert. Das steht auch in Ihrer Akte beim FBI. Professor Clayton stellt sein Fachwissen nur ungern zur Verfügung, egal, wo das Problem liegt. Ich frage mich, was Sie ab und an dazu bewegt, diese ach so eleganten heiligen Hallen der ehrwürdigen Alma Mater zu verlassen, um in den Niederungen der realen Gesellschaft auszuhelfen? Wenn Sie sich tatsächlich einmal hergeben, ist es dann das Geld? Nein. Aus materiellen Dingen scheinen Sie sich nicht viel zu machen. Ruhm? Offenbar nicht. Dem gehen Sie offenbar aus dem Weg, untypisch für Ihren Berufsstand. Faszination? Vielleicht. Das leuchtet durchaus ein – na ja, und wenn Sie sich einmal herab bequemen, dann scheinen Sie einzigartig erfolgreich zu sein.«

»Ich habe ein-, zweimal Glück gehabt. Das ist alles. Meistens ist es nichts weiter als eine Mischung aus Sachkenntnis und Spekulation. Das wissen Sie.«

Der Agent holte tief Luft und senkte die Stimme. »Sie stellen Ihr Licht unter den Scheffel, Professor. Ich weiß alles über diese erfolgreichen Fälle. Und ich vermute, dass Sie wahrscheinlich besser sind als das andere halbe Dutzend Akademiker und Spezialisten, auf die sich die Behörden manchmal stützen. Ich weiß von dem Mann in Texas, und wie er Ihnen in die Falle getappt ist, und von der Frau in Georgia, die in dem Altenheim gearbeitet hat. Ich weiß von den beiden Teenagern in Minnesota mit ihrem kleinen Mordclub und dem kleinen Streuner unten in Springfield, einen Steinwurf von hier. Miese kleine Stadt, aber was der Kerl dort gemacht hat, wirklich, das hatten die nicht verdient. Fünfzig, oder? Zu so vielen Geständnissen haben Sie ihn jedenfalls gebracht. Aber es waren mehr, oder, Professor?«

»Ja, es waren mehr. Bei fünfzig haben wir aufgehört zu zählen.«

»Kleine Jungs, nicht wahr? Fünfzig kleine, verwahrloste Bengel, die in der Umgebung des Jugendzentrums herumlungerten – die auf der Straße lebten und dann starben. Wer interessierte sich schon für die?«

»Sie haben recht«, stimmte Clayton ausdruckslos zu. »Niemand hat sich für sie interessiert. Weder vor ihrer Ermordung noch danach.«

»Ich weiß über den Mann Bescheid. Ehemaliger Sozialarbeiter, richtig?«

»Wieso fragen Sie, wenn Sie es wissen?«

»Eigentlich interessiert sich niemand dafür, wieso jemand ein Verbrechen begeht, oder, Professor? Das Einzige, was zählt, ist, wer und wie.«

»Seit man den Zusatzartikel zur Unentschuldbarkeit in die Verfassung aufgenommen hat – ja, da liegen Sie richtig. Aber als Polizist sollten Sie das alles ebenfalls wissen.«

»Und Sie sind der Professor mit dem antiquierten Interesse an der emotionalen Befindlichkeit von Kriminellen. Der veralteten, aber zuweilen auch notwendigen Psychologie des Verbrechens.«

Martin holte tief Luft.

»Der profilierteste Profiler«, sagte er. »Sollte ich Sie nicht so nennen?«

»Ich werde Ihnen nicht helfen«, beharrte Clayton.

»Der Mann, der mir die Frage nach dem Warum beantworten kann, stimmt's, Professor?«

»Diesmal nicht.«

Der Agent lächelte wieder. »Ich weiß von jeder Narbe, die diese Fälle Ihnen beigebracht haben.«

»Das wage ich zu bezweifeln«, entgegnete Clayton.

»Doch, bestimmt.«

Clayton wies mit dem Kinn auf die Mappe. »Und das da?«

»Das da ist was Besonderes, Professor.«

Jeffrey Clayton stieß ein kurzes, sarkastisches Lachen aus, das durch den leeren Hörsaal hallte. »Was Besonderes! Jedes Mal, wenn jemand an mich herangetreten ist – und es ist immer wieder das Gleiche, wissen Sie! –, kam ein Mann in einem nicht eben teuren blauen oder braunen Anzug, mit einer Lederaktentasche und einem Verbrechen, das eine einmalige Expertise erforderte – jedes Mal sagt Ihr alle genau das Gleiche. Ob der Anzug nun vom FBI oder dem Secret Service oder der örtlichen Polizei in einer Großstadt stammt oder meinetwegen auch aus irgendeinem entlegenen Revier, etwas Besonderes ist es allemal. Soll ich Ihnen was sagen, Agent Martin von der SS? Sie sind nichts Besonderes. Kein bisschen. Die Fälle sind einfach nur schrecklich, weiter nichts. Sie sind hässlich und abscheulich – sie haben immer mit dem Tod in seiner ekelhaftesten, widerwärtigsten Form zu tun. Geschundene und zerstückelte Menschen, vielleicht auch in immer wieder neuen, einfallsreichen Variationen ausgeweidet und zu Hackfleisch verarbeitet. Aber soll ich Ihnen sagen, was sie nicht sind? Etwas Besonderes. Nein, das sind sie nicht. Sie gleichen sich alle. Immer wieder dieselbe Geschichte, ein bisschen anders verpackt. Besonders? Nein. Kein bisschen. Eher gewöhnlich. Serienmord ist in unserer Gesellschaft so alltäglich wie eine schlichte Erkältung. So vertraut wie der tägliche Sonnenauf- und -untergang. Es ist eine Ablenkung. Ein Zeitvertreib. Eine Unterhaltung. Verdammt, wir sollten knappe Spielberichte im Sportteil der Tageszeitung einführen, direkt neben den Ranglisten. Kurz und gut, dieses Mal werde ich, egal, wie ratlos und verwirrt Sie sein mögen, egal, wie sehr Sie die Sache frustriert, einfach passen.«

Der Agent stellte beide Beine auf den Boden. »Nein«, entgegnete er ruhig. »Nein, ich glaube nicht.«

Clayton beobachtete, wie Agent Martin sich langsam erhob. Zum ersten Mal sah er in die Augen des Mannes, die sich verengten und ihn mit einer schneidenden Härte, einer schmerzenden Intensität fixierten – wie ein Scharfschütze seine Zielperson in den Blick nimmt, in der Millionstel Sekunde, bevor er abdrückt. Martins Stimme hatte einen harten, klirrenden Ton angenommen, und er betonte jede Silbe einzeln:

»Behalten Sie die Aktentasche. Überprüfen Sie den Inhalt. Sie finden die Nummer eines hiesigen Hotels, unter der Sie mich erreichen können. Ich erwarte Ihren Anruf heute Abend.«

»Und wenn ich beim Nein bleibe? Wenn ich nicht anrufe?«

Der Agent starrte ihn weiter an. Er holte tief Luft, bevor er sagte: »Jeffrey Clayton. Professor für Psychologie des Abnormen, Universität Massachusetts. Berufung kurz nach der Jahrtausendwende. Lehrstuhl drei Jahre später durch Mehrheitsbeschluss. Keine Frau. Keine Kinder. Hin und wieder eine Freundin, die sich wünscht, Sie würden sich endlich entscheiden und eine Familie gründen, aber Sie denken gar nicht daran, was? Nicht, weil Sie schwul wären, sondern aus einem anderen Grund, stimmt's? Vielleicht kommen wir bei Gelegenheit darauf zu sprechen. Was noch? Ach so, ja. Sie lieben Fahrradtouren in den Bergen und spielen manchmal in der Sporthalle bei einem Basketballmatch mit, außerdem joggen Sie jeden Tag Ihre sieben, acht Meilen. Bescheidene Ausbeute an akademischen Schriften. Sie sind Autor einer Reihe bemerkenswerter Studien zu gemeingefährlichem Verhalten, die relativ unbekannt geblieben sind, dafür aber haben Sie quer durchs Land bei Strafverfolgungsbehörden von sich Reden machen, weil die nämlich Ihre profunden Kenntnisse bedeutend besser zu würdigen wissen als Ihre Kollegen an der Hochschule. Gelegentliche Vorträge in der Abteilung für Verhaltensforschung beim FBI in Quantico, bevor die dichtgemacht haben. Die verfluchten Kürzungen. Gastdozent im John Jay College für Strafrechtspflege in New York ...«

Der Agent legte eine Atempause ein.

»Sie kennen demnach meinen Lebenslauf«, unterbrach ihn Clayton.

»In- und auswendig«, erwiderte der Agent schroff.

»Den hätten Sie auch von der PR-Abteilung der Universität bekommen können.«

Agent Martin nickte. »Eine Schwester, die in Islamorada, Florida, lebt, hat nie geheiratet, oder? Genau wie Sie. Ist das nicht eine verblüffende Übereinstimmung? Sie kümmert sich um Ihre Mutter. Pflegebedürftige Frau. Und sie arbeitet da unten bei einer Zeitschrift. Schreibt Rätsel. Einmal die Woche. Interessanter Job, muss ich sagen. Hat sie dasselbe Alkoholproblem wie Sie, oder ist es bei ihr eine andere Abhängigkeit?«

Clayton saß kerzengerade. »Ich habe kein Alkoholproblem, genauso wenig wie meine Schwester.«

»Nicht? Gut. Freut mich zu hören. Frage mich nur, wie dieses kleine Detail bei meinen Recherchen auftauchen konnte ...«

»Ich habe keine Ahnung.«

»Nein, vermutlich nicht.«

Der Polizist lachte wieder.

»Ich weiß alles über Sie«, erklärte er. »Und auch eine Menge über Ihre Familie. Sie sind ein Mann, der einiges vorzuweisen hat. Ein Mann, der in Sachen Mord berühmt-berüchtigt ist.«

»Was wollen Sie damit sagen?«

»Ich meine, Sie wurden erfolgreich zu einer Reihe von Fällen hinzugezogen, aber Sie zeigen kein Interesse daran, aus diesen Erfolgen Profit zu schlagen. Sie haben mit den Spitzenleuten auf diesem Gebiet zusammengearbeitet, scheinen aber mit Ihrer Anonymität ganz zufrieden zu sein.«

»Das«, entgegnete Clayton schroff, »ist meine Sache.«

»Vielleicht, vielleicht auch nicht. Haben Sie gewusst, dass Ihre Studenten Sie hinter Ihrem Rücken Professor Tod nennen?«

»Ja, ist mir zu Ohren gekommen.«

»Und, Professor Tod, wieso ziehen Sie es vor, sich weitgehend im Verborgenen hier an einer großen, schlecht ausgestatteten, teilweise altersschwachen staatlichen Uni abzurackern?«

»Auch das ist meine Angelegenheit. Mir gefällt es hier.«

»Aber jetzt ist es auch meine Angelegenheit, Professor.«

Clayton sagte nichts. Er strich mit den Fingern über den Stahl der Pistole auf dem Schreibtisch vor ihm.

Der Agent fuhr in unfreundlichem, fast heiserem Ton fort: »Sie werden die Aktentasche nehmen, Professor. Sie werden nachsehen, was drin ist. Dann werden Sie mich anrufen und mir helfen, mein Problem zu lösen.«

»Sind Sie da so sicher?«, fragte Clayton in einem Ton, der trotziger als beabsichtigt ausfiel.

»Ja«, erwiderte Agent Martin, »ja, ich bin mir sicher. Denn, Professor, ich kenne nicht nur Ihren Lebenslauf, diesen ganzen Quatsch für das *Who is Who* und all das, was die PR-Seiten Ihrer Uni füllt, sondern ich weiß noch etwas anderes, etwas Wichtigeres, etwas, das all diese anderen Behörden, Universitäten, Zeitungen, Studenten, Kollegen und weiß Gott wer noch alles eben nicht wissen. Ich habe sozusagen selbst noch mal die Unibank gedrückt, Professor. Fachbereich Töten. Und zufällig habe ich auch bei Ihnen studiert. Habe dabei ein paar interessante Entdeckungen gemacht.«

Clayton konnte nur mit Mühe das Zittern in seiner Stimme verbergen. »Was sollte das wohl sein?«, fragte er.

Agent Martin lächelte. »Sehen Sie, Professor, ich weiß, wer Sie wirklich sind.«

Clayton sagte nichts. Eine Eiseskälte durchfuhr seinen Körper.

Der Agent ging in Flüsterton über. »Hopewell, New Jersey. Wo Sie die ersten neun Jahre Ihres Lebens verbracht haben ... bis Sie eines Nachts im Oktober, vor einem Vierteljahrhundert, weggegangen und nie zurückgekehrt sind. Da hat es alles angefangen, richtig, Professor?«

»Alles was?«, schoss Clayton zurück.

Der Agent nickte bedächtig, wie ein Kind auf dem Spielplatz, das mit einem Geheimnis prahlt.

Agent Martin schwieg und beobachtete, welche Wirkung seine Worte in Claytons Mimik auslösten, als rechnete er sowieso mit keiner Antwort auf seine Frage. Er ließ das Schweigen, das sich wie früher Morgennebel im Herbst über den leeren Raum zwischen ihnen legte, langsam sinken.

Dann nickte er erneut. »Ich freue mich auf Ihren Anruf heute Abend, Professor. Es gibt jede Menge Arbeit und wenig Zeit. Am besten fangen wir ganz schnell an.«

»Wollen Sie mir mit irgendetwas drohen, Agent Martin? Falls ja, drücken Sie sich lieber etwas deutlicher aus, denn ich habe nicht die leiseste Ahnung, was das soll.« Clayton sprach hastig, viel zu hastig, um zu überzeugen, was ihm in dem Moment klar wurde, als ihm die Worte herausgeplatzt waren.

Der Agent schüttelte sich ein wenig wie ein Hund, der aus einem Nickerchen erwacht. »Oh doch«, erwiderte er gleichmütig, »oh doch, ich glaube, das wissen Sie genau.« Er zögerte nur für Sekunden. »Sie dachten, Sie könnten sich verstecken, nicht wahr?«

Clayton sagte nichts.

»Sie dachten, Sie könnten sich für immer verbergen?«

Der Agent deutete mit einer letzten Geste auf die Aktentasche, die neben dem Pult lag, dann machte er kehrt und stieg, ohne sich noch einmal umzusehen, forsch und energisch die Treppe hoch. Die Dunkelheit am hinteren Ende des Hörsaals schien ihn zu verschlucken. Als sich die Tür zu dem hell erleuchteten Korridor öffnete, trat noch einmal der breite Rücken des Polizisten in einer scharfen Silhouette hervor. Dann fiel die Tür mit einem dumpfen Schlag zu, und der Professor war endlich allein auf dem Podium.

Jeffrey Clayton saß, wie an seinen Stuhl geschweißt, reglos da.

Dann sah er sich einen Moment lang hektisch in alle Richtungen um und schnappte nach Luft. Er konnte es nicht ertragen, dass der Hörsaal keine Fenster hatte. Es war, als wäre die Luft im Raum zu dünn geworden. Aus dem Augenwinkel heraus sah er die rote Alarmleuchte unbeachtet weiterblinken.

Er legte die Hand an die Stirn und begriff. Alles aus. Mein Leben ist vorbei.

ZWEI
EIN PROBLEM, DAS SICH NICHT VON SELBST LÖST

Er lief langsam über den Campus und hatte keinen Blick für die Studententrauben, die sich auf den Pfaden drängten, während ihn frostige Gedanken und schwarze Panik aus fremdartigen Schichten seines Bewusstseins verstörten.

Hinter dem kühlen Herbstnachmittag lauerte schon der Abend, und zwischen den nackten Zweigen der letzten Eichen, die über das Universitätsgelände verstreut waren, schlich sich bereits die Dunkelheit. Durch Jeffrey Claytons Wollmantel drang eine kurze, kalte Böe, und er zitterte. Er hob für einen Moment den Kopf und blickte nach Westen, wo der schmale Strich eines purpurroten Horizonts die fernen Hügel in Falten legte. Der Himmel selbst schien zu einem Dutzend verschiedener Schattierungen eines schwachen Grau zu verschwimmen, die alle mit Nachdruck erklärten, dass der Winter nahte. Wenn die glühenden Farben des Herbstes längst verblasst waren und der erste Schnee nicht mehr lange auf sich warten ließ – das war in seinen Augen die schlimmste Jahreszeit in New England. Wie ein lebensmüder alter Mann zog sich die Welt in ihr Schneckenhaus zurück. Die uralten, brüchigen Knochen, die bei jedem Schritt knirschten, taugten nur noch, um sich von einem Tag zum nächsten zu schleppen, während sich bereits der erste Frost des Todes meldete.

Etwa fünfzig Meter entfernt, vor der Kennedy Hall, einem der vielen trostlosen Zementgebäude, denen die alten efeubewachsenen Klinkerbauten gewichen waren, kam es zu einem

Handgemenge, und wütende Stimmen wehten mit der kalten Brise herüber. Jeffrey kauerte sich hinter einen Baumstamm. Nicht sinnvoll, sich von einer verirrten Kugel erwischen zu lassen. Er horchte, konnte jedoch nicht herausfinden, worum sich die Auseinandersetzung drehte; er hörte nur einen Schwall von Obszönitäten, die wie tote Blätter in einem Sturm hin und her gewedelt wurden.

Er sah, wie zwei Campus-Polizisten auf den Kampf zueilten. Sie trugen Schutzkleidung am ganzen Körper, und ihre schweren, stahlverstärkten Stiefel klangen auf den geteerten Wegen wie Hufe. Hinter den undurchsichtigen Schutzvisieren ihrer Helme konnte er ihre Augen nicht sehen. Aus einer anderen Richtung näherten sich zwei weitere Beamte. Im Laufschritt lösten sie die Bewegungsmelder der Straßenlaternen aus, in deren gelbem Licht ihre gezückten Waffen glitzerten. Die Campus-Polizei patrouillierte grundsätzlich nur noch paarweise, seit im vergangenen Jahr Mitglieder einer Studentenverbindung einen Mann in ihre Gewalt gebracht hatten, der allein und undercover an einem Drogenfall gearbeitet hatte. Sie hatten ihn in einen Keller geschleppt, nackt ausgezogen und sich an seinem bewusstlosen Körper in erniedrigender Weise vergangen, um ihn schließlich in Brand zu stecken. Zu viel Alkohol, zu viele Drogen, ein wenig Kerosin und das völlige Fehlen eines Gewissens.

Der Mann starb, und das Haus der Studentenverbindung brannte nieder. Obwohl auf dem Campus fast jeder wusste, wer die Tat begangen hatte, kamen die drei verantwortlichen Studenten nie vor Gericht, da das meiste Beweismaterial in den Flammen aufgegangen war. Inzwischen war nur noch einer von ihnen am Leben. Einer war noch vor dem Abschlussexamen in einem der vielstöckigen Studentenwohnheime bei einem mysteriösen Vorfall zu Tode gekommen. Er war einundzwanzig Stockwerke tief einen Fahrstuhlschacht hinuntergestürzt. Der zweite hatte eine Nacht im August auf Cape Cod nicht überlebt, als er mit seinem Sportwagen in einem Preiselbeersumpf gelandet und ertrunken war.

Wie Jeffrey erfahren hatte, war wohl ein zweites Fahrzeug im Spiel gewesen, das sich mit dem Sportcoupé eine rasante Verfolgungsjagd geliefert hatte. Die zuständige Dienststelle der Staatspolizei hatte dagegen offiziell erklärt, es habe sich um den Unfall eines einzigen Wagens gehandelt. Natürlich gehörte der Wachdienst auf dem Campus zur Staatspolizei.

Der dritte Student, so hatte er gehört, war zu seinem letzten Jahr an die Uni zurückgekehrt; er verließ sein Zimmer nicht mehr und war dabei, langsam, aber sicher den Verstand zu verlieren oder auch zu verhungern, während er sich im Wohnheim verschanzte.

Inzwischen hatten sich die vier Polizisten in die Menge gedrängt. Einer schwang in großem Bogen einen Schlagstock aus Grafit. Links von ihm klirrte splitterndes Glas, dann folgte ein kreischender Schmerzensschrei. Als Jeffrey hinter dem Baum hervortrat, hatte sich die Menge bereits zerstreut, einige der Studenten liefen eilig davon. Die vier Polizisten standen breitbeinig über zwei jungen Männern, die in Handschellen zu Boden gedrückt wurden. Einer der Jugendlichen bäumte sich auf und spuckte auf die Cops, was ihm einen Tritt in den Brustkorb einbrachte. Der Junge schrie auf, so dass es von den Gebäuden rund um den Campus widerhallte.

Erst jetzt bemerkte der Professor eine Gruppe junger Frauen, die der Auseinandersetzung aus dem Fenster im zweiten Stock des Instituts für Rassenkonfliktforschung zugesehen hatten. Sie schienen den Vorfall amüsant zu finden, denn hinter der kugelsicheren Scheibe lachten sie und zeigten mit dem Finger auf das Geschehen. Sein Blick wanderte zum Erdgeschoss des Seminargebäudes, das in völligem Dunkel lag. Das war auf dem Campus bei nahezu allen Bauten die Regel. Es galt als zu schwierig und zu teuer, die Büros und Übungsräume im Parterre in Schuss zu halten. Zu viele Einbrüche, zu viel Vandalismus. Folglich hatte man sämtliche ebenerdigen Räume den Graffiti und zerbrochenen Fensterscheiben überlassen. Auf den Treppen nach oben waren Sicherheitsschleusen eingerichtet, die dabei halfen, die meisten Waffen aus den Hörsälen und Übungsräumen fernzuhalten. In jüngster Zeit war allerdings das Problem aufgetaucht, dass einige Studenten in den verlassenen Erdgeschosstrakten, jeweils unter den Räumen, in denen eine Klausur anstand, Feuer legten. Jetzt, in der Prüfungsphase, experimentierte der Wachdienst damit, in den leer stehenden Bereichen abgerichtete Hunde loszulassen. Die Tiere jaulten viel, so dass sich die Studenten bei den Klausuren schwer konzentrieren konnten, während ansonsten die Rechnung aber aufzugehen schien.

Die Ordnungshüter hatten die beiden Verhafteten aufgehoben und kamen auf Jeffrey zu. Er sah, dass sich ihre Köpfe unablässig in alle Richtungen drehten, um die Dächer im Auge zu behalten.

Scharfschützen, dachte er und horchte, ob Hubschrauber im Anflug waren, um zusätzlich Schutz zu bieten.

Er hätte sich nicht gewundert, wenn Schüsse gefallen wären, doch die blieben aus. Das überraschte ihn; man schätzte, dass über die Hälfte der fünfundzwanzigtausend Studenten an der Universität die meiste Zeit Waffen bei sich trugen, und ein netter kleiner Schuss, wenn sich zufällig ein Campus-Polizist als Zielscheibe bot, galt so wie ein Jahrhundert zuvor die Pep-Rallye vor dem Sportereignis als eine Art Initiationsritus. Im Lauf einer durchschnittlichen Samstagnacht kümmerte sich der Studentische Gesundheitsdienst neben dem üblichen Zustrom in Folge von Schlägereien, Vergewaltigungen und Messerstechereien gewöhnlich um die Verletzungen eines halben Dutzends Schießereien, die sich irgendwo zufällig ergaben. Alles in allem jedoch, das wusste Jeffrey, war die Statistik nicht alarmierend, sondern hielt sich im Normalbereich. Er musste daran denken, wie glücklich er sich schätzen konnte, dass die Universität in einer kleinen, vorwiegend ländlichen Collegestadt lag. An den großen, städtischen Lehranstalten waren die Zahlen viel schlimmer. Dort war man seines Lebens nicht sicher.

Er zeigte sich auf dem Gehweg, und einer der Polizisten drehte sich in seine Richtung.

»He, Professor, wie geht's?«

»Danke, mir geht's gut. Gibt es Probleme?«

»Die beiden hier? Nee. Wirtschaftsstudenten. Meinen, die Welt gehörte jetzt schon ihnen. Eine Nacht hinter Gittern bringt sie wieder zur Vernunft. Ein paar Schläge auf den Hinterkopf sollen bekanntlich das Denkvermögen fördern.« Der Freund und Helfer zog mit einem Ruck die Arme des Teenagers hoch, und der Junge fluchte vor Schmerz. Kaum ein Campus-Wachmann hatte die Collegebank gedrückt. Die meisten entstammten dem neuen staatlichen Berufsschulsystem und hatten für die Studenten, unten denen sie lebten, nur Verachtung übrig.

»Gut. Niemand verletzt?«

»Diesmal nicht. He, Professor, sind Sie allein?«

Jeffrey nickte.

Der Polizist zögerte. Er und sein Partner hatten einen der Kampfhähne in festem Griff zwischen sich, so dass sie ihn halb über den Gehweg schleiften. Der Wachmann schüttelte den Kopf.

»Sollten nicht allein rumlaufen, schon gar nicht gegen Abend, Professor. Wissen Sie doch. Sie sollten beim Begleitschutz anrufen und sich jemand schicken lassen, der Sie zum Parkplatz bringt. Sind Sie bewaffnet?«

Jeffrey klopfte mit der flachen Hand auf seine halbautomatische Pistole, die in seinem Gürtel steckte.

»Okay«, sagte der Polizist zögerlich. »Aber lassen Sie sich gesagt sein, Professor, Sie haben an Ihrer Jacke Knöpfe und Reißverschluss zugemacht. Es wäre besser, Sie kämen schnell an Ihre Pistole ran, statt dass Sie sich erst halb ausziehen müssen, bevor Sie auch nur einen Schuss abfeuern können. Hol mich der Teufel, wenn nicht der erste bekiffte Grünschnabel mit 'nem Sturmgewehr, der sauer auf Sie ist, längst Schweizer Käse aus Ihnen gemacht hat, bevor Sie die Waffe gezogen haben …«

Beide Beamten lachten, und Jeffrey nickte lächelnd.

»Keine schöne Art, seinen Hut zu nehmen. Kleiner Snack für einen Psychopathen, nehme ich an, ein bisschen Senf, ein bisschen Schweizer Käse. Klingt eigentlich gar nicht so schlecht.«

Die Cops lachten immer noch. »Okay, Professor, passen Sie auf sich auf. Haben nämlich keine Lust, Sie in 'nen Leichensack zu packen. Und wechseln Sie immer wieder die Route.«

»Hört mal, Jungs«, erwiderte Jeffrey und öffnete die Arme weit, »für wie dämlich haltet ihr mich?«

Die Polizisten nickten, auch wenn er vermutete, dass sie jeden, der an der Uni lehrte, grundsätzlich für dämlich hielten. Mit einem weiteren Ruck an den Armen ihres Gefangenen setzten sie ihren Weg über das Gelände fort. Der Junge brüllte, sein Vater werde sie wegen Gewaltanwendung verklagen, doch seine Schreie und Beschwerden verhallten im frühen Abendwind.

Jeffrey sah ihnen hinterher, bis sie im Innenhof verschwanden. Ihr Weg war vom gelblichen Schein der Straßenlaternen ausgeleuchtet, die helle Kreise in die rasch einsetzende Dunkelheit schnitten. Er zögerte einen Moment, dann lief er zügig weiter. Er ignorierte ein Auto, das auf einem der ungesicherten Parkplätze, von einer Brandbombe entzündet, lichterloh brannte. Wenig später trat eine studentische Prostituierte aus dem Schatten und bot ihm Sex im Tausch gegen Seminarbescheinigungen an; er wies sie ab und hastete weiter, während seine Gedanken um die Aktentasche und den Überbringer kreisten, der zu wissen schien, wer er war.

Seine Eigentumswohnung lag einige Häuserblocks vom Campus entfernt in einer eher ruhigen Nebenstraße, die ursprünglich zu Wohnungszwecken für die Universitätsangehörigen errichtet worden war. Sie bestand aus älteren Holzrahmenhäusern mit weißen Schindeln und hatte einen gewissen viktorianischen Flair dank der breiten, überdachten Hauseingänge und der facettengeschliffenen Fensterscheiben. Noch vor einem Jahrzehnt waren die Häuser wegen ihres nostalgischen Charmes und ihres jahrhundertealten Erbes heiß begehrt gewesen. Doch wie fast alles Alte in der Kommune hatten praktische Erwägungen ihren Wert gemindert; sie waren bei Einbrechern beliebt – wegen ihrer zurückgesetzten Lage im Schatten von Bäumen und Büschen sowie wegen der veralteten Verkabelung, die sich für pyroelektrische Alarmanlagen nicht eignete, waren sie wenig sicher. Seine eigene Wohnung verfügte wenigstens über eine ältere Videoüberwachung.

Aus Gewohnheit war dies das Erste, was er bei seiner Heimkehr überprüfte. Beim schnellen Zurückspulen des Videos überzeugte er sich davon, dass die einzigen Besucher an diesem Tag der hiesige Briefträger – wie immer in Begleitung seines Kampfhundes – war, dem wenig später zwei junge Frauen mit Skimasken folgten. Offensichtlich auf der Suche nach schneller Beute hatten sie seinen Türknauf ausprobiert, sich dann allerdings von der Elektroschockanlage abschrecken lassen, die er persönlich eingebaut hatte. Nicht stark genug, um jemanden umzubringen, doch immerhin so kräftig, dass jeder, der die Hände um den Griff legte, sich fühlen musste, als hätte ihm jemand mit voller Wucht einen Klinkerstein auf den Arm geschleudert. Er sah, wie eine der Frauen zu Boden ging und vor Wut und Schmerz aufheulte, was ihn mit einer Woge der Befriedigung erfüllte. Er hatte die Vorrichtung selbst erfunden, und sie stützte sich auf die Kenntnis der menschlichen Natur. Jeder, der irgendwo einbrechen möchte, wird es unweigerlich zuerst mit der Tür versuchen, nur um sicherzugehen, dass tatsächlich abgeschlossen war. Seine war es natürlich nicht. Stattdessen stand sie unter siebenhundertfünfzig Volt Strom. Er bereitete den Videorekorder wieder zur Aufnahme vor.

Er wusste, dass er am Ende eines langen Tages Hunger haben sollte, hatte er aber nicht. Er ließ langsam und laut die Luft aus seinen Lungen entweichen und ging in die kleine Küche, wo er eine Flasche finnischen Wodka im Tiefkühlfach fand. Er goss sich ein Glas ein, nahm ein paar kleine Schlucke und genoss es, wie die Flüssigkeit ihm bitter und kalt die Kehle hinunterrann. Dann betrat er sein Wohnzimmer und warf sich in einen Ledersessel. Er sah, dass auf dem Anrufbeantworter eine Nachricht auf ihn wartete, und wusste ebenso gut, dass er sie ignorieren würde. Er streckte die Hand danach aus und hielt inne. Stattdessen nahm er noch einen Schluck aus seinem Glas und lehnte sich zurück.

Hopewell.

Ich war erst neun Jahre alt.

Nein, nicht nur das.

Ich war neun und hatte Angst.

Was weiß man mit neun Jahren?, fragte er sich plötzlich. Wieder atmete er langsam aus, dann kannte er die Antwort. Man weiß nichts und gleichzeitig alles.

Jeffrey Clayton fühlte sich, als triebe ihm jemand eine Nadel in die Stirn. Nicht einmal der Alkohol konnte den pochenden Schmerz überdecken.

Es war eine Nacht wie diese, vielleicht nicht ganz so kalt, und es lag Regen in der Luft. Er dachte: Ich erinnere mich an den Regen, denn als wir gingen, spuckte er mir ins Gesicht, als hätte ich was Unrechtes getan. Der Regen schien all die wütenden Worte zu verschlucken, und er stand – nach so viel Gebrüll endlich stumm – in der Tür und sah uns hinterher.

Was sagte er noch gleich?

Jeffrey entsann sich wieder: »Ich brauche euch. Dich und die Kinder …«

Und ihre Antwort: »Nein, das tust du nicht. Du hast ja dich.«

Und er hatte erwidert: »Ihr seid alle ein Teil von mir …«

Dann hatte er die Hand seiner Mutter gefühlt, die ihn ins Auto schob und auf den Rücksitz drückte. Er wusste noch, dass sie seine kleine Schwester auf dem Arm trug, die weinte; sie hatten nicht genügend Zeit gehabt, mehr zu packen als ihren kleinen Rucksack, nur ein paar Kleider zum Wechseln. Sie hat uns in den Wagen geworfen, dachte er, und gesagt: »Blickt nicht zurück. Seht ihn nicht an«, und dann fuhren wir los.

Er hatte seine Mutter vor Augen. Das war die Nacht, in der sie alt geworden war, und die Erinnerung machte ihm Angst. Er sagte sich, er hätte keinen Grund zur Sorge.

Wir sind von zu Hause weggegangen, weiter nichts.

Sie hatten einen Streit. Einen von vielen. Schlimmer als sonst, aber nur, weil es der letzte war. Ich habe mich in meinem Zimmer versteckt und versucht, nicht hinzuhören. Worüber haben sie sich gestritten? Ich weiß es nicht. Ich hab sie nie gefragt. Ich hab es nie erfahren. Nur dass es diesmal das Ende war, und das wusste ich. Wir sind in den Wagen gestiegen und losgefahren. Wir haben ihn nie wiedergesehen. Nicht ein einziges Mal.

Er nahm noch einen langen Schluck.

Na und? Eine traurige Geschichte, aber nicht ungewöhnlich. Eine zerrüttete Beziehung. Frau und Kinder gehen, bevor bleibender Schaden entsteht. Sie war tapfer. Sie hat das Richtige getan. Ihn hinter sich gelassen. Einen Schlussstrich gezogen. Neu angefangen, an einem Ort, wo er keinem von uns wehtun konnte. Gar nicht so ungewöhnlich. Richtet natürlich psychischen Schaden an, das weiß ich durch meine eigenen Studien und dank meiner eigenen Therapie. Aber irgendwann hat man es überwunden, alles überwunden.

Ich bin kein seelischer Krüppel.

Er sah sich in seiner Wohnung um. In der Ecke stand ein Schreibtisch, auf dem sich Papiere häuften. Ein Computer. Viele Bücher, wahllos in ein Regal gezwängt. Zweckmäßiges Mobiliar, nichts, dem man nachtrauern würde oder das sich nicht leicht ersetzen ließe, falls es gestohlen würde. An einer Wand hingen ein paar seiner Auszeichnungen und Diplome. Hier und da Reproduktionen von Klassikern der modernen Kunst des zwanzigsten Jahrhunderts, darunter Warhols Suppendose und

Hockneys Blumen. Sie brachten ein paar Farbtupfer ins Zimmer. Außerdem hatte er einige Kinoplakate aufgehängt – sie verbreiteten ein Gefühl von Action, das er mochte, da er sein eigenes Leben oft zu geruhsam fand und ganz gewiss zu trist; aber er wusste nicht recht, wie er das ändern sollte.

Wie kommt es also, dass du in Panik gerätst, nur weil ein Fremder die Nacht erwähnt, in der du als Kind von zu Hause weg musstest?

Er wiederholte noch einmal: Ich habe nichts Unrechtes getan. Jetzt fiel es ihm wieder ein. Sie hatte gesagt, »Wir gehen ...«, und das haben wir gemacht. Dann kam ein neues Leben, in sicherer Entfernung von Hopewell.

Er lächelte. Wir sind nach Südflorida gegangen. Genau wie die Flüchtlinge, die aus Kuba und Haiti dort stranden. Aus einer ähnlichen Diktatur geflohen. Ein guter Ort, um zu verschwinden. Wir kannten keinen Menschen. Hatten keine Angehörigen. Keine Freunde. Keinerlei Beziehungen. Keinen Beruf. Keine Schule. Es gab keinen einzigen der üblichen Gründe, um an einen bestimmten Ort zu ziehen. Keiner kannte uns, und wir kannten keinen.

Wieder fielen ihm die Worte seiner Mutter ein. Einmal – vielleicht einen Monat später? – sagte sie, hier würde er sie niemals suchen. Sie war ein Kind aus dem Norden und hasste die Hitze. Hasste den Sommer, besonders die drückende Schwüle der Südstaaten. Sie bekam davon Nesselausschlag und Asthmaanfälle, so dass sie schon bei der leisesten Anstrengung keuchte. Deshalb erzählte sie ihm und seiner kleinen Schwester: »Darauf, dass ich nach Süden gegangen bin, kommt er nie. Er wird glauben, ich wollte nach Kanada. Ich hab' ständig von Kanada geredet ...« Und das musste als Erklärung genügen.

Er dachte an Hopewell. Ein Städtchen auf dem Lande, inmitten von Bauernhöfen – daran konnte er sich noch erinnern. Es grenzte an Princeton, das sich früher einmal einer ehrwürdigen Uni hatte rühmen können, bis um die Jahrtausendwende die

Rassenunruhen in Newark außer Kontrolle geraten waren – als hätte man fünfzig Meilen den Highway hinunter ein Streichholz an die Lunte gehalten, so dass in der traditionsreichen Lehranstalt das Pulverfass explodierte und nach Brand und Plünderungen wenig übrig blieb. Außerdem kannte man den Namen der Stadt als Schauplatz einer berühmten Entführung, Jahre, bevor er geboren worden war.

Aber wir sind weggegangen, rief er sich ins Gedächtnis. Und nie zurückgekehrt.

Er leerte das Glas Wodka in einem Zug. Mit einem Mal packte ihn eine trotzige Wut. Wir sind nie zurückgekehrt, wiederholte er drei-, viermal. *Also verpiss dich, Agent Martin.*

Ihm war nach einem zweiten Glas. Er fand es nicht gut, doch dann dachte er: Wieso eigentlich nicht? Diesmal goss er sich allerdings nur ein halbes ein und zwang sich, es in kleinen Schlucken zu trinken. Er beugte sich nach unten, fand das Telefon auf dem Boden und wählte zügig die Nummer seiner Schwester in Florida.

Das Telefon klingelte einmal, und er legte auf. Er rief sie nicht gerne an, wenn es nichts zu besprechen gab, und ihm wurde bewusst, dass er vorerst nichts als Fragen hatte.

Er lehnte sich zurück und stellte sich das kleine Haus vor, in dem sie einmal alle daheim gewesen waren. Es ist gerade Ebbe, dachte er, ich bin mir sicher. Das Wasser geht zurück, und man kann von der Küste aus hundert, nein, zweihundert Meter weit laufen und nach dem Lärmen des Leopardenrochen horchen, der in einem der Kanäle ungestüm in die Höhe springt, um mit einem lauten Klatschen im azurblauen Wasser zu landen. Das wäre schön. Noch einmal in den Upper Keys zu sein und im seichten Meer zu waten. Vielleicht ragte plötzlich irgendwo die Schwanzflosse einer Meeräsche aus den Wellen, in der sich das letzte Tageslicht spiegelte. Oder auch die Finne eines Hais, der durchs flache Gewässer glitt, um leichte Beute zu machen.

Susan kannte die besten Stellen, und sie bekamen immer etwas an die Angel.

Als Kinder hatten Bruder und Schwester zusammen Stunden beim Fischen verbracht. Jetzt, wurde ihm bewusst, ging sie alleine.

Er schwelgte einen Moment in der Erinnerung an die sanfte, warme Dünung um die Beine, doch als er die Augen öffnete, sah er nichts weiter als die Aktentasche des Agenten, die er achtlos vor sich auf den Boden geworfen hatte.

Er hob sie auf und wollte sie quer durchs Zimmer schleudern, als er jedoch mit dem Arm ausholte, hielt er mitten in der Bewegung inne.

Er überlegte: *Was du da in der Hand hältst, ist nur ein weiterer Albtraum. Wäre schließlich nicht der erste, den du in dein Leben lässt. Was macht schon einer mehr oder weniger?*

Jeffrey Clayton lehnte sich wieder zurück, seufzte einmal tief und öffnete die billige Metallschnalle, mit der die Tasche verschlossen war.

Er zog drei braune Umschläge heraus, warf rasch einen Blick in alle drei und sah, dass jeder mehr oder weniger dasselbe enthielt und auch mehr oder weniger das, was er erwartet hatte; Tatortfotos, gekürzte Polizeiprotokolle sowie einen Autopsiebericht für jedes der drei Opfer. So fängt es immer an, dachte er. Ein Polizist mit ein paar Fotos, der glaubt, ich brauchte nur diese Bilder zu sehen und – Abrakadabra – ich weiß, wer der Mörder ist. Er seufzte laut, öffnete jedes Dossier und breitete den Inhalt auf dem Boden aus.

Kaum kamen die Fotos ans Licht, wusste er, weshalb der Fall Agent Martin zu schaffen machte. Drei verschiedene tote Mädchen, alle, nahm er an, zwischen dreizehn und fünfzehn, alle mit ähnlichen klaffenden Schnittwunden am nackten Körper, alle post mortem in ähnliche Stellungen gebracht. Ein Rasiermesser?, war sein erster Gedanke. Ein Jagdmesser vielleicht? Jedes Mädchen lag mit dem Gesicht nach oben nackt auf der Erde, die Arme seitlich ausgestreckt. In dieser Stellung ließen sich Kinder gewöhnlich in Neuschnee fallen, um den Abdruck eines Engels zu formen. Er entsann sich, wie er selbst als Kind solche Figuren gezaubert hatte, bevor sie nach Süden zogen. Er schüttelte den Kopf. Eindeutig religiöse Symbolik, stellte er fest. Es war, als seien sie gekreuzigt worden, und das stimmte auf eine abstruse Art wohl auch. Er warf einen weiteren flüchtigen Blick auf die Bilder und sah, dass jedem Opfer der rechte Zeigefinger abgetrennt worden war. Er hatte den Verdacht, dass ihnen noch ein anderes Körperteil fehlte oder auch eine Haarsträhne. »Du verzichtest bestimmt nicht auf ein Souvenir«, sagte er laut zu dem Mörder, der in seinem Kopf unerbittlich Kontur annahm, so als säße er auf dem Sessel ihm gegenüber, erst schemenhaft, dann beinahe mit Händen zu greifen.

Er warf einen Blick auf die jeweilige Umgebung, in der die Leichen lagen. In einem Fall schien es ein Wald zu sein, und das junge Mädchen ruhte auf einer flachen felsigen Fläche. Die zweite sah nach Morast aus, mit dicht verschlungenen Kletten- und Rankenpflanzen. Nicht weit von einem Fluss, dachte Jeffrey. Im dritten Fall war es schwer zu sagen; wieder schien es sich um eine ländliche Gegend zu handeln, doch das Verbrechen hatte offensichtlich Anfang Winter stattgefunden; rund um die Leiche lag hier und da frischer Schnee, der nur teilweise weggeschmolzen war. Auf der Suche nach Blut sah er sich diese Partien genauer an, fand jedoch kaum Spuren. »Du hast sie also erst in deinen Wagen gepackt, nachdem du sie getötet hast, was?« Er schüttelte den Kopf. Das stellte natürlich ein Problem dar. Es war immer leichter, einen Leichenfundort auszuwerten, wenn er zugleich der Tatort war. Leichen, die weggeschafft worden waren, stellten die Ermittler grundsätzlich vor Probleme.

In Gedanken versunken stand er auf und kehrte in die Küche

zurück, wo er sich noch ein Glas Wodka eingoss. Wieder nahm er einen langen Zug und nickte, als er das angenehm leichte Gefühl im Kopf spürte. Mit einem Schlag war ihm bewusst, dass seine Kopfschmerzen verflogen waren, und er kehrte zu dem Beweismaterial auf dem Boden des kleinen Wohnzimmers zurück.

Er führte weiter Selbstgespräche in einer Art Singsang, so wie ein Kind, das allein in einem Zimmer spielt: »Autopsie, Autopsie, Autopsie. Wette zwanzig Mäuse, dass die Mädels allesamt post mortem vergewaltigt wurden und dass du nicht ejakuliert hast, mein Freund, hab ich recht?«

Er fand die drei Berichte und blätterte sie durch, bis er den Vermerk des Pathologen hatte, nach dem er suchte.

»Ich gewinne«, stellte er laut fest. »Zwanzig Mäuse, zwei Zehner, zwanzig Piepen, Kinderspiel. Volltreffer, wie immer.«

Er nahm noch einen Drink.

»Falls du ejakuliert hast, dann, als du sie getötet hast, richtig? Denn da gehst du richtig ab, das ist der Moment für dich. Der Lichtmoment? Eine gewaltige Explosion, die hinter deinen Augen aufbrandet, bis in die letzten Winkel deines Hirns, deiner Seele? Eine Art Verzückung, ganz und gar unglaublich, dass du von Ehrfurcht ergriffen bist?«

Er nickte. Er sah sich im Zimmer um, deutete auf einen leeren Sessel und sprach, als hätte der Mörder gerade den Raum betreten: »Willst du dich nicht setzen? Mach's dir bequem!« In Gedanken formulierte er eine Personenbeschreibung. Nicht allzu jung, dachte er. Irgendwie unauffällig. Weiß. Wirkt nicht bedrohlich. Vielleicht eher wie ein Schlappschwanz oder Trottel. Auf jeden Fall ein Eigenbrötler. Er musste lachen, als sich der Mörder, der ihm gegenübersaß, Stück für Stück zusammenfügte, denn er beschrieb nicht nur einen typischen Serienmörder, sondern auch sich selbst. Er unterhielt sich weiter mit dem gespenstischen Besucher, und seine Stimme nahm einen sarkastischen, etwas müden Tonfall an.

»Weißt du was, Kumpel? Ich kenne dich. Ich kenne dich sogar gut, hab dich schon ein Dutzend Mal, was sag ich, hundert Mal gesehen. Ich hab dich vor Gericht gesehen. Ich hab dich in deiner Gefängniszelle befragt. Ich hab eine ganze Latte an wissenschaftliche Untersuchungen mit dir angestellt, deine Größe, dein Gewicht, deinen Appetit taxiert. Von Rorschach und Minnesota-Multiphasen- bis zu IQ- und Blutdruck-Tests – das ganze Programm. Ich hab dir Blut abgezapft und deine DNA analysiert. Verdammt, ich war sogar nach deiner Exekution bei deiner Autopsie dabei und hab Gewebeproben von deinem Hirn unter dem Mikroskop gehabt. Ich kenne dich wie meine Hosentasche. Du hältst dich für einmalig und allmächtig, aber, tut mir leid, mein Junge, das bist du nicht. Du hast dieselben gottverdammten Neigungen und Perversionen wie tausend andere von deinem Schlag. Es gibt tausend Fallstudien, die dich beschreiben. Du geisterst durch beliebte Unterhaltungsromane. In der einen oder anderen Form läufst du schon seit Jahrhunderten herum. Falls du dich wirklich für was Besonderes hältst und dir einbildest, du hättest dämonische Kräfte, dann liegst du verdammt daneben. Du bist ein Klischee. So banal wie ein Schnupfen im Winter. Das hörst du nicht gerne, stimmt's? Da meldet sich diese wütende Stimme in dir und fängt an zu geifern und alle möglichen Forderungen auszuspucken. Hab ich recht? Am liebsten würdest du rausmarschieren und den Mond anheulen und dir vielleicht das nächste Mädchen greifen, nur um mir zu beweisen, dass ich mich irre, hm? Aber soll ich dir was sagen, Junge? In Wahrheit ist das einzig Besondere an dir, dass sie dich bis jetzt noch nicht geschnappt haben und dass die Aussichten für dich nicht schlecht sind, noch eine Weile auf freiem Fuß zu bleiben. Und zwar nicht, weil du so wahnsinnig schlau bist, wie du bestimmt denkst, sondern weil niemand die verfluchte Zeit oder Lust hat, dich zu jagen; weil sie Besseres zu tun haben, als Perverslingen hinterherzulaufen, auch wenn ich beim besten Willen nicht sagen kann, was sie unter was Besserem verstehen.

Jedenfalls ist das meistens der Grund. Sie lassen dich in Ruhe, weil es niemanden besonders interessiert. Du bist einfach nicht die riesengroße Nummer, für die du dich hältst ...«

Er seufzte, kramte in der Mappe nach der Nummer, die laut Agent Martin dort irgendwo notiert war, und fand sie tatsächlich auf einem Zettel. Er warf noch einmal einen kurzen Blick auf die Fotos und die Unterlagen, um ganz sicherzugehen, dass er nicht irgendetwas Aufschlussreiches übersehen hatte, das ins Auge sprang. Er trank noch einen Schluck Wodka und ärgerte sich darüber, dass ihn bei den indirekten Drohungen des Polizisten eine böse Vorahnung und eine diffuse Angst gepackt hatten.

Wer ich wirklich bin?

Er seufzte seine Antwort: Ich bin, der ich bin.

Ein Experte für schreckliche Todesarten.

Mit der Hand, in der er das Glas hielt, winkte er in Richtung der drei Akten zu seinen Füßen müde ab.

»Vorhersehbar«, sagte er laut. »Ganz und gar vorhersehbar. Und vermutlich gleichzeitig ganz und gar unmöglich. Nichts weiter als noch so ein kranker, anonymer Killer. Das wollen Sie sicher nicht hören, oder, Herr Polizist?«

Er lächelte und griff nach dem Telefon.

Agent Martin meldete sich beim zweiten Klingelton. »Clayton?«

»Ja.«

»Gut. Sie haben keine Zeit vergeudet. Haben Sie an Ihrem Telefon eine Videoverbindung?«

»Ja.«

»Gut, dann schalten Sie das verdammte Ding ein, damit ich Ihr Gesicht sehen kann.«

Jeffrey Clayton folgte der Aufforderung und knipste den Videomonitor an, stöpselte das Telefon ein und setzte sich gegenüber der Kamera in einen Sessel. »So besser?«

Auf dem Bildschirm erschien augenblicklich in perfekter Bildschärfe der Agent. Er saß auf der Ecke eines Betts in einem der Hotels im Zentrum der Stadt. Er hatte noch die Krawatte um, doch sein Jackett hing über einem Stuhl. Er trug außerdem seine Seitenwaffe.

»Also, was können Sie mir sagen?«

»Ein bisschen. Wahrscheinlich Dinge, die Sie schon wissen. Ich hab erst einen ersten flüchtigen Blick auf die Fotos und Dokumente geworfen.«

»Was sehen Sie, Professor?«

»Augenscheinlich derselbe Mann. Ziemlich offensichtlich schwingt in der Symbolik, wie er die Leichen platziert hat, Religiöses mit. Was halten Sie von einem ehemaligen Priester? Einem früheren Messdiener vielleicht? Etwas in dieser Richtung.«

»Daran habe ich auch gedacht.«

Jeffrey kam noch eine Idee. »Oder ein Kunsthistoriker oder sonst jemand, der mit sakraler Kunst zu tun hat. Wissen Sie, die Maler der Renaissance haben ihre Christusfiguren fast immer in genau dieser Pose dargestellt. Womöglich ein Maler, der Stimmen hört? Das wäre noch eine Möglichkeit.«

»Interessant.«

»Sehen Sie, Detective, sobald Sie den religiösen Ansatz hereinbringen, verfolgen Sie jeweils eine ganz spezifische Richtung. Oft ist man allerdings gut beraten, eher indirekt vorzugehen. Oder beides zusammen zu denken. Der ehemalige Messdiener, der als Erwachsener Kunsthistoriker wurde. Verstehen Sie, worauf ich hinauswill?«

»Ja, das leuchtet ein.«

Ein Gedanke blitzte auf, und er platzte heraus: »Ein Lehrer. Vielleicht ist es ein Lehrer.«

»Wieso?«

»Priester stehen eher auf junge Männer, und wir haben es mit Frauen zu tun. Vielleicht irgendetwas, das mir vertraut vorkommt, weiß auch nicht, flog mich gerade an.«

»Interessant«, wiederholte der Detective nach einer kurzen

Pause, in der er die neuen Gesichtspunkte sondierte. »Ein Lehrer, sagen Sie?«

»Ja, nur so ein Gedanke. Was Konkreteres kann ich erst sagen, wenn ich mehr gesehen habe.«

»Fahren Sie fort.«

»Viel mehr habe ich noch nicht. Das Fehlen von Indizien für sexuellen Verkehr trotz sexueller Aktivität bestärkt mich in der Annahme, dass Religion unser Ansatzpunkt ist. Religion bringt allerlei Schuldkomplexe mit sich, und das ist vielleicht der Grund dafür, dass Ihr Mann es nicht zu Ende bringen kann. Es sei denn, er hätte es bereits zu einem früheren Zeitpunkt getan – was ich durchaus vermute.«

»*Unser* Mann.«

»Nein, das glaube ich nicht.«

Der Agent schüttelte den Kopf. »Was haben Sie noch gesehen?«

»Er ist ein Souvenirjäger. Er hat bestimmt die Finger in einem Glas aufgehoben, immer in seiner Nähe, um seine Triumphe in der Erinnerung wieder aufleben zu lassen.«

»Ja, das denke ich auch.«

»Was hat er sonst noch abgeschnitten?«

»Wie?«

»Was noch, Agent Martin? Den Zeigefinger und was noch?«

»Sie sind schlau. Hab mit der Frage gerechnet. Ich sag's Ihnen später.«

Jeffrey seufzte. »Nicht nötig. Ich will's gar nicht wissen.« Er zögerte, bevor er fortfuhr: »Es waren Haare, nicht wahr? Eine Strähne vom Kopf und dann auch noch Schamhaar, stimmt's?«

Agent Martin verzog das Gesicht. »Beides richtig.«

»Aber er hat sie nicht verstümmelt, oder? Keine Schnittwunden an den Genitalien? Alles nur am Rumpf?«

»Ja, wieder richtig.«

»Das ist ein ungewöhnliches Verhaltensmuster. Nicht völlig unbekannt, aber ein bisschen außer der Reihe. Eine seltsame Art, seine Wut rauszulassen.«

»Das interessiert Sie?«, fragte der Agent.

»Nein«, erwiderte Jeffrey schroff. »Das interessiert mich nicht. Jedenfalls ist Ihr großes Problem, dass jedes Opfer offenbar woanders getötet und anschließend zu der Stelle geschafft wurde, an der es irgendwann gefunden werden musste. Folglich müssen Sie das Transportmittel finden. In den Berichten hab ich nichts über Fasern oder sonstiges sichergestelltes Material gefunden, das Rückschlüsse auf das Fahrzeug zulassen würde, in dem die Mädchen transportiert wurden. Vielleicht hat der Kerl sie in ein Gummituch gewickelt. Oder seinen Kofferraum mit einer Plastikplane ausgeschlagen. Drüben in Kalifornien gab es mal einen Mann, der das getan hat.«

»Ich erinnere mich an den Fall. Ich glaube, Sie haben recht. Was noch?«

»Auf den ersten Blick erscheint der Typ wie viele andere Mörder.«

»Auf den ersten Blick!«

»Na ja, Sie haben vermutlich einiges mehr an Informationen, die Sie für sich behalten haben. Mir ist aufgefallen, dass die Autopsieprotokolle und die Polizeiberichte ziemlich dürftig waren. Zum Beispiel legt das Fehlen der typischen Verteidigungswunden nahe, dass das Opfer bewusstlos war, als es missbraucht und ermordet wurde. Das ist ein zentrales Detail. Wie hat er sie bewusstlos gemacht? Ich finde keinen Vermerk, dass es ein Kopftrauma gab. Und auch andere Dinge, ich meine, es fehlt eine Identifizierung der jungen Frauen, jeder Hinweis auf Ort und Zeit der Verbrechen und auf die anschließenden Ermittlungen. Nicht mal eine Liste mit befragten Tatverdächtigen.«

»Nein. Sie haben recht, die habe ich Ihnen vorenthalten.«

»Nun ja, das war's dann auch mehr oder weniger. Tut mir leid, wenn ich nicht viel weiterhelfen konnte. Sie haben sich den weiten Weg gemacht, um letztlich nur Dinge zu erfahren, die Sie bereits wussten.«

»Sie stellen nicht die richtigen Fragen, Professor.«

»Ich habe keine Fragen, Agent Martin. Ich sehe, Sie haben ein Problem, und zwar eins, das sich nicht von selbst löst. Aber das war's, tut mir leid.«

»Der Groschen ist noch nicht gefallen, Professor, oder?«

»Welcher Groschen?«

»Dann will ich Ihnen mal ein paar von den Informationen geben, die in Ihren Unterlagen fehlen. Der dritte Fall – sehen Sie die Kennzeichnung auf der Mappe? Der rote Reiter?«

»Das Mädchen, das Sie auf dem Felsen gefunden haben? Ja.«

»Also, die Leiche dieses Mädchens wurde vor etwa vier Wochen an einer Stelle innerhalb des Westlichen Territoriums entdeckt. Verstehen Sie, was das heißt?«

»Innerhalb des Territoriums? Dann lebte sie in unserem angehenden Einundfünfzigsten Bundesstaat?«

»Genau«, erwiderte der Agent. Sein Tonfall war schneidend und wütend.

Jeffrey lehnte sich zurück und ließ sich durch den Kopf gehen, was er gerade erfahren hatte. »Ich dachte, das dürfte nie passieren. Ich dachte, der Einundfünfzigste Bundesstaat soll von Kriminalität frei sein?«

»Ja, verdammt noch mal«, fluchte der Agent bitter, »ist er eigentlich auch.«

»So etwas passt da nicht hin«, fuhr Jeffrey fort. »Ich meine, der ganze Sinn und Zweck der Sache besteht schließlich darin, dass solche Dinge dort nicht passieren. Sehe ich das richtig, Detective? Schon gar nicht Verbrechen wie diese hier.«

Wieder schien Martin sich nur mit Mühe beherrschen zu können. »Sie haben recht«, bestätigte er. »Das ist in der Tat der einzige Gründungszweck. Das entscheidende Argument, weshalb er als eigenständiger Bundesstaat überhaupt in Erwägung gezogen wird. Ein Ort der Freiheit. Wo man ein normales Leben ohne Angst führen kann. So wie in den guten alten Zeiten.«

»Ein Ort, an dem man seine Freiheit aufgibt, um frei zu sein.«

»Ich hätte es sicher anders formuliert«, erwiderte Agent Martin, »aber im Wesentlichen läuft es darauf hinaus.«

Jeffrey nickte, als ihm allmählich das ganze Ausmaß des Dilemmas klar wurde, dem sich Agent Martin gegenüber sah.

»Demnach haben Sie ein doppeltes Problem – ein kriminologisches und ein politisches.«

»Jetzt hat's bei Ihnen klick gemacht, Professor.«

Jeffrey empfand für den groben Klotz von einem Polizisten einen Hauch von Mitleid, das jedoch, wie er deutlich erkannte, wohl vor allem vom Wodka rührte. »Nun ja, ich schätze, ich verstehe, wie dringlich die Sache für Sie ist. Steht diese Kongressabstimmung nicht wenige Tage vor dem Wahltag an? Das sind nicht mal mehr drei Wochen! Aber es ist nun einmal eine Tatsache, dass diese Art von Verbrechen nicht im Handumdrehen aufzuklären sind. Das schafft man allenfalls mit einer guten Portion Glück – wenn Sie vielleicht einen Zeugen finden und eine Personenbeschreibung bekommen oder was weiß ich. Normalerweise werden solche Fälle – wenn überhaupt, Detective, ich betone, wenn überhaupt – mehr oder weniger durch Zufall gelöst, und zwar Monate später. Deshalb ...« Er nahm noch einen Schluck Wodka und hielt inne.

»Deshalb was?«, fragte Martin in scharfem Ton.

»Deshalb möchte ich nicht in Ihrer Haut stecken.«

Die Augen des Agent verengten sich zu schmalen Schlitzen und starrten den Professor durch den Monitor unerbittlich an. Seine Stimme blieb ausdruckslos und ließ nicht die Spur von Nervosität erkennen.

»Tun Sie aber, Professor.« Martin deutete durch den Monitor auf ihn. »Weshalb, das möchte ich Ihnen lieber persönlich erklären.«

»Hören Sie, ich habe mir Ihre Akten angesehen«, unterbrach ihn Jeffrey. »Ich bin jetzt zu Hause. Für heute Abend habe ich genug getan.«

»Das ist keine Bitte. Überlegen Sie nur für einen Moment,

welchen Ärger ich Ihnen machen könnte. Zum Beispiel beim Finanzamt. Bei anderen Polizeidienststellen. Bei Ihrer ach so hehren Universität. Lassen Sie einfach zwei Minuten Ihrer Fantasie freien Lauf. Ist das angekommen? Gut. Und jetzt nennen Sie mir einen sicheren Ort, an dem wir uns ungestört treffen können. Ich habe keine Ahnung, wer dieses Videogespräch vielleicht überwacht oder wer Ihre Leitung anzapfen mag. Vermutlich haben ein paar von Ihren findigeren Studenten bei Ihnen eine Wanze versteckt, in der Hoffnung, ein paar Insider-Informationen für ihre Klausuren zu erfahren oder irgendetwas, womit sie Sie erpressen können. Aber ich will mich mit Ihnen treffen, und zwar jetzt. Ich sag's noch einmal – wir haben nicht viel Zeit.«

Jeffrey zog sich dunkle Kleidung an und huschte im Zentrum des Collegestädtchens zwischen dem Neonlicht der Läden und Restaurants vorsichtig von Schatten zu Schatten. Vor Antonios Pizzeria stand die übliche Menschenschlange und wartete auf Einlass; er sah, wie der Wachmann das Gewehr schwang, um unter den hungrigen Studenten für Ordnung zu sorgen. Eine andere Menschentraube kam gerade aus dem Kino in der Pleasant Street, in dem der neueste Streifen eines Genres lief, dass die Jugendlichen *Geporn* nannten, eine Wortschöpfung, welche die beiden zentralen Themen der meisten Filmplots zusammenfasste – Gewalt und Pornografie.

Er drückte sich flach an die Klinkerwand eines Videogeschäfts, als eine Kohorte wilder Halbwüchsiger ihn überholte. Die Jugendlichen marschierten in militärischem Gleichschritt und brachen ab und zu in einen monotonen Sprechgesang mit wechselnden Stimmen aus. Zwölf Kinder liefen in Formation hinter einem schlaksigen, pickelübersäten Anführer, der seiner Umgebung mit einem bösartigen Blick signalisierte, dass mit dem Schlimmsten rechnen musste, wer es wagte, sie anzustarren. Sie trugen alle die gleichen Jacken mit dem Logo eines Profi-Basketballteams, dazu Strickmützen und Hightech-Sportschuhe. Der Jüngste, vermutlich erst neun oder zehn, bildete die Nachhut. Seine kurzen Beine, die sich verzweifelt abmühten, mit dem Anführer Schritt zu halten, wären für den Professor ein komischer Anblick gewesen, hätte er nicht gewusst, wie gefährlich die Gang sein konnte. In regelmäßigen Abständen drehte sich der Picklige um, lief rückwärts weiter und rief den anderen zu: »*Wer sind wir?*«

Ohne zu zögern kam die Antwort in schrillem Chor: »*Wir sind die Hauptstraßen-Hunde!*«

»*Und was gehört uns?*«

»*Uns gehört die Straße!*«

Dann klatschten sie alle dreimal in die Hände, so dass es wie Schusssalven durchs Geschäftszentrum dröhnte.

Selbst die Studenten vor dem Italiener gingen den Kids aus dem Weg und teilten sich vor der marschierenden Gruppe wie eine Welle vor dem Bug. Der Wachmann der Pizzeria richtete sein Gewehr auf den Anführer, der dafür nur ein Lachen und eine obszöne Geste übrig hatte. Jeffrey sah, dass ein Streifenwagen der städtischen Polizei die Jungen aus sicherer Entfernung beschattete. Alle fürchten die Kinder, dachte er. Mehr als irgendjemanden sonst. Gegen Serienmörder, Vergewaltiger, Diebe und tollwütige Tiere kann man einfache Maßnahmen ergreifen; gegen Pocken, Grippe und Typhus kann man sich impfen lassen – aber es ist schwer, sich vor den Massen vernachlässigter Kinder zu schützen, die für die Welt, der sie ausgeliefert sind, nichts als Hass übrig haben. Er fragte sich, ob die Politiker, die das Abtreibungsrecht aufgehoben hatten, je die Kinder-Gangs auf den Straßen zu sehen bekamen und sich einen Moment lang fragten, wie es dazu kam.

Jeffrey hastete aus dem Schutz des Schattens und überquerte hinter der Streife den Fahrweg. Er sah, wie sich einer der Polizisten ruckartig umdrehte, als sähe er in seiner Gestalt, die hinter ihnen auftauchte, eine Bedrohung, dann gaben sie ein wenig

Gas und fuhren langsam davon. Er lavierte sich zwischen den Laternen hindurch in Richtung Stadtbücherei.

Er überlegte: Was weiß ich über den Einundfünfzigsten Bundesstaat? Nicht viel, räumte er ein, und das Wenige, was ihm bekannt war, bereitete ihm ein ungutes Gefühl, auch wenn er nicht präzise hätte sagen können, warum.

Vor etwas mehr als zehn Jahren hatten ungefähr zwei Dutzend der größten Aktiengesellschaften der Vereinigten Staaten angefangen, in sechs, sieben westlichen Bundesstaaten große Flächen Land aus nationalstaatlichem Besitz aufzukaufen. Auch von den einzelnen Bundesstaaten hatten sie Grund erworben oder besser gesagt, deren Abtretung erwirkt. Die Idee war simpel und fußte letztlich auf einem Konzept, das die Disney Corporation in den Neunzigerjahren mitten in Florida entwickelt hatte: noch einmal von vorne anfangen, kleine und große Städte sowie ländliche Gemeinden mit allem, was dazu gehört, einschließlich Wohnungen und Schulen, aus dem Nichts erschaffen und dabei zugleich die alten Ideale eines längst vergangenen Amerikas wieder aufleben lassen. Ursprünglich sollten diese firmeneigenen Welten den Menschen, die für die Unternehmen arbeiteten, einen sicheren Lebensraum bieten. Doch diese neue Variante besaß große Anziehungskraft. Mehr als einmal hatte Jeffrey Clayton sich die Fernsehwerbung für den Einundfünfzigsten Bundesstaat angeschaut. Er wurde in den rosigsten Farben als ein sicherer Hort voller Wärme beschrieben, in dem noch die alten Werte galten.

Vor fünf, sechs Jahren hatte man begonnen, das Gelände als gesondertes Gebiet zu kennzeichnen, das Westliche Territorium – ganz ähnlich wie bei Alaska und Hawaii ein halbes Jahrhundert früher der erste Schritt zur Bildung eines neuen Bundesstaates. Neu und ganz anders.

Es hatte ihn überrascht, dass so viele der angrenzenden Staaten Land abtraten – allerdings waren Geld und ähnliche Anreize überzeugende Argumente, und Grenzen waren nun einmal flexibel.

Und so hatte sich die Landkarte der Vereinigten Staaten verändert.

An manchen Straßen priesen Reklametafeln das Leben in dem neuen Gebilde. Natürlich auch Websites im Internet mit etwas mehr Informationen. Per Computer konnte man schon einmal virtuell durch das Gemeinwesen reisen, einschließlich dreidimensionaler Fahrten durch Stadt und Natur.

Selbstverständlich hatte das Projekt seinen Preis.

Viele ärmere Familien wurden entwurzelt – obgleich einige unverhofft zu Geld kamen, wenn sie feststellten, dass ihr Grundbesitz innerhalb der neu geschaffenen Grenzen lag. Es hatte auch ein paar Widerspenstige gegeben wie zum Beispiel Bürgerwehren, Waldschrate und Naturapostel, doch selbst die hatte man irgendwann herumgekriegt, sei es durch amtliche Verordnungen oder durch Bestechung. Viele von diesen Leuten hatten sich nach Nordidaho und Montana zurückgezogen, wo sie nun über genügend Platz und politischen Einfluss verfügten.

Der Einundfünfzigste Bundesstaat dagegen war zu einem Zufluchtsort ganz anderer Art geworden.

Man musste schon etwas springen lassen, zahlte hohe Steuern und satte Immobilienpreise.

Viel bedenklicher waren jedoch die Gesetze im Einundfünfzigsten Bundesstaat mit ihren tiefen Eingriffen in die Privatsphäre der Bewohner, der Kontrolle über Ein- und Ausreise sowie der Beschneidung bürgerlicher Rechte. Es ging nicht nur darum, dass der Erste Zusatzartikel eingeschränkt wurde. Freiwillig wohlgemerkt. Auch der Vierte und der Sechste erfuhren eine Neuauslegung.

Nicht mein Ding, war Jeffreys Fazit. Dabei konnte er nicht mit Bestimmtheit sagen, woher diese Abneigung kam.

Er zog sich die Jacke enger um die Schultern und eilte die Straße entlang. Du weißt herzlich wenig über diese neue Welt, dachte er. Dann wurde ihm klar: Du bist soeben im Begriff, einiges dazuzulernen.

Für einen Augenblick fragte er sich, welcher Menschentyp wohl auf einen solchen Kuhhandel einging, wie ihn das Territorium verlangte: Freiheit gegen Schutz.

Was man tatsächlich im Gegenzug bekam, war ein verlockendes Versprechen: Sicherheit. Garantierte Sicherheit. Absolute Sicherheit.

Das Amerika eines Norman Rockwell.

Das Amerika der Fünfzigerjahre unter Eisenhower.

Ein längst vergessenes Amerika.

Und genau da lag Agent Martins Dilemma.

Er klemmte sich die Ledermappe mit den drei Verbrechen fester unter den Arm und dachte: Das ist ein altes Problem. Das älteste Problem. Was passiert, wenn es den Fuchs in den Hühnerstall treibt?

Er schmunzelte. Dann ist die Hölle los.

In der Vorhalle der Bücherei lebten mehrere Obdachlose. Sie erkannten ihn beim Eintreten und grüßten ihn laut.

»He, Professor! Auch mal wieder zu Besuch?«, fragte eine Frau. An der Stelle, an der ihre Schneidezähne sein sollten, klaffte eine Lücke. Sie ließ ihrer Begrüßung schallendes Gelächter folgen.

»Nee. Muss nur ein bisschen forschen.«

»Bald brauchst du nix mehr zu forschen. Wenn du so weitermachst, bist du so tot wie die Leute, über die du forschen tust. Dann weißt du's genau, was, Professorchen?« Wieder lachte sie herzhaft und versetzte einem älteren Mann neben ihr einen Rippenstoß. Der schüttelte sich, dass seine lumpigen, dreckstarrenden Kleider raschelten wie welkes Laub.

»Der Professor studiert keine Toten, du alte Hexe«, erklärte der Mann. »Er beschäftigt sich mit den Leute, die sie um die Ecke bringen. Hab ich recht?«

»Stimmt«, bestätigte Jeffrey.

»Ach so«, meinte die Frau und verzog das Gesicht zu einem

breiten Grinsen. »Dann brauch er gar nicht selbst tot zu sein. Muss nur ein-, zweimal irgendwen um die Ecke bringen. Studieren Sie das, Professor? Wie man einen um die Ecke bringt?«

Jeffrey fand die Logik der alten Frau so schwach wie ihre Stimme. Statt einer Antwort fischte er einen Zwanzig-Dollar-Schein aus der Tasche.

»Hier«, sagte er. »Die Schlange vor Antonio's war nicht allzu lang. Holt euch eine Pizza.« Er ließ ihr den Schein in den Schoß fallen. Sie schnappte mit ihrer Klauenhand danach.

»Dafür kriegen wir nur 'ne kleine Pizza«, beschwerte sie sich in einer Aufwallung von Zorn. »Mit nur einem Belag. Ich mag Salami und er lieber Pilze.« Sie knuffte ihren Nachbarn energisch.

»Tut mir leid«, erwiderte Jeffrey, »mehr kann ich nicht für euch tun.«

Die alte Frau brach schlagartig in eine Mischung aus schrillem Geschrei und Kichern aus. »Dann eben keine Pilze«, gackerte sie.

»Ich mag aber lieber Pilze«, jammerte der Mann mit Tränen in den Augen. Jeffrey drehte sich um und bahnte sich seinen Weg durch mehrere Schwingtüren aus Stahl zum Eingangskontrollpunkt der Bibliothek, einer Trennwand aus Panzerglas. Die Bibliothekarin, die dahinter saß, winkte ihm lächelnd zu, und er übergab ihr seine Waffe. Sie deutete auf ein Nebenzimmer und sagte: »Ihr Freund wartet schon da drinnen auf Sie.« Ihre Stimme klang durch die metallene Sprechanlage fern und fremd. »Ihr gut bewaffneter Freund«, fügte sie mit einem Grinsen hinzu. »Hat ihm nicht gepasst, sein Arsenal abzuliefern.«

»Er ist Polizist«, erklärte Jeffrey.

»Na ja, jetzt ist er ein unbewaffneter Polizist. Keine Waffen in der Bibliothek. Nur Bücher.« Sie war älter als Clayton, und er schätzte, dass sie ihre Freizeit irgendwo dort hinten zwischen den Wälzern verbrachte und romantische Geschichten über die guten alten Zeiten verschlang. »Früher gab es mal mehr Bücher als Pistolen«, stellte sie mehr für sich selbst fest. Sie sah auf. »Stimmt's, Professor?«

»Ist lange her«, erwiderte er.

Die Frau schüttelte den Kopf. »Trotzdem sind Ideen immer noch gefährlicher als Waffen. Dauert nur ein bisschen länger.«

Er lächelte und nickte. Die Frau wandte sich wieder ihren Überwachungsmonitoren zu, während sie gleichzeitig neue Titel in einen Computer eingab. Jeffrey durchschritt den Metalldetektor und trat in den Zeitschriftenraum der Bibliothek.

Dort wartete der Agent allein, versunken in einem unbequem tiefen Ledersessel. Er rappelte sich hoch, um Clayton zu begrüßen.

»Ich gebe nicht gerne meine Waffen ab, selbst wenn wir von Bildung umgeben sind«, murrte er und verzog süßsäuerlich das Gesicht.

»Das hat mir die Dame an der Tür schon erzählt.«

»Die überzeugt mich nicht, die hat eine Uzi im Schulterhalfter.«

»Da ist was dran«, räumte Jeffrey ein. Dann schob er das Lederköfferchen mit den drei Akten zu Agent Martin hinüber. »Da haben Sie Ihre Dossiers. Wie gesagt, weiß ich nicht recht, wie ich Ihnen helfen soll, solange ich nicht sämtliche Informationen zu jedem dieser Morde habe.«

Der Agent reagierte nicht darauf, sondern sagte: »Ich hab heute mit dem Dekan des Psychologischen Instituts gesprochen. Er hat sich damit einverstanden erklärt, Sie wegen eines Notfalls zu beurlauben. Ich habe Ihnen die Namen der Professoren aufgeschrieben, die Ihre Lehrverpflichtungen für Sie übernehmen. Ich dachte, Sie wollen vielleicht mit ihnen reden, bevor wir uns auf den Weg machen.«

Jeffrey fiel die Kinnlade herunter. Für einen Moment stotterte er, als er protestierte: »Einen Scheißdreck werde ich tun! Ich gehe nirgendwohin. Wer gibt Ihnen das Recht, sich mit irgendjemandem in Verbindung zu setzen oder irgendetwas für mich zu regeln? Ich habe Ihnen klipp und klar gesagt, dass ich Ihnen nicht helfen will. Das war auch so gemeint.«

Der Agent überhörte Jeffrey geflissentlich und sagte: »Ich war mir nicht sicher, was ich mit diesen Freundinnen machen sollte. Könnte mir denken, dass Sie zuerst mit ihnen reden wollen. Irgendeine plausible Lüge auftischen, denn dass irgendjemand erfährt, woran Sie in Wahrheit arbeiten, ist das Letzte, was ich brauchen kann. Ihr Institutsleiter glaubt, Sie wollten nach Old Washington. Lassen wir ihn einfach in dem Glauben, einverstanden?«

»Sie können mich mal«, unterbrach ihn Jeffrey wütend. »Ich bin raus aus der Sache.«

Agent Martin hatte nur ein müdes Lächeln für ihn übrig. »Ich glaube zwar nicht, dass wir Freunde werden«, meinte er, »aber ich denke zumindest, dass Sie ein paar meiner hervorstechenden Eigenschaften, wenn schon nicht bewundern, dann doch zumindest schätzen werden – allerdings räume ich gerne ein, dass Sie dazu bis jetzt noch wenig Anlass hatten. Nein, ich glaube nicht, dass wir Freunde werden, aber das muss ja auch nicht sein, Professor, oder? Darum geht es bei dem Ganzen nicht.«

Jeffrey schüttelte den Kopf. »Nehmen Sie Ihre verdammten Akten. Ich wünsche Ihnen viel Glück.«

Der Professor war drauf und dran, sich umzudrehen, da packte ihn der Agent am Arm. Martin war ein kräftiger Mann, und sein eiserner Griff schien zu sagen, er sei zu weitaus mehr imstande, als Jeffreys Muskeln zusammenzudrücken, und der Schmerz, den er ihm jetzt zufügte, sei lediglich dem derzeitigen Stand der Dinge angemessen. Jeffrey versuchte, sich loszureißen, konnte es aber nicht. Agent Martin zog ihn näher an sich heran und zischte ihm ins Gesicht.

»Schluss mit den Diskussionen, Professor. Hören wir auf, uns zu streiten. Sie werden ganz einfach tun, was ich Ihnen sage, denn ich glaube, Sie sind in diesem Scheißland der einzige Mensch, von dem ich kriegen kann, was ich brauche. Also werde ich Sie nicht länger bitten, sondern Ihnen sagen, wo's langgeht. Und jetzt hören Sie mir erst mal gut zu. Haben Sie verstanden, Professor?«

Die Drohung ätzte sich in Jeffreys Haut wie ein Sonnenbrand an einem heißen Sommertag. Er riss sich zusammen und rang um Fassung.

»Na schön«, gab er zögerlich nach. »Dann erzählen Sie mir alles, was ich Ihrer Meinung nach wissen muss.«

Der Agent trat zurück und deutete auf einen Lesetisch neben seinem Sessel. Jeffrey ging an ihm vorbei und zog sich einen Stuhl heran. Er setzte sich und sagte kurz angebunden: »Schießen Sie los.«

Martin ließ sich ihm gegenüber auf einem Stuhl mit Holzlehne nieder, öffnete die Aktentasche und zog die drei Mappen heraus. Er warf Jeffrey einen finsteren Blick zu und schob dem Professor den ersten Schnellhefter hin.

»Das ist der laufende Fall«, erklärte er in bitterem Ton. »Kommt abends vom Babysitten bei einer Nachbarsfamilie nicht zurück. Zwei Wochen später entdeckt man ihre Leiche.«

»Fahren Sie fort.«

»Nein, lassen wir die erst mal beiseite. Sehen Sie dieses Mädchen?« Er schob Jeffrey das zweite Dossier hin. »Die schon mal gesehen, Professor?«

Jeffrey starrte auf die junge Frau. Woher soll ich die kennen?, überlegte er. »Nein«, antwortete er.

»Vielleicht sagt Ihnen der Name etwas.«

Der Mann atmete schwer, als müsse er einen gewaltigen Ärger unter Kontrolle halten, der sich in seinem Innern zusammenbraute. Er nahm einen Stift und schrieb den Namen *Martha Thomas* auf die Mappe. »Klingelt's jetzt bei Ihnen, Professor? Vor sieben Jahren. In Ihrem ersten Jahr hier an dieser ehrwürdigen höheren Bildungsanstalt. Fällt der Groschen?«

Jeffrey nickte. Es durchfuhr ihn eiskalt. »Ja, selbstverständlich, den Namen habe ich nicht vergessen. Sie war im ersten Semester, in einer meiner Einführungsvorlesungen. Eine von zweihundertfünfzig. Wintersemester. Sie war nur eine Woche da, dann ist sie verschwunden. Sie hat nur eine einzige Vorlesung besucht. Ich weiß nicht mal, ob ich ihr je persönlich begegnet bin. Ein Gespräch oder so hat es jedenfalls nicht gegeben. Das ist alles. Drei Wochen später wurde sie nicht weit von hier in einem Wald gefunden. Sie ging gerne wandern, soweit ich mich entsinne. Die Polizei vermutete, dass sie dabei entführt wurde. Keine Verhaftungen. Ich kann mich nicht einmal erinnern, befragt worden zu sein.«

»Und Sie haben nicht Ihre Hilfe angeboten, als eine Ihrer eigenen Studentinnen ermordet wurde?«

»Doch. Die örtliche Polizei hat mein Angebot ausgeschlagen. Ich hatte eben noch nicht den Ruf, den ich heute genieße. Habe nie auch nur die Unterlagen zum Fundort zu Gesicht bekommen. Ich wusste nicht, dass sie das Opfer eines Serienkillers war.«

»Die Idioten vor Ort auch nicht«, entgegnete Martin sarkastisch. »Das Mädchen wurde ausgeweidet und wie eine Art religiöses Zeichen auf den Boden gelegt, einer der Finger abgetrennt und ... und diese Dumpfbacken hatten nicht den leisesten Schimmer, womit sie es zu tun hatten.«

»Heutzutage häufen sich die Morde. Ein Ermittler von der Mordkommission muss Prioritäten setzen, um zu entscheiden, welche Fälle er verfolgt und welche ihm lösbar erscheinen.«

»Das weiß ich auch, Professor, deswegen waren sie trotzdem Idioten.«

Jeffrey lehnte sich zurück. »Demnach wurde eine junge Frau, die für ganz kurze Zeit eine Studentin von mir war, vor sieben Jahren auf dieselbe Art ermordet wie die Opfer Ihres derzeitigen Falls. Ich kann immer noch nicht sehen, wieso das meine Mitarbeit erfordert.«

Agent Martin schob die dritte Akte über den Tisch, direkt in Jeffreys rechte Hand.

»Dieser Fall ist alt«, erklärte Martin langsam »Sehr alt und kalt. Schnee von gestern, Professor.«

»Was wollen Sie mir damit sagen?«

»Das FBI hat alle diese Morde penibel erfasst«, fuhr Martin fort. »In ihrer umfangreichen Falldatei, dem *Violent Criminals Apprehension Program*, kurz VICAP genannt. Man kann so die ungelösten Fälle miteinander abgleichen und interessante Querverweise sowie Verbindungen finden. Darunter auch die Körperstellung der Leichen. Und die Zeigefinger. So was rauszufiltern ist für eine Computerdrohne, die Fälle speichert, ein Kinderspiel, meinen Sie nicht? Meistens hat das FBI oder sonst wer herzlich wenig von all diesen Auswertungen, aber hier und da spuckt so ein Programm interessante Kombinationen aus. Das wissen Sie natürlich alles, nicht wahr, Professor?«

»Ich bin mit den Verfahrensweisen bei Serienmorden vertraut. Schließlich gibt es das schon seit ein paar Jahrzehnten.«

Agent Martin hatte sich erhoben und lief eine Weile im Zimmer auf und ab, bis er sich schließlich wieder in den großen Ledersessel warf und Jeffrey Clayton über den Tisch hinweg musterte.

»Auf diese Weise bin ich auf die Querverbindung gestoßen. Dieser letzte Mord, soll ich Ihnen sagen, wann der passiert ist? Vor über fünfundzwanzig Jahren, verflucht noch mal. Ich meine, in der Steinzeit, richtig, Professor?«

»Drei Morde in einem Vierteljahrhundert sind ein ungewöhnliches Verhaltensmuster.«

Der Agent sackte schwer zurück und starrte einen Moment zur Decke, bevor er den Kopf senkte und Clayton fixierte.

»Das können Sie verdammt noch mal laut sagen«, bekräftigte er, »aber, Prof., dieser letzte da, der ist nun wirklich interessant.«

»Inwiefern?«

»Hinsichtlich von Ort und Zeit und hinsichtlich eines der Tatverdächtigen, die damals von der Staatspolizei verhört wurden. Man hat den Mistkerl nie festgenommen – er war nur einer von einem halben Dutzend möglichen Tätern, die man in die Mangel genommen hat – aber sein Name und das Befragungsprotokoll waren in der alten Akte. Hätte ebenso gut die Nadel im Heuhaufen suchen können, aber ich hab's gefunden.«

»Was war daran so interessant?«, hakte Jeffrey nach.

Agent Martin wollte erneut aufstehen, überlegte es sich aber anders. Mit einem Ruck beugte er sich vor, so dass sein mächtiger Oberkörper über seine Knie ragte, und zischte leise wie ein Verschwörer, jedoch in heftigem, mühsam beherrschtem Ton:

»Interessant? Ich will Ihnen sagen, was so interessant war, Professor. Dass die Leiche dieser jungen Frau in Mercer County, New Jersey, entdeckt wurde, ganz in der Nähe einer kleinen Stadt namens Hopewell, und zwar etwa drei Tage, nachdem Sie, Ihre Mutter und Ihre kleine Schwester für immer von zu Hause weggegangen waren ... und dass der Mann, den die Polizei ein paar Tage, nachdem dieses Mädchen verschwunden war und nachdem Sie und Ihre Familie sich verzogen hatten, so erfolglos verhört hat, Ihr gottverdammter Vater war.«

Jeffrey antwortete nicht. Ihm wurde heiß, als stünde der Raum, in dem er saß, urplötzlich in Flammen. Seine Kehle fühlte sich trocken an, ihm drehte sich der Kopf. Er hielt sich an der Tischkante fest, während ihm der Gedanke durch den Schädel hallte: *Du hast es gewusst, nicht wahr? Du hast es die ganze Zeit gewusst, all die Jahre. Du hast gewusst, dass eines Tages jemand zu dir kommen würde, um dir zu sagen, was du gerade erfahren hast.*

Er glaubte einen Moment, keine Luft zu bekommen, als schnürten ihm die Worte des Agent die Kehle zu.

Der Polizist sah dies alles durch seine zusammengekniffenen Augen, die den Professor unablässig musterten.

»Also«, meinte er ruhig, »fangen wir an. Ich sagte Ihnen ja, uns bleibt nicht viel Zeit.«

»Wieso?«, brachte Jeffrey atemlos heraus.

»Weil vor weniger als achtundvierzig Stunden noch ein Mädchen im Westlichen Territorium verschwunden ist. Während wir hier reden, sitzen in einem Büro, das Sicherheit und Behaglichkeit verströmt, verdammt noch mal, ein Mann und eine Frau sowie ein kleiner Bruder und eine ältere Schwester, die versuchen, das Unfassbare zu verstehen. Eine Erklärung für etwas zu bekommen, das unerklärlich ist. Und zwar nachdem man ihnen gesagt hat, dass ihnen genau das zugestoßen ist, was ihnen nie und nimmer hätte zustoßen sollen.«

Agent Martin verzog das Gesicht, als würde ihm bei dem bloßen Gedanken übel.

»Sie, Professor, Sie werden mir dabei helfen, Ihren Vater zu finden.«

DREI
UNSINNIGE FRAGEN

Jeffrey Clayton dröhnte der Kopf, und seine Wangen brannten, als hätte ihn jemand fest geschlagen.

»Das ist doch lächerlich«, brach es aus ihm heraus. »Sie sind doch verrückt.«

»Ja? Tatsächlich?«, fragte Agent Martin zurück. »Sehe ich so aus? Klinge ich so?«

Jeffrey atmete einmal tief ein und ließ die Luft mit einem Zischen ganz langsam zwischen den zusammengebissenen Zähnen entweichen.

»Mein Vater«, erklärte er so besonnen wie möglich, um über den Strudel widerstreitender Gefühle ein wenig Herr zu werden, »mein Vater ist seit über zwanzig Jahren tot. Er hat Selbstmord begangen.«

»Aha. Sind Sie sich dessen sicher?«

»Ja.«

»Haben Sie seine Leiche gesehen?«

»Nein.«

»Waren Sie bei seiner Beerdigung?«

»Nein.«

»Haben Sie irgendeinen Polizeibericht oder die Bescheinigung eines Coroner gelesen?«

»Nein.«

»Und woher nehmen Sie dann die Sicherheit?«

Jeffrey schüttelte den Kopf. »Ich gebe nur wieder, was man mir gesagt hat, und was ich geglaubt habe. Dass er gestorben ist. Nicht weit von unserem damaligen Haus in New Jersey.

Wie und wo genau, weiß ich allerdings nicht mehr. So genau wollte ich es gar nicht wissen.«

»Klingt ja alles mächtig überzeugend«, versetzte Martin ruhig und verdrehte mit einem müden Lächeln die Augen.

Aus dem Grinsen des Polizisten sprach mehr Wut und Drohung als Sinn für Humor. Jeffrey machte den Mund auf, um noch etwas zu sagen, überlegte es sich aber anders.

Nach ein paar Sekunden zog Martin die Stirn in Falten und sagte: »Verstehe. Sie können sich nicht mehr erinnern, wo Ihr Vater gestorben ist oder auch wann. Oder wie. Ich meine, Selbstmord kann alles Mögliche heißen. Hat er sich erschossen? Erhängt? Ist er vor einen Zug gesprungen? Oder von einer Brücke? Hat er einen Abschiedsbrief hinterlassen? Oder vielleicht ein Video? Wie steht's mit einem Testament? Wissen Sie alles nicht, was? Aber Sie sind ganz sicher, dass er gestorben ist, und zwar nicht an seinem Wohnort, aber auch nicht allzu weit davon weg. Würden Sie das als wissenschaftlich erwiesen bezeichnen?«, fragte er sarkastisch.

Der Professor ließ die Frage eine Weile im Raum stehen, bevor er sie beantwortete.

»Was ich weiß, das weiß ich aus einem einzigen Gespräch mit meiner Mutter. Sie hat mir gesagt, man hätte sie unterrichtet, er habe sich umgebracht, und über die Gründe wüsste sie nichts. Soweit ich mich entsinne, hat sie mir nicht gesagt, wie sie von seinem Tod erfahren hat, und ebenso wenig kann ich mich erinnern, sie danach gefragt zu haben. Wie dem auch sei, sie hatte keinen Grund, mich anzulügen und in die Irre zu führen. Wir haben nicht oft über meinen Vater gesprochen, folglich sah ich auch keinen Grund, den genauen Umständen nachzugehen. Ich machte einfach weiter, als wäre nichts gewesen, das heißt, ich widmete mich meinem Studium. Der Lehre. Meiner Doktorarbeit. Er spielte in meinem Leben keine wichtige Rolle mehr. Und zwar seit meiner frühen Kindheit. Ich kannte ihn nicht, und ich wusste auch nicht viel von ihm. Er war nur aufgrund eines einzigen Geschlechtsakts mein Vater und nicht, weil ich zu ihm in irgendeiner Beziehung stand. Als er starb, hat mich das nicht im Mindesten berührt. Es war, als erführe ich von irgendeinem entfernten Ereignis, das auf mein Leben praktisch keinen Einfluss hatte. Etwas, das irgendwo in einem anderen Teil der Welt passierte. Er war eine Chiffre, eine leere Hülle. Er existierte praktisch nicht. Eine vage Erinnerung. Ich trage nicht einmal seinen Namen.«

Agent Martin lehnte sich in dem riesigen Sessel zurück, der ihn trotz seiner beträchtlichen Körpermasse zu verschlucken schien. Er stützte sich auf und setzte sich bequem zurecht. »Verflucht noch mal«, murmelte er, »in dem Ding könnte man wohnen. Ist glatt noch Platz für eine Küche.« Er sah Jeffrey an.

»Nichts von alledem, was Sie da gerade gesagt haben, trifft auch nur annähernd die Wahrheit, hab ich recht, Professor?«, fragte er hemdsärmelig.

Jeffrey starrte sein Gegenüber an und versuchte, den Mann klarer zu sehen, so wie ein Landvermesser, der plötzlich den Werten nicht mehr traut, die seine Instrumente ermitteln, und der deshalb mit bloßem Auge entlang einer gedachten Linie selbst Maß nimmt. Bis dahin hatte er Martin nur flüchtig betrachtet und sich ein schemenhaftes Bild von ihm gemacht, doch jetzt schien es ratsam, seinen Eindruck zu überprüfen. Er bemerkte, dass die Brandnarben, die Hände und Hals des Detective entstellten, jedes Mal in gedämpftem Rot aufglühten, wenn der Mann seinen Ärger im Zaum halten musste, so dass sie seine Emotionen verrieten.

»Das heißt«, fuhr Martin leise fort, »eins vielleicht schon. Ich glaube Ihnen, dass Ihre Mutter Ihnen erzählt hat, er wäre gestorben, und vermutlich hat sie auch gesagt, er hätte Selbstmord begangen. Der Teil stimmt, nehme ich an. Ich meine, dass sie es gesagt hat.« Er hüstelte, als versuchte er, höflich zu sein, auch wenn es eher spöttisch klang. »Aber das war's denn auch schon, was?«

Jeffrey schüttelte den Kopf, worüber Martin wieder grinsen musste. Offenbar lächelte der Detective umso häufiger, je wütender er wurde.

»Passiert doch alle Tage, nicht wahr, Professor? Herr Todesexperte. Serienmörder überkommt nicht selten eine solche Abscheu gegen die Widerwärtigkeit ihrer Morde, dass sie ihre eigene erbärmliche, diabolische Existenz nicht länger ertragen und aus dem Leben scheiden, so dass sie der Gesellschaft die Mühe ersparen, sie aufzutreiben und vor Gericht zu bringen. Richtig, Professor? Das ist gar nicht mal ungewöhnlich, stimmt's?«

»Es kommt vor«, bestätigte Jeffrey schroff, »aber nicht oft. Die meisten Wiederholungstäter in unseren Studien kennen keine Reue. Nicht die Spur. Das gilt natürlich nicht für alle. Aber für die meisten.«

»Demnach hätten sie einen anderen Grund, einen dieser vergleichsweise seltenen Selbstmorde zu begehen?«

»Man kann eher sagen, sie haben sich mit dem Tod arrangiert, sie können damit leben – mit ihrem eigenen und dem anderer Menschen.«

Der Agent nickte und schien mit der Wirkung, die seine sarkastische Frage auslöste, recht zufrieden.

»Wie kommt es eigentlich«, fragte Jeffrey bedächtig, »dass Sie mich hier aufgestöbert haben? Wie kommt es, dass Sie mich mit dem Mann, der möglicherweise oder auch nicht vor über zwanzig Jahren ein Verbrechen begangen hat, in Verbindung bringen? Wie kommen Sie darauf, dass mein Vater, der in Wahrheit tot ist, irgendwie auf die Erde zurückgekehrt ist, um Ihr Tatverdächtiger bei diesem jüngsten Mord zu werden?«

Agent Martin lehnte den Kopf zurück. »Ganz vernünftige Frage«, meinte er.

»Ich bin auch ein vernünftiger Mann.«

»Das wage ich zu bezweifeln, Professor. Ich halte Sie für hochgradig unvernünftig. Kolossal unvernünftig. Aberwitzig unvernünftig. Das haben wir übrigens gemeinsam. Nur so kommt man durchs Leben, nicht wahr? Indem man unvernünftig ist. Jeder Atemzug in dieser beschaulichen, kleinen akademischen Welt ist unvernünftig, Professor. Denn wenn Sie vernünftig wären, dann wären Sie nicht das, was Sie sind. Dann wären Sie der Mann, von dem Sie befürchten, dass er in Ihnen steckt. Nicht anders als bei mir, wie gesagt. Trotzdem will ich gern versuchen, ein paar Ihrer Fragen zu beantworten.«

Wieder dachte Jeffrey, er sollte reagieren, er sollte voller Empörung alles weit von sich weisen, was der Detective behauptete, er sollte aufstehen und den Raum verlassen. Er tat nichts dergleichen.

»Bitte«, sagte er kalt.

Martin drehte sich zur Seite und bückte sich nach seiner Aktentasche. Er kramte in einigen Papieren und holte schließlich einen Stapel Polizeiberichte heraus. Diese blätterte er kurz durch, bis er gefunden hatte, wonach er suchte. Dann zog er eine Lesebrille mit halbmondförmigen Hornrandgläsern aus der Innentasche seines Jacketts, setzte sie sich auf und warf nur einen letzten Blick darüber auf den Professor, bevor er sich den Schriftstücken widmete.

»Macht mich alt, finden Sie nicht? Und ein bisschen distinguiert.« Der Detective lachte leise, als wollte er die Widersprüche in seinem Erscheinungsbild unterstreichen. »Das ist die Abschrift einer Befragung, die ein Kollege von der Staatspolizei New Jersey bei einem gewissen Mr. J. P. Mitchell durchgeführt hat. Sie kennen den Namen?«

»Ja, natürlich. So heißt – so hieß mein verstorbener Vater.«

Agent Martin schmunzelte. »Sicher. Also, der Detective geht erst mal fürs Protokoll die üblichen Angaben durch, sagt, um welchen Fall es sich handelt, nennt Datum, Uhrzeit und Ort … alles hübsch nach Vorschrift einschließlich der Belehrung über die Rechte. Er lässt sich Telefon- und Versicherungsnummer, Adresse und alles Mögliche geben, und Ihr alter Herr scheint nichts zu verschweigen …«

»Vielleicht hatte er dazu ja auch keinen Grund.«

Wieder grinste der Agent. »Sicher. Jetzt kommen wir zu der Stelle, an der der Detective in einigen Einzelheiten den Mord an dem Mädchen beschreibt und von Ihrem lieben alten Dad nur einen Haufen Unschuldsbeteuerungen zu hören bekommt.«

»Richtig. Ende der Geschichte.«

»Nicht ganz.«

Martin blätterte die Papiere noch einmal durch und zog schließlich drei Blätter aus der Mitte der Akte, die er Jeffrey hinschob. Der Professor warf einen Blick auf die Seitenzahlen: kurz unter hundert. Er rechnete überschlägig nach – zwei Seiten pro Minute – und stellte fest, dass zu diesem Zeitpunkt die Vernehmung seines Vaters schon fast eine Stunde gedauert haben musste. Er überflog den Text. Es handelte sich dabei offensichtlich um die Abschrift eines Stenografen; den reinen Fragen und Antworten war nichts hinzugefügt – keine Beschreibung der beiden Männer, die sich unterhielten, keine Angaben zu Tonfall und Habitus oder den nervlichen Zustand des Befragten. Er hätte gern gewusst, ob der Beamte gesessen oder gestanden hatte. Lief er vielleicht umher und umkreiste seinen Verdächtigen wie ein Raubvogel die Beute? Stand meinem Vater der Schweiß auf der Stirn oder leckte er sich vor jeder Antwort die Lippen? Schlug der Detective mit der Hand auf den Tisch? Beugte er sich bedrohlich über meinen Vater? Oder war er eiskalt, konzentriert und platzierte seine Fragen präzise wie Nadelstiche? Und mein Vater? Lehnte er sich mit einem leichten Grinsen zurück und parierte jeden Vorstoß mit dem Geschick eines Fechters, genoss er gar die wachsende Herausforderung als eine Art Spiel?

Jeffrey hatte einen kleinen Raum vor Augen, vermutlich mit einer einzigen Lampe an der Decke. Ein kleiner, kahler Raum mit nackten Wänden, moderner Schalldämmung und einer Wolke aus Zigarettenrauch über einem zweckdienlichen, quadratischen Tisch. Zwei einfache Stahlrohrstühle. Keine Handschellen, da der Mann nicht vorläufig festgenommen war. Ein Tonband auf dem Tisch, das geräuschlos Worte sammelte, Tonrollen, die sich gleichmäßig drehten, als warteten sie auf das Geständnis, zu dem es nie kam.

Was noch? Ein Spiegel an der Wand, der in Wahrheit ein Beobachtungsfenster war und den er als solches erkannt und ignoriert haben musste.

Jeffrey hielt abrupt in seinen Gedanken inne. Woher willst du das wissen? Woher willst du wissen, wie dein Vater an diesem Abend aussah, sich benahm und wie er klang?

Er bemerkte das leichte Zittern in der Hand, als er die Abschrift zu lesen begann. Als Erstes fiel ihm auf, dass der Beamte nicht namentlich genannt war.

F. Mr. Mitchell, Sie sagen, in der Nacht, als Emily Andrews verschwand, waren Sie zu Hause bei Ihrer Familie. Richtig?
A. Ja, das stimmt.
F. Kann Ihre Familie das bezeugen?
A. Ja, wenn Sie sie finden.
F. Sie leben nicht mehr zusammen?
A. Richtig. Meine Frau hat mich verlassen.
F. Wieso? Und wo ist sie hingegangen?
A. Das weiß ich nicht. Und was das Wieso betrifft, so kann diese Frage wohl nur meine Frau beantworten. Das wiederum könnte schwierig werden. Ich vermute, sie ist in den Norden gezogen. Vielleicht nach New England. Sie hat immer betont, dass sie das kältere Klima liebt. Seltsam, nicht wahr?
F. Demnach gibt es niemanden, der Ihr Alibi bestätigen kann?
A. Alibi ist ein Wort mit einer bestimmten Konnotation, nicht wahr, Detective? Und ich kann eigentlich nicht recht sehen, wieso ich ein Alibi brauchen sollte. Tatverdächtige brauchen ein Alibi. Bin ich ein Tatverdächtiger, Officer? Bitte korrigieren Sie mich, falls mir was entgangen ist, aber die einzige Verbindung, die Sie zwischen mir und dieser unglückli-

chen jungen Frau hergestellt haben, ist offenbar der Umstand, dass sie meinen Geschichtsunterricht besucht hat. In der fraglichen Nacht war ich zu Hause.

F. Jemand hat beobachtet, wie sie zu Ihnen ins Auto gestiegen ist.

A. Ich glaube, an dem Abend, an dem sie verschwand, war es dunkel und regnerisch. Sind Sie sicher, dass es mein Wagen war? Nein, hätte mich auch gewundert. Und selbst wenn, was wäre verkehrt daran, eine Schülerin an einem kalten, unwirtlichen Abend ein Stück mit dem Auto mitzunehmen?

F. Dann bestätigen Sie also, dass sie an dem letzten Abend, an dem sie lebendig gesehen wurde, zu Ihnen ins Auto gestiegen ist?

A. Nein, das tue ich nicht. Ich sage nur, dass es nichts Ungewöhnliches ist, wenn irgendein Lehrer einen Schüler im Auto mitnimmt. An diesem fraglichen Abend. Oder auch jedem anderen Abend.

F. Ihre Frau hat Sie aus heiterem Himmel verlassen?

A. Wir drehen uns im Kreis, nicht wahr? Solche Dinge passieren nicht über Nacht, Detective. Wir hatten uns schon seit einiger Zeit entfremdet. Wir haben uns gestritten. Sie ist gegangen. Traurig, aber keine Seltenheit. Vielleicht passten wir einfach nicht zusammen. Wer weiß?

F. Und Ihre Kinder?

A. Wir haben zwei. Susan ist sieben und mein Sohn, er heißt nach mir Jeffrey, ist neun. Sie kommt zurück, Detective. Ist sie immer. Und falls nicht, dann muss ich sie eben finden. Habe ich ebenfalls immer. Und dann sind wir wieder alle zusammen. Wissen Sie, manchmal hat man dieses Gefühl, eine Art Schicksalsahnung vielleicht, dass man, egal, wie schwierig oder entmutigend die Beziehung sein mag, absolut dazu bestimmt ist, zusammenzubleiben. Für immer. Unlösbar miteinander verbunden.

F. Dann hat sie Sie nicht zum ersten Mal verlassen?

A. Wir hatten auch vorher schon unsere Probleme. Ein, zwei Mal haben wir uns vorübergehend getrennt. Ich werde sie finden. Es ist nett von Ihnen, so viel Anteilnahme an meiner familiären Situation zu zeigen.
F. Und wie wollen Sie sie finden, Mr. Mitchell?
A. Über ihre Familie. Ihre Freunde. Wie stellt man es an, jemanden zu finden, Detective? Niemand möchte wirklich richtig verschwinden. Niemand möchte sich in Luft auflösen. Jedenfalls niemand, der nicht kriminell ist. Man will einfach nur woanders hin und einen neuen Anfang machen. Also nimmt man früher oder später irgendwo einen Faden wieder auf, der einen mit seinem früheren Leben verbindet. Man schreibt einen Brief. Macht einen Anruf. Irgendwas. Wenn man jemanden sucht, braucht man nur das andere Ende des Fadens in die Hände zu nehmen und auf diesen kleinen Ruck zu warten. Aber das wissen Sie selbst, Detective, nicht wahr?
F. Der Mädchenname Ihrer Frau?
A. Wilkes. Ihre Familie stammt aus Mystic, Connecticut. Ich kann Ihnen gerne ihre Sozialversicherungsnummer aufschreiben. Wollen Sie mir vielleicht die Suche abnehmen?
F. Wie erklären Sie es sich, dass ich in Ihrem Auto ein Paar Handschellen gefunden habe?
A. Verstehe. Jetzt eilen wir den Dingen ein bisschen voraus. Sie haben sie gefunden, weil Sie ohne richterliche Verfügung illegal mein Auto durchsucht haben. Dafür brauchen Sie einen Durchsuchungsbefehl.
F. Wozu dienten sie?
A. Ich bin ein Krimifan. Ich sammle Polizeiutensilien.
F. Wie viele Geschichtslehrer haben Handschellen bei sich?
A. Keine Ahnung. Ein paar? Viele? Wenige? Verstößt es gegen das Gesetz, welche zu besitzen?
F. An Emily Andrews' Leiche wurden Spuren festgestellt, die darauf hindeuten, dass sie mit Handschellen an den Gelenken gefesselt war.

A. Hindeuten ist ein schwaches Wort, finden Sie nicht, Detective? Ein überaus fadenscheiniger, dehnbarer, nichtssagender Begriff. Sie mag solche Spuren aufgewiesen haben, von meinen Handschellen stammen sie jedenfalls nicht.

F. Ich glaube Ihnen nicht. Ich glaube, Sie lügen.

A. Dann steht es Ihnen ja frei, es mir zu beweisen. Aber das können Sie nicht, Detective, stimmt's? Denn wenn Sie es könnten, würden wir nicht unser beider Zeit verschwenden, nicht wahr?

Die Antwort des Beamten stand nicht mehr auf den Seiten, die Jeffrey in Händen hielt. Einen Moment lang sah er nicht auf, obwohl er spürte, wie ihn Martins Blick durchbohrte. Er las ein paar Aussagen seines Vaters noch einmal und stellte fest, dass er nach all den Jahren die Worte auf dem Papier in der Stimme seines Vaters hören konnte und dass er im Geist seinen Vater gegenüber dem Polizisten sitzen sah, so wie er ihn zu Hause am Esstisch hatte sitzen sehen. Es war, als spulte in ruckelnden, zerkratzten Bildern ein uralter Amateurfilm vor seinen Augen ab, und er blickte abrupt auf, um Agent Martin die Seiten hinzuschieben.

Jeffrey zuckte die Achseln wie ein armer Schauspieler, der aufgrund einer Verwechslung mit dem berühmten Kollegen am anderen Ende der Bühne vom Scheinwerferlicht erfasst wird.

»Das sagt mir nicht allzu viel …«, log er.

»Ich denke doch.«

»Haben Sie noch mehr?«

»Und ob, aber es läuft aufs Gleiche hinaus. Ausweichend und haarspalterisch, aber selten provokant. Ihr Vater ist ein intelligenter Mann.«

»War.«

Der Agent schüttelte den Kopf. »Er war eindeutig der beste Verdächtige. Das Opfer wurde dabei gesehen, wie es in sein oder ein ähnliches Auto stieg, und unter dem Beifahrersitz wurden Blutspuren sichergestellt. Und diese Handschellen.«

»Und?«

»Das war's mehr oder weniger. Der Detective wollte ihn verhaften lassen – war darauf versessen, ihn zu verhaften –, bis die Blutproben aus dem Labor zurückkamen. Nichts zu machen. Die Blutrückstände passten nicht zum Opfer. Die Handschellen waren von Geweberückständen gereinigt. Ich glaube, mit Dampf. Ihr Haus wurde durchsucht – mit interessanten aber trotzdem negativen Ergebnissen. Die einzige Chance wäre ein Geständnis gewesen. Das war damals die übliche Verfahrensweise. Und der Detective hat sich erhebliche Mühe gegeben. Hat ihn fast vierundzwanzig Stunden in Gewahrsam gehalten. Aber am Ende schien Ihr Dad frischer und wacher zu sein als der Cop ...«

»Wie meinen Sie das – mit den interessanten aber trotzdem negativen Ergebnissen bei der Hausdurchsuchung?«

»Ich meine Pornografie. Von einer besonders bösartigen, gewalttätigen Art. Sexuelle Techniken, die man gewöhnlich mit Sadomaso und Folter verbindet. Eine umfangreiche Bibliothek über Mord, abartige sexuelle Neigungen und den Tod. Eine regelrechte Heimwerkerausrüstung für den Sexualstraftäter.«

Clayton schluckte schwer und merkte, wie seine Kehle austrocknete. »Das bedeutet noch lange nicht, dass er ein Mörder war.«

Agent Martin nickte. »Wie recht Sie haben, Professor. Nichts von alledem *beweist*, dass er ein Verbrechen begangen hat. Es beweist lediglich, dass er wusste, *wie* man es begehen kann. Diese Handschellen zum Beispiel. Auf eine seltsame Weise habe ich ihn fast bewundert. Offensichtlich hatte er sie zu irgendeinem Zeitpunkt dem Mädchen angelegt, und dann hatte er so viel Umsicht, sie in kochendes Wasser zu werfen, sobald er wieder zu Hause war. Es gibt nicht viele Mörder mit so viel Gespür fürs Detail. Das Fehlen von Geweberesten hat ihm bei den Verhören durch die Staatspolizei von New Jersey sogar geholfen. Die

Tatsache, dass sie die Dinger nicht mit dem Verbrechen in Verbindung bringen konnten, hat seinem Selbstvertrauen Auftrieb gegeben.«

»Und die Kausalitätskette? Die Verbindung zu dem Mädchen?«

Agent Martin zuckte die Achseln. »Man hat ihm nie irgendetwas nachweisen können, das konkret genug war. Eine Schülerin, die einen Kurs bei ihm besuchte, genau, wie er sagt. Das Ganze lief im Grunde auf das Sprichwort hinaus: Was wie eine Ente watschelt und wie eine Ente quakt, das ist vermutlich auch eine Ente. Sie verstehen, was ich meine, Professor?«

Martin trommelte frustriert mit spitzen Fingern auf dem Leder des Sessels.

»Ganz offensichtlich hatte der verdammte Cop von Anfang an seinen Meister gefunden. Von der ersten bis zur letzten Seite hat er seine Befragung nach dem Lehrbuch gemacht. So wie er es in jedem Seminar und jedem Kurs gelernt hatte. Als Auftakt zu einem Geständnis.« Der Agent seufzte. »Das war eben das Problem in der damaligen Zeit. Das Verlesen der Rechte. Rechte von Kriminellen. Und die Polizei. Du liebe Güte! Dieser geschniegelte und gebügelte, bis obenhin zugeknöpfte Haufen Gentlemen mit Offiziersgehabe. Selbst in Zivil und undercover sahen sie noch aus, als gehörte ihr Arsch in diese hautengen Uniformen. Wenn der durchschnittliche Mörder von denen vernommen wird – ich meine, der Kerl, der seine Alte wegpustet, weil er sie mit 'nem anderen erwischt, oder der Trottel, der beim Ladenüberfall sofort um sich schießt –, das können Sie gleich vergessen. Das sprudelt von selbst, dieses ›Ja, Sir‹, und ›Nein, Sir‹, ›Wenn Sie meinen, Sir‹ – wie ein Wasserhahn ohne Dichtung. Ein Spaziergang. Aber hier lief es anders. Der arme Trottel von einem Cop hatte gegen Ihren Alten einfach keine Chance. Ich meine, intellektuell. Keine Chance. Als er in das Vernehmungszimmer hineingegangen ist, hat er sich eingebildet, Ihr Alter würde ihm auf dem Tablett servieren, wie er es gemacht hat und warum und dann auch noch wo und was sie sonst noch alles wissen wollten, so wie jeder andere blöde Killer, den sie sich vorgeknöpft haben. Ha! Stattdessen haben sie sich im Kreis gedreht – Walzer im Two-Step-Takt.«

»Sieht ganz so aus«, erwiderte Jeffrey.

»Und das sagt uns etwas, richtig?«

»Sie neigen zu kryptischen Äußerungen, Agent Martin, und suggerieren damit, ich verfügte über ein Wissen oder über Kräfte und Intuition, die ich nie für mich in Anspruch nehmen würde. Ich bin nichts weiter als ein Professor an einer Universität und habe als ein Spezialgebiet den Wiederholungstäter. Das ist alles. Nicht mehr und nicht weniger.«

»Na schön, es sagt uns, dass er nicht kleinzukriegen war, nicht wahr, Professor? Er hatte mehr Durchhaltevermögen als ein Detective, der auf Teufel komm raus seinen Fall abschließen wollte. Und es sagt uns, dass er clever war, und keine Angst hatte, was das Faszinierendste ist, denn ein Krimineller, der vor dem Arm des Gesetzes keine Angst hat, ist immer interessant, nicht wahr? Was es mir aber vor allem sagt, ist etwas anderes, etwas, das mir wirklich zu schaffen macht.«

»Das wäre?«

»Sie kennen doch diese Satellitenfotos, die diese Wetterfrösche beim Fernsehen so lieben? Auf denen Sie erkennen können, wie eine Sturmzelle an Intensität gewinnt, wie sie wächst und sich formiert, wie die Feuchtigkeit und der Wind sie zusammenballen, bevor es richtig losgeht?«

»Ja«, bestätigte Jeffrey und staunte über die lebhafte Vorstellungskraft des Mannes.

»Menschen können wie diese Sturmzellen sein. Nicht viele. Aber ein paar. Und ich denke, Ihr Vater war einer von ihnen. Einer, der von der Erregung des Augenblicks lebte. Mit jeder Frage, jeder Minute, die in diesem Vernehmungszimmer verstrich, ballte sich diese seltsame, gefährliche Kraft in ihm zusammen. Dieser Cop hat versucht, ein Geständnis aus ihm herauszukitzeln ...« Martin legte eine Pause ein und holte Luft. »... aber er hat dazugelernt.«

Jeffrey ertappte sich dabei, wie er nickte. Ich sollte eigentlich in Panik sein, dachte er. Stattdessen empfand er eine einzigartige Kälte. Wieder holte er tief Luft. »Sie scheinen über dieses Geständnis, zu dem es nie gekommen ist, eine Menge zu wissen.«

Agent Martin nickte. »Oh ja, allerdings. Weil nämlich ich der vollkommen dämliche Neuling war, der Ihren alten Herrn zum Reden bringen wollte.«

Jeffrey zuckte zurück.

Martin beobachtete ihn, während er scheinbar über seine Bemerkung nachsann. Dann lehnte er sich vor, so dass sein Gesicht ganz nahe an Claytons heranrückte und seine Worte so eindringlich wirkten, als hätte er geschrien: »Man wird zu dem, was man als Kind an Erfahrungen in sich aufnimmt. Das wissen wir alle, Professor. Das macht mich zu dem, was ich bin, und bei Ihnen ist das nicht anders. Sie mögen das bis jetzt erfolgreich verleugnet haben, aber damit ist es vorbei. Dafür werde ich sorgen.«

Jeffrey fuhr zurück. »Wie haben Sie mich gefunden?«, fragte er noch einmal.

Der Agent entspannte sich. »Ein bisschen altmodische Detektivarbeit. Ich erinnerte mich noch gut, wie sich Ihr Vater über Namen ausgelassen hatte. Wissen Sie, die meisten Menschen hassen es tatsächlich, ihren Namen aufzugeben. Namen sind etwas Besonderes. Sie verbinden uns mit unseren Ahnen. Mit der Vergangenheit, all das. Sie verankern uns in der Welt. Und Ihr Vater hat mir das Stichwort gegeben, als er den Mädchennamen Ihrer Mutter nannte. Ich wusste, dass sie klug genug sein würde, den nicht einfach wieder anzunehmen – dann hätte er sie allzu leicht gefunden. Aber, na ja, wie das nun mal so ist mit Namen, die Leute geben sie nicht gerne auf. Wissen Sie, woher ›Clayton‹ kommt?«

»Ja«, erwiderte der Professor.

»Ich auch. Nachdem Ihr Vater den Mädchennamen Ihrer Mutter preisgegeben hatte, dachte ich mir, nun, das wäre wirklich zu offensichtlich, aber niemand verleugnet gern seinen Stammbaum, selbst wenn man sich vor jemandem versteckt, den man für ein Monster hält. Also hab ich nur so aus Jux und Tollerei mal nachgeschlagen und den Mädchennamen der Mutter Ihrer Mutter rausgefunden. Clayton. Nicht ganz so offensichtlich, wie? Und schwupp hatte ich die Namen zusammengesetzt – ›mein Sohn, der nach mir Jeffrey heißt ...‹ Ich bin davon ausgegangen, dass keine Mutter die Vornamen ihrer Kinder ändert, wie umsichtig das auch gewesen wäre – und siehe da, ich hatte Jeffrey Clayton. Da hat es bei mir geklingelt, verstehen Sie? Der nicht ganz unbekannte Professor Tod – in Morddezernatskreisen durchaus kein unbeschriebenes Blatt. Und können Sie sich denken, wie mich diese Verbindung fasziniert hat, als ich erfuhr, dass noch eines der Opfer mit ausgebreiteten Armen, dieser quasi gekreuzigten Opfer, denen ein Finger fehlt, zufällig *Ihre* Studentin gewesen ist? Der Mädchenname der Mutter Ihrer Mutter. Saubere Arbeit, nicht wahr? Glauben Sie, Ihr Daddy hat auch die Verbindung hergestellt?«

»Nein, zumindest haben wir nie wieder etwas von ihm gesehen. Oder gehört. Wie gesagt. Nachdem wir ihn in New Jersey verlassen hatten, war er sozusagen aus unserem Leben getilgt.«

»Sind Sie sich wirklich so sicher?«

»Ja.«

»Nun ja, ich denke, Sie sollten sich nicht ganz so darauf verlassen. Was Ihren Alten betrifft, sollten Sie nichts für sicher halten. Wenn nämlich ich dieses nette kleine Täuschungsmanöver durchschauen konnte, dann er vielleicht auch.«

Der Detective streckte die Hand nach dem Foto von Claytons ermordeter Studentin aus, nahm es und schleuderte es quer über den Tisch, so dass es direkt vor dem Professor liegen blieb.

»Ich glaube, Sie haben bereits von ihm gehört.«

Jeffrey schüttelte den Kopf. »Er ist tot.«

Agent Martin sah auf. »Ich beneide Sie um Ihre Gewissheit, Professor. Es muss ein schönes Gefühl sein, sich immer in allem so sicher zu sein.« Bevor er fortfuhr, seufzte er. »Meinetwegen. Wenn Sie es mir beweisen können, dann werde ich mich bei Ihnen entschuldigen, und Sie bekommen einen netten kleinen Scheck als Entschädigung für Ihren Zeitaufwand vom Gouverneur des Westlichen Territoriums plus eine sichere, komfortable Heimfahrt in einer Luxuslimousine.«

Irrsinn, dachte Jeffrey.

Und dann fragte er sich: Ist es das?

Er ertappte sich dabei, wie er an dem Agent vorbei in den Hauptlesesaal der Bibliothek starrte. Dort saßen ein paar Leute still über ihrer Lektüre, vorwiegend ältere Menschen, halb hinter den Worten vergraben, die sie geöffnet vor sich hielten. Die idyllische, altmodische Szene konnte fast zum Glauben an eine heile Welt verleiten. Er ließ den Blick über die Regale wandern, über die Bücher, die in Reih und Glied geduldig darauf warteten, dass jemand sie zur Hand nahm, aufschlug und die Informationen daraus schöpfte, die ein wissbegieriger Geist sich von ihnen erhoffte. Er fragte sich, ob einige der Bücher für immer verschlossen bleiben würden, weil die Worte zwischen ihren Deckeln im Wandel der Zeit überholt und nutzlos geworden waren. Oder auch nur vergessen, weil die Information, die sie beinhalteten, nicht per Tastatur abrufbar war.

Wieder stellte er sich seinen Vater aus dem Blickwinkel des Kindes vor.

Ihm kam ein Gedanke: Nicht die neuen Ideen sind wirklich gefährlich, sondern die alten, die in jeder Umgebung seit Jahrhunderten durch die Köpfe der Menschen geistern. Vampir-Ideen.

Mord als Virus, gegen jedes Antibiotikum resistent.

Er schüttelte den Kopf und sah, dass Agent Martin wieder einmal grinste, während er beobachtete, wie es in Jeffrey arbeitete. Nach einer Weile räkelte sich der Polizist, packte die Lehnen des Sessels und stand auf.

»Schnappen Sie sich Ihre Sachen. Es ist schon spät.«

Martin sammelte die Berichte und Fotos ein, stopfte sie in die Aktentasche und schritt zügig zum Ausgang. Clayton eilte hinterher. An den Metalldetektoren nickten sie beide der Bibliothekarin zu, die dem Detective die Waffen aushändigte, auch wenn ihre andere Hand über dem Alarmknopf schwebte, während er sich unter dem Jackett die Halfter anlegte.

»Machen Sie schon, Clayton«, drängte Martin grimmig, als er durch das Eingangsportal in die pechschwarze, fast schon winterliche Nacht der kleinen Stadt in New England trat. »Es ist spät. Ich bin müde. Wir haben morgen eine weite Reise vor uns, und da draußen wartet jemand, den ich töten muss.«

VIER
MATA HARI

Susan Clayton beobachtete, wie in der Ferne eine dünne Rauchsäule in die Höhe stieg, eine schwarze Spirale im Licht der untergehenden Sonne, die sich als scharfe Linie vor dem verblassenden Himmel abzeichnete. Der Gedanke, dass dort ein Feuer außer Kontrolle geraten sein könnte, kam ihr nur flüchtig in den Sinn. Es traf sie wie eine Beleidigung, dass dieser Rauch den vollkommenen Horizont störte. Sie horchte, doch die durchdringenden Sirenen blieben aus. So ungewöhnlich konnte sie das nicht finden; in einigen Teilen der Stadt war es sogar eher die Regel, ein Gebot der Vernunft, ganz zu schweigen von der Kosteneffizienz, ein in Brand gestecktes Gebäude niederbrennen zu lassen, statt das Leben von Polizisten und Feuerwehrleuten aufs Spiel zu setzen.

Sie schwang sich auf ihrem Drehstuhl herum und ließ den Blick über das geschäftige Treiben kurz vor Büroschluss in den Redaktionsräumen wandern. Ein Wachmann, das Sturmgewehr über die Schulter gehängt, schickte sich gerade an, eine kleine Gruppe von Mitarbeitern um sich zu scharen und zum Parkplatz zu geleiten. Susan musste an einen Schwarm kleiner Fische denken, die sich zum Schutz gegen natürliche Räuber zu einer dichten Masse zusammenschließen. Sie wusste genau: Der Nachzügler, der Einzelgänger, der aus der Gruppe ausbricht, wird zur leichten Beute.

Bei dem Gedanken musste sie schmunzeln: Sieh zu, dass du schnell schwimmst.

Einer ihrer Kollegen, der Redakteur der Klatschseiten, steckte den Kopf zu ihrer Arbeitskabine hinein und sagte: »Komm schon, Susan, reiß dich los. Feierabend.«

Sie schüttelte den Kopf. »Ich will nur noch ein paar Dinge zu Ende bringen«, antwortete sie.

»Was man partout noch am Abend erledigen will, kann auch als Erstes morgen früh drankommen. In diesen Zeiten ein kluger Rat. Eine Lebensweisheit.«

Susan grinste und machte eine wegwerfende Handbewegung. »Ich mach bald Schluss.«

»Aber dann bist du die Letzte«, warnte er. »Es ist nicht gut, allein zu sein. Gib wenigstens dem Wachdienst Bescheid, damit sie wissen, dass du noch da bist. Schließ die Türen ab und schalte die Alarmanlage ein.«

»Ich kenne die Regeln.«

Der Redakteur zögerte. Er war ein älterer Mann mit grau meliertem Haar und Bart – ein begnadeter Profi, einer der führenden Leute des *Miami Herald*, bis ihn seine Drogensucht die Stellung kostete und ihn zu den Klatschspalten und schmeichelhaften Lügen über die Hautevolee bei der Wochenzeitschrift relegierte, für die sie beide arbeiteten. Was ihm an Leidenschaft fehlte, machte er mit stoischer Gewissenhaftigkeit wett, gepaart mit einem bissigen, sehr geschätzten Humor. Die Mischung brachte ihm einen Gehaltsscheck ein, der zu gleichen Anteilen an seine geschiedene Frau, an seine Kinder und an Kokain ging. Sie wusste, dass er derzeit angeblich clean war. Doch mehr als einmal hatte sie Spuren eines weißen Pulvers an den Haaren seines Lippenbarts gesehen, wenn er aus der Herrentoilette kam. Sie ignorierte das einfach, da sie wusste, dass sie sich mit der kleinsten Bemerkung in sein Leben einmischen würde, was sie auf keinen Fall wollte.

»Machst du dir keine Gedanken über die Gefahren?«

Susan lächelte, wie um die Frage zu verneinen, auch wenn sie natürlich beide wussten, dass das gelogen war.

»Was passiert, das passiert eben«, antwortete sie. »Manchmal denke ich, wir verschwenden so viel Zeit auf unsere Vorsichtsmaßnahmen, dass nicht mehr viel übrig bleibt für das, was wirklich zählt.«

Der Redakteur schüttelte den Kopf und lachte leise.

»Schau an, eine Frau voller Rätsel und Philosophie. Nein, ich denke, du irrst. Früher mal konnte man sich einfach dem Schicksal überlassen, und höchstwahrscheinlich passierte einem nichts. Aber das ist Jahre her. Die Zeiten haben sich geändert.«

»Trotzdem, ich nehme es lieber, wie es kommt«, erwiderte Susan. »Ich kann auf mich selbst aufpassen.«

Der Kollege zuckte die Achseln. »Was ist denn so dringlich?«, fragte er verdrießlich. »Was ist so wichtig, dass du hierbleiben willst, wenn alle anderen längst zu Hause sind? Was ist so toll an diesem Büro? Findest du unseren Arbeitgeber so spendabel, dass du dein Leben riskieren würdest, um den Ruhm des *Miami Magazine* zu mehren?«

»Sicher. So gesehen hast du recht ...«, gab sie zu. »Aber ich arbeite noch an einem Special zu meinem letzten Rätsel, und ich bin mitten drin.«

Der Kollege nickte. »Einem Special? Einer Botschaft an einen neuen Verehrer?«

»So etwas in der Art.«

»Für wen ist das Special denn gedacht?«

»Ich hab einen verschlüsselten Brief nach Hause bekommen«, erklärte sie, »und ich dachte mir, ich gehe auf das Spielchen ein.«

»Klingt ja faszinierend. Aber gefährlich. Sei vorsichtig.«

»Ich bin immer vorsichtig.«

Der Redakteur sah an ihr vorbei aus dem Fenster, wo immer noch der Rauch aufstieg – ein Stillleben städtischer Vernachlässigung hinter Glas.

»Manchmal hab ich das Gefühl, keine Luft mehr zu bekommen«, gestand er leise.

»Wie bitte?«

»Manchmal denke ich, mir bleibt die Luft weg. Oder sie ist

zu heiß, um sie einzuatmen. Vielleicht auch zu verrußt. Und ich ersticke daran. Oder voller Krankheitserreger, und wenn ich husten muss, spucke ich Blut.«

Susan antwortete nicht, auch wenn sie innerlich dachte: *Ich weiß genau, was du meinst.*

Der Redakteur sah weiter an ihr vorbei. »Ich frage mich, wie viele Menschen heute Nacht da draußen sterben werden«, sagte er in einem versonnenen, ruhigen Ton, der nahelegte, dass er keine Antwort erwartete. Dann schüttelte er wie ein Tier, das ein lästiges Insekt loswerden will, mehrfach den Kopf. »Sieh zu, dass du nicht in die Statistik eingehst«, warnte er sie direkt und in einem autoritären Ton. »Halte dich an die offiziellen Zeiten. Geh nicht ohne Geleitschutz. Halte die Augen offen, Susan. Pass auf dich auf.«

»Das hab ich auch vor«, erwiderte sie und fragte sich im selben Moment, ob sie es auch so meinte.

»Wo sollten wir so schnell eine neue Rätselkönigin hernehmen? Was wird's denn diese Woche? Was Literarisches oder was zum Rechnen?«

»Was Literarisches«, berichtete sie. »Ich hab ein halbes Dutzend Schlüsselbegriffe aus berühmten Shakespeare-Passagen in einem Dialog zwischen Liebenden zusammengebraut.«

»In dem zum Beispiel jemand so dahin sagt: ›Das mag ja sein oder auch nicht‹, und die Stelle, die man rausfinden muss, ist ›Sein oder Nichtsein‹?«

»Ja«, antwortete sie. »Nur dass dieses Beispiel für meine Leserschaft viel zu einfach wäre.«

Der Redakteur lächelte. »Ob's edler im Gemüt, die Pfeil' und Schleudern des wütenden Geschicks erdulden oder … wie geht's weiter? Ich knack' sie nie, ehrlich gesagt.«

»Nie?«

»Nie.« Er lächelte immer noch. »Zu dämlich. Zu ungebildet. Und viel zu ungeduldig. Meine Aufmerksamkeitsspanne reicht nicht aus. Sollte vielleicht was dafür einnehmen. Ich schaffe es einfach nicht, mich so wie du hinzusetzen und es auszuknobeln. Schlichtweg zu frustrierend.«

Sie wusste nicht, was sie sagen sollte.

»Nun ja«, meinte er achselzuckend. »Bleib einfach nicht zu lang. Dieses Jahr ist bei uns immerhin noch niemand vergewaltigt oder ermordet worden, zumindest, soweit wir wissen, und die Geschäftsleitung möchte, dass es so bleibt. Wenn du fertig bist, schick 'ne elektronische Nachricht mit 'ner Kopie, damit die Setzer es nicht wieder vermasseln. Letzte Woche haben sie drei Korrekturen übersehen, die wir noch ziemlich spät rübergeschickt haben.«

»Mach ich, aber weißt du was? Die Jungs mögen mich. Sie sind mir nie persönlich begegnet, aber sie scheinen mich zu mögen. Ich bekomme ständig kleine Liebesbriefchen per E-Mail.«

»Das liegt an deinem Pseudonym. Geheimnisvoll. Ein Hauch orientalischer Exotik. Verschleiert und schwer zu fassen. Erinnert an unwiederbringliche Dinge aus der Vergangenheit. Sehr sexy, Mata Hari.«

Susan nahm eine Lesebrille von ihrem Schreibtisch, die sie nur gelegentlich brauchte. Sie schob sie sich auf die Nasenspitze. »Da«, sagte sie. »Mehr Fräulein Lehrerin als Spionin, meinst du nicht?«

Der Redakteur lachte und winkte ihr im Hinausgehen noch einmal zu.

Wenige Minuten später steckte der Wachmann den Kopf zu ihrer Kabine herein. »Sie machen Überstunden?«, fragte er in ungläubigem Ton.

»Ja, aber nicht mehr lange. Ich melde mich, wenn ich Geleitschutz brauche.«

»Wir haben um sieben Feierabend«, erklärte er. »Danach ist nur noch der Nachtwächter da. Und der hat keine Geleitschutzlizenz. Außerdem wird er Sie wahrscheinlich erschießen, sobald Sie aus dem Fahrstuhl steigen, weil er sich vor Angst in die Hosen macht, wenn er merkt, dass außer ihm noch jemand im Gebäude ist.«

»Ich bleib nicht mehr lang. Und ich sage ihm Bescheid, bevor ich runterkomme.«

Der Mann zuckte die Achseln. »Es geht um Ihren Hals«, meinte er und ging. Man kann nicht mehr allein sein, dachte sie, es ist nicht mehr sicher.

Und wer allein sein will, macht sich verdächtig.

Wieder sah sie aus dem Fenster. Der allabendliche Verkehrsstillstand ballte sich gerade an den Stellen zusammen, an denen sich die endlosen Autoschlangen trafen. Der Pendlerverkehr erinnerte sie an Szenen aus alten Western, wo die Rinderherden mitten im Viehtrieb zur Schlachtbank im Norden plötzlich erschraken, so dass die Wogen dicht gedrängter, muhender Tiere urplötzlich in Panik ausbrachen und über die weiten Ebenen galoppierten, während die Cowboys in dieser heroischen Geschichtsverzerrung sich mühten, sie wieder unter Kontrolle zu bringen. Sie sah zu den Polizeihubschraubern am Himmel auf, die über dem Chaos kreisten und wie Aasgeier nach Kadavern Ausschau zu halten schienen. Hinter ihr ertönte ein klingelndes Geräusch, das vom Schließen der Fahrstuhltüren stammte. Die plötzliche Stille im Büro schlug ihr entgegen wie eine Meeresbrise. Sie nahm einen Notizblock und schrieb an den oberen Rand: *Ich habe dich gefunden.*

Wieder zuckte sie unter den Worten zusammen. Sie biss sich fest auf die Unterlippe und machte sich daran, eine Antwort zu formulieren. Dabei wollte sie ihre Botschaft so verschlüsseln, dass sie ihm eine Reaktion entlockte, die ihr erste Hinweise auf den anonymen Briefschreiber gab und ihr dabei half, im Kopf ein Bild von der Person zu entwerfen, die sie gefunden hatte.

Susan Clayton hatte sich wie ihr älterer Bruder ihren athletischen Körper bewahrt. Ihr eigener Lieblingssport war Kunstspringen gewesen; sie hatte das Gefühl genossen, dort oben auf dem Drei-Meter-Turm, hoch über dem Schwimmbecken im Angesicht der Gefahr ganz auf sich gestellt zu sein, sich geistig zu sammeln und dann ihren Körper in die Luft zu schwingen. Ihr wurde bewusst, dass vieles von dem, was sie tat – einschließlich der einsamen Überstunden im Büro –, in dieselbe Richtung ging. Sie hatte keine Ahnung, weshalb es sie so oft drängte, Risiken einzugehen, doch sie begriff, dass diese Momente höchster Anspannung für sie unverzichtbar waren, um ihren Alltag zu bewältigen. Wenn sie Auto fuhr, dann fast immer auf den Fahrbahnen ohne Geschwindigkeitsbegrenzung mit über hundert Meilen pro Stunde. Ging sie an den Strand, dann wagte sie sich in unruhige Gewässer weitab von der Küste vor und erprobte ihre Kräfte am Ziehen und Zerren der Unterströmungen. Sie hatte keinen festen Freund und wies fast jede Einladung zu einem Rendezvous zurück, weil sie ihr Leben als überaus brüchig empfand und begriff, dass ein Fremder, selbst jemand, der sich sehr um sie bemühte, es nur noch unnötig komplizierter machen würde. Sie wusste auch, dass die Wahrscheinlichkeit, mit ihrem Verhalten ihren vorzeitigen Tod herbeizuführen, weitaus größer war als die, sich in jemanden zu verlieben, doch mit diesem Umstand konnte sie seltsamerweise gut leben.

Wenn sie in den Spiegel sah, fragte sie sich zuweilen, ob die scharfen Linien um ihre Augenwinkel und der entschlossene Mund von ihrer Fallschirmspringer-Einstellung zum Leben zeugte – vom jahrelangen freien Fall. Das Einzige, was sie wirklich fürchtete, war, dass sie den Tod ihrer Mutter, der unaufhaltsam – schneller, als sie sich eingestand – näher rückte, vielleicht nicht ertragen würde. Zuweilen kam ihr der Gedanke, dass allein die Pflege ihrer Mutter – für die meisten Menschen eine unerträgliche Belastung, ein Mühlstein um den Hals – sie dazu brachte, an ihrem Beruf und einem scheinbar normalen Leben festzuhalten.

Susan hasste den Krebs von ganzem Herzen. Sie lechzte danach, ihn unter fairen Bedingungen von Angesicht zu Angesicht zu bekämpfen. In ihren Augen war die Krankheit ein Feigling, und sie liebte die Momente, in denen sie ihre Mutter dagegen ankämpfen sah.

Sie vermisste ihren Bruder schrecklich.

Jeffrey löste bei ihr ein verworrenes Gemisch an Gefühlen aus. In den Jahren, in denen sie zusammen aufgewachsen waren, hatte sie seine Gegenwart so selbstverständlich genommen, dass sie ein bisschen wütend auf ihn war, als er von zu Hause wegging. Sie empfand ihm gegenüber gleichermaßen Stolz und Eifersucht und hatte nie recht begriffen, wieso sie selbst nicht in ähnlicher Weise Karriere gemacht hatte. Dabei fand sie es irritierend, mit welcher Obsession sich ihr erwachsener Bruder Mördern widmete. Es war schwierig, gleichzeitig vor etwas Angst zu haben und sich dazu hingezogen zu fühlen, und sie fürchtete, dass sie – wenn sie auch nicht wusste, wie – am Ende so war wie er.

In den letzten Jahren hatte sie sich immer mehr dabei ertappt, dass sie im Gespräch mit ihm verschlossener wurde, ihm ihre Gefühle nicht mitteilen konnte, als legte sie es darauf an, dass er sie nicht verstand. Es fiel ihr schwer, seine Fragen nach ihrer Arbeit zu beantworten, nach ihren Hoffnungen, ihrem Leben. Sie blieb vage und versteckte sich hinter einem Nebelschleier von Halbwahrheiten und wenigen Details. Obwohl sie sich für eine selbstbewusste Frau mit Ecken und Kanten hielt, begegnete sie ihrem Bruder mit einer konturlosen Unverbindlichkeit.

Das Seltsamste war, dass sie ihre Mutter dazu überredet hatte, das ganze Ausmaß ihrer Krankheit gegenüber Jeffrey zu verschweigen. Sie hatte argumentiert, mit der schlimmen Nachricht nicht sein Leben durcheinanderbringen zu wollen, ihn zu schützen, indem sie beide ihm den schleichenden Fortgang verschwiegen, der irgendwann zum Tode führen musste. Er würde sich zu viele Sorgen machen, hatte sie gesagt. Er würde nach Florida zurückkommen wollen, um bei ihnen zu sein, und sie hatten nicht genügend Platz. Er würde die Diskussion über all die schmerzlichen, schrecklichen Entscheidungen hinsichtlich Medikamenten, Therapien und Hospiz, die sie längst hinter sich hatten, wieder von vorn aufrollen. Ihre Mutter hörte sich das alles in Ruhe an und stimmte seufzend zu. Susan wusste, dass diese schnelle Einwilligung nicht zu ihr passte. Der Tod ihrer Mutter, hatte Susan entschieden, war etwas, das sie für sich allein in Anspruch nahm. Es war, als sei das Sterben als solches etwas Bedrohliches, Ansteckendes. Susan redete sich ein, Jeffrey würde es ihr eines Tages noch danken, ihn vor dem schrecklichen Prozess bewahrt zu haben.

Zuweilen beschlich sie das Gefühl, sich damit ins Unrecht zu setzen. Vielleicht sogar etwas Dummes zu tun, und es gab Momente, in denen sie an ihrer Einsamkeit verzweifelte und weder wusste, woher sie kam, noch, was sie dagegen tun konnte. Gelegentlich fragte sie sich, ob sie Unabhängigkeit mit Einsamkeit verwechselte, und aus dieser Klemme fand sie keinen Ausweg.

Auch hätte sie gern gewusst, ob es Jeffrey ähnlich ging, und sie glaubte, dass der Zeitpunkt immer näher rückte, an dem sie ihn danach fragen musste.

Susan saß an ihrem Schreibtisch und kritzelte so lange mit dem Kugelschreiber über das Papier, bis die konzentrischen Kreise, die sie immer wieder malte, sich mit Tinte füllten und zu dunklen Flecken wurden. Draußen hatte sich endgültig die Nacht über die Stadt gelegt; die Stellen, an denen in der Innenstadt Brände ausgebrochen waren, glühten orange leuchtend auf, während unablässig Scheinwerferkegel dort durch den Himmel schnitten, wo die Polizeihubschrauber nach dem nie endenden Verbrechen suchten. Ihr erschienen sie wie Strahlen himmlischen Lichts, die aus der Dunkelheit dort oben auf die Erde herunter blitzten. Am Rande des Blickfelds, das ihr Fenster freigab, sah sie strahlend helle Bögen Neonlicht, welche die sicheren Gegenden markierten; außerdem quer durch die Stadt den beständigen Scheinwerferstrom der Autos auf dem Highway – wie glitzerndes, fließendes Wasser in einer dunklen Schlucht.

Sie wandte sich wieder vom Fenster ihrem Schreibblock zu.

Was musst du in Erfahrung bringen?, fragte sie sich.

Und ebenso schnell kam die Antwort. *Es gibt nur eine Frage.*

Also konzentrierte sie sich darauf. Zuerst überlegte sie, ob sie diese Frage mathematisch zum Ausdruck bringen konnte, verwarf den Gedanken jedoch zugunsten einer erzählerischen Lösung. Es geht darum, fasste sie zusammen, sie im Prinzip einfach zu stellen, zugleich aber Schwierigkeiten einzubauen.

Sie schmunzelte, als sie merkte, dass sie Feuer fing.

Obwohl der nächtliche Großstadtkrieg dort draußen weiter wütete, sah und hörte sie nicht die Zeichen der Gewalt, sondern vergrub sich inmitten des Großraumbüros in ihre Nachschlagewerke, Enzyklopädien, Almanache und Lexika. Es machte ihr Spaß, stellte sie fest, die verschiedensten Ausdrucksmöglichkeiten für ihre Frage auszuprobieren, sie in berühmte Zitate zu kleiden, auch wenn es ihr nicht auf Anhieb gelingen wollte.

Sie summte etwas vor sich hin, Fetzen bekannter Melodien, die an den Rändern auszufransen schienen, so dass nur undefinierbare Laute blieben, während sie immer wieder neue Ansätze ausprobierte, um ihr Rätsel einzukleiden. Das Entscheidende, dachte sie, steht immer von Anfang an fest – die Antwort. Das Spiel besteht darin, sie in einem Irrgarten zu verstecken.

Plötzlich kam ihr eine Idee, und sie hätte beinahe die Schreibtischlampe umgestoßen, als sie nach einem der Bücher griff, die rings um ihre Arbeitsfläche standen.

Sie blätterte es rasch durch, bis sie die Stelle fand, nach der sie suchte. Dann lehnte sie sich auf dem Stuhl zurück und wiegte sich zufrieden wie nach einer guten Mahlzeit.

Ich bin eine Bibliothekarin des Trivialen, dachte sie. Eine Historikerin des Geheimnisvollen. Die Kennerin des Obskuren. Und ich bin die Beste.

Susan schrieb die Information auf ihren Block und machte

sich als Nächstes daran, sie so geschickt wie möglich zu verpacken. Ein Geräusch riss sie jäh aus ihren Gedanken. Sie brauchte ein paar Sekunden, bis sie realisierte, dass ein Laut in die Stille des Büros gedrungen war. Ein kratzendes Geräusch, als ob jemand eine Tür aufschob oder eine Schuhsohle über den Boden schabte.

Sie saß augenblicklich senkrecht.

Langsam lehnte sie sich vor und versuchte wie ein Tier auszumachen, von wo das Geräusch gekommen war.

Es ist nichts, sagte sie sich. Dennoch glitt ihre Hand langsam nach unten, um die Handfeuerwaffe aus ihrer Tasche zu ziehen. Sie packte die Pistole mit der Rechten und wirbelte zur Öffnung ihrer Kabine herum.

Sie hielt den Atem an und horchte weiter angestrengt. Doch der einzige Laut, den sie jetzt hören konnte, war ihr eigener Herzschlag, der ihr das Blut durch die Schläfen pumpte. Sonst nichts.

Immer noch zur dunklen Öffnung ihrer Kabine gewandt, streckte sie langsam die Hand aus und griff nach dem Telefon. Ohne sich umzudrehen, tippte sie blind die Nummer des Wachdienstes auf der Tastatur.

Es klingelte einmal, und ein diensthabender Sicherheitsmann meldete sich. »Gebäudewachdienst. Johnson.«

Sie flüsterte. »Susan Clayton. Dreizehnter Stock. Die Redaktion des *Miami Magazine*. Ich müsste eigentlich allein sein.«

Die Stimme des Wachmanns in der Leitung klang schroff. »Ich hab hier eine Nachricht, dass Sie noch da sind. Wo ist das Problem?«

»Ich habe ein Geräusch gehört.«

»Ein Geräusch? Außer Ihnen dürfte aber keiner mehr da drinnen sein.«

»Vielleicht die Gebäudereinigung?«

»Nicht vor Mitternacht.«

»Und die anderen Büros?«

»Alle nach Hause gegangen. Sie sind die Letzte, Lady.«

»Können Sie mal auf Ihrem Monitor nachschauen und die Wärmesensoren überprüfen?«

Der Nachtwächter brummte etwas, als ginge es um weit mehr als nur darum, ein paar Schalter umzulegen und ein paar Befehle in den Computer einzutippen.

»Ah, dreizehnter Stock, ich hab Sie auf dem Monitor. Ist das 'ne Automatik?«

»Sehen Sie sich bitte mal um.«

»Ich schwenke gerade. Verdammt, ihr habt da alle viel zu viel Zeug rumstehen. Der Kerl könnte sich unter einem Schreibtisch verstecken und ich sehe ihn nicht.«

»Was ist mit den Wärmesensoren?«

»Bin gerade dabei. Schauen wir mal. Na ja, vielleicht, nee, wohl doch nicht.«

»Was?«

»Also, ich hab Sie gut drauf, und Ihre Lampe da. Außerdem haben ein paar von euch den Computer angelassen, dann erhalten wir falsche Signale. Also, da ist genug Wärme an einer Stelle da oben, dass da noch einer drin sein könnte. Wahrscheinlich nur Restwärme vom Computer. Wünschte, die Typen würden dran denken, die Scheißdinger auszumachen. Kann ich mir die Sensoren gleich schenken.«

Susan merkte, dass von ihrem festen Griff um die Pistole ihre Fingerknöchel weiß geworden waren.

»Prüfen Sie weiter.«

»Gibt nix mehr zu prüfen. Sie sind allein, Lady. Oder der Kerl, der vielleicht bei Ihnen da oben ist, versteckt sich neben 'nem Computer und rührt sich nicht von der Stelle, wagt kaum zu atmen, weil er weiß, wie unsere Ausrüstung funktioniert und weil er uns sowieso reden hört. So würde ich es jedenfalls machen«, sagte der Wachmann. »Muss höllisch aufpassen und von einer Wärmequelle zur nächsten flitzen, und das mucksmäuschenstill. Dann würde ich erledigen, was ich zu erledigen hab, und zwar zack, zack. Vielleicht sollten Sie Ihre Waffe laden, Ma'am.«

»Können Sie raufkommen?«

»Ist nich mein Job. Das macht der Geleitdienst. Ich bringe Sie meinetwegen raus, aber erst mal müssen Sie ganz alleine hier runterkommen. Ich komm da nich rauf, bevor der Putzdienst da ist. Die Jungs haben 'n paar echt starke Knarren dabei.«

»Verdammt«, flüsterte Susan.

»Was ist?«, fragte der Wachmann.

»Sehen Sie immer noch nichts?«

»Nix auf dem Video drauf, aber das tut es sowieso nich immer so. Und auf dem Sensor nix außer falschen Alarm wegen all der Computer. Sieht jedenfalls so aus. Wolln Sie nich einfach hübsch langsam zum Fahrstuhl rüber, und ich halt die Kamera auf Sie drauf?«

»Ich muss nur noch eine Sache zu Ende bringen.«

»Wie Sie meinen.«

»Beobachten Sie bitte weiter, ja? Das dauert höchstens ein paar Minuten.«

»Haben Sie 'n extra Hunderter dabei?«

»Wie?«

»Ich pass auf, bis Sie fertig sind. Kostet Sie 'n Hunderter.«

Sie kämpfte einen Moment mit sich. »In Ordnung, abgemacht.«

Der Wachmann lachte. »Leicht verdientes Geld.«

Sie hörte noch etwas. »Was war das?«

»Das war nur ich, hab die Kamera hin und her geschwenkt«, erklärte der Mann.

Susan legte die Pistole behutsam auf dem Schreibtisch ab. Weit mehr Überwindung kostete es sie, den Stuhl herumzudrehen, so dass sie mit dem Rücken zum Kabineneingang und dem Urheber der erschreckenden Geräusche saß. Vielleicht eine Ratte, sagte sie sich. Oder nur eine Maus. Oder es war gar nichts. Sie atmete langsam ein, um ihren rasenden Puls zu beruhigen, und fühlte, wie die leichte Bluse an ihr klebte. *Du bist allein. Allein.* Sie rief ihr Mailprogramm auf, um die nötigen Informationen elektronisch an die Herstellung zu senden. Sie setzte ihren Zeilenguss *Mata Hari* darüber und tippte hastig die Instruktionen ein.

Dann schrieb sie:

Speziell für Meinen neuen Briefpartner:
Rock Tom einundsiebzig zweite Puffpuff fünf.

Sie hielt einen Moment inne und starrte zufrieden auf den Text, den sie erdacht hatte. Dann schickte sie ihn ab. Kaum hatte sie sich davon überzeugt, dass die Nachricht erfolgreich versandt worden war, drehte sie sich in einer einzigen Bewegung auf dem Schreibtischstuhl um und packte die Automatik.

Die Büros waren vollkommen still, und wieder redete sie sich gut zu, dass sie alleine war. Doch es war nicht überzeugend. Vielmehr musste sie daran denken, dass Stille zuweilen so trügerisch wie ein Zerrspiegel sein konnte. Susan sah in die Überwachungskamera, die genau auf sie gerichtet war, und winkte dem Wachmann zu, der hoffentlich gut auf sie achtgab, und sammelte mit der freien Hand ihre Sachen zusammen. Sie stopfte alles in ihre Schultertasche und hängte sie sich um. Während sie aufstand, nahm sie die Pistole, packte sie schussbereit mit beiden Händen. Sie holte tief Luft, so wie es wohl ein Scharfschütze in dem Bruchteil von Sekunden tat, bevor er feuerte. Dann trat sie, stets mit dem Rücken zu einer Wand, vorsichtig den Heimweg an.

FÜNF
IMMER

Keine Meile von dem Haus entfernt, das sie sich mit ihrer Mutter teilte, hatte Susan Clayton ihr Boot an einem alten, morschen Pier vertäut. Der schwankende Steg hing durch und wirkte, als müsste er beim nächsten kräftigen Wind samt Gewitter auseinanderfallen. Dabei hatte er, wie sie wusste, schon viel Schlimmeres überlebt, was sie ihm in einer Welt, in der nichts von Dauer war, hoch anrechnete. In ihren Augen war der Pier so wie die Keys, weil er seine Widerstandskraft unter scheinbarer Hinfälligkeit verbarg; er war so, wie er war, aber doch viel stärker, als er schien. Sie hoffte, dass dies auch auf sie selbst zutraf.

Auch das Boot war nicht mehr auf dem neuesten Stand, doch tadellos in Schuss: ein sechs Meter langes Skiff für seichte Gewässer, das flach auf dem Wasser lag, in strahlendem Weiß. Sie hatte es der Witwe eines ehemaligen Angelführers abgekauft, der fern vom Wasser, auf dem er Jahrzehnte gearbeitet hatte, in einem Hospiz in Miami gestorben war – in einer von den Krankenanstalten, die sie für ihre Mutter nicht in Betracht gezogen hatte.

Unter ihren Füßen knirschte bei jedem Schritt die Mischung aus Sand und ausgeblichenen Muscheln, die den Pfad zum Haus bedeckten. Sie liebte das vertraute Geräusch. Es war wenige Minuten vor Sonnenaufgang. Das Licht wirkte gelb, ein seltsamer Zwischenton, als zögerte es, die Dunkelheit zu entlassen. Was von der Nacht geblieben war, schien noch eine Weile im Wasser zu verharren, es schimmerte dunkelgrau. Sie wusste, dass es noch eine Stunde dauern würde, bis die Sonne auch den Ozean erfasste und die seichten Kanäle und Untiefen der Keys in eine schillernde Palette fließender Blautöne verwandelte.

Susan zog gegen die feuchtkühle Luft die Schultern hoch; sie wusste, dass sie die frische Temperatur nur der Tageszeit verdankte und dass sie keine Erleichterung versprach von der drückenden Hitze, die der Vormittag bald mit sich bringen würde. In Südflorida war es jetzt immer heiß, eine konstante, schwüle Wärme, die über weitere Flächen heftige Unwetter ausbrütete und die Menschen in ihre geschützten Kokons mit Klimaanlagen trieb. Als Kind konnte sie tatsächlich den Wechsel der Jahreszeiten spüren, natürlich nicht so wie im Nordosten, wo sie geboren war, oder noch weiter oben in den Bergen, von denen ihre Mutter so sehnsüchtig erzählte, seit sie im Sterben lag. Woran Susan sich erinnern konnte, war das Gespür für die winzigsten Veränderungen, die es auch im Süden gab – die weniger brütende Sonne, den Anflug einer Brise, die ihr sagten, dass ein Wechsel bevorstand. Doch in den letzten Jahren schien selbst dieser geringfügige Wandel verschwunden zu sein – ein Opfer des nicht endenden globalen Klimawandels.

Die schmale Bucht zu den ausgedehnten, seichten Gewässern war leer. Ihr Skiff lag an der Seite des Stegs, die Bug- und Heckleinen fielen in schlaffen Schlingen auf das im Morgentau glänzende Deck. Der große, zweihundert PS starke Motor fing die ersten Sonnenstrahlen ein. Sie betrachtete das Boot und fand, dass es Ähnlichkeit mit der starken Rechten eines Boxers hatte – reglos, doch zur Faust geballt, jederzeit bereit, vorzuschnellen.

Sie näherte sich dem Skiff wie einem Freund.

»Ich muss fliegen«, begrüßte sie das Boot. »Heute brauche ich Tempo!«

Zügig verstaute sie ein Paar Angeln in ihren Halterungen unter dem Dollbord. Bei der einen handelte es sich um eine kurze Spinnrute, die sie wegen ihres praktischen Nutzens und der einfachen Handhabung mitgebracht hatte, bei der anderen, längeren um eine Fliegenangel, die sie sich als Luxus gönnte. Sie überprüfte noch einmal den Staken an den einziehbaren Halterungen an Deck – aus Grafit gefertigt und mit seinen knapp sechs Metern fast so lang wie das Boot selbst. Dann ging sie wie ein Pilot in den Minuten vor dem Start noch einmal die Checkliste der Sicherheitsvorkehrungen durch.

Als sie sich davon überzeugt hatte, dass alles in Ordnung war, löste sie die Leinen am Steg, stieß sich ab und drückte den elektrischen Kippschalter herunter, um das Heckwerk des Motors mit einem schrillen, kreischenden Geräusch ins Wasser zu senken. Sie machte es sich auf ihrem Sitz bequem und tastete unwillkürlich nach der Schaltung, um sicherzugehen, dass sie im Leerlauf war, dann startete sie den Motor. Er rasselte einmal laut, als schüttelte man eine Dose voller Steine, dann sprang er mit einem angenehmen Gurgeln an. Sie ließ das Skiff sacht in die Mündung gleiten, so dass es durchs Wasser schnitt wie die Klingen einer Schere durch fließende Seide. Sie griff in ein kleines Fach, holte ein Paar Ohrschützer heraus und klemmte sie sich auf den Kopf.

Als das Skiff das Ende der Fahrrinne erreicht und das letzte Haus passiert hatte, drückte sie den Gashebel nach vorn und riss für einen Moment den Bug in die Höhe, während der Motor hinter ihr freudig gluckste. Ebenso schnell wie er sich gehoben hatte, glitt der Bug zurück ins Wasser, das Skiff machte einen Satz nach vorn und sauste plan über die tintenblaue Fläche. Im selben Moment hatte sie die Geschwindigkeit ganz und gar erfasst. Sie hielt das Gesicht in den Wind, der ihre Wangen aufblähte, als sie nach der Morgenfrische schnappte; die Ohrschützer dämpften den Motorenlärm zu einem dumpfen, verführerischen Trommelwirbel in ihrem Rücken.

Irgendwann einmal, dachte sie, würde sie den Morgen überholen.

Zu ihrer Rechten sah sie im morastigen Grund einer kleinen

Mangroveninsel ein Paar strahlend weiße Reiher auf der Jagd nach Brassen, deren unansehnlich dünne Beine sich übertrieben vorsichtig bewegten wie ein Tänzerpaar, das aus dem Takt gekommen ist. Vor ihr flatterte ein Vogel auf, und sie erhaschte einen Blick auf einen Silberlachs, der aus dem Wasser sprang. Ihre Hände lagen sacht auf dem Steuer, und das Skiff brauste davon, immer weiter vom Küstenstreifen weg, während es zwischen den grünen, üppig wuchernden Inseln durchs Wasser pflügte.

Fast eine halbe Stunde lang fuhr Susan mit Höchstgeschwindigkeit, dann erst war sie sicher, so weit in die Bruthitze vorgedrungen zu sein, dass sie jede Menschenseele weit hinter sich gelassen hatte. Sie war nahe der Stelle, an der die Florida Bay an die Everglades grenzt. Dies war ein zwiespältiger Ort, der sich nicht entscheiden konnte, ob er zum Meer oder zum Land gehörte, ein Labyrinth aus Kanälen und Inseln. Wer hier nicht zu Hause war, konnte sich leicht verirren.

Susan dachte an die leeren Flecken, an denen Himmel, Mangroven und Wasser zu einer Welt der Vorzeit verschmolzen. An dieser Welt waren alle Spuren der Moderne vorübergegangen, und das Leben verlief seit Äonen in denselben Bahnen.

Sie drosselte das Tempo, und das Skiff wurde langsamer wie ein Pferd, das plötzlich die Zügel spürt. Sie schaltete den Motor aus und glitt geräuschlos weiter über das Wasser, das sich unter dem Bug veränderte, sowie das Boot an den Rand einer weiten, seichten Fläche glitt, die sich über eine Meile entlang einer flachen Mangroveninsel erstreckte. Aus den knorrigen Zweigen am Ufer erhob sich ein Schwarm Kormorane. Vielleicht zwanzig Vögel auf einmal, deren schwarze Gestalten im Licht des frühen Morgens scharf vom Himmel abstachen, als sie in einer Spirale die Flucht ergriffen. Susan stand auf, nahm die Ohrschoner ab und suchte die Wasserfläche ab, bevor sie den Blick zum Himmel hob. Die Sonne stand schon hoch; die durchdringende, glitzernde Klarheit, mit der sie rund um das Skiff aufs Wasser traf, tat beinahe weh. Susan spürte die pralle Hitze im Nacken wie den Griff einer kräftigen Hand.

Sie zog eine Plastikflasche Sonnenschutzmilch aus einem Fach unter der Schaltkonsole und schmierte sie sich reichlich auf den Hals. Sie trug einen khakifarbenen Baumwolloverall, eine Mechanikerkluft, die sie an der Brust aufknöpfte und herunterfallen ließ, so dass sie nackt dastand. Sie trat aus dem Kleiderhaufen und ließ die Sonne wie einen gierigen Liebhaber nach ihr greifen, sie genoss das Brennen auf den Brüsten wie zwischen den Beinen und die Liebkosung auf dem Rücken. Dann trug sie die Sonnenmilch auf ihrem ganzen Körper auf, bis sie von oben bis unten glitzerte wie das Wasser, auf dem sie dahinglitt.

Sie war allein. Außer dem leisen Klatschen der Wellenkräusel am Rumpf war es vollkommen still.

Sie lachte laut.

Hätte sie mit dem Morgen Sex haben können, hätte sie keinen Moment gezögert; stattdessen gab sie sich der Erregung hin, drehte und wendete sich, so dass die heißen Strahlen sie rundum erreichten.

So stand sie einige Minuten lang da. Innerlich sprach sie mit der Sonne und der Hitze: Du wärst schlimmer als jeder Mann; du würdest mich lieben, aber dann würdest du mehr nehmen, als dir zusteht, du würdest mir die Haut verbrennen und mich vorzeitig altern lassen. Widerstrebend griff sie erneut in das kleine Fach und zog eine dünne schwarze Polypropylen-Kapuze heraus, wie sie die Abenteurer in der Arktis unter ihren anderen Kleiderschichten trugen. Sie zog sie sich über den Kopf, so dass wie bei einem Einbrecher nur ihre Augen zu sehen waren. Als sie weiter wühlte, fand sie eine alte, grün-orangefarbene Baseballkappe der Universität von Miami für den Kopf und zuletzt noch einen Sonnenbrille für die Augen. Sie wollte wieder in den Overall schlüpfen, überlegte sie es sich aber anders.

Einen Fisch, sagte sie sich. Einen Fisch fange ich nackt.

Als ihr bewusst wurde, dass sie mit gänzlich verhülltem Kopf und Gesicht, sonst aber splitternackt ziemlich lächerlich wirken musste, lachte sie lauthals. Dann nahm sie die beiden Angelruten aus ihren Halterungen und arrangierte sie so, dass sie sie bequem erreichen konnte. Sie zog den Staken heraus und stieg auf die Plattform, ein kleines, etwas erhöhtes Deck über dem Motor, von wo aus man zusätzliche Hebelkraft hatte. Langsam bewegte sie das Skiff über die seichte Fläche.

Sie rechnete damit, ein, zwei Meeräschen zu entdecken, deren Schwanzflossen aus dem Wasser ragten, wenn sie im nassen Sand nach kleinen Garnelen und Krabben wühlen. Das wäre schön, dachte sie. Das war eine achtbare Beute, ein Fisch, der sich blitzschnell bewegen konnte. Barrakudas waren eine andere Möglichkeit; sie hingen fast reglos im brackigen Wasser, und nur das gelegentliche Zittern der Finnen ließ erkennen, dass sie nicht Teil ihrer Umgebung waren. Sie sah in ihnen Gangster. Sie hatten gefährliche Reißzähne wie Hunde und kämpften verbissen, sobald sie am Haken hingen. Sie wusste, dass sie auch ein paar mittelgroße Haie sehen würde, die wie Spielplatzrüpel an den flachen Rändern des Beckens auf leichte Beute lauerten.

Sie schob ruhig den Staken durchs Wasser und ließ das Boot gleiten.

»Kommt schon, Fische«, lockte sie, »wo seid ihr heute morgen?«

In diesem Moment schnappte sie nach Luft und schaute zwei Mal hin, um sicherzugehen, dass sie richtig gesehen hatte.

Keine fünfzig Meter entfernt erkannte sie die unverwechselbare Torpedoform eines großen Tarpuns, der in geduldigem Zickzackkurs an einer Stelle durchs Wasser glitt, die kaum drei Viertel Meter tief war. Knapp zwei Meter lang und gut hundert Pfund schwer. Viel zu groß für diese Gewässer, und auch außerhalb der Saison; der Tarpun wanderte im Frühling in großen Schwärmen stetig nach Norden. Susan hatte in diesen Monaten in den etwas tieferen Kanälen einen guten Fang gemacht.

Das hier jedoch war ein großer Fisch, vollkommen fehl am Platze, und er kam direkt auf sie zu.

Rasch grub sie die Spitze des Stakens in den sandigen Grund und schlang eine Leine um das Ende, so dass er ihr als Anker diente. Vorsichtig sprang sie von der Plattform, schnappte sich die Fliegenangel, hatte das Boot mit einem Schritt durchquert und den Bug erreicht. Immer noch sah sie den massigen Körper vom kräftigen Schlag seiner sensenartigen Schwanzflosse unerbittlich vorangetrieben durchs Wasser gleiten. Gelegentlich fing sich die Sonne in der silbrigen Seite des Fischs. Als ob eine Explosion aufstob.

Sie rollte Schnur ab. Die Rute war eher für einen Fisch ausgelegt, der ein Zehntel so groß war wie das Exemplar, das auf sie zukam. Außerdem glaubte sie kaum, dass der Tarpun die kleine Krabbenimitation am Haken schlucken würde. Doch das war alles, was sie hatte, und selbst wenn es schiefgehen musste, wollte sie es wenigstens versuchen.

Der Fisch war noch etwa dreißig Meter entfernt, und einen Moment lang wunderte sie sich über dieses seltsame Zusammenspiel. Sie spürte, wie ihr Puls einen Trommelwirbel vollführte.

Bei fünfundzwanzig Metern dachte sie: Immer noch zu weit.

Bei unter zwanzig: Jetzt kann ich dich erreichen. Sie fing an, die leichte Rute wie einen Zauberstab durch die Luft zu schwingen, so dass ein leises Zischen zu hören war, als die Fliegenschnur über ihrem Kopf einen großen Bogen beschrieb. Doch sie zwang sich, noch ein paar Sekunden zu warten.

Der Fisch war fünfzehn Meter entfernt, als sie die Leine mit einem leichten Seufzen über das Wasser schwang und beobachtete, wie sie sich streckte und schließlich niederging, so dass der Krabbenköder weniger als einen Meter vor dem Maul des Tarpuns auf die Oberfläche traf.

Der Fisch machte ohne zu zögern einen Satz nach vorne.

Der plötzliche Vorstoß erstaunte sie, und ihr entwich ein kurzer Überraschungsschrei. Der Fisch würde den Haken nicht sofort spüren; sie schluckte schwer und wartete, während sich die Leine in ihren Händen straffte. Dann zog sie die Schnur mit einem lauten Schrei zurück, indem sie die Angelrute links von sich nach hinten schnellen ließ, in die entgegengesetzte Richtung vom Fisch. Sie spürte, wie der Haken griff.

Das Wasser explodierte vor ihren Augen in einer silberweißen Gischt.

Der Fisch bäumte sich einmal heftig gegen die Beleidigung des Hakens auf, und sie sah den offenen Schlund. Dann drehte er ab und eilte davon, um tiefere Strömungen zu erreichen. Sie hielt die Rute über dem Kopf wie ein Priester den Kelch, und die Winde kreischte, als meterweise, dünne, weiße Angelleine herunterfloss.

Während sie die Spitze immer noch in die Höhe hielt, gelang es ihr, sich ans hintere Ende des Skiffs zu bewegen und das Tau zu lösen, mit dem sie das Boot an den Staken gebunden hatte. Es war nun nicht mehr verankert.

Sie sah, dass der Fisch jeden Moment fast die gesamte Schnur abgewickelt haben würde. Er würde vorwärtsdrängen und entweder den Haken ausreißen oder die Schnur zertrennen oder einfach nur die ganzen zweihundertfünfzig Meter Leine an sich reißen. In diesem Fall wäre er auf und davon – ein wenig wund ums Maul, aber sonst kaum in Mitleidenschaft gezogen; es sei denn, sie schaffte es, ihn irgendwie umzudrehen. Sie glaubte zwar nicht, dass ihr das gelang, doch wenn der Fisch das Boot durchs Wasser zog, statt gegen den Anker anzukämpfen, dann war es immerhin denkbar, dass er kurz innehielt und kämpfte.

Susan fühlte, wie die Energie des Tarpuns durch die Rute pulsierte, und sie machte sich keine Hoffnung, doch selbst in einer aussichtslosen Lage, dachte sie, sollte man sein Bestes geben, um sich wenigstens im Moment der Niederlage damit zu trösten, dass man alles daran gesetzt hatte.

Der Bug des Bootes hatte sich gedreht und folgte dem Fisch.

Immer noch nackt und schweißgebadet stellte sie sich wieder auf den Bug. Sie sah, dass die Schnur auf der Winde abgespult war und dachte: An dieser Stelle verliere ich den Kampf.

Doch zu ihrer Überraschung drehte der Fisch in diesem Moment den Kopf zu ihr herum.

In der Ferne sah sie einen riesigen Geysir, als sich der Tarpun in die Höhe warf, für einen Moment in der Luft hing und sich in der Sonne wand, bevor er in einer schäumenden Wolke wieder landete.

Sie hörte noch einmal ihren eigenen Schrei – nicht aus Überraschung, sondern aus Bewunderung.

Der Tarpun sprang weiter; in seinem Kampf gegen den Haken drehte er sich in Spiralen und schlug Purzelbäume.

Für Sekunden kostete sie den Rausch der Hoffnung aus, dann gab sie den Gedanken ebenso schnell wieder auf: Es ist ein starker Fisch, und ich habe eigentlich nicht das Recht, ihn so lange festzuhalten. Sie lehnte sich zurück, zog an der Angel, um etwas Schnur zurückzugewinnen, und betete, dass der Fisch nicht einfach wieder losstürmen würde, denn dann wäre der Kampf vorbei.

Sie hätte nicht sagen können, wie lange sie beide in diesem Patt verharrten – die nackte junge Frau an Deck des Bootes, die vor Anstrengung ächzte, und der silbrige Fisch, der in einer Explosion nach der anderen zappelnd in die Höhe schoss. Susan kämpfte, als seien sie beide ganz allein auf der Welt, parierte jeden Ruck an der Schnur, bis die Muskeln in ihren Armen sich vor Schmerzen wehrten und sie fürchten musste, Krämpfe in den Händen zu bekommen. Der Schweiß brannte ihr in den Augen; sie überlegte, ob der Kampf schon eine Viertelstunde währte; dann schien es ihr eher wie eine Stunde, vielleicht sogar zwei. Erschöpft korrigierte sie ihre Schätzung nach unten.

Sie seufzte tief und kämpfte weiter.

Susan spürte, wie die Schnur auf voller Länge bis in die Rute hinein plötzlich erbebte, und sah zugleich eine zweite weiße Fontäne und einen silbernen Fisch in der Ferne. Auf einmal erschlaffte die Schnur, und die Rute, die zu einem zitternden C verbogen war, streckte sich mit einem Schlag. Susan schnappte nach Luft.

»Verdammt!«, fluchte sie. »Er ist weg!«

Es dauerte keine Sekunde, und sie erkannte: *Nein.*

Und dann die alarmierende Gewissheit: *Er schwimmt zu mir zurück.*

Ihre linke Hand an der Winde war vor Krämpfen wie taub. Sie schlug sich dreimal an den Schenkel, um die Starre zu lösen, dann fing sie an, wie verrückt die schlaffe Schnur aufzurollen. Fünfzig Meter waren eingeholt, dann hundert. Sie hob den Kopf und sah den Fisch in ihre Richtung schwimmen, bevor sie weiter die Spule traktierte.

Er war auf vielleicht fünfundsiebzig Meter herangekommen, als sie endlich die zweite Gestalt sah, die ihn jagte. Im selben Moment verstand sie, weshalb der Tarpun zum Boot zurück schwamm. Sie merkte, wie sie eine eisige Ruhe erfasste, als sie die Größe des dunklen Flecks im Wasser abschätzte – etwa zweimal so groß wie ihr Fisch an der Angel. Es war, als hätte jemand schwarze Tusche auf die vollkommene Landschaft eines alten Meisters geworfen.

In Panik stieg der Tarpun erneut in die Luft und hing – knapp zwei Meter – im blauen Himmel über dem unglaublich blauen Wasser.

Sie hielt beim Aufspulen inne und starrte reglos über den Bug.

Die dunkle Gestalt kam unaufhaltsam näher, und für eine Sekunde schien das unberührte Silber des Fischs mit dem Schwarz des Hammerhais zu verschmelzen. Eine zweite Explosion auf der Oberfläche, noch eine Fontäne in der Luft, dann weißer Schaum vermischt mit rotem Blut.

Sie senkte die Rute, und die Schnur hing schlaff von der Spitze.

Im Wasser brodelte es weiter wie in einem Kochtopf, der auf der Herdplatte vergessen steht. Ebenso schnell kehrte Ruhe ein, und sie starrte auf eine ölig glitschige Wasserfläche. Sie hielt sich die Hand über die Augen, erhaschte jedoch nur einen kurzen Blick auf das dunkle Etwas, das ins tiefere Wasser zurückschwamm – ein böser Schatten, der für einen Moment eine Feier stört und wieder verschwindet. Sie stand weiter keuchend am Bug und fühlte sich, als wäre sie Zeuge eines Mordes geworden.

Irgendwann machte sie sich daran, die Schnur ganz einzuholen. Sie spürte ein gewisses Gewicht an dem Ende, das sie durchs Wasser zog, und konnte sich denken, was es war. Der Hammerhai hatte den Tarpun durchtrennt, so dass der Kopf und etwa dreißig Zentimeter Körpermasse noch am Haken hingen. Sie holte die schaurige Trophäe ein. An einer Seite des Skiffs beugte sie sich herunter, um den Haken aus dem zähen Maul des Fischs zu lösen. Doch sie brachte es nicht fertig, ihn anzurühren. Sie kehrte zu der Konsole zurück und fand ein Filetiermesser mit einer dünnen Klinge, das sie benutzte, um die Schnur durchzuschneiden. Für Sekunden sah sie noch Kopf und Rumpfstück des Tarpun versinken, dann war er verschwunden.

»Es tut mir leid, Fisch«, sagte sie laut. »Hätte mich nicht so der Ehrgeiz gepackt, wärst du noch am Leben. Ich hatte nicht das Recht, dich zu fangen und zu erschöpfen. Ich hatte von Anfang an nicht das Recht, mich mit dir zu messen. Wieso hast du den verdammten Haken nicht einfach abgeschüttelt? Oder abgebrochen? Du warst stark genug. Wieso hast du nicht getan, wozu du fähig gewesen wärst, statt zur leichten Beute zu werden? Ich hab dir auch noch dabei geholfen, und es tut mir aufrichtig leid, Fisch. Es war meine Schuld, und du hast es nicht verdient.«

Ich habe kein Glück, dachte sie. Hatte ich noch nie.

Plötzlich packte sie die Angst, und sie verdrängte mit aller

Macht das Bild ihrer eigenen Mutter. Susan schüttelte energisch den Kopf und holte tief Luft. Plötzlich schämte sie sich für ihre Nacktheit. Sie stand auf und suchte den leeren Horizont ab, als fürchtete sie, irgendwo in der Ferne stünde jemand mit einem starken Fernglas und beobachte sie. Sie wusste, das war verrückt – die Sonne, die Erschöpfung und die Enttäuschung über den Ausgang des Kampfes hatten sich verschworen, sie aus der Fassung zu bringen. Dennoch bückte sie sich nach dem Overall an Deck, hob ihn auf und hielt ihn sich vor die Brust, während sie über die Weite des Wassers blickte. Da draußen, wo du sie nicht sehen kannst, lauern immer die Haie, sagte sie sich, und die Signale eines Kampfes locken sie unweigerlich an. Sie haben einen sechsten Sinn dafür, wenn ein Fisch verwundet und zu entkräftet ist, um ihnen zu entkommen oder sich zu wehren. In diesem Moment tauchen sie aus dem dunkleren, tieferen Wasser auf und greifen an. Wenn sie sich ihres Sieges sicher sind.

Susan fühlte sich von der Hitze benommen. Sie spürte, wie ihr die Sonne auf den Schultern brannte, und zog rasch den Overall über, den sie sich bis zum Hals zuknöpfte. Eilig verstaute sie ihre Ausrüstung, dann wendete sie das Skiff und fühlte sich erleichtert, als es sich nach Hause in Bewegung setzte.

Seit sie unter ihrer normalen Rubrik ihre Spezialbotschaft veröffentlicht hatte, war noch keine Woche vergangen. Sie rechnete nicht damit, besonders schnell von ihrer anonymen Zielperson zu hören. Zwei Wochen, schätzte sie. Vielleicht auch vier. Vielleicht auch nie.

Doch sie irrte sich.

Zuerst bemerkte Susan den Brief gar nicht.

Vielmehr hatte sie, als sie die Einfahrt ihres Hauses betrat, das Gefühl einer eigentümlichen Ruhe. Sie blieb abrupt stehen. Sie vermutete, dass diese Stille von dem letzten dämmrigen Tageslicht rührte, das über dem Garten verblasste, dann fragte sie sich, ob etwas anders war als sonst. Sie schüttelte den Kopf und sagte sich, sie sei noch von dem Angriff des Hais auf ihren Fisch ein wenig durcheinander.

Um sich zu beruhigen, warf sie einen prüfenden Blick auf den Eingang des einstöckigen Schlackensteinhauses im typischen Stil der Keys. An ihm war nichts Bemerkenswertes, abgesehen von seinen Bewohnern. Es besaß weder Charme noch Stil; es war aus den praktischsten Materialien nach Schema F gebaut, ein Dach über dem Kopf von Menschen mit bescheidenen Wünschen und noch bescheideneren Mitteln. Auf einer Seite des Gartens wiegten sich ein paar kümmerliche Palmen, während die Umgebung ansonsten bis auf die nackte Erde verdörrt war, nur an wenigen Stellen hatte sich unverwüstliches Fingergras gehalten. Es war kein einladender Ort, nicht einmal als Kind hatte es sie gereizt, dort zu spielen. Ihr Wagen stand da, wo er immer stand, in dem kleinen Stück Schatten, das die Palmen spendeten. Vor Zeiten hatte das Haus einen beherzten rosa Anstrich bekommen, doch dieser war von der Sonne zu einer dürftigen Korallenfarbe ausgeblichen. Sie hörte, wie die Klimaanlage sich gegen die Hitze abmühte, und war erleichtert, dass offenbar endlich der Elektriker gekommen war, um sie zu reparieren. Wenigstens bringt jetzt die verdammte Hitze Mutter nicht mehr um, dachte sie.

Sie redete sich noch einmal gut zu, dass alles in bester Ordnung sei, alles an seinem Platz, dass an diesem Tag nicht anders war als an tausend anderen Tagen, und ging weiter, ohne wirklich überzeugt davon zu sein. In diesem Moment der aufgesetzten Zuversicht sah sie den Brief, der an der Haustür lehnte.

Susan blieb stehen, als hätte sie eine Schlange entdeckt. Sie spürte, wie ihr die Angst den Rücken herunterrieselte.

Sie holte tief Luft.

»Verdammt«, fluchte sie.

Vorsichtig lief sie auf den Brief zu, als könnte er explodieren oder enthielte gefährliche Krankheitserreger. Dann ging sie in die Hocke und nahm ihn behutsam in die Hand. Sie riss den Umschlag auf und zog das Blatt heraus, das er enthielt:

Sehr schlau, Mata Hari. Aber nicht schlau genug. *Rock Tom* hat mir einiges Kopfzerbrechen bereitet. Habe eine Reihe von Dingen ausprobiert, wie du dir denken kannst. Aber dann, nun ja, wer weiß, woher die richtige Eingebung plötzlich kommt? Mir fiel ein, du könntest dich auf das britische Rock-and-Roll-Quartett beziehen, das vor so vielen Jahrzehnten mit der »Oper« *Tommy* einen Hit gelandet hat. Wenn also von *The Who* die Rede war, wie lautete dann wohl die übrige Botschaft? Na ja, *einundsiebzig* konnte ein Jahr sein, und *Zweite Puff-Puff fünf*? Als ich mir die Songtitel auf der Rückseite ihres Albums von 1971 angesehen habe, war das nicht mehr allzu schwer. Und siehe da, wie lautete die Lösung? »Wer sind Sie?«
Ich weiß nicht, ob ich zum gegenwärtigen Zeitpunkt bereit bin, diese Frage zu beantworten. Irgendwann natürlich schon. Für den Augenblick möchte ich unserer Korrespondenz nur *eine* Bemerkung hinzufügen:

Previous 524135217 coffee emerald thant – vorherig 524135217 Kaffee Smaragd Thant.

Für ein schlaues Mädchen wie dich sollte das nicht allzu schwer sein. Alice wäre ein guter Name für eine Rätselkönigin gewesen, besonders für eine rote.

Auch diesmal fehlte eine Unterschrift.

Während sie nervös an dem schwergängigen Schloss der Haustür hantierte, rief Susan energisch: »Mutter!«

Diana Clayton stand am Herd und rührte in einem Töpfchen Hühnerbrühe. Sie hörte zwar die Stimme ihrer Tochter, aber nicht den beunruhigten Ton, und so antwortete sie sachlich:

»Hier drinnen, Schatz«, worauf prompt der zweite Ruf vom Eingang folgte: »Mutter!«

Und so wiederholte sie ein wenig lauter und einen Hauch gereizt: »Hier drinnen.« Es tat zwar nicht weh, die Stimme zu erheben, aber es kostete sie mehr Kraft, als sie erübrigen konnte. Sie ging sorgsam mit ihrer Kräften um und hasste jede unnötige Energieverschwendung, denn sie wusste, dass sie immer dann, wenn die Schmerzen sie überfielen, alle Reserven mobilisieren musste. Es war ihr gelungen, sich bis zu einem gewissen Ausmaß mit ihrer Krankheit zu arrangieren, doch es kam ihr so vor, als benähme sich der Krebs allzu oft wie ein Winkeladvokat, der sie betrog und immer mehr verlangte, als sie zu geben bereit war. Während ihre Tochter durch das kleine Haus Richtung Küche stapfte, nahm sie einen Schluck von der Brühe. Sie lauschte auf Susans Schritte und musste unwillkürlich denken, dass sie aus dem Geräusch, das sie machten, genau die jeweilige Stimmung ihrer Tochter ablesen konnte, und so hatte sie, als Susan den Raum betrat, bereits eine Frage auf den Lippen: »Susan, mein Schatz, was ist los? Du klingst verärgert. Beim Angeln kein Glück gehabt?«

»Nein«, erwiderte ihre Tochter. »Doch, das ist es nicht. Hör zu, Mutter, hast du heute irgendetwas Ungewöhnliches gesehen oder gehört? Ist jemand da gewesen?«

»Nur der Mann wegen der Klimaanlage, Gott sei Dank. Ich habe ihm einen Scheck gegeben. Ich hoffe, er platzt nicht.«

»Sonst noch jemand? Hast du etwas gehört?«

»Nein. Aber ich habe heute Nachmittag ein Nickerchen gehalten. Weshalb fragst du?«

Susan schwieg einen Moment und überlegte, ob sie etwas sagen sollte, bis ihre Mutter energisch drängte: »Dich bedrückt doch was. Behandle mich nicht wie ein Kind. Ich mag zwar krank sein, aber ich bin nicht debil. Was ist los?«

Susan zögerte noch eine Sekunde, bevor sie erwiderte: »Heute ist ein zweiter Brief hier abgegeben worden. Wie der letzte

Woche im Briefkasten. Keine Unterschrift. Keine Adresse. Er lag an der Haustür. Das macht mir zu schaffen.«

»Noch einer, sagst du?«

»Ja. Ich habe in meiner normalen Spalte eine Antwort drucken lassen, aber ich habe nicht damit gerechnet, dass der Kerl sie so schnell löst.«

»Was hast du ihn denn gefragt?«

»Ich wollte wissen, wer er ist.«

»Und seine Antwort?«

»Hier. Lies selbst.«

Diana nahm das Blatt, das Susan ihr hinschob. Sie stand am Herd und überflog den Inhalt. Dann legte sie den Brief langsam beiseite und drehte das Gas ab, auf dem ihre Brühe dampfte. Sie holte tief Luft.

»Und was will er diesmal?«, fragte sie beherrscht.

»Das weiß ich noch nicht. Ich habe auch erst einen Blick drauf geworfen.«

»Ich glaube«, sagte Diana mit einer vor Sorge ausdruckslosen Stimme, »wir sollten zusehen, dass wir das entschlüsseln. Dann können wir den Tenor des ganzen Briefs besser einschätzen.«

»Na ja, ich kann vermutlich die Zahlensequenz knacken. So etwas ist meistens nicht so kompliziert.«

»Wie wär's, wenn du dich daran machst, während ich uns etwas zum Abendessen koche?«

Diana wandte sich wieder der Brühe zu und hantierte mit Küchenutensilien. Sie biss sich fest auf die Lippen und mahnte sich, den Mund zu halten.

Die Tochter nickte und ging zu einem kleinen Tisch in einer Ecke der Küche. Eine Weile sah sie ihrer Mutter bei der Arbeit zu und fühlte sich ein bisschen besser; jedes Zeichen von Normalität interpretierte sie sich als Zeichen von Stärke. Jedes Mal, wenn so etwas wie Routine eintrat, glaubte sie, die Krankheit sei zurückgedrängt und in ihrem unaufhaltsamen Fortschreiten gestoppt worden. Sie atmete langsam aus, zog Bleistift und Papier aus einer Schublade und machte sich ans Rechnen. Zuoberst schrieb sie 524135217 auf das Blatt dann das ganze Alphabet darunter, wobei sie das A der Eins zuwies, so dass am Ende Z und sechsundzwanzig zusammentrafen.

Natürlich wäre dies die einfachste Auslegung der Zahlenreihe, und sie bezweifelte, dass es funktionierte. Andererseits beschlich sie der Gedanke, dass der Absender ihr mit der Nachricht nicht allzu viel Mühe bereiten wollte. Abgesehen von der eigentlichen Mitteilung ging es ihm wohl mehr darum, ihr zu zeigen, wie schlau er war. Ein paar der Leser, die ihr schrieben, benutzten derart komplizierte Codes, dass daran selbst ein militärischer Dekodiercomputer scheitern musste. Der tiefere Grund war meist eine Paranoia, an die sich die Leute klammerten. Dieser Verfasser hatte allerdings etwas anderes im Sinn. Das Problem war, dass sie noch nicht wusste, was.

Doch – so viel schien ihr sicher – er wollte, dass sie es herausfand.

Ihr erster Versuch brachte EBDAC hervor ... und deshalb hörte sie an dieser Stelle auf. Sie konzentrierte sich auf die ersten fünf Ziffern und teilte sie in 5-24-13 ein; das ergab EXM. Das war unsinnig, und so fuhr sie fort, bis sie EXMEB und dann EXMEUG vor sich hatte.

Ihre Mutter brachte ihr ein Glas Bier und kehrte an den Herd zurück. Susan nippte an der schäumenden braunen Flüssigkeit und genoss, wie sie ihr kalt die Kehle hinunterlief, dann machte sie sich wieder an die Arbeit.

Sie schrieb das Alphabet wieder auf, indem sie diesmal die sechsundzwanzig mit dem A verband und von hinten nach vorne arbeitete. Das erbrachte zunächst UYW und dann, in anderer Lesart, UBN ...

Susan blies die Backen auf und stieß die Luft wie eine Kugelfisch aus. Sie kritzelte ein kleines Bild von einem Fisch in die Ecke und zeichnete dann eine Haifischflosse, die durch einen imaginären Ozean pflügte. Sie fragte sich, wieso sie den Hammerhai nicht eher gesehen hatte, und sagte sich dann, dass sich Raubfische gewöhnlich erst zeigen, wenn ihnen die Beute sicher scheint und nicht früher.

Dieser Gedanke brachte sie zu der Zahlenreihe zurück.

Es wird versteckt sein, sagte sie sich, aber nicht allzu gründlich.

Vor und zurück, was kam als Nächstes?

Subtraktion und Addition.

Ihr kam eine Idee, und sie nahm den Brief zur Hand.

»... möchte ich unserer Korrespondenz nur *eine* Bemerkung hinzufügen ...«

Sie beschloss, zu jeder Zahl der Sequenz eine Eins zu addieren. Damit kam sie auf 635246328. Die entsprechenden Buchstaben lautete FCEBDFCBH, was ihr nicht weiterhalf. Sie versuchte es rückwärts und brachte ebenfalls nur Kauderwelsch zu Papier.

Sie hielt ihr Blatt in die Höhe, legte es zurück und beugte sich tief darüber: Sieh dir die Zahlen an, probier andere Kombinationen aus! Wenn ich 524135217 anders verteile ... Auf dies Weise kam sie auf 5-24-13-5-21-7. Sie sah, dass sie die letzten Ziffern auch als 2-17 lesen konnte. Wenn sie dann wiederum jeweils eine eins addierte, kam sie zu 6-25-14-6-22-8. Das ergab FYNFWH, und sie wünschte sich allmählich, sie hätte ein Computerprogramm, mit dem sie numerische Muster untersuchen konnte.

Sie hielt sich weiterhin an ihren Ansatz und ordnete die Zahlen wieder neu, was noch mehr Nonsens erbrachte. Sie änderte sie noch einmal ab. Du hast es vor der Nase, dachte sie. Du musst nur den Schlüssel finden.

Sie nahm noch einen Schluck Bier. Sie unterdrückte das Bedürfnis, wahllos mit den Zahlen zu spielen, denn sie wusste aus Erfahrung, dass sie sich damit nur ein ewiges Chaos an Buchstaben und Zahlen bescheren und am Ende nicht mehr wissen würde, wo sie angefangen hatte, so dass sie ihre Schritte einzeln zurückverfolgen müsste. Das galt es zu vermeiden. Wie alle Rätselexperten wusste sie, dass ihr Heil in der Logik lag.

Wieder betrachtete sie die Botschaft. Nichts, was er sagt, ist dem Zufall überlassen, dachte sie. Sie war sicher, dass sie eine Eins addieren musste, es fragte sich nur, wie. Sie kämpfte gegen den Frust an.

Sie atmete tief ein und unternahm einen neuen Versuch. Sie sah sich die Folge noch einmal an und winkte ihre Mutter weg, die mit einem Teller Essen kam. Über ihre Aufgabe gebeugt, dachte sie: Er will, dass ich addiere, das heißt, er hat selbst bei jeder Zahl eins abgezogen. An und für sich ist das zu simpel. Aber was mich in die Sackgasse führt, sind die sinnlosen Buchstabenkombinationen. Sie sah sich den Brief noch einmal an.

Alice und dann die rote Königin. Hinter dem Spiegel. Eine kleine literarische Anspielung – das hätte sie eigentlich eher entdecken müssen.

Wenn man in den Spiegel sieht, kann man lesen, was falsch herum geschrieben wurde.

Sie nahm die Sequenz, drehte die Zahlen um und addierte dann die Eins.

822641526.

War es nun 8-22-6 … oder 8-2-26?

Aufs Geratewohl teilte sie die Ziffern in 8-2-26-4-15-26 auf. Dabei kam SYAWLA heraus.

Ihre Mutter schaute ihr über die Schulter.

»Da ist es«, bemerkte Diana frostig. Sie schnappte nach Luft, und ihre Tochter sah es auch.

ALWAYS. Immer.

Susan betrachtete das Wort auf dem Blatt Papier und dachte: Es ist ein schreckliches Wort. Sie hörte, wie ihre Mutter Atem holte, und beschloss in diesem Moment, Stärke zu demonstrieren, auch wenn sie aufgesetzt war. Natürlich würde ihre Mutter das durchschauen, doch es würde ihr trotzdem helfen, Ruhe zu bewahren.

»Macht es dir Angst, Mutter?«

»Ja«, bestätigte Diana.

»Wieso?«, fragte die Tochter. »Ich weiß nicht, warum, aber mir geht es nicht anders. Dabei gibt es nichts Bedrohliches. Es gibt keinerlei Anhalt dafür, dass wir es nicht mit jemandem zu tun haben, der ein intellektuelles Spielchen treiben will. Das wäre nicht das erste Mal.«

»Was stand in der ersten Nachricht?«

»*Ich habe dich gefunden.*«

Diana hatte das Gefühl, als würde sie tief in ihrem Innern in ein Loch gesogen, ein gewaltiger Strudel, der sie zu verschlingen drohte. Sie sperrte sich dagegen und sagte sich, dass bis jetzt noch nichts erwiesen war. Sie erinnerte sich daran, dass sie über fünfundzwanzig Jahre unbehelligt geblieben war – unentdeckt; derjenige, vor dem sie sich und ihre Kinder versteckt hatte, war, so hatte sie gehört, tot. Und deshalb kam Diana in einer wahrscheinlich übereilten Einschätzung der Lage zu dem Schluss, dass die Nachrichten wohl genau das waren, was sie zu sein schienen: der etwas abwegige Versuch eines allzu glühenden Fans ihrer Tochter, auf Teufel komm raus auf sich aufmerksam zu machen. Das konnte für sich schon gefährlich sein, und so schwieg sie sich über ihre tief sitzenden, alten Ängste aus, um die Vergangenheit ruhen zu lassen. Tot. Er ist tot. Es war Selbstmord, hämmerte sie sich ein. Als er sich das Leben nahm, hat er dich befreit.

»Wir sollten deinen Bruder anrufen«, meinte sie.

»Wozu?«

»Weil er gute Beziehungen zu Strafvollzugsbehörden hat. Vielleicht kennt er jemanden, der diesen Brief analysieren kann. Auf Fingerabdrücke untersuchen oder sonst wie testen. Um uns irgendetwas darüber zu erzählen.«

»Ich schätze, dass derjenige, der uns das schickt, daran

gedacht hat. Außerdem hat er kein Gesetz übertreten. Jedenfalls bis jetzt nicht. Ich denke, wir sollten warten, bis ich die ganze Nachricht ausgetüftelt habe. Dauert bestimmt nicht lang.«

»Also«, sagte Diana ruhig, »eins wissen wir schon jetzt.«

»Was denn?«

Die Mutter starrte die Tochter an, als sei sie mit Blindheit geschlagen.

»Die erste Botschaft hat er in den Briefkasten eingeworfen. Und diese hier hast du wo gefunden?«

»An der Haustür.«

»Das sagt uns jedenfalls, dass er immer näher kommt, meinst du nicht?«

SECHS
NEW WASHINGTON

Der westliche Himmel besaß einen metallischen Schimmer, wie auf Hochglanz polierter Stahl – eine unendliche, kalte, klare Weite. Für einen Moment legte er zum Schutz die Hand über die Augen.

»Man gewöhnt sich dran«, versicherte Robert Martin in beiläufigem Ton. »Um diese Jahreszeit hat man hier draußen manchmal das Gefühl, als ob einen Scheinwerfer blendeten. Man blinzelt ständig zum Horizont.«

Jeffrey Clayton antwortete nicht sofort, sondern ließ stumm den Blick über die Phalanx moderner Bürogebäude schweifen, die sich links und rechts in einigem Abstand von dem breiten Highway aneinanderreihten. Sie waren alle verschieden und doch gleich: großzügig angelegte Rasenflächen mit Baumgruppen dazwischen; leuchtend blaue Teiche und Wasserbecken, in denen sich der Himmel spiegelte, vor soliden Bauten, die mehr von den Geldern kündeten, die in sie geflossen waren, als von der schöpferischen Kraft der Architekten – eine Verschmelzung von Funktion und Kunst, die wenig Zweifel daran ließ, was den Vorrang hatte. Je länger er die städtische Umgebung betrachtete, desto deutlicher fiel ihm ins Auge, wie neu alles war. Wie wohlgeformt, geordnet und ausgewogen. Alles war sauber. Er sah die Logos einer großen Firma nach der anderen. Kommunikationswesen, Unterhaltung, Industrie. Eine eindrucksvolle Fortune-500-Parade. Wer in diesem Land viel Geld verdient, dachte er, ist hier vertreten.

»Wie heißt diese Straße?«, fragte er.

»Freedom Boulevard«, erwiderte Agent Martin.

Jeffrey konnte sich angesichts der Ironie des Namens ein verhaltenes Schmunzeln nicht verkneifen. Es herrschte nicht viel Verkehr, und sie fuhren in einem stetigen, gemächlichen Tempo. Er vertiefte sich weiter in seine Umgebung und fand, dass dieser neue Glanz etwas Steriles hatte.

»War das nicht mal alles Wüste?«, überlegte er laut.

»Ja«, bestätigte Martin. »Im Wesentlichen Buschgras, ausgetrocknete Flussläufe und Steppenläufer. Noch vor einem Jahrzehnt gab es hier eine Menge Dreck, Sand und Wind. Stau einen Fluss, leite Wasser in neue Kanäle, umschiffe ein paar Umweltgesetze – und alles blüht und gedeiht. Die Technologie ist teuer, aber wie Sie sich denken können, war das nicht der entscheidende Faktor.«

Jeffrey hielt das für eine interessante Idee: Man ersetze eine Art von Natur durch eine andere. Man schaffe eine idealisierte Unternehmervision davon, wie die Welt aussehen *sollte*, und stülpe sie der ungeordneten, etwas enttäuschenden realen Welt über. Ein Land innerhalb eines Landes. Nicht ganz unwirklich, aber gewiss auch nicht authentisch. Er konnte nicht sagen, weshalb ihm der Gedanke zu schaffen machte.

»Drehen Sie uns den Wasserhahn ab, und in weiteren zehn Jahren haben Sie hier eine Geisterstadt«, meinte Martin. »Aber es dreht niemand den Wasserhahn ab.«

»Wer war hier? Ich meine, bevor …«

»Hier, in New Washington? Da war nichts. Jedenfalls nicht viel. Ein paar hundert Quadratmeilen mit so gut wie nichts. Klapperschlangen, Krustenechsen und Bussarde. Früher mal war ein Teil des Bodens in staatlichem Besitz, ein anderer Teil war ein altes Indianerreservat, das annektiert worden ist, und wieder ein Teil wurde enteignet. Hat ein paar große Rancher verschnupft, kann man für den ganzen Staat sagen. Leute, die in den ausgewiesenen Baugebieten wohnten, wurden entschädigt und umgesiedelt, bevor die Bulldozer kamen. So wie jedes Mal im Lauf der Geschichte, wenn diese Nation sich ausgedehnt hat; ein paar Leute holen sich eine goldene Nase, andere werden vertrieben und die Letzten beißen die Hunde, nur an einem anderen Ort. Nicht anders als, sagen wir, in den Siebzigerjahren des neunzehnten Jahrhunderts. Der einzige Unterschied ist vielleicht, dass wir uns diesmal nach innen ausgedehnt haben und nicht nach außen auf unerforschtes Gelände; diesmal auf ein Gebiet, für das sich kaum jemand interessierte. Jetzt interessiert es alle, weil sie sehen, was man daraus machen kann. Und was wir noch machen werden. Das ist ein riesiges Territorium, wir haben noch viel Platz, besonders im Norden, Richtung Bitterroot Range. Da ist noch jede Menge Raum.«

»Besteht denn die Notwendigkeit dafür?«

Der Detective zuckte die Achseln. »Jedes Territorium ist auf Wachstum angelegt. Besonders wenn es um Sicherheit geht. Es gibt immer das Bedürfnis nach Ausdehnung. Und es gibt immer Leute, die ein Stück von der ursprünglichen Vision Amerikas für sich haben wollen.«

Clayton verstummte wieder und ließ Martin fahren.

Sie hatten noch nicht über den Zweck seines Besuchs im Einundfünfzigsten Bundesstaat gesprochen – kein einziges Mal während des langen Flugs nach Westen, über die mittleren Bundesstaaten, über die Rockies, das Rückgrat des Kontinents, bis zur Landung in jener Gegend, die einmal der isolierte nördliche Teil von Nevada gewesen war.

Während sie schweigend über die Straßen fuhren, stand Jeffrey plötzlich eine unangenehme Erinnerung vor Augen.

Die ordentliche Reihe der Gebäude verschwamm vor seinem Blick und wich einer harten Stadtlandschaft aus Beton – einem Ort, der früher einmal übermäßigen Reichtum und Erfolg gekannt hatte, dann aber wie so vieles im letzten Jahrzehnt unwiederbringlich verkommen und verfallen war. Galveston, Texas, kaum sechs Jahre zuvor. Ein Lagerhaus. Die Tür stand sperrangelweit offen und klapperte im unablässigen, durchdringenden Wind, der über das lehmig braune Wasser im Golf von Mexiko heranwehte. In den Erdgeschossfenstern hingen die Splitter der eingeschlagenen Scheiben. Am Morgen hatte es geregnet, und das trübe Licht von der Straße warf groteske, schlangenförmige Schatten an die Wände.

Wieso hast du nicht gewartet?, fragte er sich auf einmal. Eine vertraute Frage, die diese Erinnerung noch jedes Mal begleitet hatte, wenn sie sich ungebeten in sein Bewusstsein drängte oder in seine Träume schlich.

Es gab keinen Grund zur Eile. Hättest du gewartet, wäre früher oder später Verstärkung eingetroffen. Ein SWAT-Team mit Nachtsichtgeräten und schweren Waffen, kugelsicherer Kleidung und militärischer Ausbildung. Genügend Polizisten, die das Warenhaus umstellt hätten. Megaphone. Ein Helikopter mit Suchscheinwerfern über dem Dach. Es war vollkommen unnötig, dass du mit den beiden Detectives da reingegangen bist, bevor Verstärkung eingetroffen war.

Aber sie wollten es so, beantwortete er seine eigene Frage. Sie waren mit ihrer Geduld am Ende. Die Jagd war lang und frustrierend gewesen, sie spürten, dass sie kurz vor dem Finale standen, und er allein wusste, wie schwierig es sein würde, an die Jagdbeute heranzukommen, die sich auf eigenem Terrain verschanzte.

Es gab eine Kindergeschichte. Rudyard Kiplings Erzählung vom Mungo, der einer Kobra in ihr Loch folgt. Sie enthält eine Warnung: Fechte deine Kämpfe auf eigenem Gelände aus und nicht auf feindlichem Boden. Wenn du kannst. Das Problem ist, dachte er, dass man es oft nicht kann.

Er hatte es in jener Nacht gewusst und nichts gesagt, obwohl bereits Hilfe unterwegs war. Er fragte sich, wieso, auch wenn er den wahren Grund kannte. In all seinen Studien über Mörder und ihre Morde hatte er noch keinen in jenem strahlenden Moment der uneingeschränkten Macht gesehen: das Opfer vollkommen unter Kontrolle und gänzlich darauf konzentriert, ihm den Tod zu bringen. Das hatte er aus unmittelbarer Nähe miterleben wollen, diesen königlichen Moment, in dem Verstand und Wahn des Mörders in einem einzigen Akt der Brutalität und Gewissenlosigkeit verschmolzen.

Er hatte zu viele Bilder gesehen. Er hatte Hunderte Augenzeugenberichte auf Band aufgezeichnet. Er hatte Dutzende Tatorte gesehen. Doch all diese stückweisen Informationen waren immer einen Schritt von dem eigentlichen Akt entfernt. Er war nie da gewesen, wenn es tatsächlich passierte, hatte die Magie des Wahnsinns nie mit Händen greifen können. Und diese Triebkraft – Neugier konnte er es nicht nennen, denn er wusste, dass es viel tiefer ging, stärker war und in seinem Innern rumorte – hatte den Ausschlag dafür gegeben, dass er seinen Mund gehalten und nichts dagegen unternommen hatte, als die beiden Beamten der städtischen Polizei ihre Waffen zogen und kaum einen Meter vor ihm behutsam durch die Tür zum Lagerhaus geschlüpft waren. Ihre Vorsicht währte allerdings nicht lange, denn als sie den ersten schrillen Entsetzensschrei irgendwo aus den dunklen, düsteren Hallen hörten, waren sie schneller gelaufen und unvorsichtig geworden.

Es war alles ein Fehler. Leichtsinn. Ein Fehlurteil.

Wir hätten warten sollen, dachte er, egal, was dort drinnen mit jemandem geschah. Und wir hätten nie diesen Lärm machen dürfen, als wir in die Domäne dieses Mannes eindrangen, in seine Höhle, in der er zu Hause war, wo er jeden Winkel, jeden Schatten, jedes lose Brett im Boden kannte.

Nie wieder, sagte er sich mit Nachdruck.

Sein Atem beschleunigte sich. Die Konsequenz ihrer Fehleinschätzung war eine in grellen Farben flackernde Erinnerung, die ihm immer wieder durch den Schädel pulsierte: Einer der Polizisten tot, der andere blind, eine siebzehnjährige Prostituierte am Leben, aber nur noch so gerade eben und zweifellos für immer gezeichnet. Er selbst mehrfach verwundet, wenn auch nicht verkrüppelt – zumindest nicht so, dass man es sah.

Und der Mörder, der bei seiner Verhaftung spuckte und lachte, ohne dass er über das jähe Ende seines mörderischen Unternehmens sonderlich verärgert schien. Er wirkte eher, als wäre ihm die Störung ausgerechnet im Moment größter Befriedigung einfach etwas lästig. Er war ein kleiner Mann, ein Albino mit weißem Haar, roten Augen und einem verkniffenen Gesicht, das an ein Frettchen erinnerte. Er war jung, fast im selben Alter wie Clayton, mit drahtiger Muskulatur und dem riesigen rotgrünen Tattoo eines fliegenden Adlers auf der teigig weißen Brust. Und all das Töten in jener Nacht hatte ihm große Freude bereitet.

Jeffrey verbannte die Vision des Killers aus seinem Gedächtnis, weigerte sich, den Singsang in dessen Tonfall heraufzubeschwören, als er inmitten all der pulsierenden Lichter der Streifenwagen weggeführt wurde.

»Ich werde dich nicht vergessen«, hatte er gerufen, als Jeffrey in einen Krankenwagen geschoben wurde.

Er ist weg, dachte Clayton. In Texas im Todestrakt. Geh da nie wieder hin. Geh nie wieder in so ein Lagerhaus. Niemals.

Er schielte kurz zu Agent Martin hinüber. Weiß er, dass ich mich deshalb für Anonymität entschieden habe?, fragte er sich. Wieso ich das, worum er mich gebeten hat, nicht mehr mache?

»Da wären wir«, erklärte Martin plötzlich. »Trautes Heim. Oder zumindest mein Arbeitsplatz.«

Was Jeffrey sah, war ein großes Gebäude, unverkennbar eine Behörde. Etwas funktioneller, etwas weniger durchgestaltet als die anderen Büros, an denen sie vorbeigekommen waren. Etwas weniger elegant in seiner Erscheinung, das heißt, nicht schäbiger, sondern nur wuchtiger, so wie ein großer Bruder, der über den Spielplatz der jüngeren Kinder läuft. Es bestand aus unverwüstlichem grauen Beton, mit den scharfen Kanten eines Kubus und einer Gleichförmigkeit, dass ihm der Verdacht kam, die Menschen, die darin arbeiteten, seien wahrscheinlich genauso rigide und einfallslos wie der Bau selbst.

Martin fuhr mit Schwung auf den Parkplatz neben seiner

Dienststelle. Er bremste und sagte unvermittelt: »He, Clayton, sehen Sie den Mann da vorne?«

Jeffrey blickte auf einen Mann in einem unscheinbaren blauen Anzug mit einer Aktentasche in der Hand, der allein zwischen den Reihen der modernen Autos entlang lief.

»Beobachten Sie ihn einen Moment lang, und Sie werden etwas lernen«, fügte der Agent hinzu.

Jeffrey sah, wie der Mann an einem kleinen Kombi stehen blieb. Er beobachtete, wie er sein Jackett auszog und es zusammen mit der Aktentasche auf den Rücksitz warf. Er ließ sich einen Moment Zeit, um die Ärmel seines weißen Hemdes aufzukrempeln und die Krawatte zu lockern, bevor er sich hinters Lenkrad setzte. Der Wagen fuhr rückwärts hinaus und verschwand. Martin bog in die Parklücke ein.

»Was haben Sie gesehen?«, fragte der Detective.

»Ich habe einen Mann auf dem Weg zu einem Termin gesehen. Oder vielleicht nach Hause, weil er eine Erkältung hat. Weiter nichts.«

Martin lächelte. »Sie müssen lernen, richtig hinzuschauen, Professor. Ich hätte Sie für einen scharfsichtigeren Beobachter gehalten. Wie ist er in seinen Wagen gestiegen?«

»Er lief hin und stieg ein. Was ist daran so ungewöhnlich?«

»Haben Sie beobachtet, wie er die Tür aufschließt?«

Jeffrey schüttelte den Kopf. »Nein. Vermutlich hat er eins von diesen Funkschlössern. Wie sie so ziemlich jeder hat ...«

»Aber Sie haben nicht gesehen, wie er ein Infrarotlicht an den Wagen hielt, oder?«

»Nein.«

»Hätte Ihnen kaum entgehen können, nicht wahr?«

»Nein.«

»Weil der Wagen nicht abgeschlossen war. Darum geht es, Professor. Der Wagen war nicht abgeschlossen, weil das nicht nötig war. Weil alles, was er darin ließ, sicher war, weil niemand auf diesen Parkplatz kommen und etwas stehlen konnte. Kein jugendlicher Dieb mit einer Knarre und einer Drogensucht würde hinter einem anderen Auto hervorspringen und seine Brieftasche verlangen. Und wissen Sie was? Keine Überwachungskameras. Kein Sicherheitsdienst, der hier patrouilliert. Keine Dobermänner oder elektronischen Bewegungsmelder oder Wärmesensoren. Der Platz ist sicher, weil er es einfach ist. Sicher, weil niemand daran denken würde, sich etwas zu nehmen, was ihm nicht gehört. Sicher, weil es eben hier ist.«

Der Detective machte den Motor aus.

»Und ich werde dafür sorgen, dass es so bleibt.«

In der Eingangshalle des Gebäudes stand auf einem großen Schild:

WILLKOMMEN IN NEW WASHINGTON
DIE ÖRTLICHEN VERORDNUNGEN SIND JEDERZEIT
IN KRAFT
AUF VERSTÖSSE GEGEN DAS AUSWEISGESETZ STEHEN
FREIHEITSSTRAFEN
RAUCHEN VERBOTEN
WIR WÜNSCHEN EINEN GUTEN TAG

Jeffrey blickte zu Agent Martin hinüber. »Örtliche Verordnungen?«

»Ist 'ne ziemlich lange Liste. Ich besorg Ihnen ein Exemplar. Darum geht es ja im Grunde.«

»Was ist das für ein Ausweisgesetz? Was verstehen Sie darunter?«

Martin lächelte. »Sie verstoßen in diesem Moment gegen das Ausweisgesetz. Das gehört zu unserem Sicherheitspaket. Der Zutritt zu unserem angehenden Staat wird streng kontrolliert, genauso wie zu einem anderen Land oder einem Privatbesitz. Sie brauchen eine Genehmigung, um reinzukommen. Um eine Aufenthaltsgenehmigung zu erhalten, müssen Sie durch die Passkontrolle. Aber das geht schon in Ordnung. Sie sind mein Gast.

Und sobald Sie die Genehmigung haben, können Sie ungehindert im ganzen Staat umherreisen.«

Jeffrey entdeckte ein Schild mit der Aufschrift EINWANDERUNG und blickte einen Flur entlang zu einem großen Raum mit vielen Schreibtischen, die jeweils mit einem Büroangestellten an einem Computerbildschirm besetzt waren. Er blieb stehen und sah den Leuten für einen Moment bei der Arbeit zu, dann musste er sich beeilen, um mit Martin Schritt zu halten, der in forschem Tempo einen angrenzenden Flur entlangmarschierte, über dem SICHERHEITSBEHÖRDEN stand. Ein drittes Schild trug den Vermerk TAGESSTÄTTE. Ihre Sohlen patschten geräuschvoll auf den hochglanzpolierten Terrazzoboden und hallten von den Wänden wider.

Nach einer Weile betraten sie einen weiteren großen Raum, nicht gar so groß wie der der EINWANDERUNG, aber immer noch beachtlich. Der Raum schimmerte durch und durch weiß und sauber, und die fluoreszierenden Lichter an der Decke gingen in das allgegenwärtige Grün der Computerbildschirme über. Es gab nirgends Fenster, und das leise Surren der Klimaanlage mischte sich in das gedämpfte Stimmengewirr hinter der Schalldämmung und den Glastrennwänden. So hätte er sich eher das Büro eines Wirtschaftsunternehmens vorgestellt und nicht ein Polizeirevier, nicht einmal ein ultramodernes. Hier war nichts von dem Dreck der Kriminalität zu spüren, der die Luft einer gewöhnlichen Polizeidienstelle verschmutzte. Nichts von der aufgestauten Wut, kein lauernder Wahn, keine Tobsucht, keine Zwangsmaßnahmen. Keine zerbrochenen Stühle oder verkratzten Schreibtischplatten – Spuren, die sonst Verhaftete aus Protest gegen die Handschellen hinterlassen. Niemand wurde laut oder vulgär. Nur die Synkopen der Tastaturen und das übliche stetige Hintergrundgeräusch effizienter Arbeit.

Martin blieb an einem Schreibtisch stehen, an dem ihn eine junge Frau in adretter weißer Bluse und dunkler Hose begrüßte. Eine kleine Vase mit einer einzelnen gelben Blume stand auf der Ecke.

»So so, Detective, endlich zurück. Wir haben Sie schon vermisst.«

Agent Martin lachte und erwiderte: »Aber klar! Klingeln Sie mal durch und geben dem Chef Bescheid, dass ich da bin?«

»Wie ich sehe, mit dem berühmten Professor.« Die Sekretärin sah zu Jeffrey auf. »Ich habe ein bisschen Formularkram für Sie, Professor. Zunächst mal wegen eines provisorischen Passes und Ihre persönlichen Daten. Und dann ein paar Dokumente, die Sie bei Gelegenheit lesen und unterzeichnen müssten.«

Sie reichte ihm eine Mappe.

»Willkommen in New Washington«, sagte sie. »Wir sind alle sicher, dass Sie uns helfen können ...«

Sie hatte noch nicht zu Ende gesprochen, als sie sich zu Agent Martin umdrehte und mit einem scheuen Lächeln hinzufügte: »... bei dem Problem, mit dem der Detective offenbar nicht allein fertig wird und das er keinem verrät.«

Jeffrey warf einen Blick auf die Dokumentenmappe und meinte: »Nun ja, Agent Martin ist optimistischer als ich, aber ich weiß natürlich auch mehr über –«

Er wurde von dem klobigen Detective unterbrochen: »Wir werden drinnen erwartet. Kommen Sie.«

Er packte Clayton am Arm und führte ihn von dem Schreibtisch der Sekretärin weg zur Tür eines Büros. Dabei zog er Clayton dicht an sich heran und zischte ihm leise zu: »Niemand, verstanden! Niemand weiß davon! Halten Sie den Mund!«

In dem Büro saßen zwei Männer hinter einem lackierten Rosenholztisch. Davor standen zwei Ledersessel. Im Unterschied zu dem glatten, zweckdienlichen Eindruck, den der Hauptraum machte, versprühte dieses Büro einen eher antiken, opulenten Charme. An den Wänden standen Eichenregale, gefüllt mit juristischen Texten, und den Boden bedeckte ein Orientteppich. Eine

Wand zierte ein grünes Ledersofa unterhalb einer amerikanischen Flagge und der des geplanten Einundfünfzigsten Staates. Eine andere war voller gerahmter Fotos, doch Clayton hatte nicht die Zeit, sie sich genauer anzusehen, auch wenn er auf einem den Präsidenten der Vereinigten Staaten erkannte, der aus einer Behörde wohl nicht wegzudenken war.

Ein großer, schilfrohrdünner Mann mit Glatze saß in der Mitte hinter dem Schreibtisch. Der Mann neben ihm war kleiner und kräftiger gebaut, dabei älter und wirkte mit seinem eckigen Kinn sowie dem schiefen Gesicht wie ein ehemaliger Boxer. Der Kahlkopf lud Jeffrey und Agent Martin ein, in den beiden Sesseln Platz zu nehmen. Zur Rechten des Professors öffnete sich eine weitere Tür, und ein dritter Mann trat ein. Er schien jünger zu sein als Jeffrey und trug einen teuren blauen Anzug mit Nadelstreifen. Er setzte sich auf das Sofa und sagte nur: »Legen Sie los.«

Der Kahle lehnte sich mit einer glatten, raubtierhaften Bewegung vor. Wie ein Fischadler auf einem nackten Ast, der Nagetiere im Gras beäugt, nahm er Jeffrey in den Blick.

»Professor, ich bin Agent Martins Vorgesetzter bei der Staatssicherheit. Der Mann zu meiner Rechten ist ebenfalls ein Beamter der Sicherheit. Der Herr auf der Couch ist ein Regierungsvertreter des Westlichen Territoriums.«

Köpfe nickten, doch keine Hand streckte sich ihm zum Gruß entgegen.

Der untersetzte Mann an der Seite des Schreibtischs nahm kein Blatt vor den Mund: »Fürs Protokoll sei an dieser Stelle noch einmal festgehalten, dass ich dagegen bin, den Professor hierher zu bestellen. Ich protestiere dagegen, dass er in welcher Weise auch immer in diesen Fall eingeschaltet wird.«

»Das hatten wir schon«, winkte der Kahle ab. »Der Einwand wurde zur Kenntnis genommen. Ihre Auffassung wird in den Schlussbemerkungen zu dem Fall und in den Entscheidungsprotokollen Niederschlag finden.«

Der Mann signalisierte mit einem Schnauben seine Zustimmung.

»Ich kann gerne wieder gehen«, erklärte Jeffrey. »Auf der Stelle, wenn Sie wollen. Ich habe nicht die geringste Lust zu bleiben.«

Der Kahle ignorierte die Bemerkung. »Agent Martin hat Sie vermutlich über die Präliminarien in Kenntnis gesetzt?«

»Haben Sie auch Namen?«, fragte Jeffrey. »Mit wem habe ich das Vergnügen?«

»Namen tun nichts zur Sache«, verkündete der junge Mann und wechselte die Stellung auf dem Sofa, so dass das Leder knirschte. »Sämtliche Aufzeichnungen dieser Sitzung unterstehen strengster Kontrolle. Ihre bloße Anwesenheit im Territorium unterliegt der höchsten Geheimhaltungsstufe.«

»Vielleicht bin ich aber der Meinung, dass Namen was zur Sache tun«, widersprach Jeffrey trotzig. Er warf einen kurzen Blick zu Agent Martin neben sich, doch der klobige Mann hatte sich in seinen Sessel vergraben und ließ sich nicht unter die Schädeldecke schauen.

Der Kahle lächelte. »In Ordnung, Professor. Wenn Sie darauf bestehen, dann bin ich Tinkers, er ist Evers und der Mann drüben auf dem Sofa ist Chance.«

»Sehr witzig«, meinte Jeffrey. »Und ich bin Babe Ruth. Oder Ty Cobb.«

»Wäre Ihnen Smith oder Jones vielleicht lieber und, sagen wir, Gardner?«

Jeffrey erwiderte nichts.

»Vielleicht«, fuhr der Kahle fort, »nennen wir uns Manson, Starkweather und Bundy? Das klingt schon fast wie eine Anwaltskanzlei, meinen Sie nicht? Passt auch besser zu Ihrem Arbeitsgebiet, finden Sie nicht auch?«

Jeffrey zuckte die Achseln. »Meinetwegen, Mr. Manson, wie Sie wünschen.«

Der Kahle nickte und grinste. »Gut, dann also Manson. Und

jetzt lassen Sie mich bitte versuchen, diese Unterhaltung etwas einfacher zu gestalten, Professor. Oder zumindest reibungsloser. Zunächst einmal der finanzielle Rahmen für Ihren Besuch, der für Sie sicher von Interesse ist.«

»Ich höre.«

»Also, sollten Ihre Ermittlungen Informationen erbringen, aus denen andere wiederum Beweismaterial gewinnen können, das schließlich zu einer Verhaftung führt, werden wir Ihnen eine Viertelmillion Dollar zahlen. Sollten Sie tatsächlich unsere Zielperson identifizieren und ausfindig machen, dann zahlen wir Ihnen eine Million Dollar. Beide Summen oder irgendeine Zwischensumme, die wir für Ihren jeweiligen Beitrag zur Lösung unseres Problems für angemessen halten, ist steuerfrei und wird bar ausgezahlt. Dafür müssen Sie Ihrerseits versprechen, dass keinerlei Informationen, die Sie erlangen, kein Eindruck, den Sie sich machen, keine Erinnerung an Ihren Besuch hier je durch physische oder elektronische Mittel aufgezeichnet wird und dass Sie nicht das Geringste über Ihren Aufenthalt und seinen Zweck jemals an Dritte weitergeben oder in irgendeiner Weise publizieren. Keine Zeitungsinterviews. Kein Buchvertrag. Keine akademischen Abhandlungen, selbst wenn sie nur innerhalb der Vollzugsbehörden kursieren. Ich will damit Folgendes sagen: Die Ereignisse, die Sie hergebracht haben, und alles, was sich ab heute daraus ergibt, existieren offiziell nicht, und für diese absolute Geheimhaltung werden Sie reichlich entschädigt.«

Jeffrey sog langsam die Luft durch die zusammengepressten Zahnreihen ein. »Offenbar haben Sie wirklich ein Problem«, sagte er bedächtig.

»Professor Clayton, ist die Sache abgemacht?«

»Welche Hilfe bekomme ich? Wie sieht es mit Zugang ...«

»Agent Martin ist Ihr Partner. Er wird Ihnen Zugang zu sämtlichen Aufzeichnungen, Dokumenten, Örtlichkeiten, Zeugen verschaffen – was immer Sie benötigen. Er wird sich um alle

Ausgaben kümmern, für Unterkunft und Fahrzeug sorgen. Hier geht es nur um ein einziges Ziel, und das hat Vorrang vor allem anderen, besonders vor finanziellen Erwägungen.«

»Wenn Sie sagen, *wir* bezahlen Sie, wen genau habe ich mir darunter vorzustellen?«

»Es geht dabei um Bargeld aus dem frei verfügbaren Fonds des Gouverneurs.«

»Es muss einen Haken geben. Wo liegt der Haken, Mr. Manson?«

»Es gibt keinen Haken, das heißt, da ist nichts, das wir nicht offenlegen, Professor«, erklärte der Glatzkopf. »Wir stehen unter beträchtlichem Druck, diese Ermittlungen zu einem schnellen und befriedigenden Abschluss zu bringen. Sie sind ja nicht dumm – zwei Sicherheitsbeamte und ein Politiker sollten Ihnen sagen, dass hier viel auf dem Spiel steht. Daher unsere Großzügigkeit. Aber auch unsere Ungeduld. Zeit, Professor, Zeit ist von entscheidender Bedeutung.«

»Wir brauchen Antworten, und wir brauchen sie schnell«, warf der junge Regierungsvertreter ein.

Jeffrey schüttelte den Kopf. »Sie sind Starkweather, richtig? Haben Sie eine Freundin? Denn falls Sie eine haben, sollten Sie sie von jetzt an Caril Ann nennen. Also, was ich bereits dem Detective gesagt habe, will ich gerne vor Ihnen wiederholen: Diese Fälle eignen sich nicht für simple Erklärungen oder schnelle Lösungen.«

»Aber in Texas waren Ihre Nachforschungen außerordentlich erfolgreich. Wie war das möglich? Besonders angesichts des so dramatischen Abschlusses.«

Jeffrey fragte sich, ob in der Frage des Mannes Sarkasmus mitschwang. Er ignorierte es einfach.

»Wir wussten, in welchen Gegenden die Prostituierten gewöhnlich zu finden waren, auf die es unser Mörder abgesehen hatte. Also haben wir uns ohne großes Tamtam daran gemacht, sämtliche Mädchen auf dem Straßenstrich zu verhaften – nichts Aufregendes, das die Presse irritiert hätte, nur typische Samstagabend-Razzien von der Sitte. Aber statt sie einzubuchten, haben wir sie zu unseren Helfern gemacht. Wir haben einen beträchtlichen Prozentsatz der Mädchen mit kleinen elektronischen Ortungsgeräten ausgestattet. Sie waren winzig, mit geringer Reichweite, und wurden mit einem einzigen Knopf aktiviert. Wir ließen sie von den Frauen in ihre Kleidung einnähen. Die Idee dahinter war, dass unser Mann früher oder später eine dieser Frauen erwischen würde und dass sie es schaffte, den Sendeknopf zu drücken. Wir haben die Sender rund um die Uhr überwacht.«

»Und das hat funktioniert?«, fragte der Untersetzte begierig.

»Mehr oder weniger ja, Mr. Bundy. Es gab eine Menge Falschmeldungen, womit wir gerechnet hatten. Und dann wurden drei Frauen getötet, obwohl sie die Vorrichtung trugen, bevor es endlich einer gelang, den Knopf zu aktivieren. Sie war jünger als die anderen, und unsere Zielperson wird sich von ihr weniger bedroht gefühlt haben, denn ausnahmsweise hatte er sich Zeit damit gelassen, sie zu fesseln, so dass sie die Gelegenheit hatte, uns das Signal zu senden. Und da er es nicht gemerkt hatte, ist er nicht geflohen. Wir waren zwar gerade noch rechtzeitig da, um ihr das Leben zu retten, aber das war wirklich in letzter Sekunde. Ein durchwachsenes Ergebnis würde ich sagen.«

Der wohlbeleibte Bundy unterbrach ihn: »Aber offensiv. Das gefällt mir. Sie haben etwas unternommen. Kreative Schritte. Das sollten wir auch. Etwas in der Art. Eine Falle. Das fände ich gut. Eine Falle.«

Der junge Mann sprach ebenfalls schnell: »Bin ganz Ihrer Meinung. Allerdings müssten Schritte dieser Art erst von uns dreien genehmigt werden, Agent Martin. Sie verstehen?«

»Ja.«

»Ich möchte, dass es da keinerlei Zweifel gibt. Jeder Aspekt dieses Falls ist von politischer Tragweite. Im Zweifel müssen wir uns lieber für ein Zuviel an Kontrolle und Geheimhaltung entscheiden als etwas zu riskieren, notfalls auf Kosten des Problems.«

Wieder schmunzelte Jeffrey. »Mr. Starkweather, Mr. Bundy. Bitte bedenken Sie, dass die Wahrscheinlichkeit, den Mann zu identifizieren, der Ihnen Ihr *politisches* Problem beschert, minimal ist. Noch geringer schätze ich die Chance ein, die Voraussetzungen dafür zu schaffen, dass wir ihm eine Falle stellen können. Es sei denn, Sie wollten, dass ich jede junge Frau innerhalb der Grenzen Ihres Staates verdrahte, nachdem ich erst einmal einen allgemeinen Alarm auslöse.«

»Nein, nein, nein ...«, beeilte sich Bundy.

Manson lehnte sich vor und sprach in leisem, verschwörerischem Ton. »Nein, Professor, ganz eindeutig wäre die allgemeine Panik, die wir damit auslösen würden, nicht in unserem Interesse.« Er machte eine weite, wegwerfende Handbewegung, dann fuhr er fort: »Aber, Professor, Agent Martin hat uns zu verstehen gegeben, dass Sie zu unserer schwer fassbaren Zielperson in einer besonderen Beziehung stehen, die es erleichtern wird, sie aufzuspüren. Das stimmt doch, nicht wahr?«

»Vielleicht«, erwiderte Jeffrey viel zu schnell für so ein ausweichendes Wort.

Der Kahle nickte und lehnte sich langsam zurück. »Vielleicht«, wiederholte er und zog eine Braue hoch. Er rieb sich die Hände, als würde er sie waschen. »Nun, so oder so, Professor, ist das Geld auf dem Tisch. Sind wir uns einig?«

»Habe ich eine Wahl, Mr. Manson?«

Der Schreibtischstuhl unter dem Kahlen quietschte, als er sich einen Moment darauf drehte.

»Das ist eine interessante Frage, Professor Clayton. Faszinierend. Eine Frage von philosophischer Tragweite. Psychologischer Tragweite. Haben Sie eine Wahl? Gehen wir ihr doch einmal nach: finanziell natürlich nicht. Unser Angebot ist äußerst großzügig. Auch wenn es Ihnen nicht sagenhaften

Reichtum beschert, so ist es doch beträchtlich mehr, als Sie jemals verdienen könnten, indem Sie in überfüllten Hörsälen psychotisch gelangweilte Studenten unterrichten. Aber emotional? Angesichts dessen, was Sie wissen – und was Sie vermuten – und was möglich ist, tja, ich weiß nicht. Könnten Sie sich einfach entschließen, diesen Aspekt ohne Antworten beiseite zu lassen? Würden Sie sich nicht lebenslänglich in ein Gefängnis unbefriedigter Neugier begeben? Dann hat das Ganze natürlich auch noch eine ganz praktische Seite. Glauben Sie, uns läge daran, Sie mir nichts dir nichts wieder ziehen zu lassen, ohne dass Sie uns geholfen haben, nachdem Agent Martin Sie nun schon mal hergebracht hat, und nachdem er uns davon überzeugt hat, dass Sie der einzige Mensch im ganzen Land seien, der wirklich in der Lage wäre, unser Problem zu lösen? Würden wir einfach die Achseln zucken und Sie hier rausmarschieren lassen?«

Diese letzte Frage hing in der Luft.

»Wir leben in einem freien Land«, platzte Jeffrey heraus.

»Tun wir das wirklich?«, fragte Manson zurück.

Wieder lehnte er sich in derselben raubtierartigen Weise vor, die Jeffrey schon einmal beobachtet hatte. Ihm kam der Gedanke, dass der Kahlkopf, steckte man ihn in dunkle Gewänder mit Kapuze, sich in Stil und Erscheinung für eine Hauptrolle in der spanischen Inquisition empfohlen hätte.

»Ist denn überhaupt irgendjemand wirklich frei, Professor? Ist irgendjemand in diesem Raum wirklich frei, da wir doch jetzt um diese Quelle des Bösen in unserem Gemeinwesen wissen? Macht uns dieses Wissen nicht zu Gefangenen des Bösen?«

Jeffrey antwortete nicht.

»Sie werfen interessante Fragen auf, Professor. Natürlich hatte ich von einem Mann Ihrer akademischen Reputation auch nichts anderes erwartet. Aber leider bleibt uns nicht die Zeit, solch hochgeistige Themen zu erörtern. Vielleicht können wir uns bei anderer, zwangloserer Gelegenheit einmal darüber austauschen. Im Moment steht Dringlicheres an. Ich frage Sie also noch einmal: Sind wir uns einig?«

Jeffrey holte tief Luft und nickte.

»Bitte, Professor«, sagte Manson in schneidendem Ton. »Sprechen Sie laut und deutlich, fürs Protokoll.«

»Ja.«

»Ich hatte nichts anderes erwartet«, erklärte der Kahle. Er deutete zur Tür, um anzuzeigen, dass die Sitzung beendet sei.

SIEBEN
COFFEE EMERALD THANT – KAFFEE SMARAGD THANT

Diana Clayton verließ nur noch ungern das Haus. Einmal pro Woche fuhr sie notgedrungen zur nächsten Apotheke, um sich ihren Vorrat an Schmerzmitteln, Vitaminen und dem einen oder anderen Versuchsmedikament zu besorgen, die alle wenig gegen das deprimierend stetige Fortschreiten der Krankheit auszurichten schienen. Während sie auf ihre Pillen wartete, plauderte sie aufgesetzt heiter mit dem jungen Apotheker, einem kubanischen Immigranten, der immer noch mit so starkem Akzent sprach, dass sie kaum verstand, was er sagte, dessen Gesellschaft sie aber genoss, da er ihr in unerschütterlichem Optimismus ein bizarres Gebräu nach dem anderen empfahl, in der festen Überzeugung, es würde ihr Leben retten. Danach überquerte sie die vier Fahrbahnen der Route 1, indem sie vorsichtig dem Verkehr auswich. War dies geschafft, bog sie in eine Seitenstraße ab, in der – nur einen Häuserblock entfernt und ein Stück hinter den hässlichen, grell bunten Einkaufszentren am Highway der Keys – eine kleine Bücherei angenehm im Schatten lag.

Der stellvertretende Leiter der Bibliothek, etwa zehn Jahre älter als sie, flirtete gern mit ihr. Er hockte auf einem erhöhten Sitz hinter einem vergitterten Fenster und wartete schon auf sie. Sobald er sie sah, legte er den Finger an den Knopf für die Sicherheitstüren. Obwohl verheiratet, war der Mann einsam, was er damit begründete, dass seine Frau nur Zeit für ihre zwei Pitbulls habe und ansonsten süchtig die Geschicke der Stars diverser Seifenopern verfolge. Er war ein schon fast komischer Schwerenöter, der Diana hartnäckig zwischen den spärlichen Regalen folgte und sie dabei im Flüsterton zu Cocktails, zum Essen und ins Kino einlud – egal, was, wenn es ihm nur Gelegenheit gab, ihr zu gestehen, dass sie seine einzige wahre Liebe sei. Sie fand seine Avancen zu gleichen Teilen schmeichelhaft und lästig, und so gab sie ihm einen Korb nach dem anderen, ohne ihn ganz zu entmutigen, auch wenn sie sich einschärfte, dass sie auf jeden Fall beabsichtigte zu sterben, bevor sie dem Bibliothekar sagen musste, er solle sie ein für alle Male in Ruhe lassen.

Sie las nur Klassiker, mindestens zwei pro Woche. Dickens, Hawthorne, Melville, Stendhal, Proust, Tolstoi und Dostojewski. Griechische Tragödien und Shakespeare verschlang sie geradezu. Wenn überhaupt, so führten sie ihre Vorstöße in die Moderne höchstens bis Faulkner und Hemingway – zu letzterem aus einer Art Loyalität zu den Keys –, und weil ihr gefiel, was er über das Sterben zu sagen hatte. In seinen Büchern hatte er dem Tod – wie verkommen und schmutzig er auch sein mochte – stets eine romantische, heroische Qualität abgewonnen, und das gab ihr Mut, auch wenn sie wusste, dass es nur Fiktion war.

Sobald sie ihre Bücher hatte, verabschiedete sie sich von dem Bibliothekar, wobei es sie jedes Mal einige Mühe kostete, sich loszueisen und seine letzten flehentlichen Bitten abzuwehren. Anschließend eilte sie noch eine sonnendurchflutete Nebenstraße entlang zu einer alten, verwitterten Baptistenkirche. Im Vorgarten des weißen Schindelbaus stand eine einsame, hohe Palme, zu hoch, um viel Schatten zu spenden, dafür aber mit einer angesplitterten Holzbank über den Wurzeln. Diana wusste, dass der Chor gerade proben würde und dass die Stimmen aus dem dunklen Kirchenraum wie eine Brise nach draußen bis zu ihrer Bank herüberwehten, wo sie dann saß, sich ausruhte und lauschte.

Neben der Bank befand sich ein Schild:

BAPTISTENKIRCHE DER NEUEN KAVALLERIE
GOTTESDIENSTE: SONNTAG, 10:00 UND 12:00 UHR
BIBELSTUNDE: 9:00 UHR
KOMMENDE PREDIGT:
WIE WIR JESUS ZU UNSEREM BESTEN FREUND
MACHEN KÖNNEN
REV. DANIEL JEFFERSON, PREDIGER

In den letzten Monaten war der Prediger mehrfach herausgekommen, um Diana davon zu überzeugen, dass es in der Kirche viel sicherer, bequemer und kühler sei und dass niemand etwas dagegen hätte, wenn sie dort den Proben beiwohnte. Jedes Mal hatte sie dankend abgelehnt. Sie liebte es, den Stimmen zu lauschen, wenn sie sich draußen zur sengenden Sonne erhoben. Sie genoss es, wenn sie sich anstrengen musste, um die Worte zu verstehen. Sie wollte nicht, dass ihr jemand von Gott erzählte, was der Prediger, offenbar ein freundlicher Mensch, unweigerlich versuchen würde. Vor allem wollte sie ihn nicht verletzen, indem sie sich weigerte, ihn anzuhören, wie ehrlich er es auch meinte. Sie wollte einfach nur der Musik zuhören, da sie festgestellt hatte, dass sie ihre Schmerzen vergaß, solange sie sich auf die freudigen Klänge des Chors konzentrierte.

Für sie war das ein kleines Wunder.

Pünktlich um drei Uhr nachmittags waren die Proben zu Ende. Diana erhob sich dann von ihrer Bank und ging langsam nach Hause. Die Regelmäßigkeit, mit der sie diesen Ausflug unternahm, die immer gleiche Route und ihr Schneckentempo machten sie, wie sie sehr wohl wusste, zu einer offensichtlichen und halbwegs lohnenswerten Zielscheibe. Dass sie bisher noch kein Dieb, der auf ihr bescheidenes Geld, und kein Junkie, der auf ihre Schmerzmittel aus war, entdeckt und ermordet hatte, war eigentlich erstaunlich und wahrscheinlich das zweite Wunder in Verbindung mit ihrem wöchentlichen Ausgang.

Zuweilen ließ sie sich ein wenig gehen und hing der Vorstellung nach, dass es weniger beängstigend wäre, von einem Herumtreiber mit gierigem Blick oder einem Drogensüchtigen niedergemetzelt zu werden, als am Leben zu bleiben und sich in teuflischer Grausamkeit von ihrer Krankheit langsam zu Tode foltern zu lassen. Sie fragte sich, ob ein kurzer schrecklicher Moment nicht besser sei als die sich endlos hinziehenden Qualen ihrer Krankheit. Sie entdeckte in ihrer Haltung eine geradezu berauschende Freiheit. Sie blieb am Leben, bestand darauf, ihre Medikamente zu nehmen und sich jeden wachen Augenblick innerlich gegen die Krankheit aufzulehnen. Sie vermutete, dass dieser Kampfgeist von einem Pflichtgefühl herrührte und dem unbeirrbaren Wunsch, ihre beiden Kinder, auch wenn sie schon erwachsen waren, nicht in einer Welt allein zu lassen, der niemand mehr zu trauen schien.

Sie wünschte sich, eins von beiden hätte ihr ein Enkelkind geschenkt.

Ein Enkelkind, dachte sie, wäre die reine Wonne gewesen.

Doch sie verstand, dass ihr das nicht mehr vergönnt sein würde, und malte es sich stattdessen in ihrer Fantasie aus. Sie erfand Namen und stellte sich Gesichter vor und erdachte sich künftige Erinnerungen als Ersatz für die realen, die sie sich wünschte. Sie stellte sich Urlaubsreisen und Ferien, Heiligabende und Schulaufführungen vor. Es war fast mit Händen zu greifen, wie sie ein Enkelkind in ihren Armen hielt und ihm nach einem kleinen Kratzer oder Schnitt die Tränen abtupfte oder wie sie seinem gleichmäßigen, betörenden Atem lauschte, während sie ihm ein Buch vorlas. Sie sah in diesen Tagträumereien eine Schwäche, aber eine harmlose.

Und das fiktionale Enkelkind half ihr dabei, ihre Sorgen über die Kinder zu vergessen, die sie hatte.

Für Diana war beider seltsame Entfremdung und selbstgewählte Einsamkeit oft so schmerzhaft wie ihre Krankheit. Aber welche Pille konnten sie nehmen, um die Distanz zu verringern, die zwischen sie getreten war?

Als sie an diesem Nachmittag – die Klänge von »Onward Christian Soldiers« noch im Ohr, dazu *Wem die Stunde schlägt* sowie *Große Erwartungen* unter dem Arm – die letzten Meter zu ihrer Einfahrt ging und sich mit Sorgen wegen ihre Kinder plagte, sah sie, wie sich im Westen eine riesige Gewitterwolke bedrohlich zusammenbraute. Sie fragte sich, ob das Unwetter auf die Keys zusteuerte, wo es dann mit einem Feuerwerk an Blitzen und Platzregen niedergehen würde, dass man die Hand nicht mehr vor Augen sah. Sie hoffte, dass ihre Tochter bis dahin wohlbehalten zu Hause war.

Susan Clayton verließ an diesem Abend ihr Büro in einer Phalanx von Redaktionskollegen, unter den wachsamen Augen und den Automatikwaffen des Gebäudesicherheitsdienstes. Sie wurde ohne besondere Vorkommnisse zu ihrem Wagen geleitet. Normalerweise brauchte sie für die Fahrt vom Zentrum Miamis zu den Upper Keys etwas mehr als eine Stunde, selbst wenn sie auf der Überholspur ohne Geschwindigkeitsbegrenzung fuhr. Das Problem war natürlich, dass fast jeder diese Spur bevorzugte, was bei einem Tempo von hundert Meilen und einem Abstand von einer Fahrzeuglänge eine gewisse Kaltblütigkeit verlangte. Die Stoßzeit, dachte sie, hat mehr Ähnlichkeit mit einem Stockcar-Rennen als mit harmlosem, abendlichen Pendlerverkehr; es fehlte nur die Tribüne voller kerniger Voyeure, die auf einen Unfall hofften. Auf den Schnellstraßen außerhalb der Innenstadt wären sie meistens auf ihre Kosten gekommen.

Sie genoss den Adrenalinstoß, den die Fahrt ihr bescherte, vor allem aber die reinigende Wirkung auf ihre Fantasie; die Konzentration auf die Straße, auf die Autos vor und hinter ihr, ließ keinen anderen Gedanken zu. Das machte den Kopf frei und vertrieb sämtliche Tagträumereien, Bürosorgen und Ängste um ihre kranke Mutter. Sie hatte sich dazu erzogen, von der Schnellspur in den weniger riskanten, langsameren Verkehr hinüberzuwechseln, falls sie nicht in der Lage war, sich ganz aufs Fahren zu konzentrieren.

Dies war ein solcher Tag, und das ärgerte sie.

Neidisch blickte sie auf die links vorüberbrausenden Fahrzeuge, die im Licht der Geschäftsviertel glitzerten. Doch fast im selben Moment, in dem sie den Neid auf das unbegrenzte Tempo der anderen spürte, wurde ihr bewusst, dass sie sich über die noch nicht gelösten Rätselworte des anonymen Briefschreibers den Kopf zerbrach: *previous* always *coffee emerald thant – vorherig* immer *Kaffee Smaragd Thant.*

Sie vermutete, dass der Stil des Rätsels mehr oder weniger dem des ersten entsprach: ein einfaches Wortspiel, bei dem jedes Wort in einer logischen Verbindung zu einem anderen stand – die Antwort auf das Rätsel, die ihrerseits zur Antwort des Schreibers führen musste.

Es ging nun darum, beides auszutüfteln. Herauszufinden, ob sie voneinander unabhängig oder miteinander verbunden waren – ob darin noch ein verstecktes Zitat oder ein anderer Dreh enthalten war, der die Botschaft des Mannes in einer weiteren Schicht verbarg. Sie bezweifelte es. Er wollte, dass sie herausfand, was er ihr zu sagen hatte. Er wollte nur, dass es clever, einigermaßen schwierig und so kryptisch wirkte, dass sie ihrerseits wieder antworten würde.

Manipulativ, dachte sie.

Ein Mann, der Kontrolle ausüben will.

Was noch? Ein Mann, der etwas Bestimmtes bezweckt?

Auf jeden Fall.

Aber was?

Sie war nicht sicher, aber es gab nur zwei Möglichkeiten: sexuell oder emotional.

Ein Wagen vor ihr bremste scharf, und sie trat mit aller Kraft auf die Bremse. Während das ABS pulsierte, saß ihr die Panik wie ein Kloß im Hals, und ohne dass sie das Wort Unfall auch nur dachte, kribbelte ihr ganzer Körper, und ihr wurde heiß.

Ringsum hörte sie Reifen quietschen und rechnete jeden Moment mit dem Kreischen von Metall. Doch es blieb aus; einen Moment herrschte Stille, dann rollte der Verkehr weiter und legte an Tempo zu. Am Himmel donnerte ein Helikopter; sie sah, wie sich der Scharfschütze über den Lauf seiner Waffe beugte und den Verkehrsstrom im Auge behielt. Sie stellte sich hinter dem dunkel getönten Plexiglas seines Helms eine gelangweilte Miene vor.

Was weiß ich?, fragte sie sich.

Immer noch sehr wenig.

Aber so ist das Spiel nicht gedacht, hielt sie dagegen. Er will, dass ich es am Ende entwirrt habe. Es wäre kein Rätsel, wenn er nicht erkannt werden wollte. Er will nur bestimmen, wann.

Die Sache ist gefährlich, wurde ihr klar.

Es gab eine Bar, das Last Stop Inn, etwa auf halber Strecke zwischen Miami und Islamorada, an der Peripherie eines exklusiven Einkaufszentrums, das die Bewohner der feineren, mit Mauern geschützten Vorstädte aufnahm. Sie ging gerne in diese Bar, nicht jeden Tag, aber doch oft genug, um mit einigen Barkeepern flüchtig bekannt sein und gelegentlich auch einen anderen Stammkunden wiederzuerkennen. Mit denen verband sie allerdings nichts – nicht einmal das eine oder andere belanglose Gespräch. Sie mochte einfach die oberflächliche Vertrautheit der namenlosen Gesichter, der beliebigen Stimmen, deren Klang sie kannte, der Kameraderie ohne Vorgeschichte. Sie scherte auf die Fahrbahn zur entsprechenden Ausfahrt aus.

Der Parkplatz war zu drei Vierteln voll. Der schwarze Teer schimmerte in einem seltsamen Chiaroscuro von unterschiedlichen Lichtern; das erste Abendrot vermischte sich mit gelegentlichen Schweinwerferpaaren vom angrenzenden Highway. Die nahe gelegene Shoppingmall bot überdachte Gehwege aus Holz und sorgfältig angelegte Pflanzungen – im Wesentlichen Palmen und Farne, die wie ein Dschungel wirken sollten, so dass der Einkaufstrip zur Safari in einem gefälligen Regenwald wurde, in dem teure Boutiquen die wilden Tiere ersetzten. Die Wachleute der Mall trugen die Khakifarben von Großwildjägern zu Tropenhelmen, auch wenn ihre Waffen eher auf städtisches Ambiente zielten. Die Großspurigkeit des Nachbarn hatte auf das Last Stop Inn ein wenig abgefärbt, wenn auch ohne denselben finanziellen Aufwand. Ihre eigenen Anpflanzungen hatten rund um den Parkplatz schattige, dunkle Winkel geschaffen. Susan lief zügig an einer struppigen Palme vorbei, die am Eingang der Bar Wache stand.

Der Hauptraum war schummrig beleuchtet. Es gab ein paar Tische, an denen Geschäftsleute in Gruppen saßen und mit gelockerten Krawatten an ihren Martinis nippten, während zwei Kellnerinnen sie zuvorkommend bedienten. Hinter der langen, dunklen Mahagonibar hatte ein einzelner Keeper, den sie nicht kannte, alle Hände voll zu tun. Er war jung, mit zottigem Haar und Koteletten wie ein Rockstar der Sechziger und fiel mit seinem Erscheinungsbild ein wenig aus dem Rahmen – eindeutig jemand, der sich einen anderen Job wünschte, vielleicht auch hatte, aber nebenbei Cocktails mixte, um über die Runden zu kommen. Die Hocker vor dem Tresen waren mit etwa zwei Dutzend Gästen besetzt, womit es recht voll, aber nicht eng war. Als Single-Bar war das Inn nicht wirklich geeignet – auch wenn wohl etwa ein Drittel der Kundschaft aus Frauen bestand –, dies war ein Ort zum Trinken, was ein gelegentliches Rendezvous nicht ausschloss. Es war weniger energiegeladen als die Bars, in denen man Beziehungen anknüpfte; man unterhielt sich nicht laut, und die Hintergrundmusik war nicht aufdringlich, sondern verhalten. Es war ein Ort, der für alles geschaffen war, was sich mit einem Glas in der Hand bewerkstelligen ließ.

Susan setzte sich auf einen Hocker fast am Ende des Tresens, in einiger Entfernung zu den anderen Gästen. Der Barkeeper kam auf ihre Seite, wischte die Holzfläche mit einem Tuch ab und quittierte ihre Bestellung eines Scotch on the rocks mit einem Nicken. Er kehrte fast unverzüglich mit ihrem Drink zurück, stellte ihn ihr hin, nahm ihre Bezahlung entgegen und kehrte ans andere Ende der Bar zurück.

Sie zog ihr Notizbuch und einen Stift heraus, legte beides neben ihr Glas und beugte sich darüber, um mit der Arbeit zu beginnen.

Previous – vorherig, fing sie an. Was meinte er damit? Etwas, das vorher kam.

Sie nickte innerlich: Etwas in der ersten Botschaft – *Ich habe dich gefunden.*

Sie schrieb den Satz in die erste Zeile und darunter:

Coffee emerald thant – Kaffee, Smaragd Thant.

Das sind wieder simple Wortspiele. Möchte er zeigen, wie clever er ist? Wie komplex sind sie? Oder fängt er an, ungeduldig zu werden und hat sie leicht gemacht, damit ich mit der Antwort nicht zu viel Zeit vergeude?

Kennt er meine Deadlines bei der Zeitschrift?, überlegte sie. Denn wenn ja, dann wüsste er, dass ich nur bis morgen Zeit habe, um das hier rauszubekommen und mir eine angemessene Antwort einfallen zu lassen, die ich in der regulären Kolumne bringen kann.

Susan nahm einen langen Schluck Scotch und leckte dann am Glasrand. Der Alkohol durchdrang sie wie der Verlockungszauber einer Sirene. Sie mahnte sich, langsam zu trinken; als sie ihren Bruder zuletzt gesehen hatte, hatte sie beobachtet, wie er ein Glas Wodka kippte, als wäre es Wasser, ohne Genuss, nur um durch den Alkohol zu entspannen. Er joggt, dachte sie. Er joggt, treibt leichtsinnige Sportarten und trinkt sich dann die Muskeln, die er sich antrainiert hat, wieder weg. Sie nippte erneut an ihrem Drink und kam zu dem Schluss: Ja, *previous – vorherig* – bedeutet, etwas aus der ersten Botschaft. Und *always – immer* – weiß ich schon. Sie betrachtete die Worte, wog sie gegeneinander ab und sagte laut vor sich hin: »Ich habe immer …«

»Ich auch«, sagte eine Stimme hinter ihr.

Erschrocken fuhr sie auf ihrem Drehstuhl herum.

Der Mann, der hinter ihr stand, hielt einen Drink in der Hand und lächelte teils lässig, teils mit einer aggressiv gespannten Erwartung, die sie augenblicklich abstieß. Er war groß und wuchtig, wahrscheinlich fünfzehn Jahre älter als sie, mit beginnender Glatze und einem Ehering am Finger. Der klassische untergeordnete Typ, wie sie mit einem Blick erkannte: der kleine Mann in der Managementetage, der bei Beförderungen übergangen wird, die Möchtegern-Führungskraft. Auf eine schnelle Nummer aus. Anonymer Sex, bevor er zum Mikrowellendinner nach Hause fährt, zu einer Frau, der es völlig egal ist, wann er nach Hause kommt, und zwei missmutigen Kindern im jugendlichen Alter. Wahrscheinlich hatte nicht einmal der Hund Lust, mit dem Schwanz zu wedeln, wenn er zur Tür hereinkam. Ihr lief ein Schauder über den Rücken. Er nahm einen Schluck aus seinem Glas und fügte hinzu: »Ich wollte schon immer dasselbe.«

»Was meinen Sie damit?«, fragte sie.

»Egal, was Sie schon immer, das hab ich auch schon immer«, antwortete er hastig. »Kann ich Ihnen einen Drink spendieren?«

»Ich hab schon einen.«

»Wie wär's mit einem zweiten?«

»Nein, danke.«

»Woran arbeiten Sie denn so hart?«

»Meine Sache.«

»Ich könnt's ja auch zu meiner machen, wie?«

»Das glaube ich kaum.«

Sie ließ den Mann stehen und drehte ihm auf ihrem Hocker den Rücken zu, während er näher kam.

»Nicht besonders freundlich«, bemerkte der Mann.

»Ist das als Frage gemeint?«

»Nein«, gab er zurück, »eher eine Feststellung. Wollen Sie nicht reden?«

»Nein«, antwortete sie. Sie glaubte, dass sie zumindest versuchte, höflich aber bestimmt zu sein. »Ich möchte in Ruhe gelassen werden, mein Glas austrinken und dann verschwinden.«

»Kommen Sie schon, haben Sie sich nicht so. Erlauben Sie mir, Ihnen einen Drink zu spendieren. Plaudern wir ein bisschen. Und sehen wir, was passiert. Man kann nie wissen. Ich wette, wir haben eine Menge gemein.«

»Nein, danke«, lehnte sie ab. »Und ich glaube nicht, dass wir auch nur das Geringste gemein haben. Und jetzt entschuldigen Sie mich bitte, ich war gerade mit etwas beschäftigt.«

Der Mann lächelte, nahm noch einen Schluck aus seinem Glas und nickte. Er beugte sich zu ihr vor, nicht betrunken, denn das war er nicht, und auch nicht allzu bedrohlich, denn bis zu diesem Moment hatte er nur zu optimistisch gewirkt – vielleicht ein wenig zu hoffnungsvoll –, doch mit einer plötzlichen Intensität, die sie zurückzucken ließ.

»Schlampe«, zischte er. »Fick dich, du Schlampe.«

Ihr blieb die Luft weg.

Der Mann kam noch näher heran, und sie roch das aufdringliche Aftershave und seine Fahne.

»Weißt du, was ich am liebsten mit dir machen würde?«, fragte er im Flüsterton, allerdings ohne eine Antwort abzuwarten. »Ich würde dir gern dein beschissenes Herz herausschneiden und darauf rumtrampeln, während du zusiehst.«

Bevor sie Gelegenheit hatte, etwas zu erwidern, machte der Mann plötzlich kehrt und verschwand mit zügigen Schritten entlang der Bar, bis sich sein breiter Rücken in der anonymen Masse der anderen Geschäftsanzüge verlor.

Sie brauchte eine Weile, um sich zu fassen.

Der Ausbruch von Obszönitäten hatte sie wie Ohrfeigen getroffen. Sie atmete hastig tief ein und sagte sich: Jeder ist gefährlich. Niemand ist sicher.

Sie merkte, wie verkrampft sie innerlich war, wie es ihr den Magen zur Größe einer Faust zusammengezogen hatte. Vergiss nicht, erinnerte sie sich. Sei immer auf der Hut, jeden Augenblick.

Sie drückte sich ihr Glas an die Stirn, auch wenn ihr nicht heiß war, und nahm dann einen großen Schluck, während sie aufsah und feststellte, dass der Barkeeper mit dem Rücken zu ihr arbeitete. Er schüttete Kaffeepulver in eine Espressomaschine. Sie bezweifelte, dass er den Mann hatte kommen sehen. Sie drehte sich einmal ganz auf ihrem Hocker herum, doch niemand schien auf irgendetwas zu achten, das außerhalb eines Radius von zwanzig Zentimetern lag. Schatten und Geräusche schienen unterschiedliche Botschaften auszusenden und wirkten verstörend. Sie lehnte sich ein Stück zurück und blickte vorsichtig die Bar entlang, um zu sehen, ob der Mann noch da war, doch sie konnte ihn nirgends entdecken. Sie versuchte, sich sein Gesicht vorzustellen, doch sie konnte sich nur noch an den Ton und die plötzliche Wut in seinem Flüstern erinnern. Sie wandte sich wieder der Botschaft auf dem Schreibblock vor ihr zu, starrte auf die Worte, dann wieder zum Barkeeper, der eine Kanne unter die Öffnung der Maschine hielt und einen Schritt zurücktrat, um dem steten schwarzen Tropfen zuzusehen.

Coffee, dachte sie plötzlich. Kaffee wird aus Bohnen gemacht.

I have always bean/been – Ich war die ganze Zeit …

Sie schrieb es auf und hob den Kopf.

Es kam ihr vor, als würde sie beobachtet, und wirbelte auf der Suche nach dem Mann noch einmal im Kreis. Doch auch diesmal ließ er sich nicht blicken.

Für einen Moment versuchte sie, das Gefühl abzuschütteln, doch vergeblich. Bedächtig nahm sie Stift und Block und steckte beides in ihre Handtasche neben die kleine Automatikpistole, die zuunterst lag. Als sie das beruhigende kühle Metall der Waffe spürte, witzelte sie: Zumindest bin ich nicht allein.

Susan taxierte die Situation: ein überfüllter Raum, Dutzende unzuverlässige Zeugen, wahrscheinlich niemand dabei, der sich auch nur an ihre Anwesenheit erinnern würde. Im Geist schritt sie den Weg zum Parkplatz ab, schätzte die Entfernung zu ihrem Auto und versuchte, sich an jeden dunklen Winkel zu erinnern, in dem der Mann, der ihr das Herz herausschneiden wollte, lauern könnte. Sie dachte daran, den Barkeeper zu bitten, sie hinauszubegleiten, bezweifelte jedoch, dass er dazu bereit war. Er stand allein hinter dem Tresen und würde seinen Job riskieren, wenn er seinen Posten aufgab.

Sie nahm noch einen Schluck von ihrem Drink. Du bist verrückt, dachte sie. Halt dich ans Licht, vermeide die Schatten, und dir wird nichts passieren.

Sie schob das Glas mit dem Rest Scotch von sich, nahm ihre Tasche, legte sich den langen Riemen über die rechte Schulter, so dass sie unauffällig die rechte Hand hineinstecken, die Pistole packen und den Finger am Abzugsbügel halten konnte.

Jemand musste einen Witz gerissen haben, denn an der Bar brach lautes Gelächter aus. Sie rutschte von ihrem Sitz und lief mit gesenktem Kopf zügig durch das Menschengewühl. Am Ende der Bar befand sich links von ihr eine Doppeltür mit einem Zeichen für die Damentoilette. Darüber stand in Rotschrift AUSGANG. Das leuchtete unmittelbar ein: Mache einen Umweg über die Damentoilette und gib dem Kerl Zeit, auf dem Parkplatz vor der Bar herumzulungern, da er vermuten muss, dass du durch die Eingangstür kommst; verschwinde stattdessen durch eine Hintertür, laufe so schnell wie möglich zum Auto, wähle eine andere Route und fahre aus einer anderen Richtung nach Hause.

Falls er auf sie wartete, hätte sie einen Vorsprung. Vielleicht konnte sie ihn sogar ganz austricksen.

Im selben Moment drückte sie die Schwingtür auf und befand sich in einem schmalen Flur. Eine einzige, nackte Glühbirne warf ihr Licht auf fleckige, vergilbte Wände, an denen mehrere Kästen Alkoholika gestapelt waren. An einer anderen Wand führte sie ein handgemaltes Schild mit einem grob gezeichneten Pfeil Richtung Toiletten. Sie vermutete, dass der Ausgang direkt dahinter lag. Sobald sich die schallgedämmten Türen in ihrem Rücken geschlossen hatten und den Lärm von der Bar dämpften, war es bedeutend leiser. Sie marschierte den Flur entlang und bog nach links ab. Der schmale Korridor setzte sich noch drei Meter fort und endete vor zwei Türen an gegenüberliegenden Wänden – für HERREN und für DAMEN. Der Ausgang befand sich dazwischen. Zu ihrem Schrecken sah sie noch zwei weitere Dinge: ein rotes Schild an der Tür nach draußen mit der Aufschrift: NOTAUSGANG – ACHTUNG ALARM und eine schwere, in der angrenzenden Wand verankerte Metallkette mit Vorhängeschloss, die um die Klinke gewunden war.

»Toller Notausgang«, flüsterte sie.

Sie zögerte einen Moment, machte einen Schritt zurück Richtung Bar und drehte sich in alle Richtungen, um sicherzugehen, dass sie alleine war, dann entschied sie sich für die Damentoilette.

Der Raum war knapp bemessen und reichte nur für zwei Kabinen mit zwei Becken an der gegenüberliegenden Wand. Wenig passend befand sich nur ein einziger Spiegel zwischen den Waschgelegenheiten. Die Örtlichkeit war weder sauber noch gut ausgestattet. In dem grellen Neonlicht hätte jede kränklich gewirkt, egal, wie viel Make-up sie auflegte. In einer Ecke befand sich ein roter Metallautomat für Kondome und Tampons. Ihr stieg der scharfe Geruch von zu viel Desinfektionsmitteln in die Nase. Sie seufzte, betrat eine der Kabinen und setzte sich resigniert auf die Toilette. Sie war gerade fertig und griff nach dem Spülhebel, als sie hörte, wie sich die Haupttür öffnete.

Sie hielt inne und horchte gespannt auf das Klicken von Stöckelschuhen auf dem verfleckten Linoleum, hörte jedoch stattdessen ein schlurfendes Geräusch und dann das Zuschlagen der Tür.

Und dann die Stimme des Mannes. »Schlampe«, knurrte er. »Komm raus.«

Sie drückte sich an die hintere Wand der Kabine. An der Tür befand sich ein kleiner Riegel, doch sie bezweifelte, dass er auch nur einem einzigen Tritt standhielt. Ohne zu antworten, griff sie in ihre Tasche und zog die Automatik heraus. Sie entsicherte sie, brachte die Waffe in Anschlag und wartete.

»Komm raus«, wiederholte der Mann. »Zwing mich nicht, dich zu holen.«

Sie wollte schon mit einer Drohung antworten, so etwas wie: »Hau ab, oder ich schieße«, besann sich jedoch. Sie musste alle Willenskraft zusammenreißen, um ihren rasenden Puls in den Griff zu bekommen, und sie sagte sich ruhig: Er weiß nicht, dass du bewaffnet bist. Wenn er klug wäre, wüsste er es, aber das ist er nicht. Er ist zwar nicht stockbetrunken, sondern nur so, dass er seine Aggressionen rauslässt und ein bisschen verblödet ist, aber wahrscheinlich verdient er es nicht einmal zu sterben – allerdings war sie sich bei näherer Betrachtung dessen nicht so sicher.

»Lassen Sie mich in Ruhe«, sagte sie, und ihre Stimme zitterte nur ein wenig.

»Komm schon raus, Schlampe, ich hab 'ne Überraschung für dich.«

Sie hörte, wie er seinen Reißverschluss hoch- und runterzog.

»Eine große Überraschung«, meinte er lachend.

Sie änderte ihre Meinung und legte den Finger fester um den Abzug. Ich bring ihn um, dachte sie.

»Ich bleibe hier drin. Wenn Sie nicht sofort verschwinden, schreie ich«, rief sie. Dabei hatte sie die Pistole unverwandt auf die Kabinentür gerichtet, genau geradeaus. Sie überlegte, ob eine Ladung das Metall durchschlagen und den Mann dahinter verwunden würde. Möglich, aber unwahrscheinlich. Sie stählte sich: Wenn er die Tür eintritt, sieh zu, dass du trotz Schock und Krach nicht danebentriffst. Halte die Arme ruhig und ziele tief. Schieß dreimal; heb dir vorsichtshalber ein paar Schuss auf. Schieß nicht daneben.

»Komm schon«, lockte der Mann. »Lass uns ein bisschen Spaß miteinander haben.«

»Hau ab«, erwiderte sie.

»Schlampe«, knurrte der Mann erneut und diesmal wieder im Flüsterton.

Die Kabinentür verbeulte sich, als er kräftig dagegen trat.

»Du glaubst, du bist sicher?«, fragte er. Er klopfte an die Tür wie ein Handelsvertreter. »Das Ding hält mich nicht ab.«

Sie antwortete nicht, und er klopfte wieder.

Er lachte. »Ich werde husten und pusten und dir dein Haus zusammenpusten, du kleines Schwein.«

Die Tür dröhnte unter dem zweiten Tritt. Sie zielte den Lauf entlang und hielt den Atem an. Sie staunte, dass die Tür gehalten hatte.

»Was meinst du, Schlampe? Aller guten Dinge sind drei.«

Sie zog mit dem Daumen den Hammer zurück und straffte die Schultern, um jeden Moment zu schießen. Doch der dritte Tritt ließ auf sich warten. Stattdessen hörte sie, wie plötzlich die Haupttür aufging und mit einem Knall wieder zufiel.

Es trat kurze Stille ein, bevor sie den Mann sagen hörte: »Wer zum Teufel sind Sie denn?«

Es kam keine Antwort.

Stattdessen erklang ein langgezogenes Ächzen, gefolgt von einem Gurgeln und dann einem Zischen. Danach ein Krachen und Tritte – wie ein kurzer Stepptanz, der nach Sekunden vorbei war. Einen Moment herrschte Stille, dann hörte sie ein langgezogenes Blubbern, als ob aus einem Ballon die Luft entwich. Sie konnte nichts sehen und war nicht bereit, ihre Schießstellung aufzugeben, um sich zu bücken und durch den Türspalt zu spähen.

Sie hörte ein paar kurze, angestrengte Atemzüge. Dann lief Wasser, und wenig später wurde der Hahn mit einem Quietschen zugedreht. Dann hörte sie Schritte und zuletzt, wie jemand ohne Hast die Tür aufmachte und hinter sich schloss.

Die Pistole im Anschlag wartete sie weiter und versuchte, sich auszumalen, was geschehen war.

Sie hatte das Gefühl dafür verloren, ob Sekunden oder Minuten vergangen waren, seit die dritte Person die Damentoilette betreten und wieder verlassen hatte. Sie wusste nur, dass Stille eingetreten war und dass sie keinen Laut mehr hörte außer ihrem eigenen beschleunigten Atem. Vom Adrenalin dröhnte ihr der Kopf, als sie schließlich die Waffe sinken ließ und nach dem Riegel griff.

Sie schob ihn langsam beiseite und zog behutsam die Tür auf.

Zuerst sah sie die Füße des Mannes. Sie waren nach oben gerichtet, als hätte er sich auf den Boden gesetzt. Er trug teure braune Lederschuhe, und sie fragte sich, wieso ihr das nicht früher aufgefallen war.

Susan trat aus der Kabine und drehte sich zu dem Mann um.

Sie biss sich fest auf die Lippe, um den Schrei zu unterdrücken, der sich in ihrer Kehle staute.

Der Mann war in dem kleinen Zwischenraum zwischen den beiden Becken in sitzender Stellung zusammengesackt. Er hatte die Augen geöffnet und starrte sie mit einem ungläubigen Staunen an. Sein Mund klaffte weit offen.

Seine Kehle war zu einem breiten, rotschwarzen Hautspalt aufgeschlitzt – wie ein besonders sarkastisches zweites Grinsen.

Etwas Blut hatte sich auf dem weißen Hemd gesammelt, die Brust verschmiert und dann unter ihm eine Lache gebildet. Sein Hosenlatz war offen und seine Genitalien entblößt.

Susan taumelte von der Leiche zurück.

Schock, Angst und Panik durchzuckten sie wie Stromschläge. Sie begriff kaum, was geschehen war, und noch weniger, was sie machen sollte. Eine Sekunde lang starrte sie auf die Automatik in ihrer Hand, als hätte sie vergessen, dass sie davon Gebrauch gemacht hatte, als hätte irgendwie ihr Schuss den Mann umgebracht, der vom Tod überrascht mit leerem Blick am Boden saß. Als sie eine Woge der Übelkeit überschwemmte, stieß sie die Pistole in ihre Handtasche. Sie schnappte nach Luft und kämpfte den Brechreiz herunter.

Susan war sich nicht bewusst, dass sie wie vom Schlag getroffen zurückgezuckt war, bis sie die Wand im Rücken spürte. Sie befahl sich, die Leiche anzusehen, und merkte erst da zu ihrem eigenen Staunen, dass sie die ganze Zeit darauf starrte und ihren Blick nicht abwenden konnte. Sie versuchte, sich zusammenzureißen, sich Details einzuprägen, und hatte plötzlich den Gedanken, ihr Bruder wüsste jetzt ganz genau, was zu tun war. Er hätte richtig gedeutet, was passiert war und warum und wie dieser Mord sich in die entsprechende Statistik und einen größeren gesellschaftlichen Zusammenhang einordnete. Von solchen Gedanken wurde ihr nur noch schwindeliger, und sie presste den Rücken an die Wand, als hoffte sie, die Mauer zu durchstoßen und nach hinten zu entkommen, statt an der Leiche vorbei zu müssen.

Sie starrte weiter auf die Stelle. Die Brieftasche des Mannes lag offen neben ihm, und in ihren Augen sah es so aus, als hätte sie jemand geplündert. Ein Raubüberfall?, fragte sie sich. Unwillkürlich streckte sie die Hand danach aus, zog sie aber wieder zurück, als hätte sie eine Giftschlange vor sich. Sie mahnte sich, nichts anzufassen.

»Du bist nicht da gewesen«, flüsterte sie.

Sie versuchte, ihre Gedanken zu ordnen, die sich am Rande der Panik überschlugen. Nach wenigen Sekunden merkte sie, dass sie ihre Emotionen wieder ein wenig unter Kontrolle hatte. Du bist kein kleines Kind. Das ist nicht der erste Tote, den du siehst, auch wenn du noch keinen so hautnah erlebt hast.

»Die Toilette!« erinnerte sie sich laut.

Sie hatte nicht gespült. DNA. Fingerabdrücke. Sie kehrte in die Kabine zurück, schnappte sich die Rolle Papier und wischte das Türschloss ab. Dann drückte sie den Hebel. Während das Wasser gurgelte, trat sie heraus und betrachtete die Leiche. Plötzlich war sie eiskalt und gefasst.

»Du hast es verdient«, sagte sie. Auch wenn sie nicht sicher war, ob sie es glaubte, schien es doch ein ebenso passendes Epitaph zu sein wie jedes andere. Sie zeigte auf die freiliegenden Weichteile des Mannes.

»Was hattest du damit vor?«

Susan zwang sich, noch einmal die Wunde im Hals des Mannes anzuschauen.

Was war passiert? Ein Rasiermesser, vermutete sie, oder ein Jagdmesser vielleicht, das die Halsschlagader quer durchtrennt hatte.

Aber wieso? Und wer?

Bei diesen Fragen beschleunigte sich erneut ihr Puls.

Behutsam, als gelte es, keine schlafenden Hunde zu wecken, öffnete sie die Toilettentür und trat in den Flur. Sie sah einen einzelnen Teilabdruck einer Sohle in rotbraunem Blut am Boden. Als sich die Tür hinter ihr schloss, machte sie einen großen Schritt darüber und vergewisserte sich, dass sie nicht dieselben verräterischen Spuren hinterließ. Ihre Schuhe waren sauber.

Susan stolperte den Flur entlang und bog nach rechts zu der Doppeltür ab, die in die Bar zurück führte. Sie lief schneller, zwang sich dann aber, nicht zu hetzen. Für einen Moment überlegte sie, ob sie zum Barkeeper gehen sollte, damit er die Polizei rief. Doch so schnell der Gedanke kam, so zügig war er wieder verschwunden. Es war etwas geschehen, an dem sie einen Anteil hatte, auch wenn sie nicht sagen konnte, wie und warum.

Sie legte eine Eisschicht über ihre Emotionen und betrat die Bar.

Dort schlug ihr lautes Stimmengewirr entgegen. In den wenigen Minuten, die sie weg gewesen war, hatte sich der Raum gefüllt. Sie warf einen Blick auf ein paar Frauen und dachte, dass es wohl nicht lange dauern würde, bis eine von ihnen ebenfalls nach hinten verschwand. Sie ging die Reihe der Männer durch.

Welcher von euch ist ein Mörder?, fragte sie sich.

Und warum?

Nicht einmal ansatzweise wollte sie über eine Antwort nachdenken. Sie wollte fliehen.

Ruhig und stetig, fast auf Zehenspitzen, um möglichst keine Aufmerksamkeit zu erregen, strebte sie dem Eingang zu. Sie schloss sich einer Gruppe Geschäftsleute an, die das Lokal gerade verließ, und tat so, als gehörte sie dazu, bis sie in die Nacht hinaus trat.

Susan schnappte nach der schwarzen Luft, als wäre sie Wasser an einem heißen Tag. Sie hob den Kopf und warf prüfende Blicke die Seiten des Gebäudes entlang, in dem sich die Bar befand. Langsam ließ sie den Blick von einer Laterne zur nächsten wandern, die ihr schwaches gelbes Licht auf den Parkplatz warfen. Sie suchte nach Überwachungskameras. Die besseren Lokale hatten sie innen wie außen installiert. Doch Susan konnte keine entdecken und murmelte ein leises Dankeschön an die knauserigen Eigentümer des Last Stop Inn, wo immer sie gerade waren. Sie überlegte, ob vielleicht eine Kamera ihre Begegnung mit dem Mann an der Bar aufgezeichnet hatte, bezweifelte es dann aber. Wie dem auch sei – falls es ein solches Video gab, dann würde die Polizei sie früher oder später ausfindig machen, und sie konnte ihnen das Wenige sagen, das sie wusste. Oder auch lügen und nichts verraten.

Ohne es zu merken, hatte sie ihre Schritte auf dem Parkplatz beschleunigt, bis sie ihren Wagen erreichte. Sie schloss die Tür auf, warf sich hinters Lenkrad und stieß den Schlüssel in die Zündung. Sie wollte den Gang einlegen und so schnell wie möglich davon brausen, doch erneut brachte sie ihre Emotionen unter Kontrolle und verlangte von ihnen, sich dem praktischen Menschenverstand und dem Bedürfnis nach Sicherheit zu beugen. Bewusst langsam ließ sie den Motor an und legte den Rückwärtsgang ein. Sie sah in die Spiegel und fuhr aus ihrer Lücke. Immer noch unter Aufbietung aller Selbstbeherrschung trat sie in gemächlichem Tempo die Flucht an. Dabei war sie sich nicht bewusst, dass ein professioneller Verbrecher ihre ruhige Hand am Steuer und die Coolness ihres Rückzugs bewundert hätte – erst Stunden später kam ihr dieser Gedanke.

Susan fuhr eine Viertelstunde, erst dann hatte sie das Gefühl, sich von dem Mann mit der aufgeschlitzten Kehle weit genug entfernt zu haben. Im selben Moment übermannte sie eine bleierne Erschöpfung, die ihr in jede Pore drang, und sie hatte das Gefühl, sie müsste das Lenkrad loslassen, damit ihre Hände endlich zittern konnten.

Schlingernd bog sie auf den nächsten Parkplatz ein und suchte sich eine gut beleuchtete Lücke direkt gegenüber dem soliden, quadratischen Bau einer großen, nationalen Elektronikkette. An der Ladenfront prangte eine wuchtige Leuchtschrift in Neonrot, das einen Farbklecks in den dunklen Himmel warf.

Sie wollte sich darüber klar werden, was in der Bar geschehen war, doch es blieb schwer zu fassen. Ich saß in der Damentoilette in der Falle, versuchte sie, die Ereignisse zusammenzufassen, und der Mann kam rein und er wollte mich vergewaltigen, das heißt, vielleicht, vielleicht wollte er sich auch nur entblößen, aber so oder so hatte er mich in die Enge getrieben, und dann kam ein anderer Mann herein, der den Ersten, ohne ein Wort zu sagen – er hat kein einziges Wort gesagt – der den Mann einfach getötet, sein Geld gestohlen und mich zurückgelassen hat. Wusste er eigentlich, dass ich da war? Sicher. Aber wieso hat er nicht geredet? Besonders, nachdem er mich gerettet hat?

Der Gedanke machte ihr zu schaffen, und sie wälzte ihn eine Weile umher, bis sie es nicht mehr leugnen konnte: Der Mörder hat mich gerettet.

Sie merkte, dass sie das große rote Schild an der Vorderseite des Computergeschäfts anstarrte. Das Schild sagte ihr etwas, aber es schien nebulös, als hörte sie jemanden weit weg immer wieder ein und denselben Ton auf einem Musikinstrument spielen. Ihr Blick ruhte auf dem Schild, und sie war froh, einen

Moment nicht an die Ereignisse in der Bar zu denken. Irgendwann sprach sie den Namen aus, wenn auch leise. »The Wiz.«

Dann fragte sie sich: »Was ist das?«

Sie bekam augenblicklich eine trockene Kehle.

Emerald – Smaragd.

The Wizard of Oz, der Zauberer von Oz, lebte in der Smaragdstadt.

Sie sang vor sich hin: »… the wiz, the wiz, the wiz, the wiz, what a wonderful wizard he is, he is …«

Sie griff nach dem Notizblock in ihrer Tasche und schob die Pistole beiseite, um dranzukommen. *Previous* always *coffee emerald thant – vorherig* immer *Kaffee Smaragd Thant.*

Susan merkte, wie die unterschiedlichsten Gefühle in einer einzigen Kaskade in ihr aufwallten – Angst, Neugier, eine bizarre Befriedigung. Das letzte Wort, dachte sie, das hätte ich früher sehen sollen. Viel früher, weil es das leichteste ist. Mitte der Sechzigerjahre, derselben Zeit, aus der ihre Botschaft an den Briefschreiber stammte, kam der Generalsekretär der Vereinten Nationen aus Burma. Er war nicht so bekannt wie ein paar von den Männern, die ihm im Amt vorausgegangen oder auch gefolgt waren, aber er war ihr geläufig. Nachname: Thant. Vorname entsprechend der Landessitte: der Buchstabe U.

Sie sagte es laut vor sich hin: »*Previous always coffee emerald Thant.*«

I have always bean wiz u – Ich bin immer bei dir gewesen.

Ihre Hände fingen plötzlich an zu zittern, und sie ließ den Bleistift auf den Wagenboden fallen, weil sie sich am Lenkrad festhalten musste. Sie schnappte nach Luft, und in dieser Sekunde hätte sie nicht sagen können, ob das noch die Restangst von den Ereignissen des Abends war oder eine neue Panik, die aus den eben zu Papier gebrachten Worten hochbrodelte, oder sogar eine noch dunklere Kombination aus beiden.

ACHT
EINE SPEZIALEINHEIT AUS ZWEI PERSONEN

Agent Martin hatte ein kleines Büro besorgt, das abseits vom Hauptsitz der Staatssicherheit einen Stock über der Kindertagesstätte im Verwaltungsgebäude des Bundesstaates lag. Von hier aus sollten die beiden Männer ihre Ermittlungen durchführen. Der Agent hatte sich mit Computern und Aktenschränken ausrüsten lassen sowie einer sicheren Telefonleitung und einem Lesegerät mit Handabdruckerkennung, das den Zutritt auf sie beide beschränkte. An eine Wand hatte er eine große topografische Karte des Einundfünfzigsten Bundesstaates geheftet und daneben eine Kreidetafel. Jeder von ihnen erhielt einen orangefarbenen Schreibtisch aus Stahl; dazu kam ein Konferenztisch aus Holz, ein Kühlschrank, ein Kaffeeautomat sowie in einem zweiten Raum zwei Klappbetten und ein angrenzendes Badezimmer mit Dusche und Toilette. Die ganze Räumlichkeit war spartanisch streng auf Funktionalität ausgerichtet. Dieses Fehlen von überflüssigem Tand gefiel Jeffrey Clayton, und wenn er morgens an seinem Computermonitor saß, stellte er fest, dass er durch die Trittschalldämmung zu seinen Füßen gelegentlich leise Kinderstimmen von unten hörte. Das hatte etwas Beruhigendes.

Aus seiner Sicht hatten sie es mit zweierlei Problemen zu tun.

Als Erstes stellte sich natürlich die Frage, ob der Mann, der in fünfundzwanzig Jahren drei Leichen mit ausgebreiteten Armen an abgeschiedenen Orten hinterlassen hatte, sein Vater war. Jedes Mal, wenn Clayton sich stumm diese Frage stellte, wurde ihm von einer Art emotionaler Trunkenheit fast schwindelig im Kopf. Der pedantische Akademiker in ihm verlangte klare Auskunft: Was weißt du über die Verbrechen? Seine Antwort kam prompt: Lediglich, dass drei Leichen auf so ausgefallene und übereinstimmende Art und Weise zurückgelassen worden waren, dass man mit ziemlich großer Wahrscheinlichkeit von ein und demselben Täter ausgehen musste. Außerdem wusste er, dass sein Ermittlungspartner von dem ersten Mord wie besessen war, nachdem er bei ihm vor fünfundzwanzig Jahren irgendetwas Unausgesprochenes angerichtet hatte.

Jeffrey gab einen langen Seufzer von sich; es klang, als ob einem erschlaffenden Ballon die Luft entweicht.

Er hatte das Gefühl, bis zur Halskrause in Fragen zu stecken. Er wusste nur wenig über jenen ersten Mord, wenig darüber, in welcher Beziehung Agent Martin dazu stand, und ebenso wenig darüber, wie sein Vater vielleicht darin verwickelt war. Er hatte Angst davor, auf eine dieser Fragen Antworten zu suchen, und war von der dumpfen Befürchtung, was er zutage fördern mochte, wie gelähmt. Jeffrey merkte, dass er innerlich mit sich im Zwiespalt war und dass die widerstreitenden Bereiche seiner Vorstellungskraft lange Debatten in seinem Innern auslösten und versuchten, zwischen den wildesten Horrorvisionen einen Mittelweg zu finden.

Er konzentrierte sich auf das Treffen mit den drei Beamten Manson, Starkweather und Bundy. Wenigstens werde ich dafür, dass ich meine Familiengeschichte offenlege, gut bezahlt.

Die Ironie seiner Situation war schon fast wieder komisch und gleichzeitig auch fast unmöglich.

Finde einen Mörder. Finde deinen Vater. Oder finde einen Mörder und beweise die Unschuld deines Vaters.

Er bekam ein flaues Gefühl im Magen.

Tolles Erbe, das er mir da hinterlassen hat, sagte er sich. Und fügte laut hinzu: »Und nun schreiten wir zur Verlesung des letzten Willens. Ich vermache meinem verlorenen Sohn mein gesamtes ...«

Mitten im Satz hielt er inne. *Was?* Was hat er mir vermacht?

Ohne den Gedanken zu Ende zu führen, starrte er auf die Dokumente, die sich auf seinem Schreibtisch stapelten. Drei Verbrechen. Drei Akten. Ihm schwante, wie ernst sein Dilemma war. Das nächste Problem, mit dem er sich auseinandersetzen musste, war genauso komplex. Unabhängig davon, wer die Verbrechen beging: Wie sollte er es anstellen, den Mann zu finden? Der Wissenschaftler in ihm schrie nach einer systematischen Vorgehensweise. Eine Aufgabenliste, eine Prioritätenliste.

Das kann ich machen, redete er sich gut zu. Wir müssen einen logischen Plan erstellen, wie der Killer zu fassen ist. Dann kommt es nur noch darauf an, festzustellen, was funktioniert.

Dann wurde ihm klar: zwei solcher Pläne. Denn seinen Vater zu finden – seinen verstorbenen Vater, der nach Jeffreys bevorzugten Lesart vor einem Vierteljahrhundert schlagartig aus seinem Leben verschwunden und der ohne ihr Wissen und von ihnen getrennt gestorben war – stellte eine andere Nachforschung dar als die Suche nach einem noch unbestimmten Mörder.

Noch so eine Ironie, dachte er. Für Agent Martin und die Staatssicherheit wäre es bedeutend leichter, wenn tatsächlich mein Vater diese Verbrechen begangen hätte. Er machte sich klar, dass die Staatsvertreter bei jeder Gelegenheit in diese Richtung drängen würden. Schließlich war dies der offensichtliche Grund, ihn dafür einzuspannen. Die andere Möglichkeit – dass es sich ganz einfach um einen neuen, unbekannten und Furcht einflößenden Mann handeln könnte – war für sie der schlimmere von zwei Albträumen, denn der große Unbekannte wäre viel, viel schwerer zu fassen und unschädlich zu machen.

Natürlich wusste er bei beiden, wie man sie stellen konnte – er musste sich nur so intensiv wie möglich mit jedem der Verbrechen vertraut machen, um am Ende den Kriminellen zu verstehen. Konnte er erst den Mörder verstehen, dann konnte er dieses Wissen mit dem erlangten Beweismaterial verknüpfen und sich ein Bild davon machen, in welche Richtung es führte.

Er begrüßte und fürchtete diesen Vorgang zugleich. Er sah sich durchaus in der Tradition eines verrückten, doch leidenschaftlichen Wissenschaftlers, der sich im Eigenversuch einen tropischen Krankheitserreger spritzt, um die Wirkung zu studieren und das Wesen der Krankheit ganz zu verstehen.

Infiziere dich mit diesen Mördern und dann verstehe sie.

Mit dem Enthusiasmus eines Studenten beim Lernen für die Abschlussprüfung zu einem Seminar, zu dem er bestenfalls sporadisch erschienen war, machte sich Jeffrey daran, das gesamte Aktenmaterial zu den Morden zu lesen, wobei er sich Agent Martins Verhör seines Vaters für zuletzt aufhob.

Als er irgendwann zu diesen Seiten kam, erfasste ihn eine innere Leere. Über zweieinhalb Jahrzehnte hinweg hörte er die Stimme seines Vaters mühelos heraus – gewandt, sarkastisch, unerschrocken, stets mit einem Anflug von Verärgerung. Er hielt inne, um sein eigenes Gedächtnis kritisch zu prüfen: Woran erinnere ich mich hinsichtlich dieser Stimme? Ich entsinne mich, dass sie immer irgendwie Funken sprühte, dass unterschwellige Wut darin mitschwang. Hat er geschrien? Nein. Ein Ärger, der sich Luft gemacht hätte, wäre besser gewesen. Sein Schweigen war viel schlimmer.

Die Worte des Mannes sprangen ihm entgegen: »Wie kommen Sie darauf, Detective, dass ich Ihnen weiterhelfen kann? Was bringt Sie auf den Gedanken, ich könnte bei dieser Sache die Hand im Spiel gehabt haben?«

»Ist Mord nicht ein Mittel, die Wahrheit herauszufinden? Die Wahrheit über einen selbst, die Wahrheit über die Gesellschaft? Die Wahrheit über das Leben?«

»Sind Sie nicht auch ein Philosoph, Detective? Ich dachte eigentlich, alle Polizisten seien Philosophen des Bösen. Müssen sie schließlich sein. Das ist ein unerlässlicher Bestandteil ihres Fachgebiets.«

Und schließlich: »Da bin ich doch einigermaßen überrascht, Detective. Dass Sie kaum etwas über Geschichte wissen. Mein Fachgebiet, Geschichte. Moderne europäische, genauer gesagt. Das Vermächtnis kluger weißer Männer. Großer Männer. Männer mit Weitblick. Und was hat uns die Geschichte dieser Männer gelehrt, Detective? Sie hat uns gelehrt, dass der Wunsch zu zerstören genauso kreativ ist wie der Wunsch, etwas zu schaffen. Und jeder halbwegs fähige Historiker kann Ihnen sagen, dass am Ende wahrscheinlich mehr Dinge aus Asche und Trümmern neu erstanden sind als aus Frieden und Reichtum.«

Agent Martins Antworten – wie auch seine Fragen – waren kurz und unverbindlich gewesen. Er hatte einfach nur auf Auskünfte gedrängt und sich auf keine Diskussion eingelassen. Es war eine gute Technik, fand Clayton. Wie aus dem Lehrbuch, genau wie Martin es ihm erzählt hatte. Eine Technik, die hätte funktionieren müssen. Die in neunundneunzig von hundert Fällen funktioniert hätte.

In diesem Fall verfing sie nicht.

Je mehr sein Vater gefragt wurde, desto vager und undurchsichtiger wurden seine Antworten. Je mehr der Agent in ihn drang, desto ausweichender die Reaktionen. Er schnappte nach keinem Köder, den der Mann vom Morddezernat auslegte. Noch sagte er irgendetwas, das ihn belastet hätte.

Es sei denn, man wertete alles, was er sagte, als belastend.

Mit einem Mal nervös, ruckte Jeffrey auf seinem Stuhl vor und zurück. Er merkte, wie ihm Schweiß die Achseln herunterrann. Er griff nach einem Kugelschreiber auf seinem Schreibtisch. Er ließ ihn zu Boden fallen und zertrat ihn mit dem Schuh. Ihn überrollte blanke Wut. *Du hast es vor der Nase,* dachte er. *Im Grunde lief das, was er sagte, auf etwas ganz Einfaches hinaus: Ja, ich bin der, für den du mich hältst – aber du kriegst mich nicht.*

Jeffrey ließ die Mitschrift auf den Schreibtisch fallen. Er war nicht mehr in Lage weiterzulesen. Ich kenne dich, dachte er.

Um es ebenso schnell infrage zu stellen: Wirklich?

Hinter ihm ging mit einem leisen Rauschen die Tür zu seinem Büro auf. Er fuhr auf seinem Drehstuhl herum und sah, wie Agent Martin energisch eintrat und die Tür hinter sich zuschlug. Das elektronische Schloss machte ein titschendes Geräusch.

»Irgendwelche Fortschritte, Prof.?«, erkundigte er sich. »Auf dem Weg zu Ihrer ersten Million schon ein gutes Stück vorangekommen?«

Clayton zuckte nur die Achseln, um sich die Emotionen, die ihn gerade überflutet hatten, nicht anmerken zu lassen. »Wo sind Sie gewesen?«

Der Detective ließ sich auf einen Stuhl fallen und sagte in verändertem Ton: »Hab das Verschwinden unseres zweiten jungen Mädchens überprüft. Das, von dem ich Ihnen schon in Massachusetts erzählt habe. Siebzehn Jahre alt, hübsch wie ein Cheerleader – blond, blaue Augen, mit einer Haut so glatt und zart wie ein Babypopo und verschwunden – Donnerstag sind es zwei Wochen. Die Kollegen, die in dem Fall ermitteln, haben nicht einmal ansatzweise etwas in der Hand, das beweist, dass es sich um ein Verbrechen handelt. Keine Zeugen, die gerade vor Ort waren. Keine Anzeichen für einen Kampf. Keine hilfreichen Reifenspuren, keine unbekannten Fingerabdrücke oder eine blutverschmierte Jacke. Keine Büchertasche am Straßenrand. Keine Lösegeldforderung von einem Kidnapper. Eben noch war sie auf dem Heimweg und im nächsten Moment ist sie weg. Die Familie hofft immer noch auf den verheulten Anruf eines eigensinnigen Kindes, aber ich denke, wir beide wissen, dass es dazu nicht kommen wird. Man hat Pfadfinder und freiwillige Helfer ein paar Tage lang die angrenzenden Wälder durchkämmen lassen, doch sie konnten nichts finden. Und wissen Sie, was wirklich traurig ist? Nachdem die Suche abgeblasen worden war, hat die Familie einen privaten Hubschrauberdienst engagiert, mit einem Infrarotdetektor, der in der Gegend, in der sie verschwunden ist, eine Rasterfahndung durchführt. Die Kamera erfasst jede Wärmequelle. Militärische Technologie. Jedenfalls müsste sie wilde Tiere aufzeichnen, verwesende Leichen, alles. Sie haben ein Maultier, Kojoten und ein paar streunende Hunde ausgemacht, seit sie für fünf Riesen am Tag da rumfliegen. Gute Arbeit, wenn man sie kriegt. Wirklich deprimierend.«

Jeffrey machte sich ein paar Notizen. »Vielleicht sollte ich mich mit der Familie unterhalten. Wie ist das Mädchen verschwunden?«

»Auf dem Heimweg von der Schule. Die Schule liegt in einer Gegend, die nur wenig bebaut ist. Eins der neuen Erweiterungsgebiete, von denen ich Ihnen erzählt habe. Ziemlich ländlich. In zwei Jahren wird sich ein typisches Vorstadtmilieu entwickelt haben, mit einem Baseballplatz für die Jugendliga, einem Gemeindezentrum und ein paar Pizzerien. Aber das ist noch alles im Aufbau begriffen. Haben einen Haufen Planer drangesetzt, die das Ganze in verschiedenen Realisierungsphasen zeichnen. Im Moment wirkt es noch ziemlich unausgereift. Nicht viel Verkehr auf den Straßen, besonders seit man die Bautrupps in ihre Baracken zurückgeschickt hat. Das Mädchen war länger geblieben, um noch an der Dekoration für irgendeinen Schultanz zu arbeiten, dann schlug sie eine Mitfahrgelegenheit bei Freunden aus. Ein bisschen Bewegung an der frischen Luft würde nicht schaden, hat sie gesagt. Um an der Dekoration zu basteln, hatte sie das Volleyballtraining sausen lassen. Frische Luft. Die hat sie umgebracht.«

Martin spuckte die letzten Worte aus und drehte sich frustriert auf seinem Stuhl. »Natürlich weiß das noch niemand mit Sicherheit. Die Tatsache, dass diese verfluchte Helikoptersuche noch nicht ihre Leiche zutage gefördert hat, ermutigt alle zu glauben, dass sie noch lebt und sich irgendwo versteckt. Die Familie sitzt um den Küchentisch und versucht, herauszufinden, ob sie ein Teenager-Doppelleben geführt hat. Sie hoffen, dass sie mit einem Jungen durchgebrannt ist, vielleicht nach Vegas oder L. A., und dass ihr nichts Schlimmeres passiert ist als so 'n lila Drachentattoo oder 'ne Rose auf dem Schenkel. Sie haben das Zimmer der Kleinen auf den Kopf gestellt, um unsterbliche Liebesschwüre an jemanden zu finden, von dem sie keine Ahnung hatten. Sie wollen daran glauben, dass sie durchgebrannt ist. Sie beten, dass sie durchgebrannt ist. Sie bestehen darauf. Bis jetzt wurden ihre Gebete nicht erhört.«

»Ist sie früher schon mal von zu Hause weggelaufen?«

»Nein.«

»Aber es wäre immerhin möglich, oder?«

Der Detective zuckte die Achseln. »Ja. Und vielleicht können eines Tages auch Schweine fliegen. Ich glaube das nicht. Und Sie auch nicht.«

»Leider wahr. Aber woher wollen wir wissen, dass sie von unserem …« Er zögerte. »… unserer Zielperson entführt worden ist? Es sind Bautrupps in der Gegend. Hat die schon mal jemand befragt?«

»Wir sind keine Idioten. Ja. Und auch Personenüberprüfungen. Und zu den kleinen besonderen Sicherheitsvorkehrungen hier bei uns gehört es auch, dass Arbeiter von auswärts sich dem *Electronic Bonding* unterwerfen: Wenn Sie zum Arbeiten herkommen, dann wird Ihnen eine von diesen praktischen elektronischen Fußfesseln verpasst, so dass wir jederzeit wissen, wo Sie sind. Die Staatssicherheit überwacht Sie während Ihres ganzen Aufenthalts. Natürlich zahlen wir den Bauarbeitern den doppelten Lohn von dem, was sie in den anderen fünfzig Staaten erhalten, das entschädigt sie für die kleine Unannehmlichkeit. Trotzdem haben wir da zuerst nachgeguckt. Bis jetzt negativ, negativ, negativ.«

Agent Martin legte eine Atempause ein, dann fuhr er mit seinem sarkastischen Monolog fort.

»Also, was haben wir? Ein junges Mädchen, das eines Tages

spurlos und unerklärlicherweise verschwindet. Simsalabim! Ladies and Gentlemen, ta-daaa! Die erstaunliche Zauberkunst, einen Menschen in Luft aufzulösen. Machen wir uns nichts vor, Professor, sie ist tot. Sie ist unter entsetzlichen Qualen gestorben. Und im Moment liegt sie irgendwo – wie gekreuzigt, ein Finger abgehackt, verflucht noch mal, eine Haarsträhne vom Kopf geschnitten und eine von der Scham. Und da es mir vorerst an anderen plausiblen Erklärungen mangelt, bin ich der festen Überzeugung, dass Ihr Vater – Verzeihung, Ihr verstorbener Vater, der Kerl, den Sie vermutlich immer noch für tot halten – derjenige ist, nach dem wir suchen.«

»Beweise?«, fragte Jeffrey. Er wusste, dass er die Frage nicht zum ersten Mal stellte, doch sie rutschte ihm einfach heraus und zwar mit demselben zweifelnden Sarkasmus, wie ihn sein Vater gehabt haben musste, als man ihn zu einem vermissten Teenager befragte. »Ich hab immer noch nichts gehört, was meinen alten Herrn definitiv mit diesem oder einem der anderen Fälle verbindet.«

»Professor, nun machen Sie mal einen Punkt. Ich weiß nur, dass das Mädchen genau den Typ junger Frauen trifft und ohne irgendeine andere plausible Erklärung verschwunden ist. Genau so wie in diesen alten Alien-Geschichten, die in der Regenbogenpresse breitgetreten wurden. Zack! Grelles Licht, mächtiger Krach, Science-Fiction, und weg ist sie. Blöde ist nur, das hier hat mit Science-Fiction herzlich wenig zu tun. Jedenfalls mit der Art Science-Fiction, die diesen Schreiberlingen von damals vorschwebte.«

Jeffrey nickte.

Der Detective war noch nicht fertig. »Sie müssen begreifen, wo Sie sich befinden, Professor. Als all diesen Firmenbonzen vor über zehn Jahren zum ersten Mal die Idee zu einem Staat als Schutzraum vor Kriminalität gekommen ist, da ging es schlicht und ergreifend genau darum: Sicherheit. Hier muss es für alle außergewöhnlichen Vorkommnisse eine Erklärung geben, denn das ist die Grundlage für das ganze Gemeinwesen. Verflucht, wir haben das Gewöhnliche in Gesetze gegossen. Normalität ist das Landesgesetz. Sie atmen es mit der Luft ein. Das macht diesen Staat so gottverdammt attraktiv. Eigentlich wäre es das Vernünftigste, wenn ich zu den Eltern dieses Mädchens gehen würde, um ihnen zu sagen: ›Ja, Ma'am, und ja, Sir, Ihr kleiner Schatz wurde tatsächlich von Aliens entführt. Sie lief gerade da draußen rum, und mit einem Mal wurde sie in so eine riesige fliegende Untertasse aufgesogen.‹ Das würde letztlich mehr Sinn ergeben, da wir nur existieren, um das Gegenteil von der übrigen Nation zu sein. Diese Eltern würden das verstehen …«

Er schwieg, holte Luft und fügte hinzu: »Ich gehe jede Wette ein, dass Sie, als in Ihrer kleinen Collegestadt dieses Mädchen verschwand, auch wenn das eine üble Geschichte war – ich wette drei zu eins, dass Ihnen die Sache keine schlaflosen Nächte bereitet hat, Professor, hab ich recht? Weil es schlicht und ergreifend nicht allzu ungewöhnlich war. Passiert schließlich alle Tage, oder vielleicht nicht *alle* Tage, aber doch oft genug, nicht wahr? Hatte einfach schlechte Karten, die Kleine. Eine hausgemachte Spielart einer brutalen Tragödie, die Ihre Uni da heimgesucht hat. Ganz normaler Alltag. So oder so keine große Sache. Das Leben geht weiter. Gibt nicht mal 'ne Schlagzeile her, hab ich recht?«

»Sie haben recht.«

»Aber hier, Professor, hier versprechen wir Ihnen Sicherheit. Wir versprechen Ihnen, dass nichts passiert, wenn Sie im Dunkeln allein nach Hause gehen. Sie müssen die Türen nicht abschließen und können die Fenster offen lassen. Wenn dieser Staat nicht in der Lage ist, sein Versprechen zu halten, also das wäre dann schon einen Aufmacher wert, nicht wahr? Meinen Sie nicht auch, dass irgendein Schmierfink von der *New Washington Post* genüsslich darüber herziehen würde?«

»Ich kann Ihre Bedenken nachvollziehen.«

»Tatsächlich? Na ja, selbst wenn nicht, werden Sie nicht lange brauchen. Sie begreifen schon noch. Hier verschwindet niemand mal eben so. Hier nicht. Nicht mit einer Erklärung, die zum Rest der Welt passt.«

»Nun ja«, erwiderte Jeffrey, »dieses Kind schon, und das sagt uns etwas Wichtiges, nicht wahr?«

»Und das wäre, Prof.?«

Jeffrey senkte die Stimme, so dass sie wie ein Krächzen tief aus seiner Kehle kam.

»Jemand hält sich nicht an die Spielregeln.«

Agent Martin sah finster drein.

Jeffrey holte tief Luft. »Wenn sich natürlich herausstellen sollte, dass die Kleine tatsächlich mit einem Freund in Lederjacke auf einem heißen Hobel von zu Hause durchgebrannt ist, na ja, dann wäre wieder alles offen. Bei dem anderen Fall, der jungen Dame, deren Leiche Sie gefunden haben – wie viel Zeit liegt da zwischen ihrem Verschwinden und ihrer Entdeckung?«

»Ein Monat.«

»Und dem zweiten Fall?«

»Eine Woche.«

»Und vor fünfundzwanzig Jahren?«

»Drei Tage.«

Jeffrey nickte. »Einmal angenommen, Detective, es wäre derselbe Kerl, der diese Verbrechen begeht – eine Annahme, die sich auf äußerst dürftige Fakten stützt. Aber nehmen wir es trotzdem mal an. Dann müssten wir davon ausgehen, dass er dazugelernt hat, nicht wahr?«

Agent Martin nickte. »Sieht ganz so aus.« Er hüstelte einmal heiser, bevor er ein einziges, furchterregendes Wort hinzufügte: »Geduld.«

Jeffrey rieb sich die Stirn. Seine Haut fühlte sich kalt und klamm an.

»Ich frage mich, wo er das gelernt hat.«

Martin erwiderte nichts.

Der Professor stand ohne ein Wort auf und ging in das kleine Badezimmer an der Rückseite des Büros. Er schloss die Tür hinter sich und beugte sich über das Becken. Er fürchtete, sich zu übergeben, doch es kam nur übel schmeckende, bittere Galle. Er spritzte sich kaltes Wasser ins Gesicht, schaute sich in dem kleinen Spiegel in die Augen und stellte fest: Ich stecke in Schwierigkeiten.

Jeffrey brauchte einen Moment, um seine Fassung wiederzugewinnen. Er starrte sein Ebenbild an, um sich davon zu überzeugen, dass er diesen furchtsamen Blick unter Kontrolle hatte, und kehrte ins Büro zurück, wo Agent Martin auf seinem Drehstuhl kreiste und über sein Unbehagen grinste.

»Ich gebe zu, dass der Honorarscheck, der am Ende auf Sie wartet, nicht unbedingt leicht verdientes Geld ist, Prof. Nein, ganz und gar nicht …«

Jeffrey setzte sich an seinen Schreibtisch und dachte einen Moment angestrengt nach.

»Ich rechne nicht damit, dass wir enorm viel Glück haben könnten. Aber etwas ist mir aufgefallen. Dieses letzte Mädchen kam von der Schule, und das erste Opfer damals vor rund fünfundzwanzig Jahren war an einer Privatschule, und das Mädchen aus meinem Seminar war ebenfalls Schülerin beziehungsweise Studentin. Also, Detective Martin, statt grinsend rumzusitzen und die Situation, in die Sie mich gebracht haben, so furchtbar komisch zu finden, wird es langsam Zeit, dass Sie wie ein Ermittler vorgehen.«

Martin saß augenblicklich aufrecht.

Jeffrey deutete auf den Computer. »Ihr Apparat da, sagen Sie mir, auf welche Weise der zaubern kann.«

»Das ist ein Computer der Staatssicherheit. Er hat Zugriff auf jede Datenbank im Bundesstaat.«

»Dann werfen wir doch mal einen Blick auf den Lehrkörper

der Schule, an der sie zuletzt war. Ich nehme an, Sie können Fotos und Lebensläufe auf dem Bildschirm aufrufen? Können Sie die nach Altersgruppen sortieren? Immerhin suchen wir nach einem Menschen über sechzig. Vielleicht auch Mitte bis Ende fünfzig. Weiß, männlich.«

Martin drehte sich zu seinem Monitor um und tippte auf der Tastatur. »Ich bekomme auch einen Abgleich mit der Passkontrolle und der Einwanderungsbehörde«, sagte er.

Während der Agent daran arbeitete, fragte Jeffrey: »An welche Informationen kommt die Einwanderungsbehörde denn im Einzelnen?«

»Foto, Fingerabdrücke, DNA – auch wenn sie damit erst vor etwa einem Jahr angefangen haben –, Steuererklärungen für die letzten fünf Jahre, persönliche Daten wie verifizierbare Familiengeschichte, Fahrzeug, Wohnverhältnisse, Krankenblatt. Wenn Sie hier leben wollen, müssen Sie dem Staat weitreichenden Zugriff auf Ihr persönliches Leben gewähren. Das ist der Haken, der einige Reiche davon abhält, hierher zu ziehen. Manche von denen wohnen lieber, sagen wir, in San Francisco, engagieren einen Bodyguard, verschanzen sich hinter hohen Mauern mit Natodraht und lassen ihr Leben – und die Art, wie sie an ihr Geld gekommen sind – im Dunkeln.«

Agent Martin sah von seinem Monitor auf. »Der sagt mir, es gibt zweiundzwanzig Namen, die mehr oder weniger auf unser Profil passen. Weiß, männlich, über fünfundfünfzig und in Verbindung mit dieser Schule.«

»Vielleicht wird das ja leicht. Rufen Sie die Fotos der Männer nacheinander auf.«

»Sie meinen ...?«

»Nein, tue ich nicht. Aber stellen Sie sich mal vor, wie dämlich wir dastehen würden, wenn wir das Nächstliegende versäumt hätten. Die Antwort auf Ihre Frage, die Sie noch nicht gestellt haben, lautet, nein, ich glaube nicht, dass ich meinen Vater nach fünfundzwanzig Jahren wiedererkennen würde. Aber es wäre immerhin möglich. Ich weiß es nicht. Eins zu einer Million? Zumindest den Versuch wert.«

Der Detective brummte etwas und drückte ein paar Tasten. Ein Bild nach dem anderen erschien auf dem Monitor, die dazugehörigen Informationen kamen gleich mit.

Einen Moment lang war Jeffrey fasziniert.

Das war der ultimative Voyeurismus, dachte er.

Einzelheiten über das Leben anderer Menschen, die in elektronischer Farbe auf dem Computerbildschirm aufleuchteten. Ein stellvertretender Schuldirektor hatte sich vor über zehn Jahre scheiden lassen, dabei war viel schmutzige Wäsche gewaschen worden, seine Exfrau hatte ihn wegen Missbrauchs verklagt, was jedoch als unbegründet zurückgewiesen worden war; der Footballtrainer der Uni hatte versäumt, bei der Steuer den Erlös aus einem Aktientransfer anzugeben und war beim Finanzamt aufgeflogen. Ein Sozialwissenschaftler hatte ein Alkoholproblem, das heißt, seine drei Verurteilungen wegen Trunkenheit am Steuer etwa ein halbes Dutzend Jahre zuvor ließen darauf schließen, und er hatte eine Entziehungskur gemacht. Doch die Biografen gingen noch weiter und machten auch vor Informationen aus dem Umfeld nicht halt – der Englischlehrer, dessen Schwester wegen Schizophrenie eingewiesen worden war, der Leiter der Hausmeisterei, dessen Bruder an AIDS gestorben war. Detail um Detail leuchtete auf dem Bildschirm auf.

Jede Biografie wurde durch ein Porträtfoto von vorne und im Profil ergänzt, dazu kam der vollständige Krankenstatus. Herz-, Nieren-, Leberprobleme in knappem Medizinerjargon zusammengefasst. Doch Jeffreys Interesse galt den Fotos der Zielpersonen. Er sah sie sich aufmerksam an, begutachtete die Länge der Nase, den Winkel des Kinns und den ganzen Aufbau jedes einzelnen Gesichts, um es mit dem Bild zu vergleichen, das er seit seiner Kindheit in einem hintersten Bewusstseinswinkel abgespeichert hatte.

Jeffrey ertappte sich dabei, dass er flach und langsam atmete. Er mahnte sich zur Ruhe und atmete durch leicht geschürzte Lippen aus. Er staunte über seine Erleichterung.

»Nein, nichts. Jedenfalls nicht, dass ich wüsste.«

Er rieb sich die Augenbrauen.

»Niemand, der auch nur die geringste Ähnlichkeit mit ihm hätte.«

Der Detective nickte. »Wäre ja auch zu schön, um wahr zu sein.«

»Bin mir eh nicht sicher, ob ich ihn erkennen würde.«

»Wetten, dass?«

»Meinen Sie? Ich glaube nicht. Fünfundzwanzig Jahre sind eine lange Zeit. Der Mensch ändert sich. Er kann verändert werden.«

Martin ließ sich mit der Antwort Zeit. Er starrte das letzte Bild auf dem Monitor an. Es handelte sich dabei um einen weißhaarigen Mann aus einer Schulverwaltung, dessen Eltern als Teenager bei einer Antikriegsdemonstration verhaftet worden waren.

»Nein. Sie werden sich erinnern«, meinte der Agent. »Sie werden es vielleicht nicht wollen, aber Sie können nichts daran machen. Ich ebenfalls. Er weiß es noch nicht, stimmt's? Aber es gibt jetzt zwei Menschen in diesem Bundesstaat, die sein Gesicht gesehen haben und denen er nichts vormachen kann. Wir müssen es nur schaffen, dieses Bild auf diesen Monitor zu bekommen, und die Sache läuft.«

Der Detective drehte sich von seinem Computer weg. »Also, was kommt als Nächstes, Professor?« Er lehnte sich auf seinem Stuhl zurück. »Wollen Sie sich die Bilder jedes weißen Mannes in diesem Territorium ansehen, der über fünfundfünfzig ist? Wären nicht mehr als ein paar Millionen. Wäre machbar.«

Jeffrey schüttelte den Kopf.

»Dachte ich mir«, erwiderte Martin. »Also, was dann?«

Jeffrey überlegte, dann sagte er in leisem, aber klirrend hartem Ton: »Auch wenn es dämlich klingen mag, Detective, möchte ich Sie etwas fragen. Wenn Sie sich so verdammt sicher sind, dass mein Vater all diese Verbrechen begangen hat, was haben Sie dann bisher getan, um ihn ausfindig zu machen? Ich meine, welche Schritte haben Sie unternommen? Er muss bei Ihrer Einwanderungsbehörde gemeldet sein, richtig? Sie haben sich so verdammt schlau angestellt, mich zu finden, was ist dann mit ihm?«

Der Agent verzog langsam das Gesicht zu einem Grinsen. »Ich hätte mich nicht auf die Suche nach Ihnen gemacht, Professor, wenn ich diese Möglichkeiten nicht vorher ausgeschöpft hätte. Ich bin kein Vollidiot.«

»Wenn Sie also kein Vollidiot sind«, schlussfolgerte Jeffrey in einem befriedigten Ton, »dann haben Sie irgendwo eine Akte, die Sie mir noch nicht ausgehändigt haben und aus der in allen Einzelheiten hervorgeht, was Sie bis jetzt unternommen haben, um ihn zu finden. Und woran Sie gescheitert sind.«

Der Detective nickte.

»Die will ich haben«, insistierte Jeffrey. »Und zwar jetzt.«

Agent Martin zögerte. »Ich weiß, dass er es ist. Ich weiß es, seit ich die erste Leiche gesehen habe.« Er bückte sich und schloss bedächtig die unterste Schublade seines Schreibtischs auf. Dort zog er einen versiegelten braunen Umschlag heraus und reichte ihn Clayton.

»Die Geschichte meiner Frustration«, erklärte der Detective mit einem trockenen Lachen. »Lesen Sie es in Ruhe durch. Sie werden feststellen, dass Ihr alter Herr eine Kunst beherrscht, gegen die ich nicht ankomme. Jedenfalls bis jetzt.«

»Und die wäre?«

»Zu verschwinden«, antwortete der Detective. »Sie werden sehen. Nun denn, kümmern wir uns lieber um die Gegenwart. Was gedenken Sie als Erstes zu tun, Professor? Ich stehe zu Ihren Diensten.«

Jeffrey überlegte einen Moment, während er an dem Klebeband zog, mit dem der Umschlag versiegelt war. »Ich würde mir gern die Stelle ansehen, an der Sie die letzte Leiche gefunden haben. Die Nummer drei auf unserer Liste. Dann arbeiten wir einen Plan aus, wie wir vorgehen wollen. Und, wie gesagt, vielleicht können wir ja mit der Familie dieser letzten Vermissten reden.«

»Um was herauszufinden?«

»Die Mädchen haben alle was gemein, Detective. Irgendetwas verbindet sie miteinander. Aber was? Das Alter? Das Aussehen? Der Ort? Oder auch etwas Subtileres – vielleicht sind sie alle blonde Linkshänderinnen. Egal, was, dieses besondere Merkmal macht sie zu Opfern. Es ist unsere Aufgabe, das herauszufinden. Wenn wir das verstanden haben, dann begreifen wir vielleicht auch die Regeln, nach denen unser Killer spielt.«

Der Detective nickte. »Okay«, stimmte er zu. »Klingt wie der Anfang von einem Plan. Außerdem bekommen Sie dann ein bisschen was vom Territorium zu Gesicht. Also, fahren wir los.«

Jeffrey nahm sich die entsprechende Fallakte. Er sah, dass der Name des Mordopfers – Janet Cross – mit schwarzem Filzstift außen auf die Mappe geschrieben war, in der sich die Leichenfundort-Analyse, der Autopsie- sowie die Ermittlungsberichte befanden. Ich will gar nicht deinen Namen wissen, dachte er. Ich will nicht wissen, wer du warst. Ich will nicht wissen, dass du Ziele, Träume und Überzeugungen hattest, dass du die geliebte Tochter von jemandem warst oder auch jemandes Zukunftshoffnung. Ich will nicht, dass du ein Gesicht hast. Für mich bist du Nummer drei, sonst nichts. Er steckte die Akte und den geschlossenen Umschlag in seine Tasche.

Der Professor stand auf und ging zu der Schreibtafel. Er zog mit einem stumpfen gelben Kreidestück eine senkrechte Linie in der Mitte. Er hatte das vage Gefühl, etwas Komisches zu tun; in einer Welt, die so sehr auf die elektronische Geschwindigkeit von Computern baute, war eine altmodische Kreidetafel wahrscheinlich immer noch am besten geeignet, Theorien zu skizzieren, dann zurückzutreten, sie anzustarren und schließlich diejenigen, die nicht weiterführten, wegzuwischen. Er hatte um die Tafel gebeten. Bei der Galverston-Ermittlung hatte er eine benutzt und in Springfield auch. Ihm gefiel dieses Hilfsmittel, das es fast schon so lange gab wie das Phänomen Mord.

Er spielte einen Moment mit dem Kreidestück in der Hand und war sich durchaus bewusst, dass der Detective ihn beobachtete; dann schrieb er rechts oben: *Verdächtiger A: Falls uns der Mörder bekannt ist.* Dann in der linken Spalte gegenüber: *Verdächtiger B: Falls uns der Mörder nicht bekannt ist.*

Er unterstrich das Wort *falls*.

Agent Martin nickte, als er das Geschriebene las.

»In Ordnung«, sagte er und trat näher. »Klingt logisch. Früher oder später erreichen wir einen Punkt, an dem wir die eine oder die andere Seite auswischen können. Sorgen wir also dafür, dass wir da möglichst schnell hinkommen.« Er tippte mit dem Finger auf die linke Seite, so dass von dem Wort *nicht* ein Kreidewölkchen aufflog. »Wenn Sie mich fragen, kommt die hier weg.«

NEUN
DAS GEFUNDENE MÄDCHEN

Die beiden Männer machten sich auf den Weg zu dem felsigen Vorgebirge, in dem vor einigen Monaten die Leiche der jungen Frau Nummer drei gefunden worden war, Richtung Norden durch den Einundfünfzigsten Bundesstaat. Jeffrey Clayton lauschte auf das rhythmische Klopfen der Reifen, wenn sie über die Sensoren in der geteerten Straße rollten. Sie fuhren schnell, obwohl ihre Geschwindigkeit ebenso wie ihre Route auf einer fernen, computergesteuerten Karte des gesamten bundesstaatlichen Straßennetzes registriert war. Doch niemand griff ein. Agent Martin hatte bei ihrer Abfahrt dem Hauptquartier einen speziellen Code durchgegeben, und so schwebte kein Hubschrauber der Staatssicherheit auf sie herab, um sie zur Einhaltung der strengstens kontrollierten Geschwindigkeitsbegrenzung aufzufordern.

In regelmäßigen Abständen rasten sie an den Ausfahrten zu bewohnten Gebieten vorbei. Diese neuen Ortschaften beschworen mit Namen wie Victory, Success und Happy Valley eine aggressive Aufbruchstimmung oder aber mit Wind River und Deer Run die Vorstellung von einem sauberen Leben an der frischen Luft, entworfen von einem Planer am Reißbrett. Die jeweilige Abzweigung zu diesen Wohngegenden wurde mit einem eigenen Schild in unterschiedlichen Farben angekündigt. Irgendwann fragte Clayton nach dem Grund.

»Ganz einfach«, erwiderte Agent Martin. »Andere Farbe steht für eine andere Häuserkategorie. Der Staat verfügt über vier Kategorien: gelb für Stadthäuser und Eigentumswohnungen;

braun für Eigenheime mit drei oder vier Zimmern; grün für fünf bis sechs Zimmer und blau für größere Anwesen. Geht alles auf ein Siedlungskonzept zurück, das Disney für eine ihrer ersten privaten Städte außerhalb von Orlando ausgeheckt hat – nur ein Stück weiter gedacht.«

Clayton tippte auf einen roten Aufkleber, der das Seitenfenster zierte. »Rot?«, fragte er.

»Das bedeutet ›Freier Zutritt zu allen Bereichen‹.«

Sie kamen an einem grünen Schild vorbei, das auf eine Ortschaft namens Fox Glen verwies. Clayton deutete in die Richtung und sagte: »Zeigen Sie es mir.«

Der Detective brummte etwas und schwenkte scharf in die Ausfahrt ein. »Gute Wahl«, meinte er geheimnisvoll.

Fast augenblicklich waren sie mitten in einer Trabantensiedlung mit großzügigen, von Fichten aufgelockerten Rasenflächen. Durch die Zweige sickerte die Sonne und funkelte hier und da auf der Kühlerhaube eines hochglanzpolierten Autos auf, das in der Einfahrt stand – eine Parade neuester Modelle. In dem Sprühfilm über den Sprinkleranlagen der Gärten bildeten sich kleine Regenbögen. Die geräumigen Häuser verfügten je über vier- bis achttausend Quadratmeter Land und waren von der unscheinbaren Anwohnerstraße ein gutes Stück zurückgesetzt. Mehr als eines war mit einem abgeschirmten Swimmingpool versehen.

Clayton stellte fest, dass bei den Eigenheimen mehrere Architekturrichtungen vertreten waren; er sah Häuser im Kolonialstil, Ranches und Fincas. Die Häuser waren alle weiß, grau oder beige gestrichen oder mit einer farblosen Lasur versehen, welche die Maserung des Holzes an den Schindelwänden akzentuierte. Dabei gab es innerhalb eines Designs kleinere Variationen – ein Innenhof, eine abgeschirmte Veranda oder Rundbogenfenster –, so dass ein Wohnkomplex einheitlich, aber nicht monoton erschien; ähnlich, aber nicht gleich. Oder, dachte er, einmalig, aber nicht sehr, was natürlich ein Widerspruch in sich war, aber die Sache traf. Die Gestaltung dieser Siedlung hielt eine subtile Balance zwischen individuellen Details und dem gleichförmigen Ganzen. Er fragte sich, ob dasselbe auf die Bewohner zutraf.

Es herrschten milde Temperaturen; es war Mittagszeit, und es würde noch ein wenig wärmer werden. Die Wohngegend war ruhig. Zwar beaufsichtigte hier und da eine Frau geduldig kleine Kinder beim Spielen auf den Klettergerüsten und Schaukeln an der Seite der Häuser, doch die Straßen waren menschenleer. Clayton suchte nach Anzeichen von Verfall oder Gerümpel, doch alles schien zu neu. Wenige Häuserblocks entfernt entdeckte er zwei Frauen in leuchtend bunten Joggingoutfits, die langsam hinter glitzernden Stahlrohr-Buggies liefen, in denen ihre Babys saßen. Sie waren beide jung, vielleicht in seinem Alter, auch wenn er sich augenblicklich älter fühlte. Die Frauen winkten, als sich ihre Wege kreuzten.

Noch etwas fiel ihm auf: keine Sicherheitszäune.

»Nicht schlecht, wie?«, fragte der Agent.

»Kann man wohl sagen«, räumte Clayton ein. »Sieht schön aus. Gibt es Vorschriften zu den Häusertypen?«

»Selbstverständlich. Bestimmungen zur Farbe. Zum Stil; Festlegungen, was man jeweils bauen kann und was nicht. Alle möglichen Vorschriften, nur dass man sie anders nennt. Sie heißen Vertragsklauseln, und jeder unterzeichnet ein entsprechendes Abkommen, bevor er hierher zieht.«

»Und niemand hat etwas dagegen?«

Der Detective schüttelte den Kopf. »Niemand hat etwas dagegen.«

»Nehmen wir mal an, Sie besäßen eine wertvolle Kunstsammlung, für die Sie Luftdrucksensoren und Alarmanlagen brauchen. Könnten Sie so was installieren lassen?«

»Ja. Vielleicht. Allerdings müsste jedes System staatlich registriert, inspiziert und genehmigt werden. Jeder vereidigte Sachverständige könnte den Papierkram erledigen. Das gehört dazu.«

Martin drosselte das Tempo und hielt vor einem großen Haus in modernem Stil. Allerdings stand es offensichtlich leer; neben der Einfahrt hing ein Schild mit der Aufschrift FOR SALE. Der Rasen stand ein wenig höher als bei den angrenzenden Häusern im Block, und die Randbepflanzungen waren nicht gestutzt. Das Ganze erinnerte den Professor an einen schlaksigen Jungen, der insgesamt präsentabel wirkte, aber ungekämmt und unrasiert war, als sei er in der Nacht davor nach ein paar nicht erlaubten Bierchen zu spät ins Bett gekommen.

»Hier hat Janet Cross gewohnt«, berichtete der Detective ruhig und deutete auf die Akten, die Claytons im Schoß hielt. »Sie war ein Einzelkind. Die Familie ist schließlich ausgezogen, vor vielleicht zwei, drei Wochen.«

»Und wohin?«

»Minneapolis, hab ich gehört. Dahin zurück, wo sie herkamen. Sie hatten dort Verwandte.«

»Und die Nachbarn? Was dachten die über den Fall?«

Agent Martin fuhr wieder auf die Straße. »Wer weiß?«, erwiderte er nach einer Weile.

Clayton hatte die nächste Frage auf der Zunge, doch er beherrschte sich. Er warf einen Seitenblick auf den Polizisten, der geradeaus auf die Straße starrte. Eine seltsame Antwort, dachte der Professor. Die Nachbarn hätten gründlich befragt werden müssen. Hatten sie etwas gesehen? Etwas gehört? War ihnen in den Tagen vor der Entführung der jungen Frau irgendjemand aufgefallen, der sich im Viertel herumtrieb? Und danach? Hatten sie sich nicht bei der Polizei beschwert? Hatten sie keine Nachbarschaftsverbände zur Verbrechensbekämpfung gebildet, Versammlungen abgehalten und Schutzpatrouillen eingesetzt? Hatten sie nicht auf zusätzlichen Sicherheitsmaßnahmen bestanden und Überwachungskameras vorgeschlagen? In einer Sekunde fielen ihm mindestens ein halbes Dutzend Reaktionen ein, die für dieses Mittelstandsmilieu nach einem Verbrechen typisch gewesen wären. Sie mochten fruchtlos sein, doch immerhin Reaktionen.

Er atmete langsam aus und fragte stattdessen: »Wie genau ist sie verschwunden?«

»Auf dem Heimweg nach dem Babysitten bei Leuten keine drei Häuserblocks von hier entfernt. Gerade noch nahe genug, um sich nicht abholen zu lassen. Und auch noch früh genug. Das Paar, das sie engagiert hatte, hatte für ein frühes Abendessen einen Tisch reserviert und war anschließend in die Acht-Uhr-Vorstellung irgendeines Films gegangen. Sie kamen nach Hause, zahlten ein paar Dollar, schon war sie zur Tür hinaus und wurde nach elf nicht mehr gesehen.«

»Fahren Sie zu dem Haus rüber, wo sie gearbeitet hat«, bat Jeffrey; Martin nickte und brummte etwas.

Clayton lehnte sich zurück und ließ seiner Einbildungskraft freien Lauf. Er starrte die stille Vorstadtstraße hinunter, und es fiel ihm nicht schwer, sich vorzustellen, wie die Gegend in Dunkelheit gehüllt wurde. Hatte in der fraglichen Nacht der Mond geschienen? Er nahm sich vor, es herauszufinden. Die Baumgruppen würden Schatten werfen und kein Licht vom Himmel durchlassen. Es gab nur wenige Straßenlaternen – und die waren vollkommen anders als die starken Natriumdampflampen, die fast im ganzen übrigen Land dunkle Winkel ausleuchteten. Dafür bestand hier keine Notwendigkeit, und die Hausbesitzer würden sich wohl eher beschweren, wenn solche Helligkeit durch ihre Fenster drang.

Clayton begriff. Wer an diesen Mythos von Sicherheit glaubte, dem würde es nicht gefallen, dass ihn jede Nacht grelle Lampen daran erinnerten, dass er sich irren könnte.

Er versuchte weiter, sich den entscheidenden Moment vorzustellen. Sie ging also lange nach Einbruch der Dunkelheit nach Hause; vielleicht ein bisschen schneller als sonst, da sogar hier die Nacht ein wenig beängstigend sein mochte und sie – selbst wenn sie glaubte, keinen Grund zur Sorge zu haben – immerhin alleine war. Sie lief zügig und drückte sich, während sie auf das leise Klatschen ihrer Turnschuhe auf dem Bürgersteig lauschte, ihre Schulbücher fest an die Brust, wie ein Porträt von der Hand Norman Rockwells. Und was dann? Ein Wagen, der sich ihr ohne Licht langsam von hinten näherte? Eine Stimme aus einem der schattigen Winkel? Lauerte er ihr wie ein nachtaktives Raubtier auf?

Diese Frage konnte er beantworten: Ja.

Clayton notierte im Kopf: Der Überfall musste schnell vor sich gegangen sein. Unerwartet und geräuschlos. Vollkommen überraschend, denn ein Schrei hätte alles verdorben. Wie also konnte er das angestellt haben?

War die Nacht einfach perfekt zum Jagen gewesen? War Nummer drei zufällig oder durch die Macht des Schicksals zur falschen Zeit am falschen Ort? Oder war sie das Opfer, das er sich schon vorher ausgesucht und ausgekundschaftet hatte? Dann hätte er nur noch geduldig auf diese Nacht, die ideale Gelegenheit warten müssen.

Clayton nickte. Ein interessanter Unterschied. Der eine Typus eines Jägers schleicht heimlich durch den Wald und sucht. Der andere geht in Deckung und lauert seinem Opfer auf, von dem er weiß, dass es vorbeikommen muss. Finde die Antwort!

Bei gewaltsamen Todesfällen gibt es immer eine Verkettung von Ursache und Wirkung. Eine Agenda. Bestimmte Regeln, die bestimmte Reaktionen auslösen, die sich alle zusammen wie in einer teuflischen mathematischen Gleichung zu Mord addieren.

Was war es diesmal? Jeffrey Clayton schwirrte der Kopf vor Fragen, und nicht auf alle wollte er wirklich eine Antwort wissen.

Sie hatten das Ende des Blocks erreicht und waren in eine zweite Wohnstraße eingebogen, die nach etwa einer halben Meile als Sackgasse endete. Während der Detective um die Bepflanzung des kleinen Kreisels fuhr, deutete er auf ein Haus, das ein wenig weiter zurückgesetzt war als die meisten anderen. Das nächste Haus in dieser Sackgasse stand außerdem ein Stück weiter entfernt, und seine Einfahrt war vom Wendekreis durch eine dicht gewachsene Hecke getrennt. Ein drittes Haus hinter der Grenzlinie lag ebenfalls Richtung Straße statt Kreisel, am oberen Ende einer kleinen Böschung, hinter zwei großen Fichten.

»Halten Sie an«, verlangte Clayton abrupt.

Martin sah ihn verwundert an, dann trat er auf die Bremse.

Clayton stieg aus und lief ein paar Schritte, um sich jedes Haus anzusehen und die Entfernungen abzuschätzen.

Der Detective kurbelte sein Fenster herunter. »Was ist?«, fragte er.

»Genau hier«, erklärte Clayton. Er spürte, wie es ihm feuchtkalt den Rücken herunterlief.

»Hier?«

»Hier hat er gewartet.«

»Woher wissen Sie das?«, wollte Martin wissen.

Clayton deutete kurz auf die drei Häuser. »Ist nicht einsehbar, von keinem der drei Häuser. Es ist wie ein blinder Fleck. Keine Straßenlaterne. Wagen ohne Licht, nach Einbruch der Dunkelheit. Einfach nur parken und warten.«

Der Detective stieg ebenfalls aus und sah sich um. Er lief ein paar Schritte, machte kehrt, starrte wieder auf die Stelle, an der Clayton wartete, und kam zurück. Er runzelte die Stirn, sah sich noch einmal die Winkel an, welche die Häuser zueinander bildeten, und verlängerte im Kopf die Linien ihrer Seitenwände. Wenig später nickte er und pfiff durch die Zähne.

»Stimmt wahrscheinlich, Professor. Nicht schlecht, wirklich nicht schlecht. Diese Häuser sind von hier aus alle verdeckt. Gerade mal dreißig Meter weiter die Straße entlang, und das Mädchen wäre auf dem Bürgersteig von beiden Seiten aus zu sehen gewesen. Und außerdem näher an den Häusern, so dass Schreie leichter zu hören gewesen wären. Falls sie geschrien hat. Falls sie schreien konnte.« Der Detective schwieg und ließ den Blick erneut über die Umgebung schweifen. »Nein, Sie haben vermutlich recht, Professor. Weiß auch nicht, wieso ich das nicht selbst gesehen habe. Kompliment.«

»Hat es nach ihrem Verschwinden eine Durchsuchung gegeben? Ich meine, hier in der näheren Umgebung?«

»Natürlich. Aber Sie müssen wissen, erst als ich ihre Leiche sah, habe ich begriffen, womit wir es zu tun haben. Und bis es so weit war ...«

Er sprach den Satz nicht zu Ende.

Clayton nickte und stieg wieder ein. Er spähte noch einmal in alle Richtungen und versuchte, den Ansturm von Fragen in den Griff zu bekommen. Die Auftraggeber der Babysitterin – die mussten mit dem Auto nach Hause gekommen sein. Wie hatte er es vermeiden können, von deren Scheinwerfern erfasst zu werden? Ganz einfach. Er kam erst nach ihnen. Woher wusste er, dass sie zu Fuß nach Hause laufen würde, statt sich abholen zu lassen? Weil er sie schon vorher gesehen hatte. Woher wusste er, dass nicht auch Nachbarn kommen oder gehen würden? Weil er auch deren Tagesablauf kannte.

Clayton holte tief Luft und bescheinigte sich, es sei nicht weiter besorgniserregend, wenn er eine ruhige Wohnstraße in einer Vorstadt entlangfuhr und mit einem Schlag die beste Stelle fand, an der ein Mörder seinem Opfer auflauern konnte. Er sagte sich, es sei schließlich nötig, das Viertel mit den Augen des Mörders zu sehen, da sie sonst keine Chance hätten, den Mann zu finden – mithin sei diese Fähigkeit etwas Lobenswertes und nicht Furchterregendes. Natürlich wusste er, dass das gelogen war. Dennoch klammerte er sich an diese Version, da er über andere Erklärungen nicht nachdenken wollte.

Sie fuhren ein paar Minuten, bis sie das gehobene Baugebiet hinter sich hatten. Er stellte fest, dass rund um den Wohnkomplex eine schwarze Schlackenbahn zum Joggen führte, die durch andere Sportanlagen wie Tennisplätze, ein Basketballfeld sowie einen gut besuchten Kinderspielplatz vervollständigt wurde.

Nicht weit von den Kindern saßen ein paar Frauen auf Bänken und plauderten, während sie ihre Kleinen nur so weit im Blick behielten, wie es die sichere Umgebung verlangte. Auf der Fahrt am Park vorbei sahen sie, dass die schmaleren Häuser auf der anderen Seite dichter und in einer Reihe sowie näher am Bürgersteig standen. Die Straßenschilder waren plötzlich braun.

»Jetzt sind wir in Echo Woods«, erklärte Martin. »Ein braunes Baugebiet, Mittelschicht, aber das andere Ende des Spektrums. Unmittelbar am Stadtrand.«

Aus dem kleinen Vorstadtviertel kamen sie auf einen breiten Boulevard mit niedrigen Einkaufszentren zu beiden Seiten. Ihr Design war dem Südwesten entlehnt, mit roten Ziegeldächern und hellbeige verputzten Wänden, was selbst für den großen Lebensmittelladen galt, der sich in der Mitte der Mall über fast einen ganzen Häuserblock erstreckte. Clayton fing an, die Namen der Läden zu lesen und stellte fest, dass auch sie in Gruppen geordnet waren: gehobene Modeboutiquen sowie Geschäften für technische Geräte am einen Ende der Einkaufsstraße und Discount- sowie Haushaltswarenläden am anderen Ende. Restaurants, Pizzerien und Fastfoodketten verteilten sich über das ganze Zentrum.

»So viel zu den Einkaufsgelegenheiten«, meinte der Detective. »Willkommen in Evergreen. Vorstadt von New Washington.«

Das Zentrum der Kleinstadt verströmte beinahe so etwas wie ein New-England-Flair. Beherrscht wurde es von einem weitläufigen Platz mit saftig-grüner Rasenfläche. Vom blauen westlichen Himmel zeichnete sich der weiße Turm einer episkopalen Kirche ab und rechts daneben ein zweiter mit einem Kreuz an der Spitze: eine Methodistenkirche. Am anderen Ende des Rasens stand die Synagoge den Kirchen gegenüber, und der Davidstern funkelte selbstbewusst auf ihrem Dach. Alle diese Gotteshäuser waren modern und kaum der traditionellen Formensprache verpflichtet. Nicht weit davon entfernt sah er ein Gebäudetrio, jedes mit weißen Schindelwänden. Eins davon war als STADTVERWALTUNG kenntlich gemacht. Auf dem nächsten stand STAATSSICHERHEIT, NEBENSTELLE 6. Und auf dem dritten: COMPUTERCENTER.

Ein kleineres Schild deutete auf eine Nebenstraße, in der die BEZIRKSSCHULE EVERGREEN und das GESUNDHEITSZENTRUM lagen.

Agent Martin nickte und fuhr am Rand des begrünten Platzes rechts heran. An einem Ende entdeckte Clayton sogar eine Statue – einen Soldaten aus der Zeit des Zweiten Weltkriegs in heroischer Pose, der sich über zwei alte, schwarz gestrichene Kanonen erhob. Er fragte sich, ob die Stadt vielleicht einen fiktionalen Helden eingeführt hatte, den sie feiern konnte.

»Sehen Sie, Professor? Alles, was das Herz begehrt. Gut durchorganisiert und da, wo man es braucht. Haben Sie sich einen Eindruck verschafft?«

»Ich denke schon.«

»In jeder Gemeinde mindestens drei Gotteshäuser. Die Konfessionen variieren selbstverständlich. Könnten genauso gut Mormonen sein. Katholiken, meinetwegen auch Muslime, Herrgott nochmal. Aber immer drei. Eine Kirche ist zu ausschließlich, zwei brächten Rivalität. Drei – das ist Vielfalt. Und gerade so viel, dass die Gemeinden intakt bleiben und nicht zersplittern, Sie verstehen, was ich meine. Eine ethnische Mischung, die Stärke verleiht und nicht spaltet. Genauso wie die Städte geplant werden. Jede ökonomische Gruppe ist vertreten – und in der Innenstadt oder der Shoppingmall kommen sie in Tuchfühlung miteinander. Wir können auf dem Weg aus der Stadt an den größeren Anwesen vorbeifahren, wenn Sie mögen. Rechnen Sie außerdem einen Gebäudekomplex dazu, der vom Kindergarten bis zur Highschool alles unter einem Dach vereint, außerdem eine Kombination aus Fitnessclub und Mini-Krankenhaus – was will man mehr?«

»Computercenter?«

»Jedes Haus ist an ein Netz aus Glasfaserkabeln angeschlossen. Wenn Sie wollen, können Sie Ihre Einkäufe, Ihre Stimme für die Stadtratswahl, Ihre Steuererklärung von zu Hause aus abgeben, und Rezepte austauschen, Aktien verkaufen – was weiß ich. Elektronische Post verschicken, Ihre Musikstunden vereinbaren – alles ist irgendwo auf einer städtischen Anzeigetafel vermerkt. Mann, Lehrer können ihre Hausaufgaben über Computer stellen, und die Kids können sie auf demselben Weg einreichen. Heutzutage ist alles verbunden. Die Bücherei, der Lebensmittelladen, der Trainingsplan der Basketballmannschaft der Highschool und die Ballettvorführungen. Eben alles.«

»Und die Staatssicherheit kann den gesamten elektronischen Verkehr überwachen?«

Martin zögerte mit seiner Antwort. »Selbstverständlich. Aber wir posaunen das nicht heraus. Die Leute sind sich dessen bewusst, aber nach ein, zwei Jahren vergessen sie es. Oder es ist ihnen egal. Wahrscheinlich ist es Mr. und Mrs. Smith oder Jones schnurzpiepegal, dass die Staatssicherheit sämtliche Einladungen zu ihren Dinnerpartys mitlesen kann und ihre Bestellungen beim Cateringservice überwacht. Es macht ihnen nicht mal was aus, dass wir wissen, wann sie ihren Scheck für die alkoholischen Getränke oder ihre Blumenarrangements ausgestellt haben. Außerdem können wir sagen, ob der Scheck gedeckt ist oder nicht.«

»Ich weiß nicht«, zweifelte Clayton. Ihm fehlten die Worte. Seine eigene Welt schien davonzudriften wie der letzte Traum vor dem Erwachen. Auf einmal fiel es ihm schwer, sich daran zu erinnern, wie die Universität aussah oder wie seine Wohnung roch. Das Einzige, was ihm lebhaft vor Augen stand, war diese diffuse Angst. Kälte, Angst und Dreck. Aber selbst das schien so weit weg. Der Detective wendete, und für einen Moment fühlte sich Clayton von einem gleißenden Sonnenstrahl geblendet. Er hob die Hand, um die Augen zu schützen, und blinzelte geradeaus. Er brauchte eine Weile, bevor er wieder sehen konnte.

»Wollten Sie nun an ein paar von den Anwesen vorbeifahren? Sie liegen am äußeren Rand der Stadt. Aber sie sind ein bisschen abseits. Normalerweise mit ungefähr vier Hektar oder noch mehr Land versehen. Mehr Privatsphäre. Das ist so ziemlich der einzige Vorteil der obersten Einkommensklasse. Man ist mehr für sich. Andererseits haben wir festgestellt, dass ein paar von den reichsten Leuten die grünen Wohngegenden lieber mögen, die eher der oberen Mittelschicht entsprechen. Sie richten sich gern am Rand eines Golfplatzes ein oder in der Nähe des Freizeitcenters. Schon seltsam, oder? Na, jedenfalls, wollen Sie nun eine Wohngegend mit den Villen anschauen? Sie sind von der Straße aus schwerer zu erkennen, aber man bekommt trotzdem eine ungefähre Vorstellung.«

»Greift man da auch auf dieselben Grundmuster wie bei den anderen Siedlungen zurück?«

»Nein, die sind alle nach den Vorstellungen der Bauherren entworfen. Aber da die Zahl der Architekten und der Bauunternehmer durch staatliche Lizenzvergabe beschränkt ist, gibt es ein paar Ähnlichkeiten.«

Jeffrey hatte eine Idee, doch er behielt sie für sich und deutete auf die Zufahrt zur Schnellstraße zurück. »Ich möchte sehen, wo die Leiche gefunden wurde«, sagte er.

Martin brummte etwas und steuerte die Einfahrt an.

»Und Sie, Detective? Sind Sie braun? Gelb? Grün oder blau? Wo hat ein Cop seinen Platz in diesem Schema?«

»Gelb«, erwiderte der Agent zögerlich. »Ein Stadthaus direkt außerhalb des Zentrums von New Washington, damit ich keine endlosen Anfahrtswege habe. Schon lange keine Frau mehr. Wir haben uns vor einem Dutzend Jahren getrennt. Gütlich alles in allem, jedenfalls einigermaßen unproblematisch, soweit das möglich ist. In der Zeit, bevor ich hierher kam. Sie lebt jetzt in Seattle. Ein Kind ist am College. Das andere arbeitet schon. Beide erwachsen. Brauchen ihren alten Herrn nur noch selten. Bekomme sie beide nicht oft zu Gesicht. Na ja, ich lebe also allein.«

Clayton nickte, was dem Gebot der Höflichkeit zu entsprechen schien.

»Ist hier natürlich ungewöhnlich.«

»Wie meinen Sie das?«

»Der Staat hat's nicht so mit alleinstehenden erwachsenen Männern. Der Staat preist die Familie als Ideal. Alleinstehende Männer machen meist nur Ärger. Mit ein paar wenigen müssen wir uns abfinden – mit Leuten in meiner Situation zum Beispiel, und egal, wie viele Erhebungen wir im Vorfeld der Immigration anstellen, gibt es immer noch ein paar Scheidungen, auch wenn wir bei einem Zehntel des nationalen Durchschnitts liegen. Trotzdem, grundsätzlich nein. Um reinzukommen und drinnen zu bleiben, brauchen Sie eine Familie. Einzelgänger haben keine Chance. Single-Bars können Sie hier mit der Lupe suchen. Praktisch gleich null.«

Jeffrey nickte wieder, diesmal allerdings, weil ihm etwas eingefallen war. Er machte schon den Mund auf, biss sich dann aber auf die Lippen und beschloss, den Gedanken für sich zu behalten. Er dachte: Es gibt eine Menge Dinge, die ich noch nicht weiß, aber einiges wird mir allmählich klar.

Als der Detective aufs Gas trat, lehnte er sich zurück. Das Vorgebirge schien jetzt schon deutlich näher; grün und braun erhob es sich über die flache Ebene und wirkte ein wenig dunkler als der Rest der Welt. Zuerst glaubte Jeffrey, die Berge seien nicht mehr weit. Im Westen, fiel ihm allerdings ein, täuscht man sich leicht hinsichtlich der Entfernungen. Meist sind die Dinge weiter weg, als man denkt. Dasselbe, musste er denken, gilt, wenn man einen Mord untersucht.

Am frühen Nachmittag erreichten sie die Gegend, in der die Leiche Nummer drei gefunden worden war. Seit mehr als einer

Stunde waren sie an keiner bewohnten Gegend mehr vorbeigekommen, und die Highway-Schilder warnten sie, dass es keine hundert Meilen mehr von der neu gezogenen Grenze nach Südoregon waren. Es war ein rauer, dicht bewaldeter Landstrich und geradezu unheimlich still. Nur wenige Fahrzeuge kreuzten ihren Weg. Clayton beschlich das Gefühl, dass es sie an einen der unwirtlicheren Orte der Welt verschlagen hatte, einen Ort der Stille und Einsamkeit. Es gab hier nur wenig Bautätigkeit, eine Leere, die nicht leicht zu füllen sein würde. Die Berge, denen sie sich näherten, wirkten unzugänglich, granitgrau und schroff, mit dauerhaftem Schnee auf den Gipfeln.

»Hat nicht viel zu bieten, diese Gegend«, meinte Clayton.

»Wilde Natur«, pflichtete Martin bei. »Nicht für immer natürlich, aber bis jetzt schon.« Er legte eine Pause ein, dann fügte er hinzu: »Es gibt ein paar psychologische Studien und einige noch nicht ganz ausgewertete Befragungen, wonach die Menschen sich in der wilden Natur durchaus wohlfühlen und sie begrüßen, solange sich ihre Ausdehnung in Grenzen hält. Wir erklären bestimmte Gegenden zu staatlich geschützten Wäldern und Campingplätzen und überlassen sie dann mehr oder weniger sich selbst. Macht die Naturfreaks glücklich. Die Baugebiete rücken im Lauf der Zeit immer näher heran. Das wird hier auch passieren. In fünf Jahren. Vielleicht auch zehn.« Er machte eine ausladende Bewegung mit dem rechten Arm. »Da vorne beginnt der Holzfällerweg. Nur dass da natürlich nix mehr abgeholzt wird. Die Schlacht haben die Grünen gewonnen. Allerdings hält der Staat die Straße für Camper in Schuss. Tolle Gegend zum Angeln und Jagen hier oben. Und in annehmbarer Entfernung. Drei Stunden Fahrt von New Washington. Noch weniger von New Boston und New Denver aus. Hier soll eine völlig neue Geschäftsidee umgesetzt werden. Wie man hört, will man hier draußen rustikale Hütten bauen und Läden für Jagdbedarf und alles, was man zum Fliegenfischen braucht. Offenbar kann man eine Menge Geld verdienen, wenn man die Natur ein bisschen durchorganisiert.«

»So wurde sie gefunden, oder? Von zwei Anglern?«

Der Detective nickte. »Zwei Versicherungsmakler, die sich einen Tag freigenommen hatten, um wilde Regenbogenforellen zu angeln. Haben mehr gefunden, als sie dachten.«

Sie verließen den Highway, und plötzlich hüpfte und holperte der Wagen wie ein kleines Boot in einer kleinen Bucht mit Wellengang. Hinter ihnen wirbelte eine Staubwolke auf, und Steine prasselten wie Schüsse gegen den Unterboden des Autos. Vom Schütteln und Schaukeln wurden die Männer schweigsam. So fuhren sie vielleicht eine Viertelstunde weiter. Clayton wollte gerade fragen, wie weit es noch sei, als der Detective in eine kleine Ausweichbucht fuhr und stehen blieb.

»Die Leute lieben das«, wunderte sich Martin. »Ich kann's nicht ausstehen, aber die Leute lieben das. Ich hätte die verdammte Straße geteert, aber die Psychologen sagen, dass viele dieses Gerumpel mit einem Hauch Abenteuer verbinden. Gibt ihnen das Gefühl, dass die dreißig Riesen, die sie für ihren Geländewagen mit Vierradantrieb hingeblättert haben, die Sache wert gewesen ist.«

Clayton stieg aus und entdeckte augenblicklich einen schmalen Trampelpfad, der durch Gebüsch und Baumgruppen führte. An der Stelle, an der der Pfad auf die Bucht traf, befand sich eine braune Plakette aus Holz und eine in Plastikfolie eingeschweißte Karte.

»Wir sind gleich da«, erklärte der Detective.

»Hier wurde sie gefunden?«

»Nein. Weiter drinnen. Vielleicht eine Meile. Vielleicht nicht ganz.«

Der Pfad zwischen den Bäumen war zu einer ordentlichen Schneise geschlagen worden und leicht begehbar. Er war gerade breit genug, dass zwei Männer nebeneinander gehen konnten. Sie liefen auf einem Bett aus braunen Nadeln. Gelegentlich hörten sie das leise Rascheln eines aufgeschreckten Eichhörnchens. Zwei Amseln protestierten lautstark und dissonant gegen die Eindringlinge, die sich auf ihrem Weg miteinander unterhielten.

Der Detective blieb plötzlich stehen. Im Schatten war es kühl, doch der schwere Mann schwitzte. »Hören Sie«, forderte er den Professor auf.

Clayton hielt ebenfalls an, konnte jedoch nur fernes Wasserrauschen hören.

»Der Fluss ist etwa fünfzig Meter von hier entfernt. Man braucht nicht viel Fantasie, um sich vorzustellen, wie begeistert die beiden gewesen sein müssen. Es ist zwar kein mühsamer Weg bis dahin, aber sie trugen hohe Wasserstiefel und schleppten ihre Angeln und Rucksäcke und all das Zeug. Und es war ziemlich warm, weit über zwanzig Grad. Man muss es mal von ihrer Warte aus sehen. Also sind sie ziemlich schnell gelaufen, um es hinter sich zu bringen, und haben wahrscheinlich unterwegs nicht viel auf die Umgebung geachtet.«

Der Detective deutete nach vorn, und Clayton ging voraus.

»Janet Cross«, murmelte Martin, der ihm auf den Fersen folgte. »So hieß das Mädchen.«

Mit jedem Schritt wurde das Rauschen lauter. Clayton trat durch eine letzte Gruppe von Bäumen und stand mit einem Mal an einer Uferböschung, knapp zwei Meter oberhalb der Stelle, wo das Wasser durch die Felsen und Gesteinsbrocken einer Stromschnelle toste. Der Fluss schien lebendig und geschmeidig. Es war schnelles Wasser, das wie ein wütender Gedanke mit Wucht durch eine schmale Felsspalte schoss. Die Sonne prallte an der Oberfläche ab und tauchte sie in ein Dutzend verschiedener Blaugrüntöne, gesprenkelt mit weißem Schaum.

Martin stand neben ihm.

»Blue Ribbon, das blaue Band der Extraklasse, nennen es die Angler. Hier wimmelt's fast überall von Forellen. Nicht leicht an die Angel zu kriegen, hab ich mir sagen lassen, weil sie blitzschnell durchs Wasser zucken. Und wenn man von einem dieser Felsen abrutscht, na ja, das könnte hier draußen so richtig Probleme geben. Aber trotzdem eine tolle Stelle.«

»Die Leiche?«

»Die Leiche. Ja. Janet. Nettes Mädchen. Es sind immer nette Mädchen, nicht wahr, Professor? Einser-Schülerin. Wollte an die Uni. Außerdem sportlich, hab ich gehört. Wollte sich mit der frühkindlichen Entwicklung befassen.« Der Detective hob langsam den Arm und wies auf einen großen, flachen Felsen am Rande des Flusses. »Da drüben.«

Der Stein war mindestens drei Meter breit – wie eine Tischplatte, die sich in ihrer Richtung ein wenig nach unten bog. Jeffrey musste unwillkürlich denken, dass die Leiche wie in einem Bilderrahmen oder Passepartout gewirkt haben musste – wie eine kostbare Trophäe.

»Die beiden Angler – Gott, zuerst dachten sie, das Mädchen sonnte sich nackt. Nur der erste Eindruck, wissen Sie, denn da lag sie nun mal, ausgestreckt – wie haben wir es noch genannt? – gekreuzigt. Jedenfalls haben sie gerufen, keine Reaktion, also watet einer von ihnen raus und springt auf den Stein, den Rest wissen Sie ja.«

Martin schüttelte den Kopf. »Sie hat wohl die Augen offen gehabt. Sie waren von Vögeln herausgepickt. Aber sonst keine weitere Beeinträchtigung der Leiche durch Tiere. Außerdem minimale Verwesung; bis die Jungs sie fanden, hat sie vielleicht vierundzwanzig bis achtundvierzig Stunden dort gelegen. Glaube kaum, dass die dort noch viel angeln werden.«

Jeffrey senkte den Blick und stellte fest, dass an der Stelle, an der die Leiche entdeckt worden war, der Fels ganz nahe ans Ufer reichte und in einem Kiesbett ruhte, über dem das seichte Wasser nur dreißig Zentimeter tief war. Der Brocken ragte über einen Tümpel, an dessen Kopfende zwei größere Felsen die Wucht des brausenden Wassers hemmten und den wilderen

Strom ans andere Ufer drängten, so dass das Wasser hinter der Steinplatte langsamer floss.

Er hatte nicht viel Ahnung vom Süßwasserfischen, konnte sich aber gut denken, dass der Fels ein beliebtes Anglerziel war. Von seinem hinteren Rand aus konnte man die Rute leicht über den Tümpel auswerfen. Dem Mann, der die Leiche an dieser Stelle abgelegt hatte, musste das aufgefallen sein.

»Als Sie die Umgebung untersucht haben –«

»Alles felsig. Fels und Wasser. Keine Fußabdrücke. Außerdem hatte es in der Nacht davor ein bisschen geregnet. Kein einziges Faserstück, das in irgendwelchen Dornen hängen geblieben wäre. Wir haben alles durchforstet, bis zum Parkplatz runter, buchstäblich durchkämmt. Auch Reifenspuren Fehlanzeige. Wir haben nichts weiter als eine Leiche, genau hier, als wäre sie vom Himmel gefallen.«

Martin starrte über den Fluss zu der Stelle. »Ich gehörte zu dem ersten Team, das hier eintraf, deshalb weiß ich mit Sicherheit, dass der Fundort unberührt war.«

Er schüttelte den Kopf. Seine Stimme war flach und ausdruckslos.

»Schon mal was gesehen, das Sie an einen Albtraum erinnert? Nicht irgendeinen Traum, den Sie mal hatten, oder eine Fantasievorstellung. Nicht mal eine von diesen seltsamen Déjà-vu-Situationen, die jeder von uns schon mal hatte. Nein, ich stand genau hier, und ich fühlte mich in einen früheren Albtraum zurückversetzt, von dem ich gehofft hatte, er wäre längst abgehakt. Ich sah ihre ausgebreiteten Arme und ihre Beine übereinandergelegt und kein Blut oder sonstige Anzeichen für einen Kampf. Im selben Moment, noch während ich Luft holte, wusste ich, dass wir da absolut nichts finden würden, das uns weiterhelfen konnte. Und als ich rüberging, wusste ich auch, dass ihr ein Finger fehlte ... und genau da, Professor, genau in dem Moment wusste ich, wer das gewesen ist.«

Die Stimme des Detective ging im Brausen der Wassermassen unter.

Jeffrey traute seiner eigenen Stimme nicht und war klug genug, sich eine besserwisserische Antwort zu verkneifen. Er sah, wie Martin auf den flachen Felsen starrte, und er wusste, dass der Detective das Mädchen vor seinem geistigen Auge dort so deutlich liegen sah wie an dem Tag, als sie gefunden wurde.

»Er wollte, dass sie gefunden wird«, sagte Clayton.

»Der Gedanke kam mir auch«, erwiderte Martin langsam. »Aber wieso hier?«

»Gute Frage. Er muss einen Grund gehabt haben.«

»In der Wildnis, andererseits nicht wirklich verborgen. Hier draußen hätte er eine Stelle finden können, an der sie nie entdeckt worden wäre. Oder erst zu einem Zeitpunkt, an dem von ihr nur noch Skelettreste übrig geblieben wären. Gott, er hätte sie in den Fluss werfen können – aus forensischer Sicht wäre das noch plausibler gewesen –, wenn es ihm darum gegangen wäre, jede verräterische Beziehung zwischen ihm und seinem Opfer auszumerzen. Stattdessen hat er sie hierher geschleppt, eine ganz schöne Wuchterei, egal, wie stark er sein mag und wie klein sie war. Nur um uns ihre Leiche auf dem Silbertablett zu servieren.«

»Vermutlich ist er um einiges stärker, als er äußerlich scheint«, überlegte Jeffrey. »Was hat sie gewogen – um die fünfundfünfzig Kilo?«

»Sie war zart gebaut. Dünn und zart. Fünfundfünfzig ist eher zu hoch gegriffen.«

Jeffrey dachte laut: »Er hat sie diesen Pfad entlang eine Meile weit getragen und sie dann dort abgelegt, weil er wollte, dass sie genau so gefunden würde. Er wollte sie nicht einfach nur loswerden. Das war eine Botschaft.«

Martin nickte. »Den Eindruck hatte ich auch. Aber es wäre nicht allzu klug gewesen, das laut zu sagen. Politisch klug, meine ich.« Er verschränkte die Arme und starrte auf den flachen Fels mit den Wasserstrudeln an seinen Rändern.

Jeffrey stimmte der Einschätzung des Detective zu. Ihm kam der Ausspruch eines berühmten Politikers in Massachusetts in den Sinn, wonach Politik immer eine lokale Angelegenheit ist, und er fragte sich, ob dasselbe wohl für Mord galt. Er fing an, den Fundort innerlich zu sondieren und zu speichern, zu addieren und zu subtrahieren, um herauszufinden, was er über einen Mann zu sagen hatte, der eine Leiche eine Meile weit durch den leeren Wald trägt, nur um sie auf einem Podest zu arrangieren, wo sie binnen ein, zwei Tagen gefunden werden würde.

Auch wenn er es nicht aussprach, dachte er doch: Ein sorgfältiger Mann. Ein Mann, der plant und seine Pläne dann präzise und selbstbewusst in die Tat umsetzt. Ein Mann, der ganz genau weiß, welche Wirkung er erzielt. Ein Mann, der sich in der akribischen Ermittlerarbeit ebenso gut auskennt wie in der Forensik, denn er weiß, dass er nichts von seiner Person beim Opfer zurücklassen darf. Er hinterlässt ein Statement und keine Spuren.

Weiterhin im Stillen fügte er hinzu: Ein gefährlicher Mann.

»Die beiden, die sie gefunden haben ... was hatten die für einen Eindruck?«

»Wir haben ihnen gesagt, es wäre Selbstmord. Das Ganze hat sie ziemlich mitgenommen.«

In dem Moment ertönte der Pieper am Gürtel des Detective. Inmitten von Bäumen und plätscherndem Wasser klang das Geräusch wie von einem anderen Stern. Martin starrte mit einem seltsamen Blick darauf, als könne er nicht so leicht aus seinen Erinnerungen auftauchen. Dann schaltete er das Gerät aus und zog mit ein und derselben Handbewegung einMobiltelefon aus seiner Jacketttasche. Er tippte rasch eine Nummer ein, wies sich rasch aus, und hörte dann aufmerksam zu. Er nickte.

»In Ordnung«, erklärte er. »Schon unterwegs. Anderthalb Stunden, schätze ich.« Er ließ das Telefon zuschnappen. »Zeit, aufzubrechen«, meinte er. »Sie haben unsere Ausreißerin gefunden.«

Jeffrey sah, dass die Brandnarben an der Kehle des Detective rot geworden waren. »Wo?«, fragte er.

»Werden Sie gleich sehen.«

»Und?«

Martin zuckte in einer bitteren Geste die Achseln. »Ich sag doch, sie haben sie gefunden. Ich hab nicht behauptet, sie wär zur Tür hereinspaziert und den wütenden, doch überglücklichen Eltern in die Arme gefallen.«

Er drehte sich um und machte sich zügig auf den Weg zurück zum Parkplatz, wo ihr Auto stand. Clayton hastete hinterher und hörte, wie das Wasserrauschen hinter ihm allmählich leiser wurde.

Der Professor sah die Scheinwerfer mindestens eine Meile im Voraus. Ihr grelles Licht schlug Schneisen in die Dunkelheit. Er kurbelte die Scheibe herunter und hörte den beharrlichen Missklang von Generatoren, der die Nacht erfüllte. Sie waren schnell gefahren und hatten ein wüstenartiges Gelände durchquert, um im Westen das Grenzgebiet nach Kalifornien zu erreichen. Während der ganzen Fahrt sprach der Detective kaum ein Wort – bis auf die kurze Bemerkung, dass sie erneut in eine noch wenig entwickelte Gegend des neuen Staates führen. Die Topografie hatte sich allerdings geändert; statt felsiger Berge und endloser Wälder empfing sie flaches Buschland. Es war eine Gegend im Westen, die Schriftsteller beflügelt hätte, dachte Clayton. Für sein ungeübtes Ostküstenauge schien es allerdings, als wäre Gott bei der Erschaffung der Erde ein Weilchen nicht ganz bei der Sache gewesen, während er dieses Terrain formte.

Einige hundert Meter von den Generatoren und Scheinwerfern entfernt befand sich eine einsame Straßensperre. Ein Mann von der Staatssicherheit in der Uniform eines Verkehrspolizisten, der neben einer Reihe orangefarbener Leitbaken und einigen Lichtsignalen stand, winkte sie zunächst an die Seite und, als er den roten Aufkleber in der Windschutzscheibe sah, gleich weiter.

Agent Martin hielt trotzdem an. Er kurbelte sein Fenster herunter und fragte: »Was sagen Sie den Leuten?«

Der Polizist nickte, legte zum Gruß die Hand an die Krempe seines Uniformhuts und antwortete: »Rohrbruch einer Hauptwasserleitung hat die Straße überschwemmt. Wir dirigieren den Verkehr großräumig bis zur Route 60 um. Zum Glück waren es bis jetzt erst ungefähr ein Dutzend Fahrzeuge.«

»Wer hat sie gefunden?«

»Zwei Landvermesser. Sind noch da.«

»Wohnen sie im Bundesstaat oder sind es Gastarbeiter?«

»Gastarbeiter.«

Martin nickte und fuhr weiter. »Halten Sie den Mund«, wies er Clayton an. »Ich meine, wenn ich bitten darf. Sie können Fragen stellen, wenn's sein muss, Ihre Arbeit machen. Aber verhalten Sie sich unauffällig. Ich möchte nicht, dass irgendjemand fragt, wer Sie sind. Falls es doch jemand tut, werde ich einfach sagen, Sie seien ein Spezialist. Die Beschreibung stellt die meisten zufrieden, auch wenn sie im Grunde nicht allzu viel besagt.«

Jeffrey antwortete nicht. Der Wagen machte einen Satz nach vorne, und wenig später hielt der Detective hinter zwei weiß glänzenden Transportern, die jeweils nur mit dem Logo der Staatssicherheit gekennzeichnet waren. Jeffrey warf einen Blick auf die Lkw und erkannte sofort, worum es sich dabei handelte: zwei Teams der Spurensicherung. In einem Bundesstaat allerdings, in dem nach offizieller Lesart keine Verbrechen passierten, gaben sie sich natürlich nicht als solche zu erkennen. Er musste schmunzeln. Ein bisschen scheinheilig, zweifellos, doch dafür hatte er Verständnis. Er war sich ziemlich sicher, dass es im Einundfünfzigsten Bundesstaat mehr davon gab, als er bis jetzt mitbekommen hatte. Er stieg aus. Die Nacht war ein wenig kalt, und er schlug den Kragen seiner Jacke hoch.

Ein weiterer Verkehrspolizist machte ihnen Zeichen. »Da lang, vierhundert Meter weiter«, erklärte er und deutete auf die Stelle mit den Lichtern.

Martin marschierte zielstrebig los, und Clayton ging in Laufschritt über, um mitzuhalten.

Die Reihen starker Bogenlampen schnitten einen Lichtschacht in die Dunkelheit. Jeffrey sah augenblicklich, dass innerhalb des ausgeleuchteten Terrains verschiedene Teams arbeiteten. Er zählte allein drei Gruppen, die den Sand- und Felsboden nach Fasern, Fußabdrücken, Reifenspuren oder anderen Indizien absuchten, um die Fährte des Mannes aufzunehmen, der vor ihnen hier lang gekommen war. Ein Weilchen sah er ihnen zu wie ein Trainer, der mögliche Neuzugänge für seine Mannschaft taxierte. Sie waren zu schnell. Es fehlte ihnen an Geduld. Und vermutlich auch an Erfahrung. Falls es etwas gab, das man leicht übersehen konnte, dann würden es ihnen entgehen. Er drehte sich um und entdeckte ein weiteres Team, das sich um die Leiche scharte und ihm zunächst den Blick darauf verstellte. Diese Gruppe drängte sich auf einem kleinen, staubigen Plateau. Ein Mann, der trotz der frischen Luft nur ein Hemd trug, beugte sich über das Mädchen, und seine weißen Latexhandschuhe glühten auf wie Geisterhände, wenn sich das Licht der Scheinwerfer darin fing. Jeffrey ging davon aus, dass dies der Gerichtsmediziner war.

Er schloss sich Detective Martin an, der das nähere Umfeld inspizierte. Ein einziger bitterer Gedanke blitzte in ihm auf: Ich hätte damit rechnen müssen. Vielleicht *habe* ich sogar damit gerechnet.

Im Laufen schüttelte er den Kopf. Sie werden nichts finden, sagte er stumm.

Die Agents der Staatssicherheit machten Platz, um die beiden Männer durchzulassen, und Clayton erhaschte im selben Moment den ersten Blick auf die Leiche, als dem Detective eine kurze, kernige Obszönität entfuhr.

Das junge Mädchen war nackt. Sie war auf einer weitläufigen, schottergedeckten Fläche zurückgelassen worden. Sie lag mit dem Gesicht nach unten, die Arme vor sich ausgestreckt, die Knie unter dem Körper angewinkelt. Ihre Körperstellung erinnerte Jeffrey daran, wie Muslime sich zu Boden werfen, wenn sie gen Mekka beten. Ihm fiel auf, dass sie tatsächlich nach Osten ausgerichtet lag.

Er schaute genauer hin und sah, dass ihr auf dem entblößten Rücken etwas in die Haut eingeritzt war. Post mortem, erkannte er; rund um die Schnitte war kein Blut. Überhaupt gab es wenig Blut, lediglich einen kleinen dunklen Fleck, der sich unter der Brust des Mädchens gesammelt hatte, ein Todesrückstand, und, wie er wusste, lediglich der letzte Ausfluss ihrer Schändung. Sie war an einem anderen Ort getötet und dann hierher geschafft worden.

Er warf einen Blick auf ihre Hände und sah, dass ihr der Zeigefinger der linken Hand fehlte – nicht der rechten wie bei den anderen Opfern, sondern der linken. Unwillkürlich zog er die Augenbrauen hoch. Er konnte nicht auf Anhieb sagen, welcher Schaden der Leiche sonst noch zugefügt worden war. Er konnte ihr Gesicht nicht sehen; es war unter ihren ausgestreckten Armen in den Schotter gedrückt.

Unterwerfung, dachte er. Martin deutete auf den Rumpf des Mädchens und fragte einen der Forensiker: »Die Todesursache? Woran ist sie gestorben?«

Der Mann beugte sich herunter und zeigte auf eine kleine rote Stelle an der Schädelbasis, wo ihr langes, dunkelblondes Haar blutverfilzt war.

»Einschusswunde«, erklärte der Mann. »Werden sehen, wo sie auf der anderen Seite rausgekommen ist. Sieht ziemlich groß aus. Jedenfalls groß genug. Wahrscheinlich neun Millimeter. Vielleicht Kaliber .357. Sobald wir sie umdrehen, wissen wir mehr. Vielleicht steckt die Kugel noch.«

Jeffrey starrte erneut auf die eingeritzte Figur auf ihrem Rücken und erkannte, was es war. Wegen der starken Lampen war ihm warm, ja heiß. Er wäre am liebsten ins Dunkel getreten, wo es kühler war und er das Gefühl hatte, Luft zu bekommen. Er entfernte sich ein Stück von der Leiche, dann sah er sich wieder zu den Männern um, die dort in der Runde standen. Er ging in die Hocke, berührte den sandigen Boden und rieb etwas davon zwischen den Fingern. Als er den Kopf hob, sah er Martin herüberkommen.

»Nicht unser Mann, gottverdammt«, fluchte der Detective. »Jesus, was für eine Schweinerei. Muss wohl ein Freund gewesen sein oder auch der Nachbar, auf dessen Kinder sie aufgepasst hat, oder ein Perverser an ihrer Schule, der Sport unterrichtet oder als Hausmeister arbeitet und irgendwie durch die Maschen der Einwanderungskontrollen geschlüpft ist, gottverdammt, oder sonst wer, aber nicht unser Mann. Scheiße! So was darf nicht passieren! Nicht hier. Jemand hat hier ordentlich Scheiße gebaut.«

Jeffrey lehnte sich rücklings gegen einen großen Stein. »Wieso meinen Sie, es sei nicht unser Mann?«, wollte er wissen.

Martin starrte ihn einen Moment lang düster an, dann antwortete er: »Verflucht, Professor, haben Sie keine Augen im Kopf? Die Körperstellung ist anders. Die Todesursache, Erschießen, ebenfalls anders. Etwas, das in ihren Rücken geschnitten ist, wieder anders. Und ihr gottverdammter Finger. An der falschen Hand. Bei den anderen drei war es die rechte, hier ist es links.«

»Aber woanders getötet und dann hierher gebacht. Was haben die Landvermesser gerade gemacht, als sie sie fanden?«

Martin zog für einen Moment die Stirn in Falten, dann berichtete er: »Erste Vermessungen für eine neue Stadt. Das war ihr erster Tag hier oben. Sie waren seit heute Morgen dran, wollten gerade Feierabend machen und beschlossen, noch ein paar Grundstücke durchzugehen, als sie auf die Leiche stießen. Der eine hat sie durch den Sucher entdeckt. Und?«

»Irgendwo gibt es einen Zeitplan, richtig? Oder irgendetwas, aus dem hervorging, dass die Männer früher oder später hier sein würden, ja?«

»Sicher. Es stand in der Zeitung. Immer eine Schlagzeile wert, wenn eine neue Stadt in Planung geht. Außerdem kommt es in die elektronischen Anzeigetafeln.«

»Wissen Sie, was das ist, das auf ihrem Rücken?«, fragte Clayton.

»Keine Ahnung. Irgendeine geometrische Form.«

»Ein Pentagramm.«

»Na schön, ein Pentagramm. Und?«

»Wird gewöhnlich mit Satan und Satanskult assoziiert.«

»Mensch, Sie haben recht. Glauben Sie, dass wir einen verrückten Hexenkult haben, der hier draußen sein Unwesen treibt? Typen, die nackt den Mond anbeten, es alle miteinander treiben und sich darüber austauschen, wie sie Hühnern und Katzen den Kopf abhacken? So 'nen Schwachsinn, wie sie ihn in Südkalifornien haben? Mehr will ich gar nicht wissen.«

»Nein. Auch wenn der Mörder möglicherweise, nein, höchstwahrscheinlich davon ausgehen wird, dass Sie es mit so etwas in Verbindung bringen. Etwas, das Sie viel Zeit und Energie kosten wird, um es zu überprüfen. Sehr viel Zeit und sehr viel Energie.«

»Worauf wollen Sie hinaus, Professor?«

Jeffrey zögerte und starrte in den Himmel. Er blinzelte in die endlose blauschwarze, sternenübersäte Weite. Ich sollte mich mit Astronomie befassen, dachte er. Wäre schön zu wissen, wo Orion ist und wo Kassiopeia und all die anderen Sternbilder. Dann könnte ich nachts in den Himmel schauen und hätte das Gefühl, ich würde mich auskennen, als herrschte eine Ordnung im All.

Er senkte den Blick und sah den Detective an. »Es ist unser Mann«, sagte Jeffrey. »Er ist allerdings clever.«

»Überzeugen Sie mich.«

»Die anderen waren Engel, sie hatten die Augen geöffnet,

sozusagen auf Gott gerichtet und die Arme weit ausgebreitet, um ihn zu begrüßen. Diese hier hat das Zeichen Satans auf dem Rücken, und sie betet mit dem Gesicht zur Erde. Ihr Finger fehlt links. Die Linke ist die Hand des Teufels, die Rechte die des Himmels. Jedenfalls in einigen Traditionen. Er hat lediglich ein paar Dinge herumgedreht. Es ist im Prinzip dasselbe, nur ins Gegenteil gewendet. Himmel und Hölle. Ist das nicht die Dichotomie, mit der wir ständig kämpfen? Ist das nicht genau das, was Sie hier im Moment zu vermeiden suchen?«

Martin schnaubte verächtlich. »Klingt nach einer Menge religiösem Unsinn«, gab er zurück. »Sozioreligiöser Quark. Dann sagen Sie mir doch bitteschön auch, weshalb er es diesmal mit 'ner Pistole und nicht mit dem Messer gemacht hat?«

»Weil nicht das Töten als solches ihm den Kick verschafft«, erklärte Jeffrey kalt. »Ich glaube, es ist ihm ziemlich egal, mit welcher Waffe er die jungen Frauen umbringt. Es geht ihm um den ganzen Akt. Das Kind zu stehlen und es zu besitzen, physisch, emotional und psychologisch, und sie anschließend an eine Stelle zu bringen, an der sie gefunden werden muss. Reizt es etwa einen Maler, ein Bild zu malen und es dann niemandem zu zeigen? Oder einen Autor, ein Buch zu schreiben und es dann keinem Menschen zum Lesen zu geben?«

Noch eine Frage kam ihm in den Sinn: Wie kann man in die Geschichte eingehen, wenn so viele andere im Laufe so vieler Jahrhunderte mehr oder weniger auf dieselbe Weise in die Annalen eingegangen sind?

»Woher wollen Sie das wissen?«, wiederholte Martin mit Nachdruck seine Frage. »Wie können Sie so sicher sein?«

Ich weiß es eben, sagte Jeffrey langsam in Gedanken.

Detective Martin blieb er eine Antwort schuldig.

Es war nach Mitternacht, als Martin Clayton mit den üblichen spätabendlichen Floskeln vor dem Gebäude der Bundesstaatsregierung absetzte: »Schlafen Sie erst mal 'ne Runde, morgen früh legen wir los.« Dann fuhr Martin weiter und ließ den Professor vor dem Betonklotz stehen. Die umliegenden Gebäude, die als Firmensitze dienten, waren über Nacht alle geschlossen und bis auf die eine oder andere Beleuchtung eines Logos dunkel. Die Parkplätze waren verwaist; aus der Ferne schimmerten die Lichter von New Washington herüber, doch selbst dieses Zeichen menschlicher Gegenwart ging in der Stille unter, die den Professor einhüllte. Er zog einmal heftig die Schultern hoch – teils gegen die Kälte, die ihm schon den ganzen Abend zugesetzt hatte, vor allem aber gegen das Gefühl der Isolation, das ihn überwältigte.

Er kehrte der Dunkelheit den Rücken und marschierte zügig durch die Tür des Regierungsgebäudes. In der Mitte der Eingangshalle befand sich eine Loge des Wachdienstes, die von einem einzigen Beamten in Uniform besetzt war. Sein Gesicht wurde hinter dem großen Schreibtisch vom bleichen Schimmer eines kleinen Fernsehmonitors erleuchtet. Er winkte Clayton zu.

»Spät geworden, wie?«, rief er, ohne eine Antwort zu erwarten. »Woll'n Sie hier bitte unterschreiben?«

»Wer gewinnt?«, fragte Jeffrey. Das Formular, das der Mann ihm reichte, war leer. Keine anderen Besucher nach Büroschluss. Auf dem Blatt würde nur sein Name stehen.

»Gleichstand«, antwortete der Mann. Er verriet ihm nicht, wer gegen wen spielte, sondern wandte sich, nachdem er das Klemmbrett wieder an sich genommen hatte, erneut dem Bildschirm zu.

Jeffrey überlegte einen Moment, ob er sich mit dem Mann ein wenig unterhalten sollte, taxierte dann aber den Grad seiner Erschöpfung und kam zu dem Schluss, dass er – egal, wie einsam er sich fühlte – lieber ein paar Stunden schlafen sollte, als die Meinung des Wachmanns über Sport, Dienst und das Leben im Allgemeinen zu erfahren. Er schlurfte zum Fahrstuhl, stieg auf dem Geschoss mit seinem Büro aus und ging langsam den leeren Flur entlang, in dem seine Schritte widerhallten.

Er legte die Hand auf das elektronische Sicherheitsschloss, und die Tür sprang mit einem dumpfen Klicken auf. Jeffrey trat ein, um sofort in das angrenzende Schlafzimmer weiterzugehen und nach allem, was er an diesem Tag gesehen und gehört hatte und was er zu wissen glaubte, einen klaren Kopf zu bekommen. Er nahm sich vor, vieles davon schriftlich festzuhalten; es war wichtig, seine Beobachtungen und Überlegungen in einer Art Tagebuch zu notieren, so dass er, wenn sie genügend Material in Händen hatten, um damit vor Gericht gehen zu können, seine gesamte Arbeit schwarz auf weiß vor sich hatte. Außerdem, so fiel ihm ein, musste er ein paar ergänzende Informationen auf die Tafel schreiben. Er dachte an die zwei Spalten, die er angefangen hatte, und auf dem Weg zum Bett spähte er noch einmal über die Schulter zu seiner Tafel.

Er blieb ruckartig stehen.

Er sackte mit dem Rücken an die Wand und schnappte nach Luft.

Er schaute in alle Richtungen, um zu sehen, ob etwas fehlte, dann starrte er erneut die Kreidetafel an. Das muss irgendein dummer Zufall sein, dachte er. Vielleicht eine Putzkolonne. Bestimmt gibt es irgendeine simple Erklärung dafür.

Doch außer der naheliegenden fiel ihm keine ein.

Jeffrey pfiff langsam durch die Zähne. Nichts ist sicher, gestand er sich ein.

Er blieb mehrere Minuten lang stehen und betrachtete die leere Hälfte der Tafel. Die Rubrik *Falls uns der Mörder nicht bekannt ist* war ausgewischt.

Langsam und behutsam, als tappte er durch einen dunklen Raum und versuchte, nicht zu stolpern, näherte er sich der Tafel. Er nahm ein Stück Kreide zur Hand und kämpfte gegen den Tumult in seinem Kopf an, während er sorgfältig jedes Wort ersetzte, das gelöscht worden war, und dabei nur einen klaren Gedanken fassen konnte: Außer dir und mir muss niemand erfahren, dass du hier gewesen bist.

ZEHN
DIANA CLAYTONS ANGST

Diana Clayton betrachtete ihre Tochter und dachte, dass es allen Grund zur Sorge gab, dass es zugleich aber wichtig war, sich nicht anmerken zu lassen, wie sehr das, was passiert war, ihre eigenen Ängste schürte. Sie saß unerschütterlich in einer Ecke des abgewetzten, weißen Baumwollsofas in ihrem kleinen, entschieden zu vollgestopften Wohnzimmer und trank langsam und bedächtig ein kaltes Bier. Sie ließ die Flasche sinken, stellte sie auf den Oberschenkel und strich immer wieder mit den Fingern den Flaschenhals hoch und runter – eine unbewusste Bewegung, die man bei einer jüngeren Frau für sexuelle Signale hätte halten können, bei ihr jedoch nur die angestaute Nervosität zum Ausdruck brachte.

»Wir können letztlich nicht sagen, ob es eine Verbindung gibt«, stellte sie brüsk fest. »Es kann irgendein Fremder gewesen sein.«

Susan stand im Zimmer. Sie war in einen Sessel gesunken, gleich wieder aufgesprungen und zu einem hölzernen Schaukelstuhl hinübergegangen; da sie sich auch dort nicht wohlfühlte, hatte sie sich wieder erhoben und war im Zimmer auf und ab gelaufen – eine unwillige Bewegung, die an einen großen Fisch erinnerte, der an der gespannten Angelleine zerrte.

»Aber klar doch«, meinte sie in einer Aufwallung von Sarkasmus und in einem Ton, der darauf zielte, ihre Mutter aus der Fassung zu bringen, jedoch nicht, sie zu verletzen. »Es könnte jeder gewesen sein. Irgend so ein alter Knabe, der mir und diesem armen Arschloch rein zufällig in die Damentoilette gefolgt ist und ebenso zufällig ein praktisches Jagdmesser in der Hosentasche hatte. Er erfasst die Situation und beschließt, dem dummen Hund damit die Kehle aufzuschlitzen, was er mit einem gekonnten und beherzten Schnitt dann auch tut. Nachdem ihm nun klar ist, dass er mich vor einem Schicksal schlimmer als der Tod bewahrt hat, zieht er sich vornehm zurück, weil er sich denken kann, dass die Situation nicht eben ideal ist, um sich ausgiebig miteinander bekannt zu machen, und gepflegte Umgangsformen ohnehin nicht seine Stärke sind.«

Sie funkelte ihre Mutter an. »Komm schon, Mutter. Das kann nur er gewesen sein.« Sie ließ langsam die Luft zwischen den Lippen entweichen. »Wer zum Teufel *er* auch sein mag.«

Die Tochter hielt den Zettel mit der kryptischen Botschaft des Mannes hoch. »*Ich bin immer bei dir gewesen*«, las sie verdrießlich. »Dass er heute Abend da war, kam gelegen.«

Diana hatte das Gefühl, als klirrten die Worte ihrer Tochter in dem kleinen Raum. »Du warst bewaffnet«, rief sie ihr in Erinnerung. »Was wäre passiert?«

»Dieses betrunkene Schwein war kurz davor, die verdammte Tür einzutreten, und ich war kurz davor, ihm zwischen die Augen oder die Beine zu schießen, was immer unter den gegebenen Umständen passender geschienen hätte.«

Susan murmelte leise ein, zwei Obszönitäten, dann trat sie ans Fenster und starrte in die Nacht. Sie konnte kaum etwas sehen, und so legte sie die Hände an die Schläfen, um das Licht aus dem Wohnzimmer abzuschirmen, und drückte das Gesicht an die Scheibe. Sie sah, wie die Dunkelheit von dem heftigen Gewitter glitzerte und dampfte, das wenige Stunden zuvor über der Gegend niedergegangen war. Es hatte lediglich ein paar abgerissene Palmwedel auf der Straße hinterlassen sowie größere Pfützen in Schlaglöchern und Bodenwellen sowie eine drückende Schwüle, die aus dem Unwetter nur noch gestärkt hervorgegangen war. Sie starrte in die Nacht und war sich nicht sicher, ob sie lieber die Leere sah, die ihre einsame Lage unterstrich, oder den Schatten des Mannes, der irgendwo unmittelbar hinter ihrem Garten lauerte, was sie für wahrscheinlich hielt.

Sie sah niemanden, was sie von nichts überzeugte. Nach einer Weile griff sie nach der Jalousie und zog sie mit lautem Klappern herunter.

»Was mir wirklich auf den Geist gegangen ist«, sagte sie bedächtig und drehte sich wieder zu ihrer Mutter um, »war weniger, *was* passiert ist, sondern *wie*.«

Diana nickte, um ihre Tochter zum Reden zu ermuntern, da es ihr selbst genauso ging.

»Rede weiter«, forderte die ältere Frau sie auf.

»Na ja, offenbar hat er keine Sekunde gezögert«, fuhr Susan fort. »Jedenfalls nicht, dass ich wüsste. Eben noch lungert dieser betrunkene Kotzbrocken da draußen, der Gott weiß was mit mir vorhat, mindestens schon mal, mich zu vergewaltigen, und donnert an die Tür. Im nächsten Moment hör ich, wie die andere Tür aufgeht und der Kerl nur noch gerade eben sagen kann: ›Wer zum Teufel sind Sie denn?‹, und dann – ratsch! Mit einem Messer, einer Rasierklinge oder was auch immer er praktischerweise zur Hand hatte. Der ist da zur Klotür reinmarschiert und wusste schon vorher, was er machen würde, und er brauchte keine Sekunde, um die Situation zu überblicken. Keine Sekunde, um Angst zu bekommen, nachzudenken, es sich noch einmal zu überlegen, in Stellung zu gehen oder auch nur dem Kerl zu drohen. Der muss einfach nur einen Schritt auf ihn zu gemacht haben und – Zack!«

Susan trat nach vorn und beschrieb mit dem Arm eine schneidende Bewegung.

»Das heißt, ›zack‹ trifft die Sache nicht«, schränkte sie ruhig ein. »Es gab kein ›zack‹! Dafür war es zu schnell.«

Diana biss sich auf die Lippen, bevor sie sagte: »Überleg mal. Ist dir irgendetwas aufgefallen, was vielleicht darauf hindeuten könnte, dass es bei dem Verbrechen um etwas anderes gegangen ist? Hast du vielleicht –«

»Nein!«, unterbrach sie Susan. Dann verstummte sie und rief sich im Stillen noch einmal die Szene in der Damentoilette vor Augen. Sie erinnerte sich an die tiefrote Farbe der Blutlache, die sich unter dem Toten bildete, und wie hart sie sich von dem hellen Linoleum abhob.

»Er wurde beraubt«, fügte sie langsam hinzu. »Zumindest war seine Brieftasche aufgeklappt, und sie lag neben ihm auf dem Boden. Das ist immerhin etwas. Und sein Hosenlatz stand offen.«

»Noch irgendwas?«

»Nicht, dass ich wüsste. Ich bin nichts wie raus.«

Diana dachte angestrengt über die Brieftasche nach. »Ich denke, wir sollten Jeffrey anrufen«, erklärte sie. »Er könnte uns mit Sicherheit sagen, was davon zu halten ist.«

»Wieso? Das ist mein Problem. Wir machen ihm nur unnötig Angst.«

Diana wollte etwas erwidern. Dann überlegte sie es sich anders. Sie sah ihre Tochter an und versuchte, hinter die Fassade des starren Blicks und der verspannten Schultern zu schauen, und sie merkte, wie sie eine gewaltige Mutlosigkeit überfiel, denn sie verstand, dass sie vor langer, langer Zeit so von dem Gedanken besessen gewesen war, ihre Kinder physisch zu retten, dass ihr darüber entgangen war, was sonst noch gerettet werden musste. Kollateralschäden, sagte sie sich. Das Unwetter knickt einen Baum um, der gegen ein Stromkabel kracht, der in eine Pfütze fällt und das Wasser mit der tödlichen Voltzahl lädt, die den ahnungslosen Mann umbringt, der den Hund ausführt, nachdem sich die Wolken verzogen haben und die Sterne am Himmel stehen. Das ist mit meinen Kindern passiert, dachte sie voller Bitterkeit. Ich hab sie vor dem Gewitter gerettet und nicht mehr.

Die Zweifel verliehen ihrer Stimme einen harten Klang. »Jeffrey ist Experte für Tötungsdelikte. Alle möglichen Tötungsdelikte. Und falls wir wirklich in Gefahr sind – was wir nicht mit

Sicherheit sagen können, was aber durchaus möglich ist –, dann hat er ein Recht darauf, es zu erfahren, und er verfügt vielleicht über ein Wissen, das uns in dieser Situation weiterhelfen kann.«

Susan schnaubte. »Er hat sein eigenes Leben und seine eigenen Probleme. Bevor wir ihn um Hilfe bitten, sollten wir uns sicher sein, dass wir sie brauchen.«

Es klang, als hätte sie ein entscheidendes Argument gebracht, das ihren Standpunkt stichhaltig untermauerte. Doch ihrer Mutter entging die Logik.

Diana wollte etwas erwidern, doch in diesem Moment durchzuckte sie ein spitzer Schmerz, der in alle Richtungen ausstrahlte, und sie schnappte nach Luft, um ihn zu unterdrücken. Der Schmerz war wie ein Schock für ihren Körper und durchfuhr sie wie ein Stromschlag, so dass ihre sämtlichen Nervenenden unter Hochspannung standen. Sie wartete, bis die Woge sich legte und schließlich verebbte. Sie rief sich ins Gedächtnis, dass der Krebs, der in ihr wütete, sich wenig um ihre Gefühle scherte und schon gar nicht um andere Probleme, die sie vielleicht hatte. Er war das genaue Gegenteil des Mordes, dessen Zeuge ihre Tochter an diesem Abend geworden war. Er war langsam und heimtückisch geduldig. Er verursachte vielleicht genauso viel Schmerzen wie das Messer des Mannes, doch er ließ sich dabei Zeit. Er hatte nichts Eiliges oder Abruptes an sich, doch am Ende würde er sich als genauso tödlich erweisen wie eine Klinge oder eine Patrone.

Ihr war ein wenig schwindelig, doch sie kämpfte mit ein paar tiefen Atemzügen dagegen an wie ein Taucher vor dem Sprung ins Wasser.

»Also gut«, meinte sie. »Was schließt du aus der Brieftasche, die du gesehen hast?«

Susan zuckte die Achseln, doch bevor sie etwas erwidern konnte, fuhr ihre Mutter fort: »Dein Bruder würde Folgendes sagen: Wir leben in einer gewalttätigen Welt, in der wenig Zeit bleibt und wenig Interesse besteht, ein Verbrechen *tatsächlich aufzuklären*. Die Polizei versucht, für Ordnung zu sorgen, was sie mit einiger Rücksichtslosigkeit tut. Und wenn sie es mit einem Verbrechen zu tun hat, auf das es eine einfache Antwort gibt, dann wird sie versuchen, diese Antwort zu geben, denn das hilft, die Routine des Lebens aufrechtzuerhalten, jedenfalls so gut es geht. Doch wenn das Opfer nicht gerade eine bedeutende Persönlichkeit ist, dann wird es einfach ignoriert und als ein weiteres Beispiel für die gefährlichen Zeiten, in denen wir leben, abgehakt. Und ein halb betrunkener, geiler Vertreter des mittleren Managements klingt mir nicht gerade nach einem Fall, der politisch für Wirbel sorgen könnte. Aber nehmen wir trotzdem mal an, irgendein Detective würde sich für den Fall interessieren, was bekommt er zu sehen? Eine Brieftasche und eine offene Hose. Ein Raubmord. Bingo. Und er wird sich denken, dass in dieser nicht eben erstklassigen Bar ein paar Mädchen anschaffen waren und dass es eine von denen war, vielleicht auch ihr Zuhälter. Und bis dieser überarbeitete Detective spitzkriegt, dass dieser scheinbar so wasserdichte Fall in Wahrheit ganz anders liegt, ist alles viel zu lange her, und er wird wenig Neigung verspüren, ihn unter seinem Stapel weiterer hundert Fälle wieder vorzukramen. Besonders, wenn er feststellt, dass es in dieser Bar keine Überwachungskameras gab, die den Publikumsverkehr dokumentiert. Das alles, würde dein Bruder dir sagen, hat der Mörder erreicht, indem er sich einfach das Bargeld des Opfers genommen und die Brieftasche offen liegen gelassen hat. So einfach ist das.«

Susan hörte ihr zu und zögerte mit ihrer Antwort. »Ich könnte immer noch freiwillig zur Polizei gehen.«

Diana schüttelte energisch den Kopf. »Und welche Hilfe erwartest du dir davon, wenn du ihnen im selben Moment eine wunderbare Verdächtige auf dem Tablett servierst, nämlich dich selbst? Denn die werden dir mit Sicherheit nicht abkaufen, dass jemand Unbekanntes dich bewacht. Noch dazu heimlich. Jemand, der kein Gesicht und keinen Namen hat und über den du nicht das Geringste weißt außer ein paar kryptischen Botschaften, die er dir vor dem Haus hinterlässt, und der zufälligerweise auch noch die Fähigkeiten und Kenntnisse besitzt, um jemanden ins Jenseits zu befördern, der dir zu nahetritt. So etwas wie ein selten böser Schutzengel vielleicht.«

Diana verstummte.

Wieder drehte sich ihr der Kopf, und der Schmerz wallte ihr durch den Körper.

Auf dem Couchtisch vor ihr stand ein Pillendöschen. Sie griff langsam und vorsichtig danach und schüttete sich zwei Tabletten auf die Hand. Sie schluckte sie und spülte sie mit dem letzten warmen Bier herunter, das in der Flasche übrig war.

Doch was ihr tatsächlich Qualen bereitete, war weniger ihre Krankheit, die sich so plötzlich meldete, sondern die Worte, die sie eben selbst ausgesprochen hatte. *So etwas wie ein selten böser Schutzengel vielleicht.* Denn ihr fiel nur eine Person ein, auf die diese Beschreibung passte.

Aber er ist tot, gottverdammt!, brüllte sie sich innerlich an. Er ist vor Jahren gestorben! Wir sind ihn los!

Nichts davon sprach sie aus. Stattdessen ließ sie diese Angst in ihrem Innern bohren – nicht weit von der Stelle, an der die Schmerzen zustachen.

An diesem Abend aßen sie fast schweigend, ohne die Botschaften oder den Mord noch einmal zu erwähnen, geschweige denn zu diskutieren, was sie deswegen unternehmen würden. Anschließend zogen sich beide Frauen in ihre kleinen Zimmer zurück. Susan stand am Fußende ihres Bettes und wusste, dass sie zugleich erschöpft und aufgewühlt war. Obwohl sie dringend Schlaf benötigte, würde sie keinen bekommen. Sie zuckte die Achseln, wandte sich vom Bett ab und warf sich stattdessen auf ihren Schreibtischstuhl. Sie spielte ein wenig auf ihrer Computertastatur herum und machte sich klar, dass sie sich für den Mann, der ihr nach ihrer festen Überzeugung das Leben gerettet hatte, eine weitere Botschaft aus den Fingern saugen musste.

Sie ließ den Kopf in die Hände fallen und schüttelte ihn ein paar Mal kräftig.

Von dem Mann gerettet, der mich bedroht.

Die Ironie der Situation hätte sie wesentlich besser zu schätzen gewusst, hätte sie jemand anderen betroffen; deshalb konnte sie nur müde lachen. Dann hob sie das Gesicht und fuhr den Computer hoch.

Sie probierte Worte und Phrasen aus, fand jedoch nichts, was ihr gefiel – vor allem weil sie nicht wusste, was sie sagen wollte.

Frustriert stand sie vom Schreibtisch auf und ging zu ihrem Schrank. An seiner Rückwand hatte sie ihre sämtlichen Waffen aufgereiht: das Sturmgewehr, mehrere Pistolen sowie Patronenschachteln. Auf einem angrenzenden Regal befanden sich einige Fliegenrollen und Angelschnüre, ein Waidmesser in einer Scheide und drei Fliegenboxen vollgestopft mit leuchtend bunten Attrappen sowie Cockroach-Tarpon-Fliegen, ein paar Nachahmungen von Pistolenkrebsen, Crazy-Charly- und blassbraunen Krabbenfliegen, die sie benutzte, wenn sie nach Pompanos fischte. Sie nahm eine Box und schüttelte sie.

Irgendwie seltsam: Die erfolgreichsten Köder waren selten die naturgetreuesten Imitationen. Oft deutete derjenige, mit dem sich am besten angeln ließ, Form und Farbe nur vage an, ein Anreiz, hinter dem sich ein tödlicher, salzwasserresistenter Stahlhaken verbarg.

Susan stellte die Kiste zurück und griff nach dem langen Filetiermesser. Sie zog es aus der Kunstlederscheide und hielt es vor sich hin. Sie strich mit dem Finger entlang der stumpfen Seite. Die Klinge war schmal und leicht nach oben gebogen, wie das selbstzufriedene Grinsen eines Henkers im Moment des Todes, außerdem rasierklingenscharf. Sie drehte das Messer um und legte den Finger sacht auf die Schneide; sie achtete darauf, es keinen Millimeter hin und her zu bewegen, denn das würde ihr das Fleisch aufschlitzen. Mehrere Sekunden lang hielt sie ihre Hand in dieser gefährlichen Stellung. Dann richtete sie die Waffe plötzlich nach oben und schwang sie wenige Zentimeter von ihrem Gesicht entfernt.

Etwas in dieser Art, sagte sie sich. Sie machte vor sich in der Luft eine Schnittbewegung, so wie sie es zuvor im Wohnzimmer ihrer Mutter vorgeführt hatte. Sie lauschte angespannt, als dieses echte Messer durch den leeren Raum schnitt.

Es macht kein Geräusch, stellte sie fest. Nicht mal ein Wispern zur Warnung.

Mit einem Schaudern steckte sie die Waffe wieder in die Scheide und legte das Ganze auf das Regal zurück. Dann ging sie erneut an den Computer. Sie tippte schnell:

Wieso folgen Sie mir?

Was wollen Sie?

Um fast flehentlich hinzuzufügen: *Ich will, dass Sie mich in Ruhe lassen.*

Susan starrte auf die Worte, die sie geschrieben hatte, und machte sich mit einem tiefen Seufzer daran, sie in ein Rätsel einzukleiden, das sie ihrer Kolumne beifügen konnte. *Mata Hari*, flüsterte sie ihrem Alter Ego zu, *finde etwas wirklich Kryptisches und Schwieriges, damit er was zum Beißen hat, denn ich hätte gerne ein paar Tage Zeit, um mir darüber klar zu werden, was ich als Nächstes unternehmen will.*

Diana kauerte auf dem Bettrand und dachte über den Krebs nach, der sie langsam, aber sicher von innen her zerfraß. Auf eine perverse Art und Weise fand sie es interessant – diese Krankheit aus heiterem Himmel, die sich aus einer Laune heraus an ihre Bauchspeicheldrüse geheftet hatte. Immerhin hatte sie sich den größten Teil ihres Lebens über so viele Dinge Sorgen gemacht, ohne dass es ihr je in den Sinn gekommen wäre, dieses Organ tief in ihrem Bauch könnte sich eines Tages als Verräter erweisen. Sie zuckte die Achseln und fragte sich nicht zum ersten Mal, wie ihre Bauchspeicheldrüse wohl aussehen mochte. War sie rot? Grün? Violett? Waren die kleinen Krebsgeschwüre schwarz? Was tat sie für ihren Körper, abgesehen davon, dass sie ihn jetzt langsam tötete? Wozu brauchte sie überhaupt eine Bauchspeicheldrüse? Wozu brauchte sie die anderen Organe; die Leber, den Dickdarm, Magen und Dünndarm und die Nieren – und wieso hatte der Krebs nicht sie befallen? Sie versuchte, sich ihr eigenes Körpergewebe und ihre Organe vorzustellen, als wäre es eine Maschine, ein Motor, der wegen minderwertigem Sprit ins Stottern geraten war. Einen Moment lang wünschte sie sich, sie könnte mit der Hand in ihre Eingeweide greifen und das Organ, das ihr Ärger machte, herausreißen und auf den Boden werfen, so dass es sie nicht mehr umbringen konnte. Sie empfand eine unbändige, nagende Wut, dass ein tief in ihrem Bauch verborgenes Würstchen von einem Organ ihr das Leben nehmen konnte. Ich muss die Sache selbst anpacken, dachte sie. Ich bin Herr im eigenen Haus.

Sie erinnerte sich an den Moment, als sie ihre eigene Zukunft in die Hand genommen hatte, und dachte: Dasselbe mache ich mit meinem Tod.

Sie stand auf und lief durch ihr kleines Zimmer.

Der Regen auf den Keys ist heftig, dachte sie, wolkenbruchartig wie an diesem Abend, wenn es den Anschein hat, als zürnte der Himmel und ließe eine Sintflut niederprasseln, dass die ganze Erde bebt und sich verfinstert. Damals in der Nacht, in der sie vor ihrem Mann floh, war es anders; das war ein kalter, unwirtlicher Regen, der rings um sie spuckte und zischte, ein beunruhigender Regen, der all die Ängste aufpeitschte, die in ihr rumorten. Er war nicht so radikal und übermächtig wie die Unwetter auf den Keys, die ihr inzwischen so vertraut geworden waren; in jener Nacht, in der sie vor ihrem Zuhause, ihrer Vergangenheit und jeder Beziehung geflohen war, die ihre ersten dreißig Lebensjahre ausgemacht hatte, da war es ein Regen des Zweifels gewesen.

In einer Ecke ihres Schlafzimmerschranks verbarg sie eine verschließbare Kassette, nach der sie nun hinter ein paar Leinwänden, alten Farbtuben und Pinseln suchte. Einen Moment lang machte sie sich Vorwürfe: Es gibt keinen guten Grund, mit dem Malen aufzuhören, sagte sie. Selbst wenn du stirbst.

Sie war sich nicht bewusst, dass sie etwas Ähnliches tat wie ihre Tochter. Doch während Susan ein Messer aus ihrem Schrank genommen hatte, kramte Diana eine kleine Kiste mit gut versteckten Erinnerungen hervor.

Die Kassette bestand aus billigem, schwarzem Metall. Früher einmal hatte sie dazu ein kleines Vorhängeschloss besessen, doch Diana hatte den Schlüssel verlegt und war gezwungen gewesen, das Schloss mit einer Feile aufzubrechen. Jetzt hatte es nur noch einen einfachen Verschluss. Wahrscheinlich galt das für die meisten Erinnerungen; egal, wie tief man sie vergraben mochte, sie werden durch die dürftigsten Vorrichtungen gesichert.

Sie stand neben ihrem Bett, öffnete langsam den Behälter und breitete den Inhalt vor sich auf der Tagesdecke aus. Seit Jahren hatte sie nichts mehr hineingelegt oder herausgenommen. Zuoberst befanden sich ein paar Dokumente, darunter eine Kopie ihres Testaments, wonach alles, was sie besaß, wahrlich nicht viel, zu gleichen Teilen an ihre beiden Kinder gehen sollte; eine Versicherungspolice über einen bescheidenen Betrag sowie eine Abschrift der Eigentumsurkunde zu ihrem Haus. Unter diesen Papieren lagen mehrere lose Fotos, eine kurze getippte Liste mit Namen und Adressen, ein Brief von einem Anwalt und eine Hochglanzseite, die aus einer Zeitschrift gerissen war.

Diana nahm zuerst dieses Blatt und ließ sich schwer auf den Bettrand sinken. Am unteren Seitenrand befand sich eine Zahl: zweiundfünfzig. Daneben stand in unglaublich kleinem Druck:

Vierteljahresschrift der St. Thomas More Academy. Frühjahr 1983.

Die Seite enthielt drei Spalten Text. Die ersten beiden trugen die Überschriften *Vermählungen* und *Geburten.* Die dritte war *Nachrufe* betitelt. In dieser Rubrik gab es nur einen einzigen Eintrag, der ihren Blick magisch anzog:

> Mit Betroffenheit hat die Academy vom kürzlichen Ableben des ehemaligen Geschichtsdozenten Jeffrey Mitchell erfahren. Professor Mitchell, ein Violinist von beachtlichem Format, wird vielen Studenten und Kollegen wegen seines Elans, seiner Sorgfalt und seines Witzes in Erinnerung bleiben, hervorragende Eigenschaften, die er in seinen wenigen Jahren an der Academy an den Tag gelegt hat. Für alle, die das Studium der Geschichte und die klassische Musik lieben, bedeutet sein Tod einen schmerzlichen Verlust.

Diana hätte am liebsten gespuckt. Sie hatte einen gallebitteren Geschmack im Mund.

»Bestimmt werden ihn all die Menschen vermissen, die er nicht töten konnte …«, flüsterte sie wütend.

Sie hielt die Seite hoch und rief sich ihre Gefühle damals bei ihrer Entdeckung dieses Eintrags ins Gedächtnis. Staunen. Erleichterung. Danach hatte sie einen unbändigen Freiheitsrausch erwartet, ein absolutes Hochgefühl darüber, nun endlich für immer sicher zu sein, weil diese Bekanntmachung ihr sagte, dass ihre schlimmste Angst – er könnte sie irgendwann finden – nun hinter ihr lag. Doch der große Befreiungsschlag war ausgeblieben. Stattdessen war ein stetig nagender Zweifel nie von ihr gewichen. Was immer die Worte ihr sagten – sie erlaubte sich nicht, ganz und gar daran zu glauben.

Sie legte das Blatt beiseite und wandte sich dem nächsten Dokument zu.

Das Blatt trug den Briefkopf eines Anwalts einer kleinen Kanzlei in Trenton, New Jersey. Der Adressat war eine Miss Jane Jones mit Postfach in North Miami. Sie war zwei Stunden lang in der prallen Sonne von den Keys gen Norden gefahren, nur um in der größten und geschäftigsten Filiale der Stadt ein Postfach zu mieten, und das einzig und allein, um diesen Brief zu bekommen.

Sehr geehrte Miss Jones,
mir ist bewusst, dass dies nicht Ihr richtiger Name ist, und normalerweise würde ich zögern, mit einer fiktiven Person zu korrespondieren, doch unter den gegebenen Umständen will ich versuchen, Ihnen zu helfen.
Ihr getrennt lebender Mann Mr. Mitchell hat sich zwei Wochen vor seinem Tod mit mir in Verbindung gesetzt. Eigentümlicherweise hat er mir gestanden, er habe eine Vorahnung, dass er bald sterben würde, weshalb er sicherstellen wolle, dass seine bescheidenen Angelegenheiten geregelt seien. Ich setzte ein Testament für ihn auf. Er vermachte eine bedeutende Büchersammlung einer örtlichen Bibliothek, während der Erlös aus dem Verkauf seines übrigen Eigentums an eine Kirchengemeinde sowie den lokalen Kammermusikverein gingen. Er hatte ein paar bescheidene Wertpapiere sowie Ersparnisse.
Er ließ mich wissen, dass Sie sich möglicherweise irgendwann an mich wenden würden, um Auskunft über seinen Tod einzuholen, und er hat mich ermächtigt, Ihnen zu eröffnen, was ich über sein Ableben weiß, wie auch eine zusätzliche Erklärung abzugeben.
So viel habe ich über seinen Tod erfahren: Er wurde aus dem Leben gerissen. Er starb spätnachts bei einem Zusammenstoß mit einem anderen Fahrzeug. Beide fuhren mit überhöhter Geschwindigkeit und prallten frontal zusammen. Die Opfer konnten nur mithilfe ihres Dentalstatus identifiziert werden. Die Polizei in der kleinen Stadt in Maryland, in der sich die-

ser Unfall ereignete, kamen aufgrund von Zeugenaussagen Überlebender zu dem Schluss, dass Ihr Mann sein Fahrzeug genau in Fahrtrichtung des heranbrausenden Sattelschleppers gelenkt hat. Sein Tod wurde folglich als Selbstmord am Steuer registriert.

Mr. Mitchells sterbliche Überreste wurden eingeäschert und auf dem Woodlawn Cemetery bestattet. Er hatte keine Vorkehrungen für einen Grabstein getroffen, sondern nur für eine kleine Beisetzung. Soweit ich unterrichtet bin, hat niemand an der Trauerfeier teilgenommen. Er sagte, er habe keine weiteren lebenden Verwandten und keine wirklichen Freunde.

In unseren wenigen Gesprächen erwähnte er nie, dass er Kinder habe und traf keinerlei Vorkehrungen, ihnen etwas zu hinterlassen.

Die Erklärung, die ich für den Fall an Sie weitergeben sollte, dass Sie je mit dieser Kanzlei Kontakt aufnehmen, war, seinem Wortlaut nach, sein Geschenk an Sie. Diese Erklärung lautet: »In guten wie in schlechten Tagen, in Reichtum und Armut, in Gesundheit und Krankheit, bis dass der Tod uns scheidet.«

Es tut mir leid, wenn ich Ihnen mit keinen weiteren Auskünften dienen kann.

Der Anwalt hatte mit einem Schnörkel unterzeichnet: *H. Kenneth Smith*. Sie hätte ihn damals am liebsten angerufen, denn sie hatte das Gefühl, dass der Brief mehr Fragen offenließ als Antwort gab, doch sie hatte der Versuchung widerstanden. Stattdessen hatte sie, nachdem sie den Brief gelesen hatte, sofort ihr Postfach geschlossen und keine Nachsendeadresse hinterlassen.

Jetzt legte sie den Brief neben den Nachruf der St. Thomas More Academy und starrte die beiden Dokumente an.

Sie erinnerte sich, dass ihr die Kinder bei ihrer Ankunft in Südflorida noch wie Babys erschienen waren. Das hatte sie gehofft; sie hatte sich sehnlichst gewünscht, in ihren Köpfen jede Erinnerung an ihr Leben in dem Haus in New Jersey ein für alle Male zu tilgen. Sie hatte bewusst dafür gesorgt, dass alles anders war – die Kleider, die sie trugen, das Essen, das sie aßen. Jeden Stoff, jeden Geschmack und jeden Geruch, die sie an die Zeit vor ihrer Flucht erinnern konnten, hatte sie verbannt. Sogar ihren Akzent. Sie hatte hart daran gearbeitet, sich etwas von den Sprechgewohnheiten des Südens anzueignen. Bubba-Sprache nannten es die Einheimischen. Sie unternahm alles, was ihnen im Lauf ihrer Kindheit das Gefühl vermitteln konnte, ihr Leben hätte auf den Keys begonnen.

Sie griff in die Box und holte eine getippte Namensliste und ein kleines Päckchen Fotos heraus. Ihr zitterten die Hände, als sie die Bilder auf dem Schoß hielt. Seit Jahren hatte sie keinen Blick mehr darauf geworfen. Eins nach dem anderen hielt sie sie hoch.

Die Ersten waren Bilder von ihren Eltern sowie ihrem eigenen Bruder und ihrer Schwester, als sie selbst jung waren. Sie waren an einem Strand in New England gemacht worden, und mit den altmodischen Badeanzügen, Liegestühlen, Schirmen und Kühlboxen wirkten sie alle ein wenig lächerlich. Es war ein Bild von ihrem Vater dabei, auf dem er eine lange Brandungsangel in der Hand hielt und seine Wasserstiefel trug, die Kappe mit dem schwertfischförmigen Schirm aus der Stirn geschoben; mit breitem Grinsen zeigte er auf den großen Steinbarsch, den er an den Kiemen hielt. Er ist jetzt tot, dachte sie. Muss er sein. Zu viele Jahre sind seither vergangen. Ich wünschte, ich wüsste es sicher, es kann aber nicht anders sein. Er wäre stolz, wenn er erführe, dass seine Enkeltochter eine genauso hervorragende Anglerin ist wie er. Er hätte es so genossen, nur ein einziges Mal mit ihr zusammen im Skiff herauszufahren.

Sie legte dieses Bild weg und nahm ein anderes in die Hand, von ihrer Mutter zusammen mit Dianas Schwester und Bruder. Sie hielten alle die Arme verschränkt, und man konnte deutlich sehen, dass sie genau in dem Moment abgedrückt hatte, als die Pointe eines Witzes fiel, da sie alle schallend lachten und die Köpfe zurückwarfen. Das hatte sie so an ihrer Mutter gemocht – sie hatte immer über alles lachen können, egal, wie hart die Zeiten waren. Eine Frau, die schlechten Nachrichten trotzte, musste Diana denken. Ich hab meine Sturheit wohl von ihr. Sie ist zweifellos auch längst tot. Oder aber viel zu alt und vergesslich. Sie betrachtete das Bild zum zweiten Mal und merkte, wie in ihr die Einsamkeit hoch kroch. Wenn sie sich nur an den Witz erinnern könnte, über den sie auf dem Foto lachten. Sonst nichts, einfach nur dieser Witz, das wäre schön.

Sie seufzte tief. Sie betrachtete ihren Bruder und ihre Schwester und flüsterte: »Es tut mir leid.« Einen Moment lang fragte sie sich, ob für sie alle das Leben schwerer geworden war, als sie verschwand. Geburtstage, Familienfeiern, Weihnachtsfeste. Wahrscheinlich auch Hochzeiten, Geburten, Tode, all die gewöhnlichen Ereignisse im Leben einer Familie mit einem einzigen tödlichen Schwertstreich ihres Willens abgeschnitten. Sie hatte ihnen kein Wort der Erklärung zukommen lassen, nicht eine Silbe der Kommunikation. Wenn sie eines in der Nacht, in der sie vor Jeffrey Mitchell floh, mit Sicherheit wusste, dann dies: Ein neues Leben für sich und ihre Kinder konnte sie sich nur an einem sicheren Ort erhoffen. Und die einzige Möglichkeit, sich diese Sicherheit zu erobern, bestand darin, nie aufzutauchen, denn dann würde er sie finden. So viel wusste sie mit absoluter Gewissheit.

In der Nacht bin ich gestorben. Und wiederauferstanden.

Sie legte die Fotos beiseite und sah sich die getippte Liste an. Sie enthielt die Namen und die letzten Adressen, die sie von ihren sämtlichen Verwandten wusste. Sie war, so hoffte sie, für ihre Kinder eines Tages von Nutzen. Irgendwann einmal würde es möglich sein, wieder mit der Familie in Verbindung zu treten.

Als sie den Brief des Anwalts bekommen hatte, hatte sie geglaubt, es sei vielleicht schon so weit. Ein Beweis für seinen

Tod. Seit Jahrzehnten lag das Schreiben in der Kassette. Dabei hatte sie nur darauf gewartet. Plötzlich fragte sie sich: Wieso war sie nicht aus der Deckung gekommen, als der Brief eintraf?

Sie schüttelte den Kopf.

Weil ein beträchtlicher Teil von ihr es nicht glauben konnte. Genug, um nicht ihr eigenes Leben und das ihrer Kinder aufs Spiel zu setzen, egal, wie verlockend der Brief auch klang.

Auf dem Boden der Kiste lag ein kleiner brauner Umschlag, der letzte Gegenstand. Sie nahm ihn so behutsam heraus, als sei er zerbrechlich. Sie machte ihn langsam auf, zum ersten Mal seit vielen Jahren.

Auch darin steckte ein Foto.

Auf diesem Bild war sie sehr jung und saß auf einem Sessel. Beim Anblick ihres Gesichts runzelte sie die Stirn. Mausgrau. Sie versteckte sich hinter einer Brille. Ängstlich und unentschlossen. Schwach. Eine fünfjährige Susan hing an ihrem Schoß, ein Bündel aufgestauter Energie. Der siebenjährige Jeffrey stand neben ihr, doch an sie gelehnt, mit ernstem, besorgtem Gesicht, als wüsste er bereits, dass er seinem Alter weit voraus war. Seine Hand klammerte sich an ihre.

Hinter ihnen, hinter der Lehne ihres Stuhls, ein Stückchen zurückversetzt, befand sich der ältere Jeffrey. Das Bild war mit Selbstauslöser gemacht, die Kamera war vor ihnen aufgestellt gewesen, und dadurch, dass er ein paar Schritt weiter hinten stand, war sein Gesicht verschwommen.

Er wollte sich nie fotografieren lassen. Einen Moment lang starrte sie auf sein Gesicht. Mistkerl, dachte sie.

Jeffrey würde es wissen, wurde ihr klar. Er würde wissen, wie man das Foto einscannen und die Züge mithilfe von Computerprogrammen schärfer bekommen konnte. Anschließend konnten sie ihn elektronisch altern lassen, um zu wissen, wie er jetzt aussah.

Sie hielt mitten im Gedanken inne. »Aber du bist tot«, sagte sie laut. Das Gesicht auf dem Foto blieb stumm.

Sie hatte getan, was sie konnte, dachte Diana. Sie hatte ihr Bestes gegeben, um sich über ihn auf dem Laufenden zu halten, hatte gewissenhaft das Mitteilungsblatt der *Academy* gelesen und heimlich das *Princeton Packet* abonniert, die Wochenzeitschrift, die auch Hopewell abdeckte. Sie hatte daran gedacht, einen Privatdetektiv zu engagieren, doch wie immer verstand sie einen entscheidenden Punkt: Sämtliche Informationen können in zwei Richtungen laufen. Jede Anstrengung, die sie unternahm, um etwas über ihn herauszufinden, wie vorsichtig auch immer, konnte sich als Bumerang erweisen. Und so hatte sie sich über die Jahre auf die wenigen Kanäle konzentriert, die ihr relativ sicher schienen. Diese beschränkten sich im Wesentlichen auf öffentliche Quellen wie Zeitungen und Nachrichtenblätter. Sie sondierte die Alumni-Magazine jeder Schule und Universität, an denen er gelernt oder unterrichtet hatte. Sie las Nachrufe und Zeitungsartikel und achtete sorgsam auf Immobilientransaktionen. Doch größtenteils waren ihre Bemühungen, besonders seit dem Anwaltsbrief, fruchtlos geblieben. Dennoch hatte sie weitergemacht. Darauf war sie ausgesprochen stolz gewesen. Die meisten Menschen hätten sich einfach irgendwann eingeredet, sie seien sicher – aber sie nicht.

Sie sah auf und sprach mit ihrem Mann, als stünde er vor ihr im Zimmer, sei es als Geist oder als Mensch aus Fleisch und Blut.

»Du hast geglaubt, du könntest mich zum Narren halten. Die ganze Zeit hast du gedacht, ich würde tun, was du von mir verlangst, von mir erwartest. Hab ich aber nicht, stimmt's?«

Sie lächelte.

Das muss dich entsetzlich wurmen, dachte sie.

Falls du am Leben bist, muss es dir ein ständiger Dorn im Auge sein.

Und falls du tatsächlich tot bist, dann hoffe ich, dass es dich in irgendeiner Hölle, in der du schmorst, rasend macht.

Diana Clayton holte noch einmal tief Luft.

Sie stand auf und nahm ihre Sachen vom Bett, um sie wieder wegzuschließen. Sie dachte an das, was ihrer Tochter passiert war, und an die Botschaften, die sie bekommen hatte.

Es ist alles ein Spiel, dachte sie bitter. Es war immer ein Spiel.

In diesem Moment beschloss sie, ihren Sohn anzurufen, egal, wie wütend es ihre Tochter machte. Falls diese Botschaften von ihm stammen, falls er uns nach all den Jahren doch gefunden hat, dann hat Jeffrey das Recht, es zu erfahren, da er genauso in Gefahr ist wie wir. Und er hat außerdem das Recht, bei diesem Spiel mit von der Partie zu sein.

Sie ging zu einem kleinen Nachttisch hinüber und nahm das Telefon an sich. Sie zögerte einen Moment, dann wählte sie die Nummer ihres Sohnes in Massachusetts.

Es klingelte nervtötend lange. Sie zählte zehn Klingelzeichen, dann noch einmal zehn. Dann legte sie auf.

Sie sackte schwer aufs Bett.

Diana wusste, dass sie in dieser Nacht nicht schlafen würde. Sie griff nach ihren Schmerztabletten und schluckte mühsam zwei ohne Wasser. Dabei ahnte sie, dass sie gegen den wirklichen Schmerz tief in ihrem Inneren, dieser plötzlichen, schrecklichen, dunkel diffusen Angst nichts ausrichten konnten.

ELF
EIN ORT DER WIDERSPRÜCHE

Jeffrey Clayton rutschte unsicher auf der harten Kirchenbank hin und her, während die Gemeinde ringsum zum stillen Gebet die Köpfe senkte. Er war seit vielen Jahren nicht mehr zum Gottesdienst in einer Kirche gewesen, und die Inbrunst, die ihn umgab, bereitete ihm Unbehagen. Er saß in der letzten Reihe der Unitarierkirche der Stadt, in der die junge Frau, die er nur heimlich als Nummer vier bezeichnete, zu Hause gewesen war.

Die Stadt namens Liberty war noch im Aufbau begriffen. Auf einem Streifen brauner Erde, aus dem bald der zentrale Platz mit Anger werden sollte, standen die Bulldozer in Reih und Glied. An anderen Baustellen stapelten sich die Metallträgerrahmen und wiederum an anderen Baustellen Berge von Schlackensteinen.

Tags zuvor hatte der Baulärm kein Ende gehabt: das Quietschen und Dröhnen der Erdbewegungsgeräte, das schrille Aufheulen von Maschinen, das Rumpeln der Dieselmotoren schwerer Lastwagen. Heute jedoch war Sonntag, und die Ungetüme des Fortschritts standen still. An der Stelle, an der er saß, konnte man die Sägen, Nägel und Rohmaterialien einfach vergessen. Es war ein neuer, strahlender Morgen, durch ein großes Buntglasfenster mit der Darstellung Jesu am Kreuz strömte das Licht in einzelnen Strahlen herein, und der Künstler, von dessen Hand das Fenster stammte, hatte dabei wohl weniger an die Qualen gedacht, die der Heiland in seinem frühen Tod erdulden musste, als vielmehr an die Freuden des Himmels, die ihn erwarteten. Das helle Licht, das die Dornenkrone erleuchtete, warf mehrfarbige Streifen und Regenbögen auf die kompromisslos weißen Kirchenwände.

Jeffrey ließ den Blick über die Gemeinde schweifen. Die Kirche war voll und, mit Ausnahme seiner Person, ausschließlich mit Familien. Weiße waren in der Mehrzahl, doch dazwischen gab es ein paar schwarze, hispanische und asiatische Gesichter. Er schätzte die Erwachsenen durchschnittlich als etwas älter als sich selbst und die Kinder auf Besucher der Unterstufe der Highschool. Ein paar Erwachsene hatten Babys auf dem Arm, dazu kamen mehrere ältere Jugendliche, die mehr Interesse aneinander zu haben schienen als am Gottesdienst. Alle waren geschniegelt und gebügelt. Er betrachtete die Gesichter der Kinder nacheinander und versuchte, herauszufinden, wem es zuwider war, im Sonntagsstaat zu erscheinen, doch trotz einiger Kandidaten – einem Jungen, dessen Krawatte schief saß, einem anderen, dessen Hemd aus der Hose gerutscht war, und einem dritten, der nicht still sitzen konnte, obwohl sein Vater ihm den Arm um die Schulter legte – konnte er nirgends Anzeichen offener Rebellion entdecken. Kein Huck Finn, dachte er, so weit das Auge reicht.

Jeffrey strich mit der Hand über die glänzend rotbraune Mahagonibank und stellte fest, dass auch der schwarze Einband des Gesangbuchs kaum abgegriffen war. Er sah sich noch einmal zu der Glasfigur um und dachte: Irgendwo muss es eine Prioritätenliste geben und einen Masterplan, denn es hat dem Künstler bestimmt eine Menge Zeit gekostet, diese Vision zu entwerfen und so sorgfältig auszuführen. Er wird seinen Auftrag mit den genauen Abmessungen und den übrigen Einzelheiten schon auf dem Tisch gehabt haben, lange bevor die Bulldozer sich in Bewegung setzten, bevor das Rathaus oder auch der Supermarkt und das Einkaufszentrum errichtet wurden.

Die Mitglieder des Chors erhoben sich von ihren Plätzen. Sie trugen dunkelrote, goldverzierte Roben. Ihre Stimmen schwebten durch die Kirche, doch Jeffrey schenkte ihnen wenig Aufmerksamkeit. Er wartete auf den Beginn der Predigt und musterte den Geistlichen, der seitlich von der Kanzel saß und in seinen Notizen blätterte. Der Mann stand auf, als die letzten Klänge des Kirchenliedes sich zwischen den Dachsparren verloren.

Der Pfarrer trug seine Brille an einer Kette um den Hals und setzte sie sich gelegentlich auf den Höcker seiner Nase. Seltsamerweise nutzte er nur die rechte Hand, um seine Worte zu unterstreichen, seine Linke hing wie festgeleimt an seiner Seite. Er war ein kleiner Mann mit schütterem, langem Haar, das ihm ungestüm vom Kopf abstand, als würde es von einer Brise erfasst, obwohl sich in der Kirche kein Lüftchen regte. Seine Stimme war dagegen kräftiger als er selbst und dröhnte über die Häupter der Gemeinde hinweg: »Was will Gott uns sagen, wenn er einen geliebten Menschen mitten aus dem Leben zu sich holt und ihn von uns nimmt?«

Das wüsste ich auch gerne, dachte Jeffrey zynisch. Doch er hörte aufmerksam zu. Aus diesem Grund war er hergekommen.

Dieser Gottesdienst war nicht ausdrücklich Opfer Nummer vier gewidmet. Dazu hatte es unter der Woche einen Trauergottesdienst für die Familie gegeben – in der katholischen Kirche auf der anderen Seite des großen, noch staubigen Platzes, der bald bewässert, mit Rasensoden bedeckt und mit Beginn der eigentlichen Wachstumsperiode bepflanzt werden würde. Jeffrey hatte gegenüber Detective Martin darauf bestanden, dass jeder Besucher der Feier für das ermordete Mädchen auf Video gebannt und dass außerdem bei jedem Fahrzeug, das egal zu welchem Zweck auch immer an der Kirche vorüberfuhr, Kennzeichen und Fahrzeughalter überprüft wurde. Er wollte die Namen und alle verfügbaren Informationen jedes Einzelnen erfahren, der mit der Beisetzung der jungen Frau in irgendeiner Verbindung stand. Über jeden, der auch nur das bescheidenste Interesse zeigte.

Diese Listen waren in Arbeit, und er hatte die Absicht, sie mit denen von Lehrern, Bauarbeitern, Gärtnern abzugleichen – mit jedem, der mit ihr in Kontakt gekommen sein könnte. In einem zweiten Schritt würde er diese Liste mit jedem Namen vergleichen, der bei den Ermittlungen zu Opfer Nummer drei auftauchte. Dies gehörte zu den ganz normalen Verfahrensweisen bei Serienverbrechen. Es war eine zeitraubende, frustrierende Arbeit, doch hier und da wurde die Polizei, wenn man der einschlägigen Literatur glaubte, tatsächlich fündig, und ein Name erschien auf beiden Listen.

Seine Hoffnungen hielten sich allerdings in Grenzen.

Du kennst das alles, nicht wahr?, fragte er plötzlich das innere Bild, das er sich vom Mörder machte. Du kennst die üblichen Vorgehensweisen, sämtliche Ermittlungstechniken?

Die Stimme des Pastors donnerte in seine Gedanken.

»Zeigt Gott uns nicht mit solchen Unglücksfällen, dass er nach seinem eigenen Ratschluss verfährt? Dass er unserem Leben seinen Willen auferlegt?«

Jeffrey hatte die Faust geballt. Ich muss das Verbindungsglied finden, dachte er. Was treibt dich zu diesen jungen Frauen? Was willst du damit sagen?

Er wusste keine Antwort.

Jeffrey hob den Kopf und schenkte dem Gottesdienst wieder mehr Aufmerksamkeit. Er war nicht in der Hoffnung auf göttliche Inspiration in die Kirche gekommen. Seine Neugier ging in eine andere Richtung. Tags zuvor hatte er die Anschlagtafel mit dem Thema der Sonntagspredigt gesehen: »Wenn uns Gottes Unglücksfälle treffen«. Die Wortwahl *Unglücksfälle* hatte er seltsam gefunden.

Wie passte das zu der abgründigen Böswilligkeit, deren Werk er ein paar Tage zuvor gesehen hatte?

Das wollte er gerne wissen.

Was für ein Unglücksfall?

Er hatte diese Frage für sich behalten und nicht einmal mit

Agent Martin darüber gesprochen, der jetzt ungeduldig vor der Kirche auf ihn wartete.

Jeffrey lauschte nun aufmerksamer. Der Pastor dröhnte weiter, und der Professor wartete nur auf ein einziges Stichwort: *Mord*.

»Und so fragen wir uns: Welchen Plan verfolgt Gott, wenn er uns einen so jungen und vielversprechenden Menschen nimmt? Denn es gibt einen solchen Plan, da dürfen wir uns ganz sicher sein ...«

Jeffrey rieb sich die Nase. Toller Plan, dachte er.

»Und manchmal lernen wir, dass er, indem er die Besten zu sich nimmt, uns, die Hinterbliebenen, in Wahrheit bittet, ihren Glauben zu verdoppeln und ihre Hingabe zu verstärken und das Gute zu vermehren und in ihrem Leben Liebe zu verbreiten ...«

Der Geistliche legte eine Pause ein, damit seine Worte alle Gesichter erreichen konnten, die ihm zugewandt waren.

»Und wenn wir uns diesem Pfad verschreiben, den er so deutlich vorgezeichnet hat, dann werden wir bei aller Trauer und allem Kummer uns selbst und all die anderen, die noch hier auf der Erde weilen, Gott um so vieles näher bringen. Das fordert er von uns, und es ist eine Herausforderung, der wir uns würdig erweisen werden!«

Der linke Arm des Pastors, der bis dahin reglos an seiner Seite gehangen hatte, schnellte empor und deutete eifrig gen Himmel, als wollte er damit zu verstehen geben, dass der da oben, der ihm seine Worte eingegeben hatte, zum Ende gekommen war. Der Mann legte wieder eine Pause ein, um seiner Predigt noch einmal Gewicht zu verleihen, dann schloss er mit den Worten: »Lasst uns beten.«

Jeffrey senkte den Kopf, wenn auch nicht zum Gebet.

Aus dem was ich nicht zu hören bekommen habe, dachte er, habe ich etwas Wichtiges gelernt. Etwas, das seinen Magen zusammenkrampfen ließ und ihm eine dumpfe Angst einflößte, die nichts mit den Morden zu tun hatte, in denen er ermittelte, dafür aber umso mehr mit dem Ort, an dem er es tat.

Agent Martin saß an seinem Schreibtisch und spielte mit Jacks. Der kleine Gummiball machte ein dumpfes Geräusch, wenn er auf die Tischplatte prallte, und gelegentlich war der Hüne nicht schnell genug beim Einsammeln der Jacks. Dann fing er unter Flüchen von vorne an und verteilte die Gegenstände klappernd auf der Metallfläche.

»Eins ... zwei ... drei«, murmelte er.

Jeffrey warf von der Wandtafel aus einen Blick in seine Richtung. »Es heißt Einser, Zweier, Dreier und so weiter«, korrigierte er den Detective. »Halten Sie sich doch bitteschön an die richtige Terminologie.«

Martin grinste. »Sie treiben Ihre Spielchen«, antwortete er, »und ich meine.«

Er fegte mit einer energischen Bewegung sämtliche Spielfiguren in die rechte Hand und las, was Clayton schrieb.

Die zwei Hauptkategorien standen nach wie vor in der obersten Zeile. Jeffrey hatte jedoch weitere Informationen hinzugefügt, und zwar lose unter der Rubrik Übereinstimmungen, worunter die jeweilige Körperstellung der Opfer, die Fundorte sowie der fehlende Zeigefinger gehörten. Opfer Nummer vier machte natürlich bei einigen dieser Details Probleme. Jeffrey war bei Martin auf eine gewisse Skepsis gestoßen, als es darum ging, die Unterschiede in der sorgfältigen Positionierung der Leiche sowie in der Entfernung des Zeigefingers auf ein und denselben Täter zurückzuführen. Der Detective konnte ziemlich halsstarrig sein. Er hatte den Kopf geschüttelt und erklärt: »Gleich ist gleich, anders ist anders. Sie tun so, als wäre anders gleich, aber so läuft das nicht.«

Die Seite der Wandtafel mit der Überschrift *Falls uns der Mörder nicht bekannt ist*, enthielt deutlich weniger Einträge. Clayton hatte dem Detective nicht erzählt, dass sie ausgewischt worden war und er sie neu beschriftet hatte; ebenso wenig verriet er, dass die Sicherheitsschranke ihres Büros versagt hatte.

Clayton hatte keinerlei Vorkehrungen getroffen, das gesammelte Material über die Morde, das die Aktenschränke füllte – die Berichte von den Leichenfundorten, die Autopsieergebnisse, die Protokolle der Zeugenaussagen und dergleichen mehr – unter Verschluss zu halten. Außerdem waren die meisten Informationen auch in Computerdateien gespeichert, und Jeffrey nahm an, dass jemand, der es schaffte, die Sicherheitsvorkehrungen ihres Arbeitsplatzes zu umgehen, auch in der Lage war, alles zu lesen, was auf ihrem Computer zu finden war.

Allerdings war er beim nächstbesten Schreibwarenladen vorbeigefahren und hatte sich ein kleines Notizbuch mit Ledereinband gekauft. In einer Ära der Computer-Think-Pads und der Hochgeschwindigkeitskommunikation war das Notizbuch fast so etwas wie eine Antiquität. Doch es besaß den großen Vorzug, in seine Jackentasche zu passen, so dass er es immer bei sich tragen konnte. Somit war es privat und nicht darauf angewiesen, dass irgendeine elektronische Verbindung oder ein Computer ausreichend gesichert war. Es füllte sich zusehends mit Jeffreys Fragen und Überlegungen, die alle auf einen Zweifel hinaus liefen, den er noch nicht in Worte fassen konnte, der aber dennoch in seinen Gedanken immer mehr Gewicht bekam.

Auf eine der ersten Seiten hatte er geschrieben: Wer hat die Tafel ausgewischt?

Darunter hatte er vier Möglichkeiten aufgelistet:

1. jemand vom Putzdienst (ein Versehen)
2. einer der politischen Vertreter – etwa Manson, Starkweather oder Bundy
3. mein Vater, der Mörder
4. der Mörder, der nicht mein Vater ist, mich aber davon überzeugen will

Die erste Variante hatte er bereits nahezu ausgeschlossen, indem er den Dienstplan der Putzkolonne gefunden und kurz mit den Leuten gesprochen hatte, die an diesem Abend gearbeitet hatten. Dies hatte zwei interessante Details erbracht: zum einen, dass Agent Martin ihnen klare Anweisung erteilt hatte, das Büro nur unter seiner persönlichen Aufsicht zu reinigen, und zum anderen, dass die Staatssicherheit so gut wie jedes computergesteuerte Sicherheitssystem an jedem beliebigen Ort im Staat außer Kraft setzen konnte.

Auch die Politiker hatte er von der Liste gestrichen, zumindest theoretisch. Obgleich die Botschaft, die der Akt zum Ausdruck brachte, ganz in ihrem Sinne war. Es wäre aus ihrer Sicht verfrüht gewesen, diese Art von Druck auf ihn auszuüben. Der käme noch ganz von selbst. Das war unabweislich, da die Politik sich um wenig mehr kümmerte als um das richtige Timing. Darüber hinaus bezweifelte er, dass sie auf den genialen Trick verfallen wären, ihre Botschaft zu übermitteln, indem sie etwas tilgten, was er geschrieben hatte.

Was ihm zwei Möglichkeiten ließ. Dieselben beiden Möglichkeiten, die ihn von Anfang an geplagt hatten.

Wie immer gingen ihm tausend Fragen durch den Kopf, von denen er eine ganze Reihe noch spät in der Nacht in seinem Notizbuch festgehalten hatte. Falls der Mörder – egal, wer er war – die Tafel abgewischt hatte, was war daraus zu schließen?

Er hatte die Frage in seinem Büchlein mit zwei Worten beantwortet, die er schwarz in Bleistift geschrieben und dreimal unterstrichen hatte: *eine Menge*.

»Und, Professor? Was steht als Nächstes auf dem Programm? Noch mehr Befragungen? Wollen Sie mit dem Gerichtsmediziner reden und aus erster Hand erfahren, wie unser letztes Opfer gestorben ist? Was schwebt Ihnen vor?«

Martin grinste, doch es war ein Grinsen, hinter dem Clayton inzwischen die Wut erkennen konnte.

Er nickte. »Folgender Vorschlag: Sie gehen zum Gerichtsmediziner rüber und sagen ihm, wir bräuchten seinen Abschlussbericht bis heute Nachmittag. Wenden Sie alle Überredungskünste auf, der Mann wirkt nicht sehr zugänglich.«

»Er ist eine solche Aufgabe nicht gewöhnt. Normalerweise kümmert sich das gerichtsmedizinische Institut darum, dass die Schulkinder ihre Impfungen bekommen und dass die Einwanderungsbehörde keine ansteckenden Krankheiten aus einem der anderen fünfzig Bundesstaaten oder aus dem Ausland hereinlässt. Autopsien von Mordopfern stehen normalerweise nicht auf seinem Terminkalender.«

»Dann machen Sie ihm eben ein bisschen Feuer unterm Hintern.«

»Und was genau, Professor, gedenken Sie zu tun, während ich mich auf unnachahmliche Weise unbeliebt mache?«

»Ich werde hier sitzen und jeden forensischen Aspekt bei jedem unserer Morde durchgehen, damit wir uns auf die Übereinstimmungen konzentrieren können.«

»Klingt faszinierend«, meinte der Detective und stand auf. »Klingt außerdem, als gäb's im Moment nichts Wichtigeres zu tun.«

»Man weiß nie«, entgegnete Jeffrey. »Bei diesen Ermittlungen kommt der Durchbruch meist durch irgendein winziges Detail, das man in der Kleinarbeit findet.«

Martin schüttelte den Kopf. »Nein«, widersprach er, »Das glaube ich nicht. Natürlich trifft das auf eine Menge Morduntersuchungen zu. Schließlich lernt man so was an der Akademie. Aber hier nicht, Professor. Hier ist ganz was anderes gefragt.«

Der Detective lief zur Tür, drehte sich jedoch noch einmal um. »Deshalb sind Sie hier. Sie sollen rausfinden, was dieses Etwas ist. Vergessen Sie das nie, Professor.«

Jeffrey nickte, doch Martin war schon zur Tür hinaus, bevor er seine Reaktion gesehen hatte. Er wartete ein paar Minuten, dann stand er eilig auf, vergewisserte sich, dass sein Notizbuch in der Jacke steckte, und ging, denn er hatte nicht die geringste Absicht, das zu tun, was er gegenüber Martin behauptet hatte. Er verfolgte einen eigenen Plan, wie er was herausfinden konnte.

Die Redaktion der *New Washington Post* lag nicht weit vom Zentrum der Stadt, auch wenn Jeffrey bezweifelte, dass »Zentrum« die Stadtmitte angemessen beschrieb. Jedenfalls hatte sie mit keiner anderen Stadtlandschaft, die er je gesehen hatte, allzu viel gemein; es war ein Ort, an dem sich ein strenges Ordnungssystem hinter einem durchorganisierten Alltag versteckte. Das Straßennetz war monoton, die Pflanzungen an den Seiten gepflegt. Die Bürgersteige waren so großzügig bemessen wie eine Promenade. Es gab wenig von dem Mischmasch an Stilrichtungen und Kompromissen zwischen Wollen und Können, das die meisten Städte prägt. Und nichts von dem wilden Durcheinander, wenn Altes und Modernes unvermittelt aufeinanderprallen.

New Washington war eine Stadt, die auf dem Reißbrett ausgedacht, skizziert und vermessen worden war, die als Modell bereits fix und fertig festgestanden hatte, bevor der erste Spaten in die Erde stach. Dabei war durchaus nicht alles gleichförmig. Jedenfalls nicht auf den ersten Blick. Jeder Block hatte einen anderen Grundriss und war anders gestaltet. Was Jeffrey erdrückte, war die schlichte Tatsache, dass alles neu war. Außerdem konnte man nicht übersehen, dass die diversen Gebäude zwar von verschiedenen Architekten stammten, in der Planungsphase jedoch denselben Augen desselben Planungsausschusses gefallen mussten, so dass die Stadt zwar nicht einförmig wirkte, dafür aber einer einheitlichen Vision entsprach. Das fand er beklemmend.

Zugleich erkannte er allerdings, dass seine Abneigung wahrscheinlich vorübergehen würde. Bei seinem Weg die Main Street entlang stellte er fest, dass der Bürgersteig vom Unrat der Nacht gereinigt worden war und dass man wahrscheinlich nicht lange brauchte, um sich an diese neue Welt zu gewöhnen, und sei es auch nur, weil sie sauber, ordentlich und ruhig war.

Und sicher, rief sich Jeffrey ins Gedächtnis. Allzeit sicher.

In der Zeitungsredaktion empfing ihn die Sekretärin hinter dem Empfangstresen mit einem freundlichen Lächeln, als er durch die Schwingtür trat. An einer Wand waren bekanntere Ausgaben des Blattes zu einem gigantischen Format vergrößert, so dass die Schlagzeilen einem entgegensprangen – für die Lobby einer Zeitung durchaus keine unübliche Dekoration; was ihn überraschte, war die Auswahl der Artikel. Bei anderen Blättern waren es bemerkenswerte Ausgaben der Vergangenheit, die eine Mischung aus Erfolgen und Desastern, aus Schicksalsstunden der Nation vorstellten – Pearl Harbor oder VE-Day, Kennedys Ermordung, der Börsenkrach, Nixons Abdankung, der erste Mensch auf dem Mond. Hier dagegen verbreiteten die Schlagzeilen ausnahmslos optimistische Aufbruchsstimmung und befassten sich mit entschieden lokalen Themen: DURCHBRUCH FÜR NEW WASHINGTON, ENTSCHEIDENDER VORSTOSS ZU STAATLICHER ANERKENNUNG, ERSCHLIESSUNG DES NEUEN TERRITORIUMS IM NORDEN, ABKOMMEN MIT OREGON UND KALIFORNIEN UNTER DACH UND FACH.

Nur gute Nachrichten, dachte Jeffrey.

Er wandte sich von der Wand ab und fragte die Sekretärin: »Hat die Zeitung ein Leichenschauhaus?«

Die Frau machte große Augen. »Ein was?«

»Ich meine, ein Archiv. Wo Sie alte Ausgaben aufbewahren.«

Sie war jung, sehr gepflegt und besser gekleidet, als man es von jemandem in ihrem Alter und dieser Position erwartet hätte.

»Ach so, natürlich«, beeilte sie sich. »Ich hab nur noch nie gehört, dass jemand diesen anderen Ausdruck benutzt. Wo man Tote aufbewahrt.«

»Früher hat man Zeitungsarchive immer so genannt«, erwiderte er.

Sie lächelte. »Man lernt nie aus. Vierter Stock. Halten Sie sich rechts. Schönen Tag noch.«

Er fand das Archiv ohne Mühe ein Stück hinter der Nachrichtenredaktion. Er blieb einen Moment lang stehen und beobachtete die Männer und Frauen, die an ihren Schreibtischen vor ihren Bildschirmen saßen. Über dem Platz des Chefredakteurs hing unterhalb der Decke eine Reihe Fernsehmonitore, die auf den Nachrichtensender des Kabelfernsehens eingestellt war. Der Raum wirkte bis auf das allgegenwärtige Klicken der Tastaturen und ein gelegentliches Gelächter erstaunlich still. Telefone summten dezent. Alles machte den Eindruck einer gut geölten Maschinerie, bar jeder Romantik, die die Redaktionsarbeit früher einmal mit sich gebracht hatte. Nach einem Ort, an dem wütende und empörte Wortgefechte ausgetragen, an dem mit aller Leidenschaft für die Wahrheit eine Lanze gebrochen wurde, sah es nicht aus. Niemand dort ähnelte auch nur entfernt einer Hildy Johnson oder einem Mr. Burns. Es herrschte auch keine Hektik. So stellte er sich die Büros einer großen Versicherungsgesellschaft vor. Drohnen bereiteten Daten für eine homogenisierte Verbreitung vor.

Der Archivar war ein paar Jährchen älter als Jeffrey und ein wenig beleibt, mit einer leicht asthmatischen Stimme, als kämpfte er ständig mit einer Erkältung. »Im Moment haben wir geschlossen«, erklärte er. »Es sei denn, Sie hätten einen Termin. Die allgemeinen Öffnungszeiten stehen auf dem Schildchen da rechts.« Er machte eine Handbewegung, als wollte er den Besucher damit entlassen.

Jeffrey zückte seinen vorläufigen Ausweis. »Ich komme in amtlichen Angelegenheiten«, sagte er und gab sich so offiziell, wie er konnte. Er vermutete, dass der Mann einen Moment lang sein Terrain verteidigen, dann nachgeben und sich schließlich als hilfreich erweisen würde.

»Amtlich?« Der Mann starrte auf den Pass. »Was für ein Amt?«

»Staatssicherheit.«

Der Archivar sah neugierig auf. »Ich kenne Sie«, meinte er.

»Nein, das glaube ich nicht«, erwiderte Jeffrey.

»Doch, ich bin mir sicher«, beharrte der Mann. »Hundert Prozent. Waren Sie schon mal hier?«

Jeffrey zuckte die Achseln. »Nein, noch nie. Aber ich brauche Hilfe, um ein paar Akten zu finden.«

Sein Gegenüber starrte auf den Pass, dann wieder auf seinen Besucher, dann nickte er. Er wies dem Professor einen leeren Stuhl vor einem Computerbildschirm zu und zog sich selbst eine Sitzgelegenheit heran. Jeffrey bemerkte, dass der Bibliothekar zu schwitzen schien, obwohl es kühl war. Außerdem redete er ausgesprochen leise, obwohl niemand zu sehen war, was aber wohl bei seinem Berufsstand zur Gewohnheit wurde.

»Also«, begann der Mann. »Was brauchen Sie?«

»Unfälle«, erwiderte Jeffrey. »Unfälle, die junge Mädchen oder junge Frauen betreffen. Sagen wir, in den letzten fünf Jahren.«

»Unfälle? So was wie Autounfälle?«

»So was wie alles Mögliche. Autounfälle sind schon einmal gut. Angriffe von Haien, Meteoriteneinschläge. Einfach alles. Aber nur welche, die junge Frauen betreffen. Besonders die, bei denen die Betreffende eine Weile verschwunden war, bevor man sie fand.«

»Verschwunden? Einfach so?«

»Genau.«

Der Bibliothekar verdrehte die Augen. »Ungewöhnliche Anfrage.« Er brummte etwas. »Suchwörter. Ich brauche immer Suchwörter. So wird die Datenbank geführt. Wir registrieren häufige Begriffe oder Formulierungen und speichern sie dann elektronisch ab. Wie zum Beispiel *Stadtrat* oder *Champions-Pokal*. Ich versuch's mal mit *Unfall* und *junges Mädchen*. Geben Sie mir noch ein paar.«

Clayton überlegte, dann sagte er: »Versuchen Sie's mit *Ausreißer*. *Vermisst* und *Suche*. Wie drücken sich die Zeitungen denn noch aus, wenn sie einen Unfall beschreiben?«

Der Archivar nickte: »*Unglück* wäre eins. Außerdem bekommen die meisten Unglücke automatisch ein Adjektiv zugeordnet, wie *tragisch*. Das geb' ich auch mal mit ein. Fünf Jahre, sagen Sie? Wir existieren tatsächlich erst seit zehn Jahren. Können genauso gut ganz zurückgehen.«

Der Bibliothekar tippte auf der Tastatur. Binnen Sekunden hatte der Computer die Suchanfrage verarbeitet, und für jeden Begriff erschien mit einem Piepser eine Antwort mit der Auskunft, wie oft er vorkam. Wenn man *Verzeichnis* anklickte, erfasste der Computer jede Artikelüberschrift sowie Datum und genaue Seitenangabe in der Zeitung. Der Mann zeigte Jeffrey, wie er jeden Artikel hochladen und den Bildschirm aufteilen konnte, um die Funde simultan zu studieren.

»Also, dann machen Sie mal.« Der Bibliothekar stand auf. »Ich bin in der Nähe, falls Sie irgendwelche Fragen haben oder Hilfe brauchen. Unfälle, hm?« Er musterte Jeffrey noch einmal aufmerksam. »Ich weiß, dass ich Ihr Gesicht schon mal gesehen habe«, sagte er und schlurfte davon.

Jeffrey ignorierte ihn und wandte sich dem Computer zu.

Er arbeitete sich systematisch durch die Einträge, ohne dass ihn die Ergebnisse zufriedenstellten – bis er an das Naheliegende dachte und zwei Suchbegriffe eingab: *Tod* und *tödlich*.

Diese Worte ergaben eine brauchbarere Liste mit siebenundsiebzig Artikeln. Er überprüfte sie und stellte fest, dass sie von neunundzwanzig verschiedenen Vorkommnissen berichteten, die sich über den gesamten Zeitraum von zehn Jahren verteilten. Er las einen nach dem anderen durch.

Jeffrey musste nicht länger suchen. Innerhalb eines einzigen Jahrzehnts waren neunundzwanzig Frauen – die Älteste eine dreiundzwanzigjährige Collegeabsolventin auf Familienbesuch, die Jüngste zwölf und auf dem Weg zu einer Tennisstunde – bei

Unfällen innerhalb des Einundfünfzigsten Bundesstaates ums Leben gekommen. Keiner dieser »Unfälle« passte in das Schema, bei dem ein launischer Gott aus reiner Willkür eines schönen Tages ein junges Mädchen auf einem Fahrrad den Pfad eines heranrasenden Autos kreuzen lässt. Stattdessen las Jeffrey von jungen Mädchen, die auf mysteriöse Weise von Campingausflügen verschwanden, aus heiterem Himmel und mitten in den normalsten Lebensumständen einfach beschlossen, von zu Hause wegzulaufen, oder aber nach irgendeiner Unterrichtsstunde, nach irgendeinem Termin nie wieder aufgetaucht waren. Einige bizarre Schlagzeilen spekulierten, dass in den bewaldeten Gegenden von Naturschutzfanatikern wilde Hunde oder Wölfe wieder eingeführt worden seien, die ein oder zwei dieser Frauen angefallen hätten. Es gab eine Reihe von Unglücken bei Freizeitbeschäftigungen: einen Sturz von einem Kliff, Ertrinken in Flüssen und tödliche Unterkühlung in anderen Fällen. Mehrere der Mädchen wurden als depressiv eingestuft, womit suggeriert werden sollte, dass sie davongelaufen seien, um sich das Leben zu nehmen, als sei das für einen Teenager eine vollkommen normale Verhaltensweise – statt sich beispielsweise mit Bulimie oder Magersucht zu zerstören.

Die *Post* hatte jeden dieser Fälle in öder Monotonie behandelt. Artikel Nummer eins: MÄDCHEN VERSCHWINDET UNERWARTET (Seite drei, unterhalb der Falz). Artikel zwei: POLIZEI STARTET SUCHAKTION (Seite fünf, eine Spalte, links, kein Foto). Artikel drei: STERBLICHE ÜBERRESTE EINES MÄDCHENS IN UNERSCHLOSSENER GEGEND GEFUNDEN. FAMILIE TRAUERT UM UNFALLOPFER.

Es gab die eine oder andere Abweichung von dieser Art des fantasielosen Journalismus, bei der das tragische Ende MÄDCHEN GEFUNDEN durch eine lakonische Feststellung ersetzt wurden: POLIZEI BRICHT FRUCHTLOSE SUCHE AB. Keiner der Artikel hatte es je auf die Titelseite geschafft, keiner hatte Berichten über neue Firmen, die sich im Einundfünfzigsten Bundesstaat niederließen, den Rang ablaufen können. Kein einziger Beitrag brachte Tatsachen, die über die offiziellen Erklärungen eines Sprechers der Staatssicherheit hinausgingen. Und bei keiner Gelegenheit hatte ein findiger Reporter auf die Ähnlichkeiten zwischen einem diesem Unglücke und früheren Vorfällen hingewiesen. Noch hatte einer von ihnen je eine Liste zusammengestellt, wie Jeffrey sie gerade erarbeitete.

Das erstaunte ihn. Wenn *er* die Zahl der Übereinstimmungen sah, dann gewiss auch ein Reporter. Die Informationen dazu ruhten schließlich in ihrem eigenen Archiv.

Es sei denn, sie hatten es gesehen, konnten es aber nicht veröffentlichen.

Jeffrey fuhr auf seinem Stuhl zurück und starrte auf den Bildschirm. Einen Moment lang wünschte er sich, in der Nachrichtenredaktion, an der er eben vorbeigegangen war, wären tatsächlich nur Versicherungskaufleute tätig, denn die hätten wenigstens mithilfe versicherungsmathematischer Tafeln die Wahrscheinlichkeit errechnen können, mit der diese Mädchen bei angeblichen Unfällen ums Leben gekommen waren.

Keine Chance, sagte er sich. Was ist mit Entführung durch Außerirdische?, spöttelte er und erinnerte sich, dass Agent Martin ihm gegenüber ebenfalls darüber gewitzelt hatte.

Er wiederholte leise für sich: »Ganz und gar nicht wahrscheinlich.«

Jeffrey versuchte zu raten, wie viele dieser Todesfälle tatsächlich so passiert waren wie beschrieben. Ein paar bestimmt, nahm er an. Es musste ein paar Teenager gegeben haben, die wirklich von zu Hause weggelaufen waren, und auch ein paar, die sich tatsächlich das Leben genommen hatten, und vielleicht war es wirklich zu einem Campingunfall gekommen. Vielleicht sogar zu zweien. Er rechnete rasch im Kopf. Zehn Prozent wären drei Todesfälle. Zwanzig wären sechs. Blieben immer noch etwas mehr als zwanzig über einen Zeitraum von zehn Jahren. Mindestens zwei pro Jahr.

Er wippte auf seinem Stuhl.

Die Serienmörder der Kriminalgeschichte, die planmäßig vorgingen, hätten darin bestimmt eine vernünftige Kanalisierung mörderischer Energie gesehen. Nicht spektakulär, aber doch angemessen. Die andere Sorte, die psychotischen Killer, die ihren tödlichen Orgien ausgeliefert waren, würden die Zahl wohl eher als bescheiden werten, wenn sie von ihren Ehrensitzen in der Hölle nach oben blickten. Sie waren gierig und auf sofortige Befriedigung aus – und aufgrund ihrer Exzesse natürlich auch leichter zu fangen.

Die stetigen, stillen, methodischen Mörder, die im nächsten Höllenkreis gemartert wurden, würden einem Mann, der seine Leidenschaft derart im Zaum halten konnte und zu solcher Selbstbescheidung fähig war, anerkennend zunicken. Wie der Wolf, der nur die kranken oder verletzten Tiere einer Karibuherde erlegt und nie so viele reißt, dass der Bestand seiner Nahrungsquelle ernsthaft gefährdet wäre.

Jeffrey schauderte.

Er machte sich daran, die Artikel auszudrucken, von denen er glaubte, dass sie einen Fall beschrieben, der in dieses Muster passte. Nun hatte er auch begriffen, wieso man ihn hinzugezogen hatte. Den Behörden gingen die plausiblen Entschuldigungen aus.

Wilde Hunde und Wölfe. Schlangenbisse und Selbstmord. Irgendwann nahm ihnen jemand das Ganze nicht mehr ab. Und dann hätten sie ein richtiges Problem. Er schmunzelte, als ob zumindest ein Teil von ihm das Ganze komisch fände.

Sie haben nicht zwei Opfer, dachte er.

Sie haben zwanzig.

Im nächsten Moment verging ihm das Lächeln, als er sich die nächstliegende Frage stellte: *Wieso haben sie das nicht von vornherein gesagt?*

Neben ihm spuckte ein Drucker die Blätter mit den Artikeln aus. Er schaute auf und sah den Bibliothekar in seine Richtung kommen, eine Ausgabe der *Post* in der Hand.

»Ich hab doch gewusst, dass ich Sie schon mal gesehen habe«, keuchte der Mann in selbstzufriedenem Ton. »Na ja, schließlich waren Sie letzte Woche auf der ersten Seite des ›Rund um den Staat‹-Teils. Sie sind eine Berühmtheit.«

»Was?«

Der Mann hielt ihm eine Zeitung unter die Nase, und er sah sein Bild, zwei Spalten breit, drei Spalten lang, ganz unten am Umbruch der Vorderseite des zweiten Teils. Die Schlagzeile über dem Artikel, der es begleitete, lautete: ES SOLL NOCH SICHERER WERDEN: STAATSSICHERHEIT HEUERT BERATER AN. Clayton spähte auf das Datum der Zeitung und stellte fest, dass sie von dem Tag war, an dem er im Einundfünfzigsten Bundesstaat eingetroffen war.

Er las:

> ... In ihrem steten Bemühen, die Sicherheit im Territorium noch effizienter zu gewährleisten, hat die Staatssicherheit den bekannten Professor Jeffrey Clayton von der University of Massachusetts ins Boot geholt, um die derzeitigen Pläne und Systeme einer umfangreichen Prüfung zu unterziehen.
> Clayton ist Experte für verschiedene kriminalistische Untersuchungsmethoden und Verfahrensweisen und hofft, so teilte ein Sprecher mit, bald als Bürger in den Staat aufgenommen zu werden. Wie der Sprecher weiter ausführte, ist dies »Teil unserer unermüdlichen Anstrengungen, den kriminellen Elementen zuvorzukommen und sie davon abzuschrecken, überhaupt die Grenzen dieses Bundesstaates zu passieren. Wenn sie wissen, dass sie hier mit ihren Machenschaften nicht landen können, werden sie höchstwahrscheinlich bleiben, wo sie sind, oder sich ein anderes Reiseziel aussuchen.«

Es folgte noch mehr, einschließlich einer Bemerkung von ihm, die er nie gemacht hatte: etwas in der Art, wie glücklich er sich schätze, hier sein zu können, und wie sehr er hoffte, wiederzukommen.

Er knallte die Zeitung auf den nächstbesten Tisch.

»Sag ich doch«, beharrte der Bibliothekar. Er linste zu den Blättern hinüber, die der Drucker ausspie. »Was mit dem zu tun, weswegen Sie hier sind?«

Jeffrey nickte. »Dieser Artikel«, fragte er, »wie weit wurde der verbreitet?«

»In unseren sämtlichen Blättern. Und er ist auch elektronisch rausgegangen. Jeder Haushalt, der seine Tagesnachrichten auf dem Computer lesen möchte, kann das tun und sich die Finger von Druckerschwärze sauber halten.«

Jeffrey nickte. Er starrte auf sein Zeitungsfoto. So viel also zur Geheimhaltung, dachte er. Sie hatten nie die Absicht, meine Anwesenheit diskret zu behandeln. Das Einzige, was sie unter dem Deckel halten wollen, ist der Grund, weshalb ich hier bin.

Er schluckte schwer. Er blickte in Abgründe. Zumindest aber wusste er jetzt, wozu sie ihn hergeholt hatten. Zwar dachte er das Wort Köder nicht explizit, hatte jedoch das unbehagliche Gefühl, nachempfinden zu können, wie es dem Wurm ergeht, der am Haken zappelt und erbarmungslos ins kalte, schwarze Wasser heruntergelassen wird, wo seine Feinde lauern.

Als er auf den Bürgersteig trat, schloss sich hinter Jeffrey die Doppeltür zur Zeitung mit einem zischenden Laut. Für einen Moment blendete ihn die gleißende Mittagssonne, die sich in der Glasfassade eines Bürogebäudes spiegelte. Unwillkürlich drehte er sich um und hob schützend die Hand vor die Augen, als fürchtete er, verletzt zu werden. Er machte ein paar zügige Schritte den Bürgersteig entlang. Auf dem Hinweg war er mit dem Bus vom Gebäude der Staatssicherheit in die Innenstadt gefahren. Es war nicht weit, allenfalls zwei Meilen. Sobald ihn neue Gedanken bestürmten, beschleunigte er seine Schritte, er ging immer schneller, bis er schließlich rannte.

Er wich dem Strom der Fußgänger aus, die in ihre Mittagspause strebten, ignorierte die bösen Blicke und gelegentlichen Flüche von ein, zwei Büroangestellten, die zur Seite sprangen. Seine Jacke bauschte sich hinter ihm, und seine Krawatte flatterte, während er lief. Er hob den Kopf, atmete tief durch und sprintete los wie in einem Wettrennen, als ginge es darum, sich von den Mitstreitern abzusetzen. Seine Schuhe schlugen gegen den Asphalt, doch er achtete kaum darauf und dachte nur flüchtig an die Blasen, die er sich lief. Er fing an, die Arme zu schwingen, um noch mehr an Tempo zu gewinnen, überquerte eine Straße bei Rot und hörte ein wütendes Hupkonzert hinter sich.

Inzwischen nahm er seine Umgebung nicht mehr wahr. Im schnellen Lauf verließ er das Stadtzentrum und rannte den Boulevard hinunter, an dem das Gebäude der Staatssicherheit lag. Er fühlte den nassen Schweiß unter den Achseln und am Rücken. Er horchte, wie er mit rasselnden Geräusch nach der klaren Luft des Westens schnappte. Hier, inmitten der großen Firmensitze, war er allein. Als er den kantigen Bau der Behörde aufragen sah, blieb er abrupt und keuchend stehen.

Hau ab, dachte er, hau sofort ab. Nimm den erstbesten Flieger. Scheiß auf das Geld.

Er schmunzelte und schüttelte den Kopf. Tust du ja doch nicht.

Er legte die Hände an die Hüften und drehte sich immer noch außer Atem um. Zu stur, dachte er. Vor allem zu neugierig.

Er ging ein paar Meter, um sich zu beruhigen und abzukühlen. Zurück am Eingang zur Staatssicherheit stoppte er noch einmal und starrte hinauf. Geheimnisse, dachte er. Hier gibt es mehr Geheimnisse, als du dir ausgemalt hattest.

Einen Moment lang fragte er sich, ob er selbst wie das Gebäude war. Eine feste, unauffällige Maske, hinter der sich Lügen und Halbwahrheiten verbargen. Er starrte weiter auf den Bau und sagte sich das Offensichtliche: Du kannst niemandem trauen.

Seltsamerweise machte ihm diese Einsicht Mut, und er wartete, bis sein Puls wieder normal war, dann erst betrat er das Gebäude. Der Mann vom Wachdienst sah von seiner Reihe Monitore auf.

»Hey«, begrüßte er ihn, »Martin sucht nach Ihnen, Professor.«

»Jetzt bin ich ja da«, erwiderte Jeffrey.

»Er sah nicht gerade glücklich aus«, fuhr der Mann fort. »Genau genommen sieht er nie glücklich aus, oder?«

Jeffrey nickte und ging an ihm vorbei und wischte sich mit dem Ärmel den Schweiß von der Stirn.

Er war auf einen Agent Martin gefasst, der in ihrem Büro auf und ab marschierte, wenn er zur Tür hereinkam, doch es war niemand da. Er blickte sich um und sah auf seinem Computerbildschirm eine Meldung über eingegangene Post. Er rief seine Mails auf und las:

> Clayton, wo zum Teufel stecken Sie? Sie sollen mich vierundzwanzig Stunden am Tag unterrichtet halten, wo Sie gerade sind. Und zwar immer, Professor, verdammt. Keine Ausnahme von der Regel. Nicht mal, um für kleine Jungs zu gehen. Ich bin draußen, um nach Ihnen zu suchen. Wenn Sie zuerst zurückkommen, finden Sie den vorläufigen Autopsiebericht des möglicherweise jüngsten Opfers unter dem Dateinamen NeuTote4. Lesen Sie ihn. Bin gleich zurück.

Jeffrey wollte diese Datei gerade öffnen, als er bemerkte, dass noch eine zweite Botschaft für ihn eingegangen war. Was hast du jetzt noch zu meckern, Detective?, fragte er und scrollte zur zweiten Mail herunter.

Doch jede Spur Verärgerung war wie weggeblasen, als er diese Nachricht las. Sie war ohne Unterschrift und ohne Gruß, nur eine Wortreihe, die grün auf dem schwarzen Bildschirm glühte. Er las sie zweimal, bevor er sich mit seinem Stuhl ein Stück vom

Computer wegschob, als sei der Apparat gefährlich und könnte nach ihm greifen.

Dort stand:

ALS DU KLEIN WARST, HAST DU AM LIEBSTEN GUCK-GUCK GESPIELT. UND ALS DU EIN BISSCHEN GRÖSSER WARST, HAST DU VERSTECKEN GESPIELT. BEHERRSCHST DU DIESE SPIELE NOCH, JEFFREY?

Jeffrey versuchte, das klaffende Loch zu stopfen, aus dem ihn eine Flut an Gefühlen überschwemmte und mühelos den Schutzwall an Einsamkeit und Isolation durchbrach, den er über Jahre hinweg um sich aufgerichtet hatte. Er fühlte etwas Lebendiges in sich, halb Angst, halb Faszination, halb Panik, halb Erregung. Die Gefühle rumorten wild durcheinander, und er setzte alles daran, sich nicht überwältigen zu lassen. Nur einen Gedanken ließ er klar und deutlich zu, eine einzige Antwort, die allein ihm galt und ganz gewiss nicht seinen Auftraggebern, eine Antwort, die, wie er vermutete, der Gejagte längst kannte – nur dass er sich nicht so sicher war, ob dieses Wort den Mann, den er suchte, noch korrekt beschrieb.

Ja, sagte er innerlich. Die Spiele beherrsche ich immer noch.

ZWÖLF
GRETA GARBO HOCH ZWEI

Als sie noch glaubten, sie wären in der Welt ganz auf sich gestellt, entwickelten beide ein eigentümliches Gefühl der Sicherheit. Sie dachten, sie könnten sich gegenseitig ausreichend Halt, Schutz und Kameradschaft bieten. Jetzt, da sie sich ihrer Isolation weniger sicher sein konnten, war die Routine ihrer Beziehung gestört; Mutter und Tochter waren plötzlich nervös, beinahe misstrauisch gegeneinander und voller Angst vor dem, was sie außerhalb ihrer eigenen vier Wände erwartete. In einer gewaltbereiten Welt war es ihnen bislang gelungen, emotional wie physisch starke Barrieren aufzurichten.

Jetzt beschlich – unabhängig voneinander – sowohl Diana als auch Susan Clayton das Gefühl, dass dieser Schutzwall durch die vage Präsenz eines Mannes, der Botschaften schickte, ganz allmählich bröckelte, wie ein im Wasser ruhender Stützpfeiler, der unter dem unablässigen Wellenschlag langsam zerbröselt und rissig wird, bis er einbricht und im graugrünen Meer versinkt. Keine von beiden verstand so recht, wovor genau sie sich ängstigten; dass irgendein Mann sie verfolgte und ihnen auflauerte, daran gab es keinen Zweifel, doch was sie verwirrte, war die Frage, was er von ihnen wollte.

Diana brachte es nicht über sich, ihrer Tochter von ihrer größten Furcht zu erzählen; sie brauchte mehr Beweise, sagte sie sich – das lag irgendwo zwischen Wahrheit und Lüge. Die meiste Zeit über weigerte sie sich, auf die hartnäckige Stimme zu hören, die sie zu der Kassette in ihrem Schrank getrieben und sie gezwungen hatte, nach dem kümmerlichen Beweis für den

Tod ihres einstigen Mannes zu suchen. Sie redete sich ein, der Inhalt zeuge von harten Fakten, doch das wühlte sie nur noch mehr auf, und sie quälte sich mit widerstreitenden Gefühlen, mit dem Konflikt zwischen dem, was sie glauben wollte, und dem, was sie nicht zu glauben wagte.

In den Tagen seit dem Vorfall in der Bar war die Mutter in äußeres Schweigen verfallen, während in ihr eine Kakophonie aus schrillen Tönen, Zweifeln und Krankheit wütete.

Die Tatsache, dass sie ihren einzigen Sohn nicht erreichen konnte, machte die Sache nur schlimmer. Sie hatte in seinem Institut an der Uni eine Reihe von Nachrichten hinterlassen, hatte mit einer schwindelerregend langen Reihe von Sekretärinnen gesprochen, von denen keine wirklich zu wissen schien, wo er war, auch wenn sie alle versicherten, dass er die Nachricht bekommen und prompt zurückrufen würde. Eine ging sogar so weit und versprach ihr, die Nachricht an seine Bürotür zu heften, als könnte das garantieren, dass er sie las.

Es widerstrebte Diana, noch mehr Druck zu machen, weil das ihrer Bitte eine Dringlichkeit verliehen hätte, die an Panik grenzte, und sie weigerte sich zu diesem Zeitpunkt, einem solchen Gefühl nachzugeben. Sie gab bereitwillig zu, nervös zu sein. Sogar aufgeregt. Ganz gewiss besorgt. Doch Panik war ein ernster Zustand, dem sie, so lange sie konnte, aus dem Weg zu gehen hoffte.

Bis jetzt ist nichts passiert, womit wir nicht fertig werden würden, sagte sie sich.

Doch trotz dieser forciert optimistischen Haltung stellte sie fest, dass sie weit häufiger als früher nach ihren Medikamenten griff, um sich zu beruhigen, um zu schlafen und um die Sorgen zu überwinden. Und entgegen allen Warnungen des Arztes fing sie an, ihre Narkotika großzügig mit Alkohol zu mischen. Eine Pille gegen die Schmerzen. Eine Pille zur Vermehrung der roten Blutkörperchen in ihrem vergeblichen, mikroskopischen Kampf gegen die Übermacht der weißen Zellen tief in ihrem Körper.

Diana machte sich keine Hoffnungen, dass eine Chemotherapie ihr helfen könnte. Außerdem nahm sie Vitamine für die Kraftreserven. Antibiotika, um Infekte zu vermeiden. Sie reihte die Tabletten auf und dachte in historischen Dimensionen: Picketts Attacke. Ein kühner und heldenhafter Vorstoß gegen eine sicher verschanzte, unnachgiebige Armee. Schon vor der Schlacht zum Scheitern verurteilt.

Diana spülte die ganze Ladung mit Orangensaft und Wodka herunter. Wenigstens, dachte sie mit schlechtem Gewissen, ist der Orangensaft aus hiesigem Anbau und vermutlich gut für mich.

Ungefähr zur selben Zeit stellte Susan Clayton fest, dass sie plötzlich zu Vorsichtsmaßnahmen griff, die sie bis dahin verabscheut hatte. In den Tagen nach dem Albtraum in der Bar stieg sie grundsätzlich nicht mehr in einen Fahrstuhl, es sei denn, sie war in Begleitung mehrerer anderer Leute. Sie machte keine Überstunden im Büro. Wenn sie irgendwo hinging, bat sie um Geleitschutz. Sie war umsichtig genug, ihre tägliche Route zu variieren sowie Sicherheit aus Abwechslung und Spontaneität zu schöpfen.

Das fiel ihr schwer. Sie hielt sich für einen sturen Menschen und keinen spontanen, auch wenn ihre wenigen Freunde auf der Welt ihr vermutlich bescheinigen würden, dass sie sich selbst falsch sah.

Wenn sie zum Büro und nach Hause fuhr, machte es sich Susan jetzt zur Gewohnheit, urplötzlich zwischen der schnellen und den langsamen Spuren zu wechseln; ein paar Minuten lang fuhr sie mit Tempo hundert, dann fiel sie urplötzlich auf ein Schneckentempo herunter. Sie wechselte ständig zwischen den beiden Extremen – ein Fahrstil, der einen Stalker abschrecken musste, da er sie selbst gehörig frustrierte.

Sie trug stets eine Handfeuerwaffe bei sich, sogar auch dann, wenn sie abends vom Büro heimgekommen war, im Haus, an einem Knöchelhalfter unter dem Hosenbein versteckt. Ihre Mutter konnte sie damit allerdings nicht täuschen; sie wusste von der Pistole, hielt es aber für klüger, nichts zu erwähnen. Außerdem fand Diana dies unter einem gewissen Aspekt absolut richtig.

Beide Frauen ertappten sich dabei, oft aus dem Fenster zu schauen, um den Mann zu Gesicht zu bekommen, von dem sie wussten, dass er irgendwo dort steckte. Doch sie sahen nichts.

Als Susan merkte, dass sie kein passendes Puzzle zustande brachte, um ihre letzte Nachricht zu veröffentlichen, wurde ihre Verstimmung nur noch schlimmer. Wortspiele, literarische Anspielungen oder Kreuzworträtsel – nichts davon hatte funktioniert. Zum ersten Mal vielleicht musste Mata Hari passen.

Das machte sie wütend.

Nach mehreren intensiven Abenden, an denen sie vor einem widerspenstigen Schreibblock gesessen und die Tage bis zum nächsten Abgabetermin gezählt hatte, warf sie Stift und Papier in ihrem Zimmer zu Boden, schaltete energisch den Computer aus, trat mit den Füßen einen Stapel von Nachschlagewerken um und beschloss, mit dem Boot rauszufahren.

Es war später Nachmittag, und die erbarmungslose Sonne von Florida lockerte ihren Würgegriff.

Ihre Mutter hatte zu einem großen, weißen Zeichenblock gegriffen und war damit beschäftigt, in einer Ecke des Zimmers ein Bild mit Kreide zu zeichnen.

»Mutter, verflucht, ich brauche Luft. Ich fahr mit dem Skiff raus und fang uns ein paar Schnappfische zum Abendessen. Bin bald wieder da.«

Diana sah auf. »Es wird bald dunkel«, sagte sie, als sei das ein Grund, im Haus zu bleiben.

»Ich fahr nur eine halbe Meile weit raus. Da ist eine kleine Stelle, die ich gut kenne. Fast geradeaus hin und direkt wieder zurück. Ich brauch bestimmt nicht lang, und ich muss mal auf andere Gedanken kommen, statt nur hier rumzusitzen und darüber nachzugrübeln, was ich diesem Mistkerl schreiben kann, damit er uns in Ruhe lässt.« Diana glaubte nicht, dass Susan irgendetwas verfassen konnte, um das zu erreichen. Doch es ermutigte sie, dass ihre Tochter so entschlossen war. Sie hob die Hand zu einem zarten Winken.

»Ein frischer Barsch wäre schön«, meinte sie. »Aber bleib nicht so lang. Komm wieder, bevor es ganz dunkel ist.«

Susan grinste. »Klingt wie eine Bestellung im Lebensmittelladen. Bin in einer Stunde zurück!«

Obwohl der Sommer längst vorbei war, hielt sich selbst am Abend die drückende Hitze, die in Florida unerträglich werden konnte. Gewöhnlich galt das vor allem für die Sommermonate, doch gelegentlich brachten auch andere Jahreszeiten südliche Luftströmungen mit sich. Die Hitze war eine Energie, die an den Kräften zehrte und das klare Denken trübte. Eine solche Nacht stand bevor – windstill und feucht. Susan war eine erfahrene Anglerin und kannte die Gewässer, an denen sie aufgewachsen war, genau. Jeder kann in den Himmel blicken und Wolkenballungen oder Platzregen kommen sehen, jeder kann sich klarmachen, welche Naturgewalten in den verheerenden Stürmen bis hin zu einem Tornado stecken. Zuweilen lauern jedoch unter einem windstillen Himmel subtilere Gefahren im Wasser und in der Dunkelheit.

Als sie sich vom Steg abstieß, zögerte sie eine Sekunde, dann warf sie das mulmige Gefühl über Bord und sagte sich, dass es mit ihrem Vorhaben, nämlich einer schlichten Ausfahrt, nicht das Geringste zu tun hatte, dagegen aber umso mehr mit der unterschwelligen Angst, die der Mann ihr mit seinen Botschaften einjagte. Sie ließ ihr Skiff die schmale Wasserrinne bis zur offenen Bucht entlanggleiten, dann drückte sie energisch den Gashebel bis zum Anschlag, so dass ihr der Kopf vom Motorenlärm dröhnte und sie den Luftschwall im Gesicht spürte.

Susan beugte sich während der rasanten Fahrt nach vorn und genoss das Heben und Senken, das Ziehen und Zerren des Bootes. Sie war hier draußen in dieser vertrauten Wasserwelt einzig und allein, um ihre Ängste loszuwerden.

Sie beschloss augenblicklich, an der überschaubaren Stelle, die sie ihrer Mutter genannt hatte, vorbeizufahren, und wendete in einer scharfen Kurve, so dass der lange, schmale Rumpf des Bootes in die hellblauen Wellenkräusel tauchte, um sie zu einer weiter entfernten, reichhaltigeren Stelle zu bringen. Sie spürte, wie die Schwere festen Bodens von ihr abfiel, sowie sie die Küste hinter sich ließ, und war beinahe enttäuscht, als sie am Ziel ankam.

Nachdem sie den Motor ausgeschaltet hatte, blieb sie einen Moment lang sitzen und schaukelte auf den flachen Wellen. Dann machte sie sich mit einem Seufzer daran, das Abendessen zu fangen. Sie versenkte einen kleinen Anker, versah einen Haken mit einem Köder und warf die Leine aus. Binnen Sekunden fühlte sie ein eindeutiges Zucken.

In nur einer halben Stunde hatte sie eine kleine Kühlbox zur Hälfte mit Schnappern und Barschen gefüllt, mehr als genug für das Abendessen, das sie ihrer Mutter versprochen hatte. Das Angeln hatte genau die erhoffte Wirkung. Es machte den Kopf frei von Ängsten und gab ihr Mut. Widerstrebend zog sie die Leine ein. Sie verstaute ihre Ausrüstung, stand auf und merkte, als sie sich umsah, dass sie vielleicht ein wenig zu lange draußen geblieben war. Offenbar verblasste ringsum unwiederbringlich das letzte Grau der Abenddämmerung, und bevor sie das Skiff auch nur für die Rückfahrt wenden konnte, war es Nacht.

Das machte ihr zu schaffen. Sie kannte den Weg, wusste aber ebenso gut, dass er jetzt bedeutend schwieriger zu bewältigen war. Als das letzte Licht schwand, befand sie sich in einer durchlässigen, zähflüssigen Welt, in der die üblichen Abgrenzungen zwischen Land, dem Meer und der Luft zu einer wabernden schwarzen Masse verschmolzen. Sie war schlagartig nervös und wusste, dass sie eine Grenze überschritten und leichtsinnig gehandelt hatte, so dass die Umgebung, die sie liebte, plötzlich beunruhigend und vielleicht sogar gefährlich war.

Ihr erster Impuls riet ihr, das Skiff Richtung Küste zu lenken und schneller zu fahren, um inmitten der nächtlichen Schatten eine vertraute, markante Stelle zu erreichen. Sie musste sich zwingen, den Motor zu drosseln.

Vor sich erkannte sie die runde Form zweier buckliger, mit Laubbäumen bewachsener Hügel, und sie wusste, dass es dazwischen eine Fahrrinne gab, die sie in offenes Gewässer führte. War sie erst einmal da draußen, würde sie in der Ferne Lichter sehen, vielleicht ein Haus oder Scheinwerfer auf dem Highway. Irgendetwas, das ihr den Weg in die Zivilisation zurück wies.

Sie ließ sich langsam vorwärts gleiten und versuchte, die Schneise zwischen den beiden Hügeln zu treffen. Als sie näher kam, konnte sie gerade noch die Schlingen der Mangroven erkennen, und sie fürchtete, auf Grund zu laufen, bevor sie in tieferes Wasser gelangte. Sie versuchte, sich gut zuzureden und hielt sich vor Augen, dass das Schlimmste, das ihr passieren könne, eine Nacht auf dem Boot und der Kampf mit Moskitos sei. Sie lenkte das Skiff behutsam, während sie vorwärts glitt und auf das gurgelnde Geräusch des Motors hinter sich lauschte. Ihre Zuversicht wuchs, als sie den Spalt zwischen den Hügeln erreichte. Sie wollte sich gerade beglückwünschen, die Rinne gefunden zu haben, als sich der Rumpf in den nassen Sand einer Untiefe bohrte. »Verdammt!«, rief sie, denn ihr wurde klar, dass sie zu weit zur der einen oder der anderen Seite abgewichen war. Sie legte den Rückwärtsgang ein, doch die Schraube wühlte sich bereits in den Boden, und Susan war klug genug, den Motor ganz auszuschalten, bevor er sich losriss.

Sie ließ eine Salve wütender Flüche los, zahlreiche »Gottverdammt« und »Himmel, verflucht noch mal« und fand den Klang ihrer eigenen Stimme ein wenig beruhigend. Nachdem sie ausgiebig ihrem Zorn auf Gott, die Gezeiten, das Wasser, die tückischen Untiefen und die Dunkelheit Luft gemacht hatte, verstummte sie und lauschte einen Moment lang auf das Klatschen der Wellen am Rumpf. Dann hievte sie den Motor mit dem elektrischen Heber und unter einem wimmernden Jaulen nach oben. Sie hoffte, damit wieder flott zu sein, doch da irrte sie sich.

Immer noch unter Flüchen und Schimpfworten schnappte sich Susan ihren Staken und versuchte, sich auf diese Weise frei zu stoßen. Das Boot schien sich ein bisschen zu bewegen, doch nicht genug. Sie steckte weiterhin fest. Sie schob den Staken in die Halterung zurück und trat ans Dollbord. Sie starrte auf das Wasser rund um das Skiff und schätzte, dass es nur etwa fünfzehn Zentimeter tief war. Das Boot hatte einen Tiefgang von zwanzig Zentimetern. Sie würde nur bis zu den Knöcheln im Wasser stehen, musste aber aussteigen und mit aller Kraft den Bug anschieben. Sie musste das Boot aus dem Sand frei schaukeln. Und wenn das nicht funktionierte, nun ja, dann lag sie eben bis zur Flut bei Sonnenaufgang fest, solange bis frisches Seewasser die Untiefe überspülte und sie befreite. Einen Moment lang saß sie auf der Bootswand und überlegte, ob sie die harte Arbeit nicht der Natur überlassen sollte. Dann befahl sie sich: Stell dich nicht so an, und schwang sich energisch ins Wasser.

So warm wie in der Badewanne schwappte es um ihre Fußgelenke. Unter ihren Schuhen war weicher Schlamm, und sie sank augenblicklich einige Zentimeter ein. Wieder ließ sie ein paar Flüche vom Stapel. Dann stemmte sie die Schulter gegen den Bug, holte einmal tief Luft und schob. Sie stöhnte vor Anstrengung.

Das Skiff rührte sich nicht.

»Ach, komm schon«, bat sie.

Erneut drückte sie die Schulter gegen den Bug; diesmal stemmte sie es ein wenig nach oben und versuchte, es zu schaukeln. Ihr standen die Schweißperlen auf der Stirn. Sie ächzte und spannte die Rückenmuskeln wie Drahtseile an, und das Skiff ratschte ein kleines Stück nach hinten.

»Schon besser«, fand sie.

Sie holte Luft, legte sich mit aller Kraft gegen das Skiff und schob erneut. Das Boot schabte wieder zehn bis zwanzig Zentimeter dem tieferen Wasser entgegen.

»Du machst Fortschritte, verdammt«, stöhnte sie. Ein letzter Versuch, und es wäre frei.

Sie wusste nicht, wie viel Kraft sie noch hatte, war aber entschlossen, alle Reserven auszuschöpfen. Ihre Schulter wiesen an der Stelle, mit der sie geschoben hatte, tiefe Rillen auf. Ein letzter Druck, ein spitzer Schrei, und das Skiff schwamm frei. Susan stolperte, verlor das Gleichgewicht und schnappte nach Luft, als sie vorwärts taumelte, während das Skiff von ihr wegtrieb. Salzwasser spritzte ihr ins Gesicht, und sie plumpste auf die Knie. Das Boot sauste von ihr weg wie ein Welpe, der nicht gehorchen will. Es schaukelte keine drei, vier Meter entfernt auf der Oberfläche. »Verdammt noch mal«, fluchte sie, auch wenn sie überglücklich war, es befreit zu haben. Sie stand auf, wischte sich die See ebenso aus dem Gesicht wie von den Händen und zog mit einem Ruck die Füße aus dem Schlick, um hinter dem Boot herzuwaten.

Doch wo sie mit weichem Boden gerechnet hatte, war nichts.

Susan taumelte wieder nach vorn und platschte ins schwarze Wasser. Sie wusste augenblicklich, dass sie die Fahrrinne gefunden hatte, und drehte den Kopf, um über der endlosen schwarzen Flüssigkeit Atem zu bekommen. Mit den Zehen suchte sie nach Halt, fand jedoch nichts. Das dunkle Wasser schien sie aufzusaugen. Sie atmete heftig aus, um gegen die Panikattacke anzukämpfen.

Das Skiff wiegte sich kaum drei Meter von ihr entfernt auf leichten Wellenkräuseln.

Sie verdrängte den Gedanken, in was für einer Situation sie sich tatsächlich befand: dass sie im Dunkeln Wasser trat, während eine leichte Strömung die sichere Zuflucht ihres Bootes von ihr wegtrieb. Sie versuchte einen klaren Kopf zu bewahren, atmete einmal tief die seidige Nachtluft ein und machte ein paar kräftige Kraulzüge durchs Wasser, während sie mit den Füßen paddelte und kleine, leuchtend weiße Fontänen in die Dunkelheit spritzte. Das Skiff trieb zum Greifen nahe vor ihr her. Sie schwamm mit aller Macht an dessen Seite, streckte die Hand danach aus und packte das Dollbord mit beiden Armen.

Einen Moment lang hing sie dort und presste die Wange gegen das glatte Fiberglas des Bootes, wie eine Mutter das Gesicht eines verirrten Kindes an sich drückt. Ihre Füße baumelten im Wasser, als wären sie kein Teil mehr von ihr. Erst in diesem Moment wurde ihr bewusst, wie erschöpft sie war. Eine Weile rührte sie sich nicht und ruhte sich aus. Dann nahm sie ihre restlichen Kräfte zusammen und stemmte sich hoch, schwang ein Bein über die Seite und versuchte, mit dem Bauch auf dem Dollbord Halt zu finden. Eine Sekunde hing sie in der Schwebe, dann packte sie fester zu, trat mit dem Bein, das immer noch im Wasser hing, einmal kräftig zu und purzelte ins Boot.

Susan lag da und starrte in den Himmel, während sie nach Atem rang.

Sie fühlte, wie ihr das Adrenalin in den Schläfen pulsierte und wie ihr Herz in der Brust hämmerte. Sie überkam eine Erschöpfung, die um einiges größer war, als es dem Energieaufwand entsprochen hätte – eine Erschöpfung, die mehr mit Furcht als mit Müdigkeit zu erklären war.

Die Sterne über ihr schimmerten gütig. Sie betrachtete sie und sagte laut: »Steig nie, nie, nie bei Nacht aus dem Boot. Verlier nie den Kontakt. Hab es immer im Griff. Sieh zu, dass dir so was nie wieder passiert.«

Sie rappelte sich hoch und lehnte sich im Sitzen mit dem Rücken an die Bootswand. Ihr Atem beruhigte sich, und sie war wenig später auf den Füßen. »Na schön«, sagte sie laut. »Auf ein Neues. Finde die Rinne statt des Sands. Langsame Fahrt voraus.«

Ihr war zum Lachen zumute, doch sie erkannte, dass sie die

Fahrrinne noch nicht ganz hinter sich hatte. »Immer noch nicht aus den Mangroven raus«, stellte sie fest.

Als sie hinter der Steuerkonsole niedersackte und nach der Zündung griff, schäumte neben ihr eine gewaltige grauschwarze Wassermasse empor, so dass ihr Gesicht und Hände nass gespritzt wurden und sie unwillkürlich einen erstaunten Schrei ausstieß. Sie hörte einen gewaltigen dumpfen Schlag, als eine Finne seitlich auf den Bootsrumpf traf, dann sah sie nur wenige Zentimeter von ihrer Hand entfernt eine weiß schäumende Explosion.

Der Ausbruch war so heftig, dass sie von ihrem Sitz auf das Deck ihres Skiffs geworfen wurde.

»Du liebes bisschen!«, schrie sie.

Neben dem Boot quirlte es, dann wurde es ruhig.

Ihr Herz hämmerte.

»Was zum Teufel bist du?«, rief sie und rappelte sich auf die Knie hoch.

Die Frage ging in nächtlichem Schweigen unter.

Sie starrte über das Wasser, konnte aber nirgends Anzeichen für den Fisch erkennen, der neben ihrem Skiff aufgetaucht war. Wieder mahnte sie sich zur Ruhe. Gott, was war da mit mir im Wasser? Ein Bullenhai? Durchaus möglich. Vielleicht ein Tiger- oder ein Hammerhai? Himmel, der muss genau da, genau am Rand der Untiefe gewesen sein und nach seinem Abendbrot Ausschau gehalten haben, und ich bin direkt neben ihm im Wasser rumgeplanscht. Himmel! Sie sah plötzlich lebhaft vor sich, wie der Fisch die ganze Zeit unter ihr gewesen war, zu ihr hinauf gestarrt, gewartet und sich immer näher angepirscht hatte, auch wenn er nicht recht wusste, was sie war.

Susan schauderte bei dem Gedanken und versuchte, die Angst, die ihr immer noch im Nacken saß, zu verscheuchen. Sie begriff, dass sie nichts weiter tun konnte; also ließ sie mit einer etwas zittrigen Hand langsam dem Motor ins Wasser, betätigte den Anlasser und legte den Vorwärtsgang ein. Nur wenig schneller als im Leerlauf steuerte sie in die Richtung, in der sie die Küste vermutete.

Wir kommen heute Abend irgendwie nach Hause, sagte sie sich, und dann lassen wir das mit dem Angeln eine Weile. Während sie so langsam vorwärts tuckerte, wie ein Baby über einen unbekannten Boden krabbelt, musste sie daran denken, dass ihre Mutter nicht mehr allzu lange bei ihr sein würde und dass sie möglichst bald für diesen Zeitpunkt gewappnet sein sollte. Allerdings wusste sie nicht, wie sie sich darauf vorbereiten sollte.

Diana Clayton war in ihre Zeichnung vertieft, während es allmählich dunkel wurde. Schließlich konnte sie die letzten Linien und Schattierungen ihres Bildes kaum noch erkennen. Sie schaute auf, griff nach dem Lichtschalter und stellte fest, dass ihre Tochter sich verspätete.

Sie wollte ans Fenster treten und nach ihr Ausschau halten, doch in den letzten Tagen hatte sie sich zu oft dabei ertappt, wie sie hinaussah, als traute sie ihrer gewohnten Umgebung nicht mehr. Diesmal würde sie nicht wie die gebrechliche, alte Frau reagieren, die sie vermutlich war, sondern einfach darauf vertrauen, dass ihre Tochter sicher nach Hause kam. Und so lief sie – statt wie gewohnt aus dem Fenster zu blicken – quer durchs Haus und schaltete sämtliche Lichter an, entschieden mehr, als sie normalerweise benutzten. Am Ende gab es keine einzige Birne, die nicht brannte. Selbst die Lampen in den Schränken ließ sie nicht aus.

Als sie zu ihrem Sessel zurückging, betrachtete sie ihre Kohlezeichnung und fragte laut vernehmlich:

»Was wolltest du von mir?«

Sie hatte das Gesicht auf dem Malblock mit einem verschlossenen Lächeln gezeichnet und mit einem Blick in den Augen, der nahelegte, dass er etwas wusste, was niemand ahnte – ein selbstgefällig amüsierter Blick, den sie nur als böse bezeichnen konnte.

»Wieso hast du ausgerechnet mich gewählt?«

Auf dem Bild war er ein junger Mann, und sie sah sich selbst, von der Krankheit gezeichnet, als eine alte Frau. Sie fragte sich, ob er von seiner Krankheit ebenso frühzeitig gealtert war, doch da hatte sie ihre Zweifel. Seine Krankheit würde eher wie ein Ponce-de-Léon-Elixier auf ihn wirken, dachte sie wütend. Vielleicht hat er mit den Jahren ein bisschen mehr Fleisch auf die Rippen bekommen, und die Haare sind zurückgegangen. Vielleicht hat er ein paar tiefere Falten auf der Stirn und sowie um Mundwinkel und Augen. Aber das wär's dann wohl. Er ist zweifellos immer noch stark. Und ungebrochen selbstbewusst.

Auf der Zeichnung hatte sie seine Hände ausgespart. Bei der Erinnerung an seine Hände fröstelte sie. Er hatte lange, feine Finger gehabt, in denen sich große physische Kraft verbarg. Er spielte ziemlich gut Violine und konnte dem Instrument die ausdrucksvollsten Töne entlocken.

Er spielte immer allein. Im Keller, in einem Raum, den er sich dort eingerichtet hatte und zu dem weder sie noch die Kinder Zutritt hatten. Der Klang des Instruments stieg wie Rauch durchs Haus, weniger ein Ton als ein Gefühl der Kälte.

Sie schloss die Augen und biss die Zähne zusammen, wenn sie daran dachte, dass die Hände, die sie nicht zeichnen konnte, ihren Körper berührt hatten. Tief und intim. Sein sexuelles Interesse an ihr war auffällig selten gewesen, dann jedoch beharrlich. Sex war in ihrer Ehe nicht die Vereinigung zweier Menschen gewesen, sondern er hatte sie einfach benutzt, wenn ihm danach war.

Diana merkte, wie sich ihr die Kehle zuschnürte.

Aus Protest gegen das, was ihre Intuition beharrlich wiederholte, schüttelte sie energisch den Kopf.

»Du bist tot«, sagte sie laut zu der Zeichnung. »Du bist bei einem Autounfall ums Leben gekommen, und ich hoffe, es hat wehgetan.«

Sie nahm den Zeichenblock in beide Hände, bohrte den Blick

in das Gesicht und klappte den Block zu. Sie fand die Form seines Mundes haargenau bei ihrer Tochter wieder; seine Stirn war die ihres Sohns; das Kinn war bei allen dreien gleich. Die Augen – und das, was sie gesehen hatten – teilte er, wie sie hoffte, mit keinem. Ich war jung, und ich war einsam, erinnerte sie sich, ich war still und ein Bücherwurm, ich hatte keine Freunde. Ich hatte nie Freunde. Ich war nie beliebt, und ich war nie hübsch, also gab es keine Jungs, die mich wegen eines Dates anriefen. Ich trug Brille und das Haar streng zurückgekämmt, und ich hab nie Make-up benutzt. Ich war auch nie witzig oder amüsant oder athletisch oder sonst irgendetwas, das jemand hätte anziehend finden können. Ich war disharmonisch und konnte mich außer über mein Studium mit niemandem über nichts unterhalten. Bis er auf der Bildfläche erschien, dachte ich, mehr hätte das Leben nicht zu bieten, und mehr als einmal überlegte ich, es zu beenden, bevor es richtig angefangen hatte. Depressiv und suizidgefährdet. Wieso eigentlich?, fragte sie sich plötzlich. Weil meine eigene Mutter ebenfalls mausgrau, ruhig und labil war, süchtig nach Appetitzüglern; und mein Vater war ein eingefleischter Akademiker, ein wenig unterkühlt, ein wenig distanziert, der sie liebte, aber trotzdem betrog, und sich jedes Mal, wenn er es tat, ein bisschen mehr dafür schämte und sich noch weiter von uns allen entfernte. Ich lebte in einem Haushalt voller Geheimnisse und mit geringer Neigung, die Wahrheit herauszufinden. Nachdem ich dann erwachsen war, wollte ich unbedingt weg, nur um festzustellen, dass da draußen nicht allzu viel auf mich wartete.

Sie betrachtete den Skizzenblock, der zu Boden gefallen war.

Außer dir.

Sie griff abrupt danach, blätterte zum Bild und schrie es im selben Atemzug an: »Ich habe sie gerettet! Ich habe sie und mich vor dir gerettet!«

Diana Clayton erhob sich ein wenig und schleuderte den Block durchs Zimmer, so dass er gegen die Wand klatschte und flatternd über den Boden rutschte. Sie sank erneut in den Sessel, lehnte den Kopf zurück und schloss die Augen. Ich sterbe, dachte sie. Ich sterbe, und jetzt, da ich Frieden verdiene, wird er mir genommen. Sie öffnete die Augen und sah die Zeichnung, die ihr entgegenstarrte. Von dir.

Sie stand auf und ging langsam quer durchs Zimmer, um den Block aufzuheben. Sie wischte den Staub ab, klappte ihn zu, dann sammelte sie die Kohlestifte sowie den Lappen ein, mit dem sie das Papier abgedeckt hatte, nahm alles mit zu ihrem Schrank, wo sie es – für ihre Tochter hoffentlich unauffindbar – in eine Ecke warf.

Sie trat zurück und schlug die Schranktür zu. Ich werde nicht darüber nachdenken, hämmerte sie sich ein. Es ging damals, in jener Nacht, zu Ende. Es tut nicht gut, sich diese Dinge in Erinnerung zu rufen.

Ohne sich eine einzige dieser Lügen abzukaufen, kehrte Diana ins Wohnzimmer ihrer Zuflucht zurück, um dort auf ihre Tochter mit dem versprochenen Abendessen zu warten. Sie saß in der Stille, im grellen Licht, bis sie die vertrauten Schritte ihrer Tochter draußen im Dunkeln den Pfad heraufkommen hörte.

Die frischen Fischfilets, in wenig Butter, Weißwein und Zitrone gedünstet, waren köstlich und belebten ihre müden Geister. Mutter und Tochter gönnten sich jede ein Glas Wein zum Essen und tauschten den einen oder anderen schlüpfrigen Witz, was das Haus nach langer Zeit endlich einmal wieder mit Lachen erfüllte. Diana redete nicht von der Zeichnung, die sie angefertigt hatte. Susan erklärte nicht, wieso sie so spät mit dem Essen kam. Für eine Stunde gelang es ihnen beiden, so zu tun, als sei alles beim Alten – eine willkommene Illusion.

Nachdem das Geschirr abgewaschen und weggeräumt war, zog sich Diana in ihr eigenes Zimmer zurück und Susan in das ihre, wo sie den Computer einschaltete und sich erneut an die frustrierende Arbeit machte, für den Mann, von dem sie sich beobachtet fühlte, ein Rätsel zu erfinden. Bei diesem Gedanken verzog sie das Gesicht zu einem süß-säuerlichen Grinsen: Es war schon absurd, dass der Mann ohne Weiteres da draußen vor ihrer Tür sein konnte oder unter ihrem Fenster, vielleicht auch im dunklen Schatten einer der Palmen, die im Garten Wache hielten – vielleicht war er nahe genug, um mit der Hand nach ihr zu greifen –, und sie verständigte sich trotzdem über raffinierte Wort- und Buchstabenspiele mit ihm.

Ihr kam eine Idee, und sie ließ ihren Computer ein Kästchen zeichnen. In dieses Kästchen schrieb sie:

Are you the man who saved me? – Waren Sie mein Retter?
What is it that you want? – Was wollen Sie?
I want to be left alone. – Ich will, dass Sie mich in Ruhe lassen.

Sie starrte auf die Nachricht und stellte fest, dass es sich dabei um zwei Fragen und eine Feststellung handelte. Sie trennte die beiden Elemente auf:

Are you the man who saved me?
What is it that you want?

Und

I want to be left alone.

Das erste Paar konnte man vermischen und verschlüsseln:

Theme where a navy do amuse? – Thema, wo eine Marine sich amüsiert?
Why is tit a tat, now a tut? – Wieso ist Tit-a-tat jetzt ein Tut?

Das gefiel ihr schon einmal. Susan ging zum letzten Satz ihrer Botschaft über. Ihr kam ein Gedanke. Sie schmunzelte über ihre eigene Cleverness und flüsterte sich zu: »Du hast es noch nicht verlernt, Mata Hari.«

Sie schrieb:

> On the bull's ancient island you make a mistake that makes you gag,
> and reminds you of the most famous thing she ever said.
>
> Auf der uralten Insel des Bullen machst du einen Fehler, so dass du würgen musstest,
> und er erinnert dich an ihren berühmtesten Ausspruch.

Sie war zufrieden. Sie schickte die Seite elektronisch an ihren Computer im Büro und stellte fest, dass es knapp eine Stunde vor Redaktionsschluss war und vermutlich nur Minuten, bevor ein gehetzter Redakteur sich am Rande der Panik bei ihr gemeldet hätte. Dann fuhr sie ihren eigenen Computer herunter und ging beruhigt zu Bett. Sie schlief augenblicklich ein und wurde, zum ersten Mal seit Tagen, nicht von Träumen geplagt.

Susan erwachte wenige Sekunden, bevor ihr Wecker klingelte. Sie machte ihn aus, bevor er losscheppern konnte, stand auf und trat zügig unter die Dusche. Nachdem sie sich abgetrocknet hatte, zog sie sich in Windeseile an, um so schnell wie möglich ins Büro zu kommen, die Korrekturfahnen für das wöchentliche Preisausschreiben durchzuarbeiten und dann zu sehen, was sonst noch anstand. Sie ging auf Zehenspitzen durch den Flur zum Zimmer ihrer Mutter, öffnete leise die Tür und spähte um die Ecke. Diana schlief noch; gutes Zeichen, denn die Ruhe half ihr, sich ein wenig zu erholen. Die Tatsache, dass die Schmerzen sie um einen gesunden tiefen Schlaf brachten, war *ein* Grund, weshalb ihre Mutter so geschwächt war und weshalb zu allen anderen Qualen noch die Erschöpfung kam.

Susan sah auf dem Nachttisch die Pillenfläschchen, die für die letzte Lebensspanne ihrer Mutter ein ständiger Begleiter waren. Leise ging sie hinüber und sammelte die Medikamente ein, um sie in die Küche mitzunehmen.

Sie sah sich die Etiketten genau an, entnahm jeweils die korrekte morgendliche Dosis und reihte sie wie Soldaten beim Frühappell auf einem leeren weißen Teller auf. Der Tag begann mit einem halben Dutzend Pillen – einer roten, einer beigen, zwei weißen; zwei unterschiedlichen zweifarbigen Kapseln. Einige waren klein, andere groß. Sie standen Gewehr bei Fuß.

Susan ging zum Kühlschrank, holte frisch gepressten Orangensaft heraus, goss ihn in ein Glas und hoffte, ihre Mutter würde nicht die Hälfte trinken und dann mit Wodka auffüllen. Sie stellte das Glas neben die Pillen. Dann fand sie eine Wasser- und eine Honigmelone, schnitt sie sorgfältig auf und arrangierte die halbmondförmigen Scheiben einladend auf einem zweiten Teller. Zuletzt nahm sie ein Blatt Papier und schrieb die banale Nachricht:

> Bin froh, dass du ein bisschen Schlaf bekommen hast. Bin schon zur Arbeit. Hier ist etwas fürs Frühstück und die Medizin für heute. Bis heute Abend. Dann können wir den Fisch aufessen.
>
> XXX
> Susan

Sie sah sich einmal prüfend in der Küche um, stellte fest, dass alles in Ordnung war, und verließ das Haus durch die Hintertür. Sie schloss von außen ab und blickte in den Himmel. Er war bereits blau, und es war schon heiß. In weiter Höhe wanderten ein paar weiße, runde Wolken. Ein wunderschöner Tag, dachte sie.

Vielleicht eine Stunde, nachdem ihre Tochter gegangen war, wurde Diana Clayton aus dem Schlaf gerissen.

Ihre Augen blickten immer noch verschlafen, und sie stieß keuchend einen spitzen Angstschrei aus, während sie mit beiden Fäusten um sich schlug und in diesem Dunstschleier zwischen Wachen und Schlafen das deutliche Gefühl hatte, jemand hätte neben ihrem Bett gestanden. Sie boxte in die Luft.

Sie hustete schwer und merkte, dass sie aufrecht saß. Mit wilden Blicken sah sie sich im Zimmer um und rechnete halb damit, dass jemand in der Ecke stand. Sie horchte angestrengt, als müsse sie den Atem des Eindringlings hören und von ihren eigenen flachen Zügen unterscheiden können. Sie wollte sich vornüberbeugen und unter dem Bett nachsehen, brachte es aber nicht über sich. Ihr Blick blieb an der Schranktür hängen, hinter der er sich versteckt haben könnte, doch dann musste sie denken, dass sich mit der Kassette und der Zeichnung schon genügend Schrecken dort verbargen. Sie ließ sich wieder auf die Kissen sinken und atmete tief durch.

Es war der Traum, sagte sie sich. Im letzten Traum dieser Nacht war sie mit ihrer Tochter zusammen gewesen, hatte auf sie hinuntergeblickt und gesehen, dass man Susan und ihr selbst wie dem Mann in der Bar die Kehle aufgeschlitzt hatte. Dieser Traum hatte sie gewaltsam aufgeweckt. Sie fasste sich an den Hals und fühlte, wie ihr zwischen den Brüsten der nasse Schweiß heruntertropfte.

Sie wartete, bis ihr Atem sich normalisiert und ihr Herzschlag sich zu einem regelmäßigen Pochen verlangsamt hatte, bevor sie die Beine über den Bettrand schwang. Sie wünschte, sie hätte eine Pille gegen die Angst; als sie sich umdrehte, sah sie, dass der Medikamentenvorrat von ihrem Nachttisch verschwunden war. Einen Moment lang war sie verwirrt. Sie stand auf, schlüpfte in einen alten, weißen Bademantel und tappte über den Dielenboden in die Küche. Sie entdeckte die Döschen in Reih und Glied, bevor sie sich Sorgen machen konnte.

Sie sah auch die Melonenstücke, schob sich eins in den Mund und entdeckte neben dem Orangensaft den Zettel. Sie las, was ihre Tochter ihr hinterlassen hatte, und lächelte. Es ist egoistisch von mir, sie so an mich zu binden. Sie ist ein besonderes Kind. Beide sind besondere Kinder, jedes auf seine Weise. Von Anfang an. Und jetzt, als Erwachsene, sind sie für mich immer noch etwas Besonderes.

Auf einem Teller war ein Dutzend Tabletten fein säuberlich für sie zurechtgelegt. Diana hatte die Gewohnheit, sie alle auf einmal in die hohle Hand zu nehmen und wie Erdnüsse in den Mund zu werfen, um sie mit einem Schluck Saft herunterzuspülen.

Sie konnte nicht sagen, was sie zögern ließ. Vielleicht das klappernde Geräusch, das sie nicht sofort einordnen konnte. Etwas Abgebrochenes, dachte sie. Was könnte abgebrochen sein?

Sie blickte aus dem Fenster in den strahlend blauen Himmel. Sie sah, wie sich eine der Palmen in der frischen Morgenbrise wiegte. Wieder hörte sie das Klappern, nur dass es diesmal näher schien. Sie machte ein, zwei Schritte durch die Küche und sah, dass die Hintertür nicht abgeschlossen war. Das Klappern kam daher, dass der Wind sie immer wieder auf und zu schlug.

Da stimmte etwas nicht, und sie legte die Stirn in Falten.

Susan schließt immer die Türen ab, wenn sie früher geht, dachte Diana.

Sie durchquerte die Küche und blieb plötzlich stehen.

Der Riegel war zwar vorgelegt, die Tür jedoch nicht geschlossen. Sie schaute näher hin und sah, das jemand mit einem Schraubenzieher oder kleinen Klauenhammer das Holz rund um das Schloss aufgerissen hatte. Holz war auf den Keys in Florida ständig Hitze, Feuchtigkeit, Regen und Wind ausgesetzt, dies hatte auch diesem Türrahmen zugesetzt, so dass er aufgeweicht und beinahe angefault war. Für einen Einbrecher ein gefundenes Fressen.

Diana trat ruckartig zurück, als wäre ein Einbruch eine ansteckende Krankheit.

Bin ich allein?

Sie riss sich zusammen. Susans Zimmer, sagte sie sich. Sie hastete hinüber und rechnete halb damit, dass dort jemand herausstürmen würde. Sie durchquerte mit wenigen Sätzen das Zimmer, riss die Schranktür auf und griff sich eine der Pistolen ihrer Tochter. Sie drehte sich um, nahm die Schusshaltung ein, die ihre Tochter ihr gezeigt hatte, spannte mit dem Daumen den Hammer des kleinen Revolvers und entsicherte die Waffe mit ein und derselben Bewegung.

Sie war allein.

Diana lauschte angestrengt, konnte aber nichts hören. Jedenfalls nichts, was darauf schließen ließ, dass der Eindringling in der Nähe war. Immer noch übertrieben vorsichtig lief sie von Zimmer zu Zimmer, schaute in jedem Schrank, in jedem Winkel und unter den Betten nach, überall, wo ein Mann sich verstecken könnte. Es war alles unverändert. Nichts ließ darauf schließen, dass irgendjemand anders im Haus gewesen war, und sie entspannte ein wenig.

Sie kehrte zur Küche und zur aufgebrochenen Tür zurück, um sich den Rahmen genauer anzusehen. Sie würde noch heute einen Handwerker rufen müssen, damit der sofort herkam und es reparierte. Sie schüttelte den Kopf und hielt sich eine Weile das kühle Metall der Pistole an die Stirn. Was sie noch einen Moment zuvor so sehr geängstigt hatte, schrumpfte zu einem kleinen Ärgernis zusammen, als sie im Kopf die kurze Liste von Arbeitern durchging, die so kurzfristig zur Verfügung stehen könnten. Sie besah sich das zersplitterte Holz noch einmal. »Zur Hölle damit«, murmelte sie laut. Ein Landstreicher vermutlich. Oder auch Teenager, die die Schule schwänzten. Sie hatte von ein paar findigen Siebzehnjährigen in der

Gegend gehört, die mit Fernsehern, Stereoanlagen und Computern, die sie tagsüber stahlen, wenn die Familien zur Arbeit oder in der Schule waren, satte Gewinne machten. Die Kratzer am Türrahmen sagten ihr, dass derjenige, der das Schloss kaputt gemacht hatte, ein Anfänger gewesen sein musste. Jemand, der ein Stück Metall ins Holz gerammt und dann mit roher Gewalt nachgeholfen hatte. Jemand, der in Eile gewesen war und sich nicht viel Mühe gegeben hatte. Jemand, der geglaubt hatte, es sei niemand zu Hause und ein wenig Lärm würde niemanden stören.

Die Jugendlichen mussten gekommen sein, kurz nachdem Susan weg war. Wahrscheinlich waren sie schon halb im Haus, als sie merkten, dass sich jemand rührte. Das musste sie wohl in die Flucht geschlagen haben.

Sie schmunzelte und hob die Pistole.

Wenn die wüssten. Sie hielt sich nicht gerade für eine Kriegerin und glaubte schon gar nicht, mehreren Teenagern gewachsen zu sein. Sie betrachtete die Waffe. Vielleicht wären die Chancen damit ausgeglichen gewesen. Allerdings nur, wenn sie rechtzeitig an die Pistole gekommen wäre. Sie versuchte sich vorzustellen, mit ein paar Jugendlichen um die Wette durchs Haus zu sprinten. Wohl kaum ein Rennen, das sie gewinnen könnte.

Diana schüttelte den Kopf.

Sie seufzte und beschloss, nicht allzu viel darüber nachzudenken, wie knapp sie gerade einem gewaltsamen Tod entkommen sein mochte. Nichts war passiert, nichts mehr als eine Unannehmlichkeit, und dazu noch eine, die alltäglich war, nicht nur auf den Keys und in den Städten, sondern auch überall sonst. Ein bedeutungsloser Vorfall, der es nicht wert war, lange darüber nachzudenken, und der tödlich hätte enden können. Sie hörten die Geräusche, als Diana aufstand, und bekamen es mit der Angst zu tun, und das war gut so, denn wären sie auch nur ein, zwei Schritte ins Haus eingedrungen, dann hätten sie wahrscheinlich beschlossen, sie nicht nur zu berauben, sondern auch umzubringen.

Sie stellte sich die Teenager vor – lange, fettige Haare, Ohrringe und Tattoos, Nikotinflecken an den Fingern. Punks, dachte sie, ohne zu wissen, ob das Wort noch geläufig war.

Diana wandte sich von der Tür zum Küchentisch um. Sie legte den Revolver auf die Platte und schob sich noch ein süßes Stück Melone in den Mund. Die zuckrigen Säfte weckten ihre Lebensgeister. Sie nahm das Glas Orangensaft und griff erneut nach den Pillen, die ihre Tochter für sie zurechtgelegt hatte.

In diesem Moment hielt sie inne.

Ihre Hand schwebte kurz über den Tabletten in der Luft.

Was stimmt da nicht?, fragte sie sich plötzlich.

Es durchfuhr sie eiskalt.

Sie zählte die Pillen. Zwölf.

Das sind zu viele, dachte sie. So viel weiß ich. Gewöhnlich sind es nicht mehr als sechs. Sie nahm nacheinander die Döschen zur Hand, las jedes Etikett, zählte noch einmal und sagte laut: »Sechs. Müssten sechs sein.«

Es waren zwölf auf dem Teller.

»Susan, hast du einen Fehler gemacht?«

Das schien unmöglich. Susan war ein vorsichtiger Mensch. Umsichtig und gut organisiert. Vernünftig. Und sie hat mir die Medizin schon häufig vorbereitet.

Diana ging zu einer Küchenecke, in der ein kleiner Computer in die Telefonleitung eingestöpselt war. Sie tippte den Code der örtlichen Apotheke ein, und wenige Sekunden später leuchtete auf dem Monitor das Bild des Apothekers auf.

»Hi, guten Morgen, Mrs. C.! Wie geht's Ihnen an diesem prächtigen Tag?«, dröhnte ihr die Stimme des Mannes mit seinem mächtigen Akzent entgegen.

Diana nickte zum Gruß. »Gut, Carlos, danke. Ich hab nur eine kurze Frage zu meinen Medikamenten …«

»Ich hab Ihre Daten vor mir. Was gibt's?«

Sie sah sich die Pillen an. »Ist das in Ordnung? Zwei Megavitamin-Tabletten, zwei gegen die Schmerzen, vier Clopamin, vier Renzac –«

»Nein, nein, nein, Mrs. C.!«, fiel ihr Carlos ins Wort. »Die Vitamine sind okay, vielleicht können Sie sogar die Schmerzmittel doppeln, meinetwegen, aber nicht dauernd. Wahrscheinlich würden Sie davon einfach nur sofort einschlafen. Aber das Clopamin und das Renzac ist starkes Zeug. Sehr starke Medikamente! Das ist viel zu viel! Eine von jedem! Nicht mehr, Mrs. C.! Das ist *mui importante*!«

Ein unheimliches Gefühl kroch ihr in den Magen. »Vier von jedem wäre demnach …«

»Das dürfen Sie nicht mal denken! Vier von jedem macht Sie sehr krank.«

»Wie krank?«

Der Apotheker zögerte. »Das wäre wahrscheinlich Ihr Ende, Mrs. C. Vier von beiden auf einmal ist ssähr gefährlich. Ssähr gefährlich.«

Sie antwortete nicht.

»Besonders zusammen mit diesen Schmerzmitteln, Mrs. C. Die machen Sie bewusstlos, und dann Sie wissen nicht mal, was für Riesenprobleme Sie mit Clopamin und Renzac bekommen. Gut, dass Sie angerufen haben, Mrs. C. Melden Sie sich, wenn Sie irgendwelche Fragen haben wegen der Tabletten. Ich weiß, ist eine ganze Menge, nicht leicht auseinanderzuhalten. Rufen Sie einfach an, Mrs. C. Und wenn Sie mich gerade mal nicht am Telefon erreichen, dann nehmen Sie lieber nix. Vielleicht die Schmerzmittel, aber sonst nix. Diese Krebstabletten, Mrs. C, die sind *mui fuerte*. Sehr stark.«

Dianas Hand zitterte ein wenig.

»Ich weiß nicht, wie ich Ihnen danken soll, Carlos«, brachte sie mühsam heraus. »Sie haben mir sehr geholfen.« Sie tippte auf die Tastatur, und die Leitung war tot. Vorsichtig füllte sie die überschüssigen Tabletten wieder in ihre Döschen zurück und wehrte das Bild des einst vertrauten Mannes ab, der ins Haus eindrang, die Notiz ihrer Tochter entdeckte und die Gelegenheit ergriff, die sich ihm bot. Er muss das für einen tollen Witz gehalten haben. Er wird grinsend gegangen sein und auf der Straße vielleicht sogar laut gelacht haben, nachdem er ihr in voller Absicht auf dem Frühstückstisch eine tödliche Dosis von Medikamenten hinterlassen hatte; Medikamente, die eigentlich dazu dienten, sie am Leben zu halten.

DREIZEHN
GUCK-GUCK

Jeffrey Clayton saß wie erstarrt auf seinem Stuhl und hatte keine Ahnung, was er machen sollte. Als Agent Martin wütend und mit rotem Gesicht zur Tür hereinstürzte, hatte er sich immer noch nicht von der Nachricht auf seinem Monitor losreißen können. »Guck-guck«, murmelte Clayton leise, während der Detective die Tür zuschlug und augenblicklich eine Schimpfkanonade losließ:

»Clayton, Sie Mistkerl, ich hab Ihnen klar gesagt, wie die Regeln lauten! Ich bin die ganze Scheißzeit mit Ihnen zusammen! Keine kleinen Tagesausflüge ohne mich. Verflucht noch mal, wo haben Sie nur gesteckt? Ich hab Sie überall gesucht.«

Der Professor reagierte nicht sofort auf die Frage und den Ärger. Er wandte sich mit seinem Drehstuhl dem Detective zu und funkelte ihn an. Er verstand den Grund für Martins Wut – was nützte einem schließlich ein Lockvogel, wenn man ihn nicht durchgehend unter Aufsicht hatte? Denn nur so konnte man zugreifen, wenn die Zielperson tatsächlich aus der Deckung kam, um mit dem Köder Kontakt aufzunehmen. Seine eigene Wut darüber, auf diese Weise missbraucht zu werden, drohte ihm die Kehle zuzuschnüren, doch es gelang ihm, sich zu beherrschen. Er wusste intuitiv, dass es besser für ihn war, nicht preiszugeben, dass er den wahren Grund für die Einladung in den Einundfünfzigsten Staat herausgefunden hatte. Außerdem hatte er den Beweis dafür, dass Agent Martins Kalkül berechtigt war, auf seinem Monitor. Für den Bruchteil einer Sekunde überlegte er, ob er die Nachricht für sich behalten sollte, doch ohne sich bewusst zu entscheiden, hob er langsam den Finger und deutete auf die Worte vor ihm.

»Was ist? Wer ist da?«

Jeffrey zeigte weiter stumm auf den Monitor. Dann stand er auf, ging zur Tafel hinüber, und während der Detective sich auf seinem Stuhl niederließ, um die Botschaft zu lesen, wischte Jeffrey die Hälfte mit der Überschrift *Falls uns der Mörder nicht bekannt ist* aus.

»Das brauchen wir nicht mehr«, sagte er mehr zu sich selbst als zu Martin. Ihm wurde bewusst, dass er tilgte, was schon einmal zuvor für ihn gelöscht worden war, als er es noch nicht hatte wahrhaben wollen. Als er sich wieder umdrehte, sah er, dass die Brandnarben an Hals und Händen des Detective sich in einem immer dunkleren Rot einfärbten.

»Da hol mich doch der Teufel«, murmelte Martin.

»Können Sie das zurückverfolgen?«, fragte Jeffrey unvermittelt. »Die Nachricht kam über eine Telefonleitung. Wir müssten doch in der Lage sein, den Absender zu ermitteln.«

»Ja«, antwortete Martin eifrig, »Ja, verdammt, ich denke, das kann ich. Ich meine, es müsste gehen.« Er beugte sich über die Tastatur und fing an, Buchstaben einzutippen. »Die elektronischen Verbindungswege sind eine knifflige Sache, aber so gut wie immer führen sie in beide Richtungen. Meinen Sie, er weiß das?«

Jeffrey hielt das für möglich, war sich aber nicht sicher. »Keine Ahnung«, meinte er. »Wahrscheinlich weiß irgendein vierzehnjähriges Genie von der hiesigen Highschool nicht nur, wie das geht, sondern erledigt das auch in zehn Sekunden. Aber wie technisch versiert mag unser Mann sein? Kann ich Ihnen nicht sagen. Schauen Sie einfach, was sich machen lässt.«

Martin fuhr mit seiner Arbeit am Computer fort und zögerte einen Moment. »Da«, platzte er heraus. »Hol mich der Teufel. Ich glaube, wir haben den Bastard.«

Er lachte plötzlich trocken.

»Leichter als ich dachte«, freute sich der Detective. Er nahm die Finger von den Tasten und wedelte damit spielerisch in der Luft. »Reine Magie«, verkündete er.

Jeffrey beugte sich über seine Schulter und sah, dass der Computer als Urheber der Nachricht eine einzige Telefonnummer gefunden hatte. Der Agent brachte den Cursor hinter diese Nummer und tippte eine weitere Aufforderung. An dieser Stelle forderte der Computer einen Sicherheitscode, den Martin eingab.

»Damit knacken wir die Sicherheitssperre«, erklärte er.

Noch während er sprach, spuckte der Apparat eine Antwort aus, und Clayton sah, dass unter der Telefonnummer ein Name und eine Anschrift erschienen.

»Wir haben dich, Bastard«, rief Martin in triumphierendem Ton. »Ich hab's gewusst. Da ist Ihr gottverdammter Daddy«, sagte er wütend.

Clayton las den Eintrag:

Eigentümer: Gilbert D. Wray; Miteigentümerin/Ehefrau: Joan D. Archer; zum Haushalt gehörige Kinder: Philip, 15, Henry, 12. Adresse: 13 Cottonwood Terrace, Lakeside.

Er starrte auf die Anschrift. Sie klang ihm seltsam vertraut.

Der Eintrag enthielt noch einige zusätzliche Informationen, darunter die berufliche Tätigkeit des Mannes, die mit Unternehmensberater angegeben war; Joan Archer war Hausfrau. Ihre Einwanderung in den Einundfünfzigsten Bundesstaat lag sechs Monate zurück, und ihre letzte vorherige Anschrift war ein Hotel in New Washington gewesen. Davor hatte die Familie in New Orleans gelebt. Jeffrey wies den Detective darauf hin.

Martin, der bereits nach dem Telefon griff, erwiderte ungeduldig: »Das ist normal. Die Leute verkaufen ihre Häuser und ziehen hierher, wohnen in einem Hotel, bis ihre Einwanderung durch und ihr neues Haus fertig ist. Kommen Sie schon, verdammt!«

Die Person am anderen Ende der Leitung musste sich genau in diesem Moment gemeldet haben, denn der Detective sagte: »Hier spricht Martin. Keine Fragen. Ich brauche ein Sonderkommando in Lakeside. Wir treffen uns da. Sofort. Dringlichkeitsstufe eins.«

Neben dem Computer surrte ein Drucker los, und vier Blätter glitten durch die Ausgabe. Der Detective nahm sie, starrte einen Moment darauf und reichte sie dann Clayton. Beim ersten Ausdruck handelte es sich um das Passfoto eines Mannes Anfang sechzig, mit breitem Hals, das kräftige Haar im Bürstenschnitt kurz gehalten, dazu Brille mit schwarzem Rand. Es folgte das Foto einer Frau ungefähr im selben Alter, mit verhärmten Zügen und einer leicht schiefen Boxernase. Auch die Fotos der Kinder waren vorhanden. Dem älteren der beiden stand kaum verhohlener Ärger im Gesicht. Unter jedem Bild waren Größe, Gewicht, besondere Merkmale sowie eine halbwegs detaillierte Krankengeschichte aufgelistet, dazu Sozialversicherungsnummern und Führerschein. Auch die Nummern der Bankkonten sowie Kreditauskünfte waren vermerkt bis hin zu den Schulzeugnissen der Kinder. Jeffrey sah sofort, dass solche Auskünfte für einen fähigen Polizisten mehr als ausreichend waren, um gegen eine Person zu ermitteln – oder sie zu finden, falls nach ihr gefahndet wurde.

»Sagen Sie Ihrem Dad guten Tag«, bemerkte Martin schroff, »guten Tag und Lebewohl.« Während Jeffrey ohne den Anflug eines Wiedererkennens auf die Fotos starrte, erhob sich der Detective von seinem Sitz und lief quer durchs Zimmer zu einem verschlossenen Aktenschrank in der Ecke. Einen Moment lang hantierte er am Kombinationsschloss herum, bis er schließlich eine Schublade öffnen konnte, aus der er eine glänzende schwarze Maschinenpistole Marke Ingram holte. »Amerikanisches Produkt«, sagte er. »Manche meiner Kollegen haben eine Schwäche für ausländische Modelle. Kann ich nicht nachvollziehen. Ganz bestimmt nicht. Gilt für viele Waffen, die hier in den guten alten Vereinigten Staaten von Amerika geboren und groß gezogen worden sind.« Mit einem Grinsen ließ er einen Ladestreifen mit gefährlich aussehenden, klobigen, Teflon beschichteten Geschossen Kaliber fünfundvierzig einschnappen, dann schlang er sich die Waffe siegesbewusst über die Schulter.

Die Nebenstelle der Staatssicherheit in Lakeside entsprach mit ihren roten Klinkern und den weißen Fensterläden dem traditionellen Baustil von New England – äußerlich ein altmodisches Polizeirevier, im Innern dagegen eine moderne, computergesteuerte Schaltzentrale mit grauen Stahlschließfächern und modernster elektronischer Technik in dezentem Beige, das Ganze unter versenkten Deckenleuchten und auf schweren, strapazierfähigen braunen Teppichböden, welche die Geräuschkulisse dämpften. Die Außenfenster waren eher dekorative Accessoires, da man in dieser Dienststelle auf virtuellem Wege nach draußen sah – per Computer, Überwachungsmonitoren und Sensoren verschiedenster Art. Martin hatte den Wagen an einer versteckten Stelle hinter dem Gebäude geparkt und war zügigen Schrittes hineinmarschiert. Die Sicherheitstüren öffneten sich für ihn, um ihn in die kleine Eingangshalle zu schleusen, wo bereits das Sonderkommando auf ihn wartete.

Die Einheit bestand aus sechs Leuten – vier Männern und zwei Frauen in Zivil. Die Frauen trugen leuchtend bunte Jogginganzüge. Einer der Männer stand in konservativem, marineblauem Anzug und Krawatte da, ein anderer in zerschlissenen grauen Trainingssachen, die er angefeuchtet hatte, damit er verschwitzt aussah, als käme er direkt vom Sport. Die anderen beiden Männer waren als Mitarbeiter eines Telefondienstes verkleidet und entsprechend mit Arbeitshemden, Jeans und Helmen sowie braunen Werkzeuggürteln getarnt. Als Jeffrey zu ihnen stieß, waren sie alle mit ihren Waffen beschäftigt, betätigten die Schlagbolzen an ihren Uzis oder prüften, ob die Ladestreifen vollständig bestückt waren. Außerdem sah er, dass sich die Waffen alle verstecken ließen; der Geschäftsmann packte seine in ein Aktenköfferchen, die beiden Frauen ihre in ähnlich aussehenden Sportkinderwagen, die Arbeiter in ihre Werkzeugkästen.

Martin händigte dem Team Kopien der Fotos aus. Er ging zu einem Computer, hatte binnen Sekunden die Anschrift eingegeben und bekam im Gegenzug einen dreidimensionalen Grund- und Aufriss des Hauses mit der Anschrift 13 Cottonwood Terrace. Eine weitere Befehlseingabe förderte ein Satellitenbild des Anwesens zutage. Die Agents versammelten sich um diese Bilder und hatten in wenigen Minuten geklärt, wie sich die Mitglieder des Teams strategisch verteilen würden.

»Wir gehen es mit dem Standardverfahren für die höchste Gefahrenstufe an«, sagte Martin.

»Ein bestimmtes Modell?«, fragte einer der als Arbeiter verkleideten Männer.

»Modell drei«, erwiderte Martin lapidar.

Das Team nickte. Martin drehte sich zu Clayton um und erklärte: »Das ist ein normales Vorgehen bei einem Überfallkommando. Mehrere Zielpersonen, nur ein Zielort, mehrere Ausgänge. Geringe Wahrscheinlichkeit, dass Waffen im Haus sind. Risiko für die Agenten im mittleren Bereich. Wir üben diese Dinge unentwegt.«

Der Leiter des Kommandos, der blaue Anzug, hüstelte, als er sich das Computerbild des Hauses einprägte, und rückte sich die Krawatte zurecht, als ob er zu einer Präsentation des Managements ginge. Er stellte eine einzige Frage: »Verhaften oder eliminieren?«

Martin warf einen Seitenblick auf Clayton. »Natürlich verhaften«, antwortete er.

»Geht klar«, meinte der zweite Arbeiter, während er den Lademechanismus seiner Pistole mit irritierendem Klicken nach vorne und nach hinten schob. »Und welches Maß an Gewalt dürfen wir einsetzen, um diese Verhaftung durchzuführen?«

Martins Antwort kam kurz und bündig. »Maximum.«

»In Ordnung.« Der Arbeiter nickte. »Dachte ich mir. Was wird unserer Zielperson zur Last gelegt?«

»Verbrechen der Höchststufe. Rot eins.«

Bei dieser Antwort schnellten einige Augenbrauen in die Höhe.

»Rot?«, fragte eine der Frauen. »Soweit ich weiß, wurde ich noch nie hinzugezogen, wenn ein Täter Stufe Rot gefasst werden sollte, geschweige denn Rot eins. Was ist mit seiner Familie? Sind die auch Stufe Rot? Was machen wir mit denen?«

Martin zögerte einen Moment, bevor er sagte: »Es gibt keine schlüssigen Beweise dafür, dass sie in irgendeine kriminelle Aktivität verwickelt sind, wir sollten sie allerdings vorsichtshalber als Mitwisser und Helfer betrachten. Immerhin sind sie die Familie des Mistkerls.« Er blickte zu Clayton hinüber, der nicht reagierte. »Damit fielen sie unter Mithilfe zu Stufe Rot. Sie sollten ebenfalls in Haft genommen werden. Hab 'ne Menge Fragen an sie. Nehmen wir also am besten jeden in Gewahrsam, den wir am Zielort vorfinden, klar?«

Der Kommandoleiter nickte und machte sich daran, schusssichere Westen auszuteilen. Eine der Frauen wies darauf hin, dass es ein Wochentag sei, die Jungen also wahrscheinlich in der Schule wären, wo man sie unter Umständen abholen könnte. Eine entsprechende Computerüberprüfung stellte jedoch klar, dass sich keiner von beiden in der Lakeside Highschool befand. Außerdem ließ Agent Martin elektronisch den Waffenbesitz der Familie ermitteln und kam zu dem Ergebnis, dass weder Zielperson Wray noch Ehefrau Archer eine registrierte Waffe besaßen. Danach ließ er noch einige weitere Suchen durchlaufen, unter anderem nach dem Fahrzeugtyp und der Dienstzeit. Der Computer förderte zutage, dass die Zielperson von einem heimischen Büro aus arbeitete, was, wie Martin dem Kommando erklärte, die Wahrscheinlichkeit erhöhte, dass sie zu Hause war. Dann überprüfte er noch rasch, ob Zielperson Wray irgendwelche Reisepläne hatte, wurde jedoch weder bei Flügen noch Hochgeschwindigkeitszügen fündig. Ebenso wenig erbrachten die Einwanderungsdateien Hinweise darauf, dass Wray in letzter Zeit mit seinem Auto die Grenzen des Bundesstaates überquert hätte. Als der Computer zu diesen Fragen nur negative Ergebnisse auswarf, zuckte Martin die Achseln und sagte: »Zum Teufel damit. Der scheint ja ein richtiger Stubenhocker zu sein. Ziehen wir einfach los und schnappen uns den Kerl, den Rest kriegen wir dann später raus.«

Während Martin sich erhob, griff er nach einer geladenen Neun-Millimeter-Pistole und reichte sie Jeffrey. Doch während er sie dem jüngeren Mann hinschob, fragte er in sarkastischem Ton: »Also, Professor, sind Sie sicher, dass Sie bei dieser kleinen Party mitfeiern wollen? Sie haben sich Ihr Kleingeld schon verdient, zumindest einen Teil davon. Wollen Sie das lieber hier aussitzen?«

Jeffrey schüttelte den Kopf und wog die Waffe in der Hand. Er war dankbar, dass Martin ihm diese Halbautomatik gegeben hatte. Die Maschinenpistolen, die die Agenten dabei hatten, zerfetzten alles und jeden, und er wollte in der Cottonwood Terrace sowohl die Menschen als auch das Haus unversehrt hinterlassen.

»Ich will ihn sehen.«

Martin lächelte. »Sicher, ist ja auch verdammt lange her.«

Jeffrey nahm einen akademischen Tonfall an. »Es gibt eine Menge, was wir hier lernen können, Detective.« Er deutete auf die Ingram, die im Halfter an Martins Schulter hing. »Vergessen wir das nicht.«

Der Detective zuckte die Achseln. »Sicher. Was auch immer. Allerdings bin ich nicht in erster Linie hier, um die Wissenschaft voranzubringen.« Er lächelte wieder. »Ich kann Ihre Bedenken natürlich verstehen. Das ist nicht unbedingt die Art von Familientreffen, die man sich wünscht, aber, hey, schließlich kann man sich seine Blutsverwandten nicht aussuchen!«

Martin drehte sich um, gab dem Kommando ein Zeichen und

marschierte entschlossen aus der Polizeistation hinaus. Im Westen ging soeben die Sonne unter, und als Jeffrey hinblickte, musste er sich gegen das letzte Gleißen die Hand über die Augen halten. In wenigen Minuten ist es dunkel, dachte er, allenfalls noch eine halbe Stunde. Ein verblassendes Grau, gefolgt von der Dunkelheit der Nacht. Sie mussten sich beeilen, wenn sie sich das letzte Tageslicht zunutze machen wollten.

Das Team verteilte sich auf verschiedene Fahrzeuge. Wortlos glitt Jeffrey auf den Sitz neben Martin, der – nicht eben passend – eine alte Melodie vor sich hin summte, die Clayton wiedererkannte. »Singin' in the Rain.« Es regnet doch gar nicht, dachte Clayton, und er war sich auch nicht sicher, ob es irgendeinen Grund zur Freude gab. Der Detective trat so heftig aufs Gas, dass beim Verlassen des Parkplatzes die Reifen quietschten, und Clayton kam der Gedanke, dass die Verhaftung für den Detective wahrscheinlich zweitrangig war. Ihm kam das Gespräch über die Stufen der Gesetzesverstöße, das er mit angehört hatte, wieder in den Sinn. »Was zum Teufel ist ein Verbrechen Stufe Rot?«, wollte er wissen.

Martin summte noch ein paar Takte, bevor er erwiderte: »So wie die verschiedenen Wohngegenden unterschiedliche Farben tragen, sind auch alle antisozialen Aktivitäten im Staat gekennzeichnet. Die Farbe definiert die Reaktion des Staates. Rot ist offensichtlich der höchste Grad. Oder das schlimmste Vergehen. Kommt hier ziemlich selten vor. Deshalb war das Team so überrascht.«

»Und was ist ein rotes Vergehen?«

»Gewöhnlich Wirtschaftskriminalität. Zum Beispiel Unterschlagung von Geldern einer Firma. Oder soziale Vergehen, zum Beispiel Drogenmissbrauch durch Jugendliche in einem Gemeindezentrum. Das ist aber immerhin so ernst, dass eine Zielperson sich gewaltsam gegen die Festnahme wehren könnte – darum natürlich das Einschreiten im Team. Aber in der gesamten Geschichte des Bundesstaates haben wir nur ungefähr ein Dutzend Tötungsdelikte gehabt, und da ging es ausnahmslos um eskalierende Ehestreitigkeiten. Wir haben immer mal wieder Fälle von Fahrerflucht, was nach altem Rechtsverständnis an Totschlag grenzt. Das wären auch rote Straftaten, aber eine niedrigere Stufe. Eine Zwei oder Drei.«

Jeffrey nickte und sagte nichts, auch wenn er wusste, dass er belogen wurde.

»Die Sache ist eben die«, fuhr der Detective fort, »die Einwanderungsbehörde versucht, eine Neigung zur Gewalttätigkeit und zu Alkoholmissbrauch von vornherein durch vorbeugende psychologische Tests zu entdecken und auf diese Weise in Schranken zu halten. Es hat auch ein paar Schlägereien gegeben, meist Jugendliche, die sich wegen eines Mädchens in die Haare bekamen oder am Rande von Basketballspielen der Highschool, bei denen es zu großen Rivalitäten kommen kann. Das kann zu Delikten im unteren Rot-Bereich führen.«

»Aber mein Vater –«

»Für den bräuchten wir eigentlich eine andere Farbe. Vielleicht scharlachrot. Das hat so eine hübsche literarische Konnotation – der Rote Tod, stimmt's?«

»Und verhaften? Was meinte der Kommandoleiter mit *eliminieren*? Da gab es offenbar eine Frage ...«

Zunächst antwortete Martin nicht. Er fing wieder an zu summen und war in der Mitte des Songs angelangt, bevor er sich unterbrach. »Clayton, seien Sie nicht so naiv. Die Sache ist doch die: Wir werden Ihren alten Herrn nicht davonkommen lassen. Falls jemand zu tödlicher Gewalt greifen muss, dann ist es eben so. Das ist Ihnen doch von früheren Fällen nicht gar so fremd. Sie kennen die Vorschriften. In einer solchen Situation ist es hier nicht viel anders, als es in Dallas, New York, Portland oder sonst irgendwo wäre, wo die Bösen ganz normalen Menschen das Leben zerstören wollen. Das verstehen Sie doch, oder? Also, ein Wort genügt, und ich fahr ran, und Sie können in dieser hübschen, grünen Gegend im

Schatten eines schönen Baumes warten und Däumchen drehen, während ich Ihren verdammten Vater einkassiere. Wenn Sie aussteigen wollen, brauchen Sie's nur zu sagen. Ansonsten kommt es eben, wie es kommt.«

Jeffrey hielt den Mund und stellte keine weiteren Fragen. Stattdessen beobachtete er die Schatten, die hohe Tannen über die manikürten Rasenflächen der stillen, properen und makellosen Vorstadtwelt warfen.

Detective Martin hielt einen halben Block vom Haus entfernt. Er stöpselte sich einen Funkhörer ins Ohr, schloss sich mit den anderen Mitgliedern des Sonderkommandos kurz und wies alle an, in Stellung zu gehen. Die beiden Arbeiter sollten sich an einem Verteilerkasten im Norden des Grundstücks postieren, der Geschäftsmann und der Trainingsanzug im Süden. Die beiden Frauen mit ihren Kinderwagen gaben von hinten Deckung, während sie langsam die Straße entlang schlenderten und plauderten. Martin und Clayton sollten bis zur Haustür vorfahren, und sobald sie klopften, sollte das Team das Haus umstellen. Die Vorgehensweise war einfach, schnell und der übliche Standard. Bei korrekter Umsetzung würden nicht einmal die Nachbarn merken, dass eine Verhaftung im Gange war, bis Verstärkung eintraf. Vier weitere Fahrzeuge der Staatssicherheit mit uniformierten Beamten warteten einen Block entfernt auf ihren Einsatz.

»Sind Sie so weit?«, fragte Martin, trat jedoch aufs Gaspedal, ohne eine Antwort abzuwarten.

Jeffrey sog heftig die Luft ein.

Er begriff, dass er irgendwo tief in seinem Innern von Emotionen geschüttelt wurde. Er war sich ebenso bewusst, dass die gespannte Erwartung über alle Fragen siegte, die er hatte, und seine Gefühle überlagerte. Er empfand eine seltsame Kälte, fast wie ein Kind in dem Augenblick, in dem es erkennt, dass es keinen Nikolaus gibt, sondern nur einen Mythos und Erwachsene. Er horchte in sich hinein und versuchte, sich an irgendeine konkrete Emotion zu klammern, fand jedoch keine.

Er fühlte sich blutleer. Hart und wie unter einer Eisschicht.

Der Detective bog in die kreisförmige Einfahrt eines modernen, zweigeschossigen Fünf-Zimmer-Hauses, das wie die Stadt, aus der sie kamen, dem Kolonialstil New Englands verpflichtet war. Die Welt war in ein fades graues Licht getaucht, das immer blasser wurde, und die Scheinwerfer des nicht gekennzeichneten Streifenwagens vermischten sich eher mit dem Halbdunkel der Abenddämmerung, als dass sie das Haus erleuchteten.

Drinnen war es dunkel. Jeffrey konnte keine Bewegung ausmachen.

Martin bremste abrupt.

»Auf geht's«, sagte er und stieg zügig aus.

Er schwang sich die Maschinenpistole auf den Rücken, so dass sie vor jedem, der vielleicht aus dem Fenster blickte, verborgen war, und schritt zielstrebig zum Eingang.

»Sind an der Tür!«, flüsterte er ins Mikrofon. »Alle aufschließen.«

Er machte Clayton Zeichen, zur Seite zu treten, und klopfte energisch an.

Aus dem Augenwinkel heraus sah Jeffrey, wie die anderen Mitglieder des Teams auf das Haus zuhuschten. Martin klopfte wieder, lauter. Diesmal brüllte er: »Staatssicherheit! Öffnen Sie die Tür!«

Von drinnen war immer noch nichts zu hören.

»Scheiße!«, fluchte Martin. Er spähte durchs Fenster neben dem Eingang. »Sehen wir zu, dass wir reinkommen!«

Der Detective trat zurück und verpasste der Haustür einen Tritt, der wie ein Kanonenschuss klang. Sie wackelte und vibrierte, hielt jedoch stand. »Gottverdammt!« Er wandte sich an Clayton. »Holen Sie diesen verfluchten Türknacker aus dem Wagen! Schnell!«

Als Jeffrey zum Auto lief, um den Vorschlaghammer zu suchen, hörte er die Leute vom Sonderkommando in der Ferne rufen, und im selben Moment kamen ihre Worte über das Funkgerät, das der Detective trug, eine Art Stereoeffekt. Martin riss sich den Empfänger aus dem Ohr. Er gestikulierte ungestüm. »Machen Sie schon, verdammt!« Clayton schnappte sich den eisernen Rammbock vom Rücksitz und brachte ihn dem Detective.

»Her mit dem Ding!«, brüllte Martin und riss ihn Clayton aus der Hand. Er trat zwei Schritt von der Tür zurück, schwang den Hammer wütend zurück und ließ ihn mit voller Wucht gegen das Holz krachen. Splitter flogen. Martin ächzte vor Anstrengung, dann schwang er das Werkzeug ein zweites Mal und zerschmetterte die Tür. Der Detective ließ den Rammbock auf den Boden krachen und riss seine Maschinenpistole nach vorne, während er mit demselben Schwung in die Diele sprang und brüllte: »Ich bin drin, ich bin drin!«

Jeffrey folgte ihm dicht auf den Fersen.

Martin warf sich mit dem Rücken an die Wand und vollführte flinke Pirouetten, während er mit der Waffe in alle Richtungen zielte und dabei den Spannschieber nach hinten schob. Es machte laut klick!

Mit einem deutlichen Echo.

Dieser Nachhall war der erste Eindruck, den Jeffrey hatte. Für den Moment stutzte er, dann verstand er, was es zu bedeuten hatte.

Er sackte neben den Detective und flüsterte: »Sie können sich entspannen. Sagen Sie den anderen, sie sollen zur Haustür reinkommen.«

Martin schwang weiter die Waffe in einem großen Halbkreis von rechts nach links. »Was?«

»Sagen Sie den anderen, sie sollen herkommen. Sagen Sie ihnen, sie sollen die Waffen wegstecken. Außer uns ist niemand da.«

Jeffrey streckte sich und suchte das Halbdunkel nach einem Schalter ab. Er brauchte eine Sekunde, dann fand er einen für die Lichtleiste an der Decke. Er drückte ihn, und um sie wurde es hell, so dass sie beide sehen konnten, was Clayton schon begriffen hatte: Das Haus stand leer – keine Menschen, keine Möbel, keine Teppiche, keine Gardinen, kein Leben.

Martin machte ein paar tastende Schritte nach vorn, und seine Sohlen auf dem Holz hallten durch die Räume so wie zuvor das Geräusch seiner Waffe.

»Ich kapier das nicht«, meinte er.

Jeffrey antwortete nicht, sondern dachte nur: Nun ja, Detective, hast du wirklich gedacht, er macht es dir so leicht? Ein bisschen Computer-Magie und Bingo! Von wegen!

Die beiden Männer traten in ein leeres Wohnzimmer. Hinter ihnen hörten sie das Lärmen des Sonderkommandos, das sich in der Diele versammelte. Der Leiter des Teams kam herein.

»Nichts, wie?«

»Bis jetzt nicht«, antwortete Martin. »Aber ich möchte, dass ihr dieses ganze Haus auf den Kopf stellt und rausfindet, ob kürzlich jemand hier gewesen ist.«

»Rot eins«, grinste der Mann im Anzug. »Klar doch.«

Martin funkelte ihn böse an, doch der Kommandoleiter ignorierte ihn.

»Ich blas die Verstärkung ab. Sag ihnen, sie können wieder auf ihre Posten zurück.«

»Danke«, sagte Martin, »verdammt.«

Jeffrey ging langsam durch den leeren Raum. Irgendetwas muss hier sein, dachte er. Irgendetwas will er uns sagen mit diesem Haus. Diese Leere hat genauso viel zu bedeuten wie irgendetwas anderes. Hauptsache, man kann sie richtig interpretieren. Während er darüber nachgrübelte, hörte er Stimmen in der Diele. Er drehte sich um und sah, dass Martin mitten im Zimmer stand. Die Maschinenpistole baumelte an seiner Seite, sein Gesicht war rot vor Zorn. Der Detective setzte gerade an, um etwas zu sagen, als der Chef des Einsatzkommandos den Kopf zur Tür herein steckte.

»Hey, wollen Sie mit einem der Nachbarn reden? Die machen sich gerade in der Einfahrt breit, um zu sehen, was die ganze Aufregung soll.«

»Ja, ich«, beeilte sich Jeffrey und schritt an Martin vorbei, der verächtlich schnaubte und ihm zum Eingang folgte.

Ein Mann im mittleren Alter, in Khakihose zu violettem Kaschmirpulli, einen aufgeregt kläffenden Terrier zu seinen Füßen, unterhielt sich mit zwei der Agents. Eine der Frauen schnallte gerade die kugelsichere Weste ab und rief, als sie Martin sah: »Hey, das wollen Sie sicher hören.«

Der Detective trat vor. »Was wissen Sie über den Eigentümer dieses Hauses?«

Der Nachbar drehte sich um und versuchte vergeblich, den Hund zu beruhigen. »Das gehört keinem«, berichtete er. »Ist seit fast zwei Jahren auf dem Markt.«

»Zwei Jahre? Das ist eine lange Zeit.«

Der Mann nickte. »Die übliche Frist ist ein halbes Jahr, maximal acht Monate. Ist ein wirklich schönes Viertel, es wurde sogar schon mal in der *Post* vorgestellt, kurz nach Fertigstellung. Richtig gut geplant, tolle Anbindung ans Stadtzentrum, richtig gute Schulen.«

Jeffrey gesellte sich dazu. »Aber mit diesem Haus ist es anders. Wieso?«

Der Nachbar zog die Schultern hoch. »Ich glaube, die Leute denken, es bringt Unglück. Sie wissen ja, wie abergläubisch die Menschen sein können. Die Zahl dreizehn und so. Ich hab vorgeschlagen, einfach die Nummer zu ändern.«

»Unglück? Inwiefern?«

Der Mann nickte. »Ich weiß nicht, ob Unglück das richtige Wort ist, es spukt hier nicht oder so. Weckt einfach nur schlechte Assoziationen. Und ich sehe nicht ein, wieso wir alle für einen einzigen kleinen Vorfall büßen sollen.«

»Was für ein kleiner Vorfall?«, hakte Jeffrey nach.
»Die Kleine, die hier verschwunden ist. Stand in der Zeitung.«
»Erzählen Sie.«
Der Mann seufzte, ruckte an der Leine, als der Hund einem der Polizisten das Bein beschnüffeln wollte, und zuckte die Achseln.
»Die Familie, die hier gewohnt hat, na ja, nach der Tragödie sind sie weggezogen. So was spricht sich rum, schreckt die Leute ab. Gibt zu viele andere wirklich schöne Häuser einen Block weiter oder drüben in Evergreen. Die wollen keins kaufen, an dem eine böse Geschichte hängt.«
»Was für eine böse Geschichte?«
»Robinson hießen die. Nette Familie.«
»Bestimmt. Und?«
»Die Kleine ist eines späten Nachmittags noch einmal rausgegangen, kurz vor dem Abendessen. Wir liegen hier am Rand eines richtig großen Naturschutzgebiets. Eine Menge Wald und Tiere in freier Wildbahn. Vierzehn Jahre alt, die Kleine, man sollte meinen, sie wäre alt genug gewesen, nicht zu weit vom Haus wegzulaufen. Besonders kurz vor dem Abendessen. Na, jedenfalls ist sie weg, ihre Familie ruft nach ihr, die Nachbarn gehen alle mit Taschenlampen los, und sogar die Staatssicherheit taucht mit ’nem Hubschrauber auf, aber weit und breit nichts zu sehen. Man hat sie nie gefunden. Weit und breit kein Lebenszeichen. Die meisten haben sich gedacht, dass Wölfe oder Wildhunde sie auf dem Gewissen haben. Andere tippen auf’n Sasquatch oder so was in der Art. Ich halte natürlich nichts davon. Glaube nicht an so ’nen Fabelkram. Ich vermute, sie ist einfach abgehauen, um es nach einem Streit den Eltern heimzuzahlen. Sie wissen ja, wie Jugendliche sind. Und sie haut ab, verirrt sich, und das ist es. Im Vorgebirge, da gibt es ein paar Höhlen, und alle vermuten, dass ihre Leiche letztlich dort liegt, aber es gehört schon eine ganze Armee dazu, um dieses riesige Gebiet zu durchforsten. Jedenfalls hat die Polizei das gesagt.

Danach sind eine Menge Leute weggezogen. Kann sein, dass ich der Einzige im Viertel bin, der aus der Zeit noch übrig ist. Hat mich nicht allzu schlimm mitgenommen. Meine Kinder sind erwachsen.«

Jeffrey trat zurück und lehnte sich an eine der weißen Wände im Haus. Jetzt fiel ihm wieder ein, wo er die Adresse schon einmal gesehen hatte – in einem der Artikel aus der *Post*. Er hatte ein verschwommenes Bild von einem lächelnden Mädchen mit Zahnspange vor Augen. Auch das war in der Zeitung gewesen.

Der Mann zog die Schultern hoch. »Man sollte meinen, dass die Makler diesen Teil der Geschichte unter dem Deckel halten, wenn sie das Haus zeigen. Es ist ein schönes Haus. Sollte wieder jemand drin wohnen. Eine neue Familie. Wird wohl irgendwann klappen.«

Der Mann ruckte erneut an der Leine seines Hundes, obwohl der Terrier diesmal still am Boden saß.

»Außerdem drückt es allen anderen die Preise runter, wenn man es leer stehen lässt.«

Plötzlich schaltete sich Martin ein: »Haben Sie in letzter Zeit jemanden hier gesehen?«

Der Nachbar schüttelte den Kopf. »Wen haben Sie denn hier vermutet?«

»Was ist mit Arbeitern, Maklern, Gärtnern, sonst irgendjemandem?«, fragte Clayton.

»Na ja, keine Ahnung. So jemand wäre mir nicht aufgefallen.«

Detective Martin hielt dem Mann die Computerausdrucke von Gilbert Wray und seiner Familie unter die Nase.

»Kommen die Ihnen irgendwie bekannt vor? Schon mal gesehen?«

Der Mann starrte die Bilder an und schüttelte den Kopf. »Nee«, meinte er.

»Und die Namen? Erkennen Sie die Namen wieder?«

Der Mann schwieg und schüttelte zum zweiten Mal den Kopf. »Nie gehört. Hey, was soll das Ganze hier eigentlich?«

»Das geht Sie einen feuchten Kehricht an«, schnauzte Martin und schnappte ihm die Fotos wieder aus der Hand. Der Terrier kläffte und sprang dem Detective angriffslustig entgegen, der nur auf ihn herab starrte.

Jeffrey rechnete mit einer weiteren Frage des Detective oder mit einem Fußtritt gegen den Hund, als ein Mann des Einsatzkommandos aus einem anderen Zimmer rief: »Agent Martin! Ich glaube, wir haben hier was.«

Der Detective machte einer der Frauen im Team, die etwas abseits stand, ein Zeichen. »Nehmen Sie von dem Mann eine Zeugenaussage auf.« Und in etwas bitterem Ton fuhr er fort: »Danke für Ihre Hilfe.«

»Gern geschehen«, sagte der Nachbar hochmütig. »Ich möchte allerdings immer noch erfahren, was hier vor sich geht. Ich hab schließlich auch ein paar Rechte, Officer.«

»Hat jemand was anderes behauptet?«, brummte Martin zurück.

Mit Clayton im Schlepptau ging Martin der Stimme des Beamten nach. Sie kam aus dem Küchenbereich.

Es war einer der Männer, die als Telefontechniker verkleidet waren. »Den hier hab ich gefunden«, erklärte er.

Er zeigte auf eine Arbeitsplatte aus poliertem grauem Stein gegenüber der Spüle. Auf der Theke stand ein kleiner, preiswerter Laptop, der in eine Steckdose in der Wand und eine Telefonbuchse eingestöpselt war.

Neben dem Computer befand sich eine einfache Schaltuhr, wie man sie in jedem Computergeschäft kaufen kann. Auf dem Bildschirm leuchteten geometrische Formen, die sich bewegten und in einem elektronischen Tanz willkürlich Form und Farbe wechselten – von gelb über blau zu grün und rot –, und das alle paar Sekunden.

»Von dem aus hat er mir die Nachricht geschickt«, überlegte Jeffrey ruhig.

Agent Martin nickte.

Jeffrey trat bedächtig auf den Laptop zu.

»Diese Schaltuhr«, fragte der angebliche Techniker, »meinen Sie, die ist mit 'ner Bombe verbunden? Vielleicht sollten wir die Sprengstoffexperten holen.«

Clayton schüttelte den Kopf. »Nein, die hat er gebraucht, um dieses Ding zu aktivieren, so dass es die Mail automatisch verschickt, nachdem er längst über alle Berge ist. Trotzdem sollten wir den Computer der Spurensuche überlassen, damit sie ihn auf Fingerabdrücke untersucht. Und auch diese ganze Umgebung. Sie werden nichts finden, aber wir sollten es trotzdem versuchen.«

»Aber wieso lässt er ihn hier stehen, wo wir ihn finden können? Ich meine, er hätte Ihnen seine Nachricht von irgendeiner öffentlichen Stelle schicken können.«

Jeffrey betrachtete die Schaltuhr. »Das ist Teil derselben Botschaft, nehme ich an«, erwiderte er, auch wenn er in Wahrheit gar nichts annahm. Die Wahl dieses Ortes war sehr durchdacht, und er hatte eine ziemlich konkrete Ahnung, worin die Nachricht bestand. Sein Vater war schon einmal hier gewesen, vielleicht nicht im Haus, aber ganz bestimmt davor. Unter den wilden Tieren, die am Verschwinden des Kindes schuld sein sollten, dachte er sarkastisch. Er muss das unglaublich komisch gefunden haben. Jeffrey wurde bewusst, dass viele Mörder, mit denen er im Lauf der Jahre zu tun bekommen hatte, die Vorstellung höchst amüsant gefunden hätten, dass sich die Behörden des Einundfünfzigsten Bundesstaates mehr als der Mörder selbst darum bemühten, dessen Taten zu verschleiern. Er atmete langsam aus. Jeder Mörder, mit dem er sich im Lauf seines Berufslebens auseinandergesetzt hatte, wäre von dieser Ironie entzückt gewesen – die Eiskalten, die Berechnenden und die Impulsiven. Sie hätten sich bei dem Irrwitz ausnahmslos schlappgelacht, sich die Schenkel geklopft, Seitenstiche bekommen.

Er starrte auf den kleinen Bildschirm und betrachtete die ständig wechselnden Formen. Manche Mörder sind so, dachte er frustriert. Wenn sie vor deinem geistigen Auge gerade Kontur und Farbe annehmen, verändern sie sich, und nur gerade so viel, dass du von vorn anfangen kannst. In einem Anflug von Ärger drückte er die Enter-Taste, um endlich die irritierenden, wirbelnden Muster loszuwerden. Die geometrischen Formen verschwanden augenblicklich, und an ihrer Stelle erschien ein schwarzes Feld mit einer einzigen Nachricht, die gelb aufblitzte:

Guck-guck.
Hältst du mich für blöd?

VIERZEHN
EINE INTERESSANTE HISTORISCHE FIGUR

Ein weiteres Mal führte Agent Martin Clayton durch das nüchterne Labyrinth der Bürokabinen im Hauptquartier der Staatssicherheit des Einundfünfzigsten Bundesstaats. Ihr Erscheinen sorgte für einigen Wirbel; die Leute, die an ihren Schreibtischen saßen und telefonierten oder auf ihre Monitore blickten, hielten in dem, was sie gerade machten, inne und sahen den beiden Männern hinterher, so dass sie eine Woge plötzlicher Stille begleitete. Jeffrey vermutete, dass der Fehlschlag ihrer Razzia in dem leeren Haus sich schon herumgesprochen hatte. Vielleicht hatten die Leute auch inzwischen erfahren, weshalb er wirklich im neuen Staat war, was ihn, wenn schon nicht gerade zu einer Berühmtheit, so doch zumindest interessant machte. Er spürte die Augen in seinem Rücken.

Die Sekretärin, die den Eingang zur Direktorensuite bewachte, sagte nichts, sondern winkte sie durch.

Wie beim letzten Mal saß Martins Vorgesetzter hinter seinem Schreibtisch und wiegte sich leicht auf seinem Stuhl. Er hatte die Ellbogen auf die glänzende Holzfläche gestützt, die Fingerspitzen zusammengelegt und den Oberkörper vorgebeugt, was ihm auch diesmal ein raubtierartiges Erscheinungsbild verlieh. Rechts von Jeffrey saßen auf dem Sofa die beiden anderen Männer ihres ersten Treffens: der ältere, kahlköpfige Mann, beim letzten Mal Bundy genannt, der seine Krawatte gelockert hatte und dessen Anzug ein wenig zerknittert wirkte, als hätte er auf der Couch geschlafen; und der wie aus dem Ei gepellte jüngere

Mann aus dem Büro des Gouverneurs, dem Jeffrey den Spitznamen Starkweather verpasst hatte. Der Jüngere wich seinem Blick aus, als er hereinkam.

»Guten Morgen, Professor«, begrüßte ihn der Direktor.

»Guten Morgen, Mr. Manson«, erwiderte Jeffrey.

»Hatten Sie schon einen Kaffee? Etwas zu essen?«

»Danke, alles bestens«, lehnte Jeffrey ab.

»Gut, dann können wir also gleich zur Sache kommen.« Manson wies auf die beiden Stühle, die vor dem breiten Mahagonischreibtisch standen, und lud sie wie beim letzten Mal mit einer stummen Geste ein, Platz zu nehmen. Jeffrey legte sich auf dem Schoß ein paar Papiere und Notizen zurecht, dann sah er den Direktor an.

»Ich bin froh, dass Sie heute Morgen herkommen konnten, um uns hinsichtlich Ihrer Fortschritte auf den neuesten Stand zu bringen«, begann Manson, um augenblicklich von Starkweather unterbrochen zu werden, der murmelte: »Oder auch mangelnden Fortschritte«, was ihm einen bösen Blick des Direktors einbrachte. Wie zuvor saß Agent Martin unerschütterlich auf seinem Stuhl und wartete auf eine Frage, bevor er den Mund aufmachte – der gesunde Selbsterhaltungstrieb eines erfahrenen Beamten.

»Oh, ich glaube, das ist nicht ganz fair, Mr. Starkweather«, wies ihn der Direktor zurecht. »Ich denke, der gute Professor weiß inzwischen wesentlich mehr als bei seiner Ankunft ...«

Jeffrey nickte.

»Es geht für uns darum, wie wir uns die Kenntnisse des Professors am besten zunutze machen können. Wie können sie uns weiterhelfen? Welchen Vorteil ziehen wir daraus? Habe ich recht, Professor?«

»Ja«, erwiderte er.

»Und ich vermute, dass wir zumindest eine wichtige Klärung herbeigeführt haben, nicht wahr, Professor?«

Jeffrey zögerte, räusperte sich und nickte wieder. »Ja«, bestätigte er vorsichtig. »Es sieht so aus, als ob unsere Zielperson tatsächlich mit mir verwandt ist.« Das Wort Vater brachte er nicht über die Lippen, während Mr. Bundy da weniger Skrupel kannte:

»Der kranke Bastard, der uns den ganzen Laden durcheinanderbringt, ist also Ihr Vater!«

Jeffrey drehte sich halb zur Seite. »Einiges spricht dafür. Wenn es auch zu diesem Zeitpunkt noch nicht auszuschließen ist, dass es sich um ein äußerst geschicktes Täuschungsmanöver handelt. Das heißt, jemand, der mit meinem Vater sehr vertraut war und Einzelheiten von ihm weiß, die er nur von ihm selbst haben konnte. Allerdings ist die Wahrscheinlichkeit, dass es sich um ein solches Täuschungsmanöver handelt, äußerst gering.«

»Und außerdem, wozu sollte das jemand tun?«, fragte Manson. Er hatte eine beruhigende, gelassene Stimme, wie ein synthetisches Schmiermittel, die in scharfem Gegensatz zu der polternden und hektischen Sprechweise der anderen beiden Staatsvertreter stand. Jeffrey schätzte, dass ein Mann mit solcher Selbstbeherrschung eine bemerkenswerte Persönlichkeit war. »Ich meine, wozu sollte jemand zu einer solchen Täuschung greifen? Welchen Zweck könnte er damit verfolgen? Nein, ich denke, wir können mit ziemlicher Sicherheit davon ausgehen, dass der Professor zumindest schon einmal die erste Aufgabe, die wir ihm anvertraut haben, gemeistert hat: Er hat korrekt den Urheber unserer *Probleme* ermittelt.«

Manson schwieg einen Moment, dann fügte er hinzu: »Meinen Glückwunsch, Professor.«

Jeffrey nickte, auch wenn ihm auf der Zunge lag, dass der Urheber ihrer Probleme umgekehrt ihn ausfindig gemacht hatte, womit sie wohl auch gerechnet haben müssten, nachdem sie seinen Namen und sein Bild so auffällig in der Zeitung positioniert hatten. Er verkniff sich die Bemerkung.

»Ich dachte, er ist hier, um den Hurensohn zu finden, damit

wir ihn uns vornehmen können«, warf Starkweather ein. »Die Glückwünsche können warten, bis es so weit ist.«

Der zerknitterte Bundy beeilte sich, noch eins draufzusetzen: »Verstehen und Fortschritt sind nicht dasselbe. Mich interessiert nur, ob wir dem Mann so weit näher gekommen sind, dass wir ihn verhaften und uns um andere Dinge im Leben kümmern können. Eines ist wohl unbestreitbar, meine Herren: Je länger sich die Sache hinzieht, desto stärker ist unser aller Zukunft bedroht.«

»Sie meinen sicher Ihrer aller politische Zukunft?«, hakte Jeffrey mit einem sarkastischen Unterton nach. »Oder auch Ihre finanzielle Zukunft. Natürlich läuft beides vermutlich auf ein und dasselbe hinaus.«

Bundy rutschte auf dem Sofa umher und lehnte sich irritiert nach vorn, um etwas zu erwidern, als Manson die Hand hob.

»Ich darf doch bitten, meine Herren, das hatten wir alles schon mindestens ein halbes Dutzend Mal.« Er wandte sich Clayton zu, während er zugleich einen altmodischen Brieföffner vom Schreibtisch nahm, ein schönes Stück mit geschnitztem Holzgriff, in dessen Klinge die Sonne aufblitzte. Manson drückte sich die scharfe Kante in die Hand, als wollte er testen, wie gut sie geschliffen war. »Wir konnten nie davon ausgehen, dass dies eine leichte Verhaftung wird, selbst mit der kompetenten Unterstützung des Professors. Und es wird auch schwierig bleiben, trotz allem, was wir inzwischen wissen. Selbst hier, wo uns das Gesetz so viele Vorteile verschafft. Doch immerhin sind wir in kürzester Zeit ein gutes Stück vorangekommen. Nicht wahr, Professor?«

»Ich denke, das ist korrekt.«

Manson lächelte und zuckte mit einem Blick auf die beiden anderen Männer die Achseln. »Diese Ermittlungen, Professor … können Sie sich an eine ähnliche Fahndung erinnern, an eine, die in die Geschichte eingegangen ist? Die in der Literatur über diese Art von Mördern vermerkt ist? Oder auch in einer der vielen FBI-Akten, mit denen Sie so vertraut sind?«

Jeffrey hüstelte und dachte angestrengt nach. Mit dieser Frage hatte er nicht gerechnet, und er fühlte sich wie einer seiner Studenten, die aus heiterem Himmel mündlich abgefragt werden.

»Ich erkenne tatsächlich Elemente aus anderen Fällen wieder – berühmten Fällen. Angeblich hat sich Jack the Ripper an die Polizei und die Presse gewandt. David Berkowitz hat als »Son of Sam« Nachrichten geschickt. Ted Bundy – nicht bös gemeint, Mr. Bundy – besaß die Gabe eines Chamäleons, er konnte mit seiner Umgebung regelrecht verschmelzen, und erst als seine Zwänge überhandnahmen, konnte er verhaftet werden. Sicher würden mir noch andere einfallen ...«

»Aber die Übereinstimmung würde sich auf einzelne Elemente beschränken, richtig?«, wollte Manson wissen. »Fällt Ihnen irgendein Fall von einem Mörder ein, der seine Identität preisgegeben hat – noch dazu gegenüber seinem eigenen Kind?«

»Ich wüsste kein einziges Beispiel, wo das Kind eines Mörders bei der Jagd nach ihm benutzt worden wäre, nein. Allerdings gibt es in der Geschichte einige ... nun ja, Beziehungen, die zwischen dem Mörder und den polizeilichen Fahndern oder auch mit der Presse, die ihm zu Berühmtheit verhalf, entstanden sind ...«

»Das ist aber nicht genau das, womit wir es zu tun haben, nicht wahr?«

»Nein, natürlich nicht.«

»Und was schließen Sie daraus, Professor?«

»Eine ganze Menge. Eine Neigung zur Großspurigkeit. Ein gehöriger Egoismus. Vor allem aber sagt es mir, dass unsere Zielperson sich in ein vielschichtiges Gespinst aus Fehlinformationen hüllt, die dazu dienen, die Verbindung zwischen dem, was er einmal war, und dem, was er gegenwärtig ist, zu verschleiern. Und wenn ich sage, *ist*, dann meine ich nur seine derzeitige Identität, also seine berufliche Stellung, seinen Wohnsitz, sein äußeres Leben. Im Kern hat sich seine Persönlichkeit nicht geändert. Oder falls doch, dann zum Schlimmeren. Nach außen hin wird er sich verändert haben. In sozialer Hinsicht – ich meine, er ist nicht mehr der Geschichtslehrer, den ich mit neun Jahren kannte. Und auch physisch. Ich vermute, dass sich sein Erscheinungsbild verändert hat. Und er geht offenbar davon aus, dass das, was er bisher getan hat, nicht das geringste Risiko für ihn birgt, er muss sich ganz und gar sicher fühlen.«

Er überlegte und fügte dann hinzu: »Das Wort Arroganz drängt sich einem auf.«

»Und was sollen wir Ihrer Meinung nach tun?«, platzte Bundy heraus. »Dieser kranke Bastard mordet einfach so weiter, und wir sehen hilflos zu! Wenn das rauskommt, können wir einpacken! Die Leute werden den Staat scharenweise verlassen. Es wird wie der Goldrausch sein, nur in umgekehrter Richtung.«

Das Ganze dreht sich nur ums Geld, dachte Jeffrey. Sicherheit ist Geld. Welchen Preis bezahlen die Leute dafür, von zu Hause weggehen zu können, ohne die Alarmanlage einschalten oder auch nur die Türen abschließen zu müssen?

Stille senkte sich über den Raum, bis Jeffrey sagte: »Ich kann mir nicht vorstellen, dass die Leute Ihnen noch lange abkaufen, ihre jugendlichen Kinder würden von Wölfen verschleppt.«

Starkweather schnaubte. »Sie werden glauben, was wir ihnen erzählen«, antwortete er trotzig.

»Oder von wilden Hunden angefallen. Beim Wandern ums Leben kommen. Gehen Ihnen nicht allmählich die plausiblen Erklärungen aus? Oder auch nur halbwegs plausible Erklärungen?«

Starkweather gab ihm nicht direkt eine Antwort, sondern sagte stattdessen: »Diese blödsinnigen Hundegeschichten sind mir immer auf den Geist gegangen.«

»Wie viele Tötungsdelikte hat es gegeben?«, fragte Jeffrey mit leiser Stimme. »Ich habe Hinweise auf über zwanzig gefunden. Wie viele sind es?«

»Wann haben Sie das gemacht?«, platzte Martin heraus.

Clayton zuckte nur die Achseln.

Es herrschte wieder Schweigen im Raum.

Manson drehte sich auf seinem Schreibtischstuhl hin und her und machte dabei ein leise quietschendes Geräusch, während er aus dem Fenster starrte und die Fragen im Raum stehen ließ. Jeffrey hörte, wie Martin ein Schimpfwort murmelte, und vermutete, dass es ihm galt.

»Wir wissen nicht genau, wie viele«, antwortete Manson schließlich, ohne den Blick vom Fenster abzuwenden. »Es könnten nur drei oder vier sein. Vielleicht auch zwanzig oder dreißig. Ist die Zahl denn wirklich so wichtig? Die Verbrechen passen nicht aufgrund aller Einzelheiten zusammen, sondern weil sich die Opfer und die Art, wie sie entführt wurden, ähneln. Sie sehen zweifellos, Professor, in was für einer einmaligen Situation wir uns befinden. Serienmörder erkennt man entweder an dem, was ihr Interesse weckt, oder an den Folgen ihrer Perversion. Dieses zweite Kriterium hat uns zu Ihnen geführt und zu unseren Schlussfolgerungen aus dem Auffinden der drei Leichen, die so übereinstimmend und provokativ mit gespreizten Gliedmaßen zurückgelassen wurden. Aber dann sind da noch all die anderen Vermissten, die auf so ähnliche Weise verschwunden sind. Wenn allerdings ihre Leichen wiederauftauchten, ich sage, wenn, dann waren sie sehr unterschiedlich ... hergerichtet. Wie diese letzte, die Sie für das Werk desselben Mannes halten, während andere ...« Ohne seinen Stuhl zu bewegen, warf er über die Schulter einen Blick auf Agent Martin. »... Ihnen nicht zustimmen können. Diese junge Frau verschwand auf ähnliche Weise, wurde dann aber in einer gebetsartigen Stellung gefunden. Ganz und gar unähnlich. Das lässt viele Fragen offen.«

Manson wandte sich wieder Jeffrey zu. »Das muss alles irgendwie Methode haben, Professor, aber Sie müssen sie uns erklären. Wir haben es mit Todesfällen und mit Vermissten zu tun, und wir alle wollen nur zu gerne glauben, dass ein und derselbe Mann dahintersteckt. Aber wo ist das Muster, das sie alle verbindet? Wenn wir das wüssten, könnten wir etwas unternehmen. Finden Sie das für uns heraus, Professor.«

Wieder herrschte Schweigen im Raum, das nach einer Weile von Bundy gebrochen wurde, der mutlos seufzte, bevor er sagte: »Dann ist also anzunehmen, dass seine letzte Identität – wie war noch mal der Name – Gilbert Wray und seine Frau Joan Archer und die Kinder reine Fiktion sind? Und für uns völlig unbrauchbar? Das hat uns kein bisschen weitergebracht, hab ich recht?«

Bei dieser Frage fühlte sich Agent Martin angesprochen. Er berichtete in ungerührtem Polizistenton: »Nach der erfolglosen Razzia in dem Haus in Cottonwood haben wir uns mit der Einwanderungsbehörde kurzgeschlossen und festgestellt, dass viele der erforderlichen Dokumente für die Familie Wray entweder nicht auffindbar waren oder nicht existierten. Die vorläufigen Untersuchungen deuten darauf hin, dass diese Personen von einem unbekannten Terminal innerhalb des Staates in die Datenbanken eingeschleust wurden, um einen entsprechenden Polizeieinsatz an besagtem Ort auszulösen. Es besteht die Möglichkeit, dass unsere Zielperson diese Bürger erfunden und sie als eine Art Ablenkungsmanöver in die Computersysteme eingespeist hat. Das mag Tage oder auch Stunden vor unserem Eintreffen in Cottonwood geschehen sein. Diese und andere Informationen, die wir eingeholt haben ...«, hier legte der Detective eine Kunstpause ein und warf Jeffrey einen kurzen Seitenblick zu, »... sprechen dafür, dass er über weitgehenden Zugang zum Computernetz der Staatssicherheit verfügt und unsere derzeitigen Passwörter genauestens kennt.«

Jeffrey dachte an seine erstaunte Reaktion, als er festgestellt hatte, dass die Tafel in seinem eigenen Büro ausgewischt war. »Ich denke, wir können mit einiger Sicherheit sagen, dass unsere Zielperson über genug Wissen verfügt, um fast jedes Sicherheitssystem zu umgehen, das derzeit im Bundesstaat im Einsatz ist«, erklärte er, ohne seine Aussage mit einem konkreten Beispiel zu untermauern. Er zeigte auf Mansons Schreibtisch. »Ich würde nicht davon ausgehen, dass die Papiere, die Sie da haben, vor ihm sicher sind, Mr. Manson. Vielleicht hat er bereits Ihre Schubladen durchwühlt.«

Manson nickte ernst.

»Verdammt«, entfuhr es Starkweather. »Ich hab's gewusst. Ich hab's die ganze Zeit gewusst.«

»Was gewusst?«, fragte Jeffrey den jungen Politiker.

Starkweather zog ärgerlich die Schultern hoch und sackte nach vorn. »Dass der Bastard einer von uns ist.«

Diese Bemerkung tauchte den Raum für einige Sekunden in Schweigen.

Jeffrey lagen ein, zwei Fragen auf der Zunge, doch er sprach sie nicht aus. Dafür merkte er sich die Äußerung von Starkweather sehr wohl.

Manson wippte in seinem Stuhl und pfiff leise durch die Zähne. »Was meinen Sie, Professor, wie unsere Zielperson auf diesen Namen gekommen ist? Gilbert D. Wray. Sagt Ihnen das was?«

»Wiederholen Sie das noch einmal«, forderte Jeffrey unvermittelt.

Manson antwortete nicht. Er lehnte sich nur erneut vor.

»Was ist?«, wollte Bundy wissen, als spräche er für Manson.

»Der Name, verdammt. Sagen Sie es noch mal, schnell.«

Der Verknitterte setzte sich auf dem Sofa zurecht. »Gilbert D. Wray. Wray ..., gab's nicht mal eine Schauspielerin, vor fast hundert Jahren, namens Kay Wray? Nein, Fay Wray. Ja. Die im ersten *King Kong*. Blond und berühmt für ihren Schrei, entsinne ich mich. Gibt es vielleicht eine andere Aussprache?«

Jeffrey lehnte sich in seinem Stuhl zurück. Er schüttelte den Kopf. »Ich muss mich bei Ihnen entschuldigen«, meinte er und sah Manson dabei an. »Man sollte meinen, dass ich den Namen hätte wiedererkennen müssen, als ich ihn das erste Mal sah.

Aber da hab ich ihn nicht laut ausgesprochen. Wie dumm von mir.«

»Wiedererkennen?«, wiederholte Manson. »Ich verstehe nicht.«

Jeffrey lächelte, auch wenn ihm hundeelend war. »Gilbert D. Wray. Sagen Sie es einmal mit leicht französischem Einschlag. Dann klingt es fast wie Gilles de Rais.«

»Wer ist das?«, fragte Bundy.

»Eine schillernde Figur aus der Geschichte«, antwortete Jeffrey.

»Ja«, bestätigte Manson.

»Und Joan D. Archer. Die Kinder Henry und Charles. Und sie kamen aus New Orleans hierher. Wie offensichtlich. Hätte mir gleich ins Auge springen müssen. Was für ein Idiot ich war.«

»Was hätte Ihnen ins Auge springen müssen?«

»Gilles de Rais war eine wichtige Figur im Frankreich des dreizehnten Jahrhunderts. Er wurde ein berühmter Heerführer im Kampf gegen die britischen Eroberer. Er war, wie die Geschichte uns lehrt, der maßgebliche Waffengefährte und einer der glühendsten Anhänger von Jeanne d'Arc. Oder, wie man sie auch nennt, der Jungfrau von Orleans. Und die Krieg führenden Rivalen? Wie zwei streitende Kinder, Henry von England und der Dauphin, Charles von Frankreich.«

Wieder herrschte eine Weile Schweigen.

»Aber was hat das mit –«, setzte Starkweather an.

Jeffrey unterbrach ihn. »Gilles de Rais war nicht nur ein brillanter Militär und ein reicher Adliger obendrein, sondern auch einer der schrecklichsten Kindsmörder mit einer Opferbilanz, die in der Geschichte ihresgleichen sucht. Man nimmt an, dass er innerhalb der Mauern seines Schlosses mehr als vierhundert Kinder in sadistischen, sexuellen Ritualen hingeschlachtet hat, bevor er entlarvt und schließlich geköpft wurde. Ein faszinierender Mann. Eine Ausgeburt des Bösen, die hingebungsvoll und tapfer an der Seite einer Heiligen gekämpft hat.«

»Du lieber Himmel«, pfiff Bundy durch die Zähne. »Da hol mich doch der Teufel.«

»Gilles de Rais hat er sicher geholt«, meinte Jeffrey leise, »auch wenn er denen, die im Jenseits das Sagen haben, sicher vor eine interessante Frage gestellt hat: Was macht man nun mit einem solchen Mann? Vielleicht gestattet man ihm einmal pro Jahrhundert einen Tag Urlaub von den ewigen Höllenqualen. Würde das einen Mann angemessen entlohnen, der mehr als einmal einer Heiligen das Leben gerettet hat?«

Niemand beantwortete diese Frage.

»Wie dem auch sei, was schließen Sie nun daraus, dass unsere Zielperson diesen Namen benutzt hat?«, fragte Starkweather ärgerlich.

Jeffrey überlegte. Er merkte, dass er das sichtliche Unbehagen des Politikers genoss. »Ich würde sagen, dass unsere Zielperson, das heißt, mein Vater, na ja ... dass er sich für die moralischen und philosophischen Fragen interessiert, die das absolut Gute und das absolut Böse aufwerfen.«

Starkweather starrte Jeffrey enttäuscht und wütend an, entgegnete aber nichts. Jeffrey dagegen nutzte die kurze entstandene Pause und sagte:

»So wie ich.«

Ein paar Sekunden lang glaubte Jeffrey, mit dieser Bemerkung das Ende der Sitzung einzuläuten. Manson hatte das Kinn auf die Brust gedrückt und schien tief in Gedanken, auch wenn ihn das nicht daran hinderte, sich weiter mit der Schneide seines Brieföffners über die Handfläche zu streichen. Dann plötzlich schlug der Direktor der Staatssicherheit seine Waffe auf den Tisch, so dass es einen Knall wie von einer kleinen Pistole gab.

»Ich würde gerne einen Moment mit dem Professor unter vier Augen sprechen«, verkündete er.

Bundy wollte protestieren, überlegte es sich aber anders.

»Wie Sie wünschen«, meinte Starkweather. »Sie unterrichten

uns wieder in ein paar Tagen über den Stand der Dinge, Professor?« Diese letzte Bemerkung war mindestens so sehr als Anordnung wie als Frage zu verstehen.

»Jederzeit«, erwiderte Jeffrey.

Starkweather erhob sich, machte Bundy ein Zeichen, der sich aus dem üppigen Sofa aufrappelte, und dem Mann des Gouverneursbüros zu einer Seitentür hinausfolgte.

Auch Agent Martin war aufgestanden. »Soll ich bleiben oder gehen?«, fragte er.

Manson wies auf die Tür. »Wir brauchen nur ein paar Minuten.«

Martin nickte. »Ich warte draußen.«

»Das wäre nett.«

Der Direktor schwieg, bis der Agent gegangen war, dann fuhr er leise und ruhig fort: »Einiges, was Sie gesagt haben, macht mir zu schaffen, Professor, vor allem aber einiges von dem, was ich zwischen den Zeilen heraushöre.«

»Inwiefern, Mr. Manson?«, erkundigte sich Jeffrey.

Der Direktor stand auf und trat ans Fenster. »Ich habe keine richtige Aussicht«, sagte er. »So sollte es nicht sein, und das hat mich schon immer gestört.«

»Ich kann Ihnen nicht folgen.«

»Die Aussicht«, wiederholte er und deutete mit dem rechten Arm aus dem Fenster. »Im Westen kann ich bis zu den Bergen sehen. Es ist eine reizvolle Landschaft, aber ich denke, es wäre mir lieber, Bauprojekte vor Augen zu haben. Etwas Neues, das entsteht. Kommen Sie, Professor.«

Jeffrey stand auf, trat um den Schreibtisch herum und stellte sich neben Manson. Der Direktor wirkte aus der Nähe kleiner.

»Es ist sehr schön, nicht wahr? Panoramablick. Wie aus dem Bilderbuch, nicht wahr?«

»Da stimme ich Ihnen zu.«

»Das ist die Vergangenheit. Graue Vorzeit. Ich kann von hier aus Bäume sehen, die Jahrhunderte alt sind, Landmassen, die vor Äonen von Jahren entstanden sind. In einigen dieser Wälder gibt es Stellen, die noch nie ein Mensch betreten hat. Von meinem Schreibtisch aus habe ich einen Blick auf die Natur, so wie sie die Menschen vor Augen hatten, die sich als Erste quer durch unseren Kontinent gekämpft haben.«

»Ja, verstehe.«

Der Direktor tippte mit dem Finger auf die Fensterscheibe. »Was Sie da sehen, ist die Vergangenheit. Es ist auch die Zukunft.«

Er wandte sich um, deutete wieder auf Jeffreys Stuhl und setzte sich ebenfalls hin.

»Glauben Sie, Professor, dass Amerika irgendwie von seinem Weg abgekommen ist? Dass die Ideale, die unsere Vorfahren dieser Nation mit auf den Weg gegeben haben, irgendwie ausgehöhlt sind? Sich verflüchtigt haben? Immer mehr in Vergessenheit geraten?«

Jeffrey nickte. »Die Auffassung hört man immer öfter.«

»Da, wo Sie leben, in einem Amerika, das in Auflösung begriffen ist, herrscht Gewalt. Fehlt es an Respekt. An Familiensinn. Der Stolz auf die einstige Größe ist verloren gegangen, und das Streben nach künftiger Größe auch, nicht wahr?«

»Es wird unterrichtet. Es ist Teil der Geschichte.«

»Nun ja, probieren geht über studieren, wie man so sagt, Professor.«

»Sicher.«

»Professor, was meinen Sie, worum es uns mit dem Einundfünfzigsten Bundesstaat geht?«

Jeffrey schwieg.

»Früher einmal war Amerika ein Land voller Abenteuer. Es herrschten Zuversicht und Hoffnung. Amerika war ein Ort für Träumer und Leute mit Visionen. Heute ist es das nicht mehr.«

»Da würden Ihnen viele zustimmen.«

»Einigen von uns stellt sich somit die Frage, wie wir dafür sorgen können, dass unser drittes und viertes Jahrhundert genauso groß wird wie unsere ersten beiden – wie wir wieder dafür sorgen können, dass wir auf diese Nation stolz sein dürfen.«

»*Manifest Destiny* – die offenkundige Bestimmung, die Doktrin aus dem neunzehnten Jahrhundert.«

»Genau. Ich habe diesen Terminus seit meinen Schultagen nicht mehr gehört, aber genau das brauchen wir. Genau das müssen wir erneuern. Wir können das natürlich nicht einfach importieren, wie wir es früher einmal getan haben, als wir uns aus der ganzen Welt die Besten geholt und sie in den riesigen Schmelztiegel dieser Nation geworfen haben. Man kann dieses Bewusstsein von Größe nicht erwecken, indem man den Leuten mehr Freiheiten lässt, das haben wir ausprobiert, und das Einzige, was dabei herausgekommen ist, das sehen Sie ja – fortschreitender Sittenverfall. Früher einmal gab es Stolz und Hoffnung und eine nationale Identität. Wir waren geeint im Kampf gegen eine Welt des Krieges, aber das ist vorbei, weil die Waffen von heute zu groß und zu unpersönlich sind. Der Zweite Weltkrieg wurde noch von Menschen ausgefochten, die bereit waren, sich für ihre Ideale zu opfern. Wenn die modernen Arsenale den Krieg zu einer sterilen, anonymen Angelegenheit machen, bei der Computer und Techniker ferngesteuert Bomben über den Himmel jagen, was ist uns da geblieben?«

»Ich weiß es nicht.«

»Was bleibt, ist eine einzige Überzeugung, und die ist uns allen hier im Einundfünfzigsten Bundesstaat heilig. Es ist die Überzeugung, dass die Menschen ihre Werte und ihre Opferbereitschaft wiederentdecken, dass sie sich läutern, ihren Pioniergeist aufleben lassen werden, wenn man ihnen unverfälschtes Land zur Verfügung stellt und ihnen das verspricht, was diese Nation einmal war.«

Manson lehnte sich auf seinem Stuhl nach vorne und breitete die Arme weit aus. »Die Leute dürfen keine Angst haben, Professor. Angst macht alles kaputt. Die Männer und Frauen, die vor zweihundert Jahren da standen, wo wir jetzt stehen, und zu diesen selben Bergen hinübersahen, denselben Anblick vor sich hatten, die kannten die Herausforderung. Die kannten Mühsal und Entbehrungen. Und sie überwanden die Angst vor dem Unbekannten.«

»Das kann man wohl sagen«, pflichtete Jeffrey bei.

»Unsere Herausforderung heute besteht darin, die Angst vor dem Unbekannten zu überwinden.«

Manson schwieg und lehnte sich auf seinem Sessel zurück.

»Das ist also die Idee hinter der Gründung unseres Staates: Wir schaffen eine Welt für sich. Einen Staat im Staat. Wir schaffen Entfaltungsmöglichkeiten und Sicherheit. Wir nehmen das, was in dieser Nation einmal selbstverständlich war, und geben es den Leuten wieder. Und wissen Sie, was passieren wird?«

Jeffrey schüttelte den Kopf.

»Es wird wachsen. Sich ausdehnen. Unaufhaltsam.«

»Was wollen Sie damit sagen?«

»Ich will damit sagen, dass das, was wir hier schaffen, langsam, aber sicher auch das übrige Land erfassen wird. Es mag Generationen dauern – so wie beim ersten Mal auch. Aber früher oder später wird unsere Lebensart all den Schrecken und den moralischen Verfall, wie sie außerhalb unseres Staates herrschen, vernichten. Schon jetzt sehen wir, dass einige der Gemeinden in den Grenzgebieten ein paar von unseren Gesetzen und unseren Richtlinien übernehmen.«

»Und das wären?«

Manson zuckte die Achseln. »Eine Menge davon haben Sie schon gesehen. Wir beschneiden einige Rechte des Ersten Zusatzartikels. Religionsfreiheit haben wir. Freiheit der Rede – schon weniger. Und die Presse? Sie gehört uns. Wir schränken außerdem die Rechte aus dem Vierten Zusatzartikel ein. Das Recht auf Durchsuchung und Beschlagnahmung behalten wir uns vor. Wir beschneiden die Rechte aus dem Sechsten Zusatzartikel; Sie können nicht mehr darauf bauen, Verbrechen zu begehen und sich mithilfe eines Winkeladvokaten freizukaufen. Und wissen Sie was, Professor?«

»Ja?«

»Die Leute verzichten darauf, ohne mit der Wimper zu zucken. Die Leute nehmen eine rechtlich nicht abgesicherte Durchsuchung in Kauf, wenn es dafür nicht nötig ist, vor dem Schlafengehen die Haustür abzuschließen. Und wir gehen jede Wette ein, dass es jenseits unserer Grenzen mehr Leute gibt wie uns. Und dass das, was wir haben, langsam, aber unaufhaltsam die übrige Nation erfassen wird.«

»Wie eine Infektion?«

»Eher wie ein Erwachen. Eine Nation, die aus einem langen Schlaf erwacht. Wir sind nur ein bisschen früher aufgestanden als die anderen.«

»Bei Ihnen klingt das wie etwas, das man sich nur wünschen kann.«

»Das ist es auch. Sagen Sie, Professor, wann haben Sie persönlich in Ihrem Leben je auf eine der verfassungsgemäßen Sicherheitsgarantien zurückgegriffen? Wann haben Sie je gesagt: ›Das ist der Moment, in dem ich von meinen Rechten aus dem Ersten Zusatzartikel Gebrauch mache‹?«

»Soweit ich mich entsinne, war ich noch nie darauf angewiesen. Das heißt aber noch lange nicht, dass ich sie nicht haben will, falls ich nicht doch einmal darauf zurückgreifen muss. Ich weiß nicht, wenn es darum geht, Grundrechte aufzugeben ...«

»Wenn aber dieselben Rechte Sie versklaven, wären Sie dann nicht ohne sie besser dran?«

»Das ist eine schwierige Frage.«

»Aber die Menschen lassen sich doch jetzt schon quasi in Gefängnisse sperren. Sie leben in geschlossenen Siedlungen hinter gesicherten Schranken. Sie gehen nur noch bewaffnet auf die Straße. Die Gesellschaft besteht ja nur noch aus Mauern und Gefängnissen. Um das Böse draußen zu halten, müssen Sie sich drinnen verschanzen. Ist das Freiheit, Professor? Aber hier ist es anders. Wussten Sie übrigens, dass wir der einzige Bundesstaat mit einer erfolgreichen Gesetzgebung zum Besitz von Handfeuerwaffen sind? Hier hat kein angeblicher Jäger ein Sturmgewehr im Schrank. Wussten Sie, dass die National Rifle Association und die alten Lobbyisten in Washington uns dafür von Herzen hassen?«

»Nein.«

»Sehen Sie, wenn ich Ihnen erkläre, dass wir einige Grundrechte beschnitten haben, dann stehe ich in Ihren Augen automatisch rechts außen. Das Gegenteil stimmt. Ich lasse mich keinem politischen Flügel zuordnen, weil ich das, was nottut, von beiden Seiten des politischen Spektrums aus verfolgen kann. Hier im Einundfünfzigsten Bundesstaat hat der Zweite Zusatzartikel noch seine ursprüngliche Bedeutung – und wird nicht von irgendwelchen Lobbyisten mit tiefen Taschen zurechtgebogen, obwohl die Wirklichkeit gegen sie spricht. Und ich könnte viele andere Belege nennen, Professor. Es gibt zum Beispiel im Einundfünfzigsten Bundesstaat keine Gesetzgebung, die eine Frau in ihren Fortpflanzungsrechten beschneiden würde. Auch wenn das Thema heiß diskutiert wird. Folglich steht die Abtreibung unter staatlicher Kontrolle. Wir geben Richtlinien vor. Vernünftige Richtlinien. Auf diese Weise verhindern wir, dass die Debatte ausufert, und schützen außerdem die Ärzte, die den Eingriff durchführen.«

»Sie sind offenbar auch ein Philosoph, Mr. Manson.«

»Nein, ein Pragmatiker, Professor. Und ich glaube, die Zukunft wird mir recht geben.«

»Das ist nicht auszuschließen.«

Manson lächelte. »Und sehen Sie jetzt, was für eine Bedrohung Ihr Vater, der Mörder, ist?«

»Ich lasse mich gerne belehren«, erwiderte Jeffrey.

»Was er erreicht, ist höchst einfach: Er macht sich die Grundfesten dieses Staates zunutze, um seine Verbrechen zu begehen. Er gibt alles, wofür wir stehen, der Lächerlichkeit preis. Er lässt uns wie hilflose Heuchler dastehen. Er schlägt nicht nur bei diesen Kindern zu, sondern trifft den Kern unserer Ideale. Er benutzt uns gegen uns selbst. Es ist, als ob man eines Morgens aufsteht und in der Lunge unseres Staates ein Krebsgeschwür entdeckt.«

»Glauben Sie, ein einzelner Mann kann eine solche Bedrohung darstellen?«

»Tja, Professor, das glaube ich nicht nur, das weiß ich. Das lehrt uns die Geschichte. So wie sie es auch Ihren Vater, den ehemaligen Historiker, gelehrt hat. Ein einziger Mann, der auf sich gestellt ist, mit einer verzerrten Vision und dem entschlossenen Willen, sie auch umzusetzen, kann Weltreiche in die Knie zwingen. In der gesamten Menschheitsgeschichte hat es immer wieder einsame Mörder und Attentäter gegeben, die den Lauf der Dinge verändert haben. Unsere eigene Geschichte ist voll von Booths, Oswalds und Sirhan Sirhans, deren Schüsse zusammen mit den Menschen auch Ideale getötet haben. Wir müssen Ihren Vater daran hindern, ein solcher Killer zu sein. Wenn wir ihm nicht Einhalt gebieten, wird er unsere Vision zerstören. Im Alleingang. Bis jetzt sind wir noch glimpflich davongekommen. Es ist uns gelungen, die Wahrheit über seine Taten geheim zu halten ...«

»Ich dachte, die Wahrheit befreit die Menschen.«

Manson lächelte und schüttelte den Kopf. »Das ist eine bizarre und veraltete Auffassung. Die Wahrheit bringt nur noch mehr Unglück.«

»Und deshalb steht sie hier unter staatlicher Kontrolle?«

»Natürlich. Aber nicht im orwellschen Sinne, wir speisen die Masse nicht mit Fehlinformationen ab. Unsere Methode ... wir gehen eher selektiv vor. Und natürlich reden die Leute trotzdem. Ein Gerücht kann weitaus schlimmere Folgen haben als jede Wahrheit. Bis jetzt konnten wir den Schaden, den Ihr Vater angerichtet hat, in Grenzen halten. Lange wird das nicht mehr funktionieren, selbst hier nicht, wo der Staat seine Geheimnisse besser unter Kontrolle hat als irgendwo sonst im Land. Aber wie gesagt, ich bin Pragmatiker. Kein Geheimnis ist jemals sicher, bis es tot und begraben ist. Bis es Geschichte ist.«

»Sicherheit ist eine prekäre Angelegenheit.«

Manson seufzte tief. »Ich habe diese Unterhaltung genossen, Professor. Leider werde ich anderweitig beansprucht, auch wenn nichts davon vergleichbar dringlich ist. Finden Sie Ihren Vater, Professor. Von Ihrem Erfolg hängt eine Menge ab.«

Jeffrey nickte. »Ich tue, was ich kann.«

»Nein, Professor, Sie müssen es schaffen. Um jeden Preis.«

»Ich werde es versuchen«, sagte Jeffrey.

»Nein. Sie *werden* es schaffen. Ich weiß es, Professor.«

»Wie können Sie so sicher sein?«

»Weil hier von vielen Dingen die Rede ist, weil wir die Wahrheit und Intrigen Schicht um Schicht aufdecken, Professor, aber in einer Hinsicht bin ich mir absolut sicher.«

»Und das wäre?«

»Dass Väter und Söhne immer um ein und dieselbe Trophäe kämpfen. Das ist Ihr Kampf. Von Anfang an. Meiner ist ein wenig anders gelagert. Aber Ihrer ... also, da geht es sozusagen um den Kern Ihres Seins, nicht wahr?«

Jeffrey spürte, dass er schwer atmete.

»Und der Zeitpunkt ist gekommen, hab ich recht? Hatten Sie gedacht, Sie könnten in alle Ewigkeit durchs Leben gehen, ohne sich Ihrem Vater zu stellen?«

Jeffrey hörte, dass seine Stimme rau klang. »Ich war davon ausgegangen, das sei eine rein psychologische Angelegenheit. Der Kampf gegen die Erinnerung. Ich dachte, er wäre tot.«

»Und damit lagen Sie offenbar falsch, nicht wahr, Professor?«

»Es sieht danach aus, Mr. Manson.«

»Väter und Söhne«, fuhr Manson fort. Seine Stimme wirkte weich, mit einem leichten Singsang, als könne er letztlich allem, was er sagte, eine heitere Seite abgewinnen. »Sie sind immer Teil desselben Puzzles, als ob man zwei nicht ganz passende Teile in dieselbe Lücke zwängte. Oder als ob man an ein und demselben Gewebe von zwei Seiten zöge. Der Sohn versucht immer, sich vom Vater abzusetzen. Der Vater versucht, seinen Sohn in die Schranken zu verweisen.«

»Ich brauche vielleicht Hilfe«, platzte Jeffrey heraus.

»Hilfe? Wer könnte Ihnen in diesem elementarsten Kampf von Hilfe sein?«

»Zu dieser Maschinerie gehören noch zwei Teile, Mr. Manson. Meine Schwester und meine Mutter.«

Der Direktor lächelte. »Nur zu wahr«, gab er zu. »Auch wenn ich mir denken könnte, dass die beiden selbst genug zu kämpfen haben. Aber, Professor, tun Sie, was Sie tun müssen. Wenn Sie entsprechende Verstärkung brauchen, nur zu. Wir lassen Ihnen bei diesem Kampf uneingeschränkte, vollkommene Freiheit.«

Jeffrey wusste natürlich, dass diese letzte Bemerkung ganz und gar gelogen war.

Agent Martin fragte Jeffrey nicht, worüber er und der Direktor gesprochen hatten. Die beiden Männer trotteten schweigend Seite an Seite durchs Gebäude zu ihrem Büro, als ob beide über die bevorstehenden Aufgaben nachgrübelten. Als sie ihren Flur erreichten, trat eine Sekretärin mit einem braunen Umschlag aus dem Fahrstuhl. Sie bahnte sich vorsichtig ihren Weg zwischen ungefähr einem Dutzend Vierjährigen hindurch, die alle mit einem fluoreszierenden orangefarbenen Seil verbunden waren – eine Tagesstättengruppe auf dem Weg zum Spielplatz. Die junge Sekretärin lächelte, winkte den Kindern nach und kam dann zügig auf die beiden Männer zu.

»Das ist für Sie, Agent«, sagte sie knapp. »Prompt erledigt, wie immer bis gestern, zack zack!, Sie wissen schon. Ein paar interessante Details. Ich weiß nicht, ob es Ihnen bei Ihrem Fall weiterhilft, jedenfalls haben sie es im Labor schnell und erbarmungslos in die Mangel genommen.«

Sie reichte Detective Martin den Umschlag.

»Keine Ursache«, meinte sie, als er sich nicht bei ihr bedankte. Mit einem schnellen, prüfenden Blick auf Jeffrey machte sie kehrt und eilte zu den Fahrstühlen.

»Was ist das?«, wollte der Professor wissen, während er die Frau mit einem pneumatischen Zischen entschwinden sah.

»Vorläufiger Laborbericht zu dem tragbaren Computer, den wir in der Cottonwood Nummer dreizehn sichergestellt haben.« Der Detective riss den Umschlag auf. »Verflucht noch mal«, murmelte er.

»Ja?«

»Keine verwertbaren Fingerabdrücke. Keine Haarfasern. Wenn er das Ding mit schwitzenden Händen hochgenommen hätte, dann hätten wir vielleicht einen DNA-Abgleich aus den Rückständen gewinnen können. Fehlanzeige. Das verdammte Ding war sauber.«

»Er ist nicht dumm.«

»Sicher, ich weiß, hat er uns ja wissen lassen, schon vergessen?«

Jeffrey hatte es nicht vergessen. »Was noch?«

Martin ging den Bericht weiter durch. »Also«, sagte er wenig später, »hier ist was. Vielleicht ist Ihr alter Herr ja doch nicht der perfekte Mörder.«

»Was denn?«

»Er hat die Seriennummer des Apparats nicht entfernt. Die Jungs vom Labor konnten ein paar kleine Nachforschungen anstellen.«

»Und?«

»Na ja, die Artikelnummer des Dings passt zu den Computern, die der Hersteller an verschiedene Läden im Südosten versendet hat. Das ist schon mal was. Offenbar hat Ihr Alter nicht viel von deren Garantie gehalten, denn er hat sich nie die Artikelnummer elektronisch registrieren lassen.«

»Er hat gewusst, dass er den Laptop nicht allzu lange behalten würde.«

Agent Martin schüttelte den Kopf. »Hat wahrscheinlich auch noch bar bezahlt.«

»Davon ist sicher auszugehen.«

Martin rollte den Bericht zusammen und schlug sich damit ans Bein. »Wenn wir wenigstens eine Sache finden würden, nur eine einzige Sache, die Ihr alter Herr übersehen hat.«

Die beiden Männer waren an ihrem Büro angekommen und wollten gerade die Tür öffnen. Martin wickelte den Bericht noch einmal auf und starrte ihn an, während er den Schlüssel einsteckte. Er sah zu Jeffrey auf.

»Was glauben Sie, weshalb der Bastard bis nach Südflorida runter ist, um sich einen Laptop zu kaufen? Ich meine, er hätte auch wesentlich näher was finden können, und wir hätten die gleiche Mühe gehabt, es zurückzuverfolgen. Meinen Sie, er war da auf Urlaub? Oder geschäftlich? Wär' immerhin etwas, hm?«

»Wo?«, fragte Jeffrey plötzlich.

»Südflorida. Dahin haben sie die Computer mit diesen Seriennummern geschickt. Jedenfalls laut Unterlagen der Firma. In der Gegend kommen etwa hundert Geschäfte infrage, an die sie ihn geschickt haben könnten. Die meisten südlich von Miami. Homestead. Die oberen Keys. Wieso? Sagt Ihnen das was?«

Das tat es. Es konnte nur einen Grund geben, weshalb sein Vater in der Gegend einen Computer kaufen und dann mit voller Absicht vergessen sollte, die Seriennummer zu entfernen, die so auffällig in die Rückseite eingraviert war. Er wollte seinem Sohn etwas an die Hand geben, mit dessen Hilfe er herausfinden konnte, was er getan hatte. Nach all den Jahren hatte er sie also entdeckt. Der Vater, vor dem sie geflohen waren, den sie für tot gehalten hatten, dieser Vater hatte seinen Sohn zu sich geführt und hatte auch herausgefunden, wo seine frühere Frau und seine Tochter sich immer noch versteckten.

Jeffrey überfiel ganz plötzlich eine tiefe Verzweiflung und er fragte sich, ob ihm noch irgendwelche Geheimnisse geblieben waren.

Er drängte sich an Martin vorbei, ignorierte die Fragen des Detective und eilte zum Telefon, um seine Mutter anzurufen und sie zu warnen. Natürlich wusste er nicht, dass sie in der Küche des kleinen Hauses saß, in dem sie einmal dafür gebetet hatte, dass ihre Tochter und ihr Sohn noch einmal von vorn anfangen könnten, und in dem sie sich all die Jahre sicher gefühlt hatten. Ebenso wenig konnte er wissen, dass sie in diesem Moment einem Handwerker dabei zusah, wie er sorgfältig Holz zurechtsägte und den zerbrochenen Türrahmen sowie den Schließriegel ersetzte, und dass seine Mutter verzweifelt versuchte, ihn genau vor dem zu warnen, was er ihr sagen wollte.

FÜNFZEHN
WAS GESTOHLEN WAR

In ihrer Bürokabine fragte sich Susan Clayton, wie lange es dauern würde, bis ihr jüngstes Puzzle entschlüsselt war. Sie hatte gehofft, mit der codierten Botschaft ein wenig Zeit zu gewinnen, um in Ruhe überlegen zu können, was sie und ihre Mutter als Nächstes machen sollten. Doch sie hatte sich geirrt; das Warten auf die Antwort machte sie nur noch nervöser. Außerdem hatte sie sich verrechnet: Den Zusatz zu ihrem regulären Rätsel hatte sie am Abend zuvor verschickt; die Zeitschrift würde Ende der Woche in den Kiosken ausliegen, etwa zur selben Zeit erschien die Online-Version. Die Fragen, die sie in Form eines Rätsels verpackt hatte, waren nicht allzu schwer zu lösen – ein, vielleicht auch zwei Tage, um sie zu knacken. Und dann würde er darauf reagieren.

Auf welchem Wege sie seine Antwort allerdings bekommen würde, stand in den Sternen.

Sie saß in einer Ecke ihrer Kabine und horchte auf sämtliche Geräusche, die sich ihr näherten. Sie wies den Gebäudewachdienst und die Leute am Empfang an, jeden, der nach ihr fragte, zu fotografieren und jede Form von Ausweis eines solchen Besuchers – ob echt oder gefälscht – zu konfiszieren. Auf die Frage, was los sei, antwortete sie nur, sie hätte Probleme mit einem verflossenen Freund. Eine Lüge, die beinahe alle potenziellen Probleme abdeckte.

Sie versuchte, sich klarzumachen, dass Angst eine Art Gefängnis war und dass sie dem Mann umso mehr in die Hände spielte, je mehr Angst sie vor ihm hatte.

Das Problem war nur: *Was wollte er?*

Nicht allgemein, sondern ganz konkret.

Wenn sie die Antwort darauf wusste, vermutete Susan, dann konnte sie auch handeln. Oder zumindest gezielte Schritte einleiten. Doch so lange sie keine klare Vorstellung von den Spielregeln hatte, konnte sie keine Strategie entwickeln, um zu gewinnen. Und bei der Erkenntnis, dass sie bislang keine Ahnung hatte, was auf dem Spiel stand, bekam sie vor Angst trockene Lippen.

Sie dachte an die Frau, der sie ihr Pseudonym verdankte. Mata Hari wusste, was sie riskierte, als sie sich auf das Spiel der Spionage einließ.

Wer dabei verlor, den erwartete nur eines: der Tod.

Sie hatte gespielt, und sie hatte verloren. Susan holte tief Luft und wünschte sich, ihr wäre ein anderes Pseudonym eingefallen. Penelope, dachte sie. Die hielt sich mit ihrem Trick, einen Stoff zu weben und anschließend immer wieder aufzutrennen, die Freier vom Hals, bis Odysseus nach Hause kam. Das wäre ein sichereres Alter Ego gewesen.

Es ging auf Mittag zu. Sie drehte sich um und blickte aus dem Fenster. Die Straßen des Stadtzentrums von Miami füllten sich mit Büroangestellten. Das erinnerte sie an einen Dokumentarfilm, den sie einmal gesehen hatte: Es war um einen afrikanischen Fluss in der Dürrezeit gegangen; der Wasserpegel war so weit gesunken, dass alle Tiere, die davon trinken wollten, in gefährliche Nähe zu den Krokodilen gerieten, die in der brackigen Lebensader lauerten. Der Dokumentarfilm hatte das Gleichgewicht zwischen Versorgung und Tod aufgezeigt – eine riskante Welt. Die Verbindung zwischen denen, die töteten, und ihren Opfern hatte Susan fasziniert.

Als sie jetzt aus ihrem Fenster starrte, wurde ihr schlagartig bewusst, dass die Welt diesem natürlichen Terror näher war als je zuvor; die Büroangestellten verließen ihre Gebäude in Gruppen und strebten den zahlreichen Restaurants zu, wobei sie sich sämtlichen Gefahren aussetzten, die eine normale Straße in der

Innenstadt selbst am helllichtem Tage barg. Die meiste Zeit waren sie sicher. Sie traten in die Sonne, genossen die frische Brise, ignorierten die Obdachlosen und Bettler, die an den kühlen Betonwänden der Häuser lehnten wie Krähen auf einer Leitung. Sie rechnen nicht damit, plötzlich einer tobenden, tödlichen Wut zu begegnen. Rechnen nicht damit, dass vielleicht eine räuberische Gang die nächste Straße unsicher macht. Mittags gehört die Welt der Sonne, den Ordnungshütern, den Menschen mit einem festen Platz im Leben. Zusammen essen gehen? Klar, ist doch nichts dabei.

Natürlich kam es immer wieder vor, dass jemand zum Mittagessen ging und starb. Genau wie die Tiere, die durch die äußeren Gegebenheiten gezwungen waren, nur wenige Meter von den Krokodilen entfernt am Wasserloch hockten.

Natürliche Auslese, dachte sie. Die Natur, die uns stärker macht, indem sie die Schwachen und die Dummen der Herde ausmerzt. Wie bei den Tieren.

In der Mitte ihres Büros bildete sich eine Gruppe. Sie hörte, dass einige Stimmen lauter wurden, als man diskutierte, ob man chinesisch essen oder in eine Salatbar gehen sollte. Für welches von beidem war man bereit, sein Leben zu riskieren? Einen Moment lang dachte Susan daran, sich ihren Kollegen anzuschließen, doch dann entschied sie sich dagegen.

Sie bückte sich und griff nach der Automatikpistole in ihrer Handtasche. In der Kammer befand sich eine Kugel, der Hammer war zurückgezogen. Die Waffe war gesichert; doch eine kurze Bewegung des Daumes und ein leichter Druck auf den Abzug würden ausreichen, um zu schießen. Am Vortag hatte sie einen Schraubenzieher und eine kleine Juwelierzange genommen, um die Abzugsspannung bei allen ihren Waffen nachzuziehen. Alle Waffen würden bei der geringsten Berührung feuern, einschließlich des Sturmgewehrs, das an der Rückseite ihres Schranks an einem Haken hing. In dieser Welt, dachte sie, bleibt einem keine Zeit, darüber nachzudenken, ob man

Recht oder Unrecht tut. Es bleibt nur Zeit zu zielen und abzudrücken.

Die laute Gruppe, die essen gehen wollte, drängte sich in einen Fahrstuhl. Susan wartete noch einen Moment, dann schlang sie sich ihre Handtasche so über die Schulter, dass sie jederzeit mit der Rechten hineinfassen konnte, um den Pistolengriff zu packen. Sie stand auf und verließ allein das Büro. Ihr war bewusst, dass sie sich allen möglichen Bedrohungen aussetzte, doch gegen die Welt der ständigen Gefahr, die sie draußen erwartete, hatte sie eine Art Immunität entwickelt, denn es gab im Grunde nur eine einzige Bedrohung, die sie wirklich verletzen konnte.

Sobald sie aus dem Gebäude trat, schlug ihr die Hitze wie die aufdringliche Fahne eines Betrunkenen entgegen. Für einen Moment blieb sie stehen und beobachtete, wie die flirrende Luft vom Beton des Bürgersteigs aufstieg. Dann machte sie einen Schritt nach vorn und mischte sich, eine Hand noch immer am Pistolenkolben, in den Strom der Büroangestellten. Susan sah, dass an jeder Straßenecke Polizisten standen, die sich hinter ihren mattschwarzen Sturzhelmen und dem Spiegelglas ihrer Sonnenbrillen versteckten, den Finger spielerisch am Abzug ihrer Maschinenpistolen. Zum Schutz der Werktätigen, dachte sie. Als Wächter über die Belegschaften, die ihrer alltäglichen Routine nachgingen. Als sie an zwei Beamten vorüberlief, hörte sie das Knistern ihrer Funkgeräte und die blecherne, geisterhafte Stimme aus der Dienstleitstelle mit den neuesten Informationen über die Einsätze in verschiedenen Teilen der Stadt.

Sie blieb stehen, um an einem der Gebäude hinaufzusehen, an dessen gläserner Fassade die Sonne wie ein Feuerwerk explodierte. Wir leben in einem Kriegsgebiet, dachte sie. Oder in einer Besatzungszone. In der Ferne ertönte die pulsierende Sirene einer Streife und verhallte.

Sechs Häuserblocks von dem Gebäude entfernt gab es einen

kleinen Sandwichladen. Sie lief in diese Richtung, auch wenn sie unschlüssig war, ob sie wirklich Hunger oder nur das Bedürfnis hatte, inmitten des Menschengedränges allein zu sein. Wohl eher Letzteres. Doch Susan Clayton gehörte zu den Menschen, die bei dem, was sie taten, einen logischen Grund erkennen mussten, auch wenn die angebliche Aufgabe ein tieferes Bedürfnis überdeckte. Sie redete sich ein, sie bräuchte etwas zu essen, auch wenn sie in Wahrheit nur aus der Enge ihrer Arbeitsnische ausbrechen wollte, egal, wie riskant das sein mochte. Sie war sich dieses Ticks bewusst, sah aber keinen zwingenden Grund, daran etwas zu ändern.

Auf ihrem Weg hörte sie das Gemurmel der Bettler, die sich an die Wände der Bürogebäude drückten, um in deren spärlichem Schatten der Mittagssonne zu entgehen. Ihre inbrünstigen Bitten waren eine ständige akustische Untermalung. Was Kleingeld übrig? Einen *Quarter*? Können Sie mir helfen?

Ebenso wie alle anderen ignorierte auch sie die Leute.

Früher hatte es Obdachlosenunterkünfte gegeben, Hilfsprogramme der Gemeinden, um die Menschen, die auf der Straße lebten, zu unterstützen, doch diese hehren Ziele hatten sich mit den Jahren verflüchtigt. Auch die Polizei hatte längst aufgehört, sie einzusammeln; zu viel Aufwand und zu bescheidene Erfolge. Zu wenig Unterbringungsmöglichkeiten nach ihrer Verhaftung. Und deshalb auch gefährlich: zu viele ansteckende Krankheiten – eine unheilvolle Verbindung aus Schmutz, Blut und Verzweiflung. Folglich gab es in jeder Stadt eine Art Schattenstadt; einen Ort, an dem die Heimatlosen zu Hause waren. In New York hatten sie sich in stillgelegten U-Bahn-Tunneln eingerichtet. Dasselbe galt für Boston. Miami und Los Angeles boten den Vorzug des milden Klimas; in Miami hatten sie die Welt unter den Schnellstraßen übernommen und mit behelfsmäßigen Behausungen aus Pappkartons sowie rostigem Stahl tuberkulöse Lebensbereiche gefüllt. In Los Angeles glichen die Aquädukte nun besetzten Häusern. Einige dieser Schattenstädte bestanden schon Jahrzehnte und bildeten eigene Viertel, die man auf einem Stadtplan ebenso präzise hätte einzeichnen können wie die Vorstädte mit ihren Mauern und Toren.

Als Susan zügig den Bürgersteig entlanglief, schlurfte ein barfüßiger Mann, der trotz der drückenden Hitze einen dicken braunen Wintermantel trug, einen Schritt auf sie zu und bat um ein wenig Kleingeld. Susan zuckte zurück und wandte sich ihm zu.

Er hielt ihr die zitternde, geöffnete Hand entgegen.

»Bitte«, flehte er. »Hätten Sie ein paar Münzen übrig?«

Susan starrte ihn an. Unter der dicken Schmutzschicht an seinen Füßen sah sie eiternde Wunden. »Noch einen Schritt, und ich blas dir den Hintern weg«, antwortete sie.

»Ich tu Ihnen nichts«, beteuerte er. »Ich brauch nur was …« Er zögerte einen Moment. »… zu essen.«

»Wohl eher was zu trinken. Oder einen Schuss. Verpiss dich«, fuhr sie ihn an. Der Mann war im Schatten des Gebäudes geblieben, als zögerte er, mit einem einzigen Schritt in die Sonne sein angestammtes Revier zu verlassen. Susan wagte es nicht, ihm den Rücken zuzukehren.

»Ich brauche Hilfe«, bettelte der Mann.

»Brauchen wir alle«, antwortete Susan. Sie zeigte mit der Linken auf die Hauswand. »Setz dich wieder«, forderte sie, die rechte Hand weiterhin an der Waffe. Ihr entging nicht, dass der Strom der Büroangestellten sich um sie wie um einen Stein des Anstoßes teilte.

Der Obdachlose fasste sich mit der Hand an die schmutzverkrustete, von roten Krebsgeschwüren bedeckte Nase. Seine Hand bebte nach wie vor von alkoholischer Schüttellähmung, und seine Stirn glänzte unter einer Schweißschicht, die ihm die grauen Haarsträhnen am Schädel kleben ließ.

»Ich will Ihnen nichts tun«, beteuerte er. »Sind wir nicht alle Gottes Kinder unter Seinem großen Dach? Wenn Sie mir jetzt helfen, wird Gott dann nicht auch Ihnen zu Hilfe kommen, wenn Sie in Not geraten?«

Er zeigte zum Himmel. Susan ließ ihn keinen Moment aus den Augen. »Mag sein«, meinte sie. »Vielleicht aber auch nicht.«

Der Mann ignorierte ihren Sarkasmus und plapperte weiter in einem rhythmischen Singsang, als taumelten nur angenehme Gedanken durch seinen Wahnsinn.

»Wartet nicht Jesus hinter diesen Wolken auf uns alle? Werden wir nicht alle einen kühlenden Trunk aus seinem Kelch bekommen und wahre Freude kennen, so dass all unsere irdische Qual vergeht?«

Susan blieb stumm.

»Stehen uns nicht seine größten Wunder noch bevor? Wird er nicht eines Tages wieder auf die Erde kommen, um jedes seiner Kinder in seinen starken Armen zur Paradiesespforte zu tragen?«

Der Mann lächelte Susan an und entblößte dabei verfaulte Zähne. Er hielt die Arme vor der Brust verschränkt und schwankte leicht, als wiegte er ein Kind.

»All das wird geschehen. Für mich. Für Sie. Für alle seine Kinder auf Erden. Ich weiß es.«

Susan sah, dass der Mann die Augen nach oben richtete, als unterhielte er sich mit dem blauen Himmel über ihm. Seine Stimme war nicht mehr heiser von Krankheit und Verzweiflung, sondern voller Überschwang. Nun ja, dachte sie, wenn man schon von Illusionen lebte, dann wenigstens wie dieser Mann, dessen Selbstbetrug gutartig und harmlos war. Vorsichtig suchte sie mit der Hand in ihrer Tasche, bis sie ganz unten ein paar lose Münzen fand. Sie zog sie heraus und warf sie dem Bettler hin. Die Geldstücke klimperten auf dem Bürgersteig, der Mann riss sich vom Himmel los und ging auf die Knie, um sie aufzulesen.

»Danke, danke«, rief er. »Gott segne Sie.«

Susan drehte sich um und machte sich eilig auf den Weg, während sie den Mann mit seinem Singsang hinter sich hörte. Sie war vielleicht vier Meter gegangen, als sie ihn sagen hörte: »Susan, auch du wirst Frieden finden.«

Als sie ihren Namen hörte, wirbelte sie herum. »Was?«, schrie sie, »woher wissen Sie –«

Doch der Mann hockte jetzt an der Wand und wippte in einer Art Wahn oder Wachtraum vor und zurück.

Sie lief einen Schritt zurück in seine Richtung. »Woher wussten Sie meinen Namen?«, fragte sie schroff.

Doch der Mann starrte nur mit leerem Blick geradeaus und murmelte etwas vor sich hin. Susan horchte angestrengt, um seine Worte zu verstehen. Das Einzige, was sie aufschnappte, war: »So seien wir alle bereit, auf dem Weg zum Himmelstor zu wandeln.«

Sie zögerte einen Moment, dann machte sie kehrt.

Susan oder *So seien.*

Das war leicht zu verwechseln.

Voller Zweifel ging sie los, und als sie sich ein letztes Mal umsah, war der Mann plötzlich verschwunden. Noch einmal lief sie dorthin zurück, wo er gekauert hatte, und suchte die Straße nach ihm ab. Sie sah nichts außer dem ständigen Strom der Berufstätigen. Es kam ihr vor, als sei er eine Halluzination gewesen.

Einen Moment lang stand sie wie angewurzelt da und spürte, wie in ihr eine diffuse Angst aufstieg. Dann schüttelte sie das Gefühl ab wie ein Hund den Regen und lief weiter zu einem Mittagessen, das sie nicht wollte.

Als der Mann hinter der Theke sie nach ihrer Bestellung fragte, dachte sie erst an Joghurt mit Früchten, überlegte es sich dann aber anders und bat um ein Schinkenbrötchen mit Schweizer Käse und reichlich Mayonnaise. Der Mann schien zu zögern, und sie meinte: »He, man lebt nur einmal.« Er grinste und machte ihr schnell die Bestellung fertig. Dann steckte er den Imbiss zusammen mit einer Flasche stillem Wasser in eine Papiertüte.

Susan ging mit ihrem Mittagessen noch sechs Häuserblocks

bis zu einem kleinen Park, der an ein Einkaufszentrum grenzte, direkt an der Bucht. Am Eingang wachten zwei berittene Polizisten über die Besucher. Einer hatte sein Automatikgewehr quer über den Sattel gelegt und beugte sich vor – eine moderne Karikatur wie aus einem alten Wildwest-Groschenroman. Sie rechnete fast damit, dass er sie fragte, »Wie geht's, wie steht's, Ma'am«, doch stattdessen würdigte der Polizist sie hinter seiner Sonnenbrille hervor nur desselben prüfenden Blickes wie jeden anderen auch. Sie vermutete, dass ausschließlich privilegierte Mitglieder der Gesellschaft in den Park gelassen wurden, um wenige Meter von der Biscayne Bay mit ihren hölzernen Piers ihr Mittagsbrötchen zu essen. Mitten am Tage mussten Stadtstreicher und Obdachlose mit Sicherheit draußen bleiben. Nachts war es vermutlich anders. Dann war es wahrscheinlich reiner Selbstmord, wenn jemand wie sie den kleinen Park kaum hundert Meter vom Strand entfernt betrat. Nach Sonnenuntergang erfüllten die Bäume und Bänke, die in der Hitze des Tages so einladend im Schatten lagen, eine vollkommen andere Funktion: Dann dienten sie als Verstecke. Dass alles zwei Seiten hatte, dachte sie, das machte das Leben so schwierig. Was mittags sicher war, grenzte acht Stunden später an bodenlosen Leichtsinn. Es war wie Ebbe und Flut in den Upper Keys, mit denen sie so vertraut war. Eben noch war ein Gebiet ganz vom Wasser bedeckt, und man konnte es sicher befahren. Im nächsten Moment kam die Ebbe, und man lief auf Grund. Menschen waren wohl ziemlich ähnlich.

Sie fand eine Bank, auf der sie alleine sitzen und ihr Brötchen essen konnte, während sie auf die endlose Wasserfläche starrte und sich nicht darum kümmerte, dass sie zu viele Kalorien und zu viel arterienverstopfendes Fett vertilgte. Eine leichte Brise sorgte in der Bucht für zarte Wellenkräusel, die mit ihrem grünblauen Schimmer fast lebendig wirkten. Sie blickte zwei Tankern hinterher, die aus dem Hafen ausliefen. Mit ihrem plumpen Rümpfen waren es unansehnliche Schiffe, die sich wie primitive Rabauken auf dem Schulhof mit ihrer schieren Kraft und Größe auf den belebten Wasserstraßen Platz verschafften.

Sie nahm einen kräftigen Schluck aus der Flasche und stellte fest, dass das Quellwasser in der Hitze lauwarm geworden war. Für einen Augenblick dachte sie, dass sie einfach nur dasitzen und alles vergessen konnte: Wer sie war und was mit ihr geschah. Doch es dauerte nicht lange, bis in rasantem Tempo eine Sirene näher kam, gefolgt vom Geknatter eines Helikopters. Sie drehte sich um und sah einen Polizeihubschrauber, der am Rand der Bucht im Tiefflug vorüberraste. Erst dann entdeckte sie zwei Jugendliche, die parallel zum Wasser vom Stadtzentrum her auf den Park zugelaufen kamen, und im nächsten Moment berittene Ordnungshüter, die von der anderen Seite kamen, um den Teenagern den Weg abzuschneiden.

Die Verhaftung dauerte nicht lang. Der Hubschrauber schwebte über der Stelle, und die Berittenen kreisten sie wie in einem Western-Rodeo ein. Falls die Jungen bewaffnet waren, zeigten sie es nicht, sondern hielten die Hände hoch und stellten sich den Polizisten. Sie sah, dass die Jugendlichen grinsten, als hätten sie wenig zu befürchten und als seien ihnen Verfolgung und Verhaftung so vertraut wie der tägliche Sonnenaufgang. Von ihrem Platz aus erkannte Susan, dass Hemd und Hose des einen mit rotbraunen Blutflecken bedeckt waren. Irgendwo, dachte sie, liegt derjenige, dem dieses Blut gehört hat, und stirbt. Oder er ist zumindest so schwer verletzt, dass er nichts mehr spürt.

Sie wandte sich ab, knüllte die Reste ihres Lunchpakets zusammen und warf sie in den Abfalleimer neben der Bank. Dann wischte sie sich die Krümel von den Kleidern. Sie ließ den Blick über den Park schweifen. Es waren vielleicht hundert andere Leute hier, von denen einige aßen, andere nur spazieren gingen. Fast alle beobachteten ruhig und geduldig die Polizeiaktion kurz hinter den Toren des Parks, als wäre es eine Show, die zu ihrer Unterhaltung geboten wurde. Susan erhob sich und warf einen letzten Blick auf die Verhaftung. Mehrere Streifenwagen waren mit Blaurotlicht dazugekommen, außerdem eine Hundestaffel. Ein deutscher Schäferhund zerrte bellend, knurrend und mit gefletschten Zähnen an der Leine. Unter ihren Blicken stieg der Helikopter auf und entschwebte mit einem anmutigen, fast tänzerischen Schwenk in den sonnigen Himmel. Das dumpfe Knattern seiner Rotoren verebbte ebenso wie das Bellen des Hundes, bis sie nur noch leise ihre Schritte auf dem heißen Pflaster hörte.

Susan kehrte zu ihrem Büro zurück, machte jedoch einen Umweg entlang der Bucht, bis sie sich irgendwann stadteinwärts halten musste. Sie erreichte eine kleine Nebenstraße, ein Grundstück, das offenbar von den Bauunternehmern und Stadtplanern vernachlässigt worden war, während ansonsten der größte Teil der Innenstadt mit den unterschiedlichsten Wolkenkratzern und Hotelkomplexen einbetoniert war. Die leichte Brise trug den beißenden Geruch von Reinigungsmitteln herüber, der sich mit dem salzigen Duft des Ozeans mischte. Sie vermutete, dass eine mit Graffiti bedeckte Wand von einem Arbeitstrupp des Bezirksgefängnisses mit einem Hochdruckschlauch und Lösungsmitteln behandelt wurde – eine Sisyphus-Arbeit; war die Fläche erst sauber, wurde sie erneut zum Zielobjekt von Vandalen, die sich einen Spaß daraus machten, den nächtlichen Streifen zu entwischen. Sie waren ausgesprochen erfolgreich.

Susan lief weiter die Straße entlang, blieb jedoch auf halber Höhe eines Häuserblocks vor einem bedeutend kleineren, älteren Gebäude stehen, das zwischen die Rückseite eines Hotelkomplexes und eines Bürogebäudes eingeklemmt war. Das elegante Haus im typischen alten Miami-Stil wirkte wie ein Relikt aus einer anderen Zeit, aus einer Epoche, als die pulsierende Hip-Hop-Metropole noch eine kleine Stadt in sumpfigem Gelände war, mit einer wachsenden Bevölkerung und einer Mückenplage. Das Haus stand hinter einer kleinen, gepflegten Rasenfläche. Ein von Blumenrabatten gesäumter Gehweg führte zum Eingang. Über die gesamte Länge des Gebäudes verlief eine Veranda, die eindrucksvolle, zweiflügelige Haustür war vermutlich handgeschnitzt, und das Holz entstammte wohl uralten Dade-County-Pinien – dem bevorzugten Baumaterial vor einem Jahrhundert, ein Holz, das getrocknet so hart wie Granit werden konnte und gegen den verbissensten Schädling unempfindlich war. Die breiten Jalousiefenster hatten horizontale Holzläden gegen Hurrikans und boten zudem Schatten. Das Haus war nur zwei Stockwerke hoch und mit einem glänzend roten Ziegeldach geschmückt, das in der Mittagssonne zu kochen schien.

Susan starrte es an wie eine kostbare Antiquität inmitten von Stahl und Beton, die das Stadtbild des Zentrums prägten. Es wirkte vollkommen deplatziert und seltsam schön, da es in einer dem Hier und Jetzt verschriebenen Welt so etwas wie Zeitlosigkeit beschwor. Ihr wurde bewusst, dass sie kaum noch alte Dinge zu sehen bekam, als herrschte allgemein eine unausgesprochene Skepsis gegenüber Dingen, die für mehr als ein Jahrhundert geschaffen worden waren.

Sie trat ein wenig näher und fragte sich, wer wohl einen solchen Bau bewohnte. Sie entdeckte an einem der Verandapfeiler eine kleine Messingplakette. Sie ging noch dichter heran und las: DAS LETZTE HEIM. NÄHERES AN DER REZEPTION.

Susan zögerte, dann öffnete sie langsam die Flügeltür. Drinnen war es schattig und kühl. An der Decke drehten sich träge, aber unermüdlich ein paar hölzerne Paddelventilatoren. Die weißen Wände zierten braune Holzpaneele, der Boden war mit glänzendem Parkett in der Farbe von Ahornblättern im November bedeckt. Rechts von ihr führte eine breite, weitläufige Treppe ins obere Geschoss, während links ein einzelner Mahagonischreibtisch mit einer antiken Öllampe in der einen Ecke und einem Computermonitor in der anderen stand. Eine Frau in mittlerem Alter mit krausem, grau meliertem Haar, das ihr wie bizarre Gedankenblitze vom Kopf abstand, sah zu ihr auf.

»Hallo«, sagte sie.

Ihre Stimme schien durchs Haus zu hallen, und der akustische Effekt erinnerte Susan an eine Universitätsbibliothek. Bevor sie antwortete, sah sie sich noch einmal um und fragte sich, wo der Wachdienst war. Sie sah keine Überwachungskameras in den Ecken, keine elektronischen Sensoren, keine Bewegungsmelder, Alarmsysteme oder automatische Waffen. Stattdessen herrschte eine feierliche Ruhe, die zart unterlegt war von den leisen Klänge einer Symphonie, die aus einem Zimmer des Hauses drang.

»Hallo«, erwiderte sie.

Die Frau lud sie mit einer stummen Geste ein, näher zu treten. Susan tappte über einen blauroten Orientteppich.

»Benötigen Sie unsere Dienste oder jemand anders?«

»Verzeihung, ich ...«

»Sterben Sie oder jemand, der Ihnen nahesteht?«

Susan zuckte innerlich zusammen. »Nein, nicht ich«, platzte sie heraus. Die Frau lächelte.

»Aha«, machte sie. »Da bin ich froh. Sie wirken so jung, und als Sie zur Tür hereinkamen, dachte ich sofort, es wäre schrecklich unfair, wenn jemand, der so jung ist wie Sie, hierher kommen müsste. Sie sehen so aus, als hätten Sie noch ein langes Leben vor sich. Damit will ich nicht sagen, dass wir nicht einen gewissen Anteil an jungen Leuten hereinbekommen. Durchaus. Und so sehr wir auch dagegen ankämpfen, man hat doch jedes Mal das Gefühl, dass sie betrogen werden, egal, wie sehr wir es ihnen erleichtern. Ich denke, für alle Beteiligten ist es einfacher, wenn der Sterbende schon älter ist. Wie heißt es so schön im Buch der Bücher? In der Fülle ihrer Jahre. Mit siebzig?«

»Das ist ein Hospiz?«, fragte Susan.

Die Frau nickte. »Was hatten Sie denn vermutet?«

Susan zuckte die Achseln. »Keine Ahnung. Es sah von außen so anders aus. So alt. Etwas aus der Vergangenheit statt der Zukunft.«

»Sterben hat mit der Vergangenheit zu tun«, antwortete die Frau. »Sehen, wo man gewesen ist. All die Augenblicke würdigen, die unwiederbringlich sind.« Sie seufzte. »Es wird immer schwerer, wissen Sie.«

»Was?«

»In Frieden zu sterben. Zufrieden zu sterben. Mit Würde, Liebe, Zuneigung und Respekt zu sterben. Heutzutage scheinen die Leute aus allen möglichen falschen Gründen zu sterben.« Die Frau schüttelte den Kopf und seufzte wieder. »Der Tod scheint so gehetzt und gewaltsam«, fuhr sie fort. »Nicht sanft. Es sei denn, hier. Wir sorgen dafür, dass er ... nun ja, sanft ist.«

Susan nickte. »Was Sie sagen, leuchtet mir ein.«

Die Frau lächelte wieder. »Möchten Sie sich einmal umschauen? Wir haben derzeit nur ein paar Klienten. Einige Betten stehen leer. Und bis heute Abend kommt wohl noch eines hinzu.« Die Frau neigte den Kopf in Richtung der leisen Musik. »Die *Pastorale*«, erklärte sie, »aber die *Brandenburgischen Konzerte* gehen ganz genauso. Und letzte Woche hatten wir eine Frau, die immer und immer wieder etwas von Crosby, Stills and Nash hören wollte. Kennen Sie die noch? Das war vor Ihrer Zeit. Alte Rocker, vor allem in den Sechziger- und Siebzigerjahren. ›Suite Judy Blue Eyes‹ und ›Southern Cross‹. Dabei hat sie immer gelächelt.«

»Ich möchte niemanden stören«, meinte Susan.

»Wollen Sie vielleicht bleiben und sich ein paar Filme anschauen? Heute Abend zeigen wir Marx-Brothers-Klassiker.«

Susan schüttelte den Kopf.

Die Frau schien keine Eile zu haben. »Wie Sie wünschen«, sagte sie. »Und sind Sie sicher, dass es niemanden –«

»Meine Mutter stirbt«, platzte Susan heraus.

Die Frau hinter dem Schreibtisch nickte langsam. Es herrschte kurzes Schweigen.

»Sie hat Krebs«, fügte Susan hinzu.

Wieder Schweigen.

»Inoperabel. Die Chemotherapie hat auch nicht wirklich

angeschlagen. Es gab eine kurze Besserung, aber jetzt ist er wieder da, und er bringt sie langsam um.«

Die Frau sagte immer noch nichts.

Susan merkte, wie ihr die Tränen in die Augen stiegen. Sie hatte das Gefühl, als drehte etwas ihre Eingeweide um, bevor sie wie von einer großen Pranke herausgerissen wurden.

»Ich will nicht, dass sie stirbt«, brach es aus ihr heraus, und sie schnappte nach Luft. »Sie ist immer da gewesen, und sonst gibt es niemanden. Nur meinem Bruder, aber der ist weit weg. Sonst bin nur noch ich da …«

»Und?«

»Dann bin ich allein. Wir sind immer zusammen gewesen, und dann auf einmal nicht mehr …«

Susan stand verlegen vor dem Schreibtisch. Die Frau bot ihr einen Sessel an, und nach kurzem Zögern ließ sich Susan hineinfallen, holte einmal tief Luft und gab dann hemmungslos den Tränen nach. Mehrere Minuten lang schluchzte sie, während die Frau mit dem widerspenstigen Haar wartete und eine Schachtel Papiertücher bereithielt.

»Lassen Sie sich Zeit«, meinte die Frau.

»Es tut mir leid«, brachte Susan mühsam heraus.

»Dazu besteht kein Grund«, erwiderte die Frau.

»Das ist überhaupt nicht meine Art«, erklärte Susan. »Ich weine nicht. Ist mir noch nie passiert. Tut mir leid.«

»Sie sind nicht unterzukriegen? Und das ist Ihnen wichtig?«

»Nein, es ist nur, ich weiß nicht …«

»Niemand zeigt heutzutage noch Emotionen. Fahren Sie auch manchmal abends nach Hause und haben das Gefühl, dass wir alle gegen Schmerzen und Verzweiflung unempfindlich geworden sind? Dass die Gesellschaft nur noch Leistung anerkennt? Erfolg. Stärke.«

Susan nickte. Die Frau lächelte wieder. Susan sah, dass sie die Mundwinkel so verzog, als sähe sie in jeder Traurigkeit die heitere Seite und im Lachen die Tränen.

»Stark sein wird überschätzt. Kalt zu sein ist nicht dasselbe wie stark zu sein«, erklärte die Frau.

»Wann melden sich die Leute ...?« Susan zeigte auf die Treppe.

»Gegen Ende. Manchmal drei bis vier Monate, bevor sie sterben. Aber gewöhnlich zwei bis drei Wochen. Gerade genug, um innerlich zur Ruhe zu kommen. Wir raten immer, zuerst nach außen hin alles zu regeln.«

»Nach außen?«

»Ein Testament, ein Anwalt. Vermögen und Erbe. Wenn sie erst mal hier sind, interessieren sich die Menschen mehr dafür, was sie von ihrem Geist hinterlassen. Weniger für Aktien, Geld und derlei Dinge. Das klingt viel religiöser, als es gemeint ist. Aber so scheint es zu laufen. Ihre Mutter ... wie lange?«

»Sechs Monate. Nein, das ist zu kurz. Ein Jahr vielleicht. Oder auch ein bisschen länger. Sie hat es nicht gern, wenn ich mit den Ärzten rede. Sie sagt, das regt sie auf. Und selbst wenn ich es doch tue, ist es schwer, eine klare Antwort von ihnen zu bekommen.«

»Vielleicht, weil sie sich nicht sicher sind?«

»Ja, wahrscheinlich.«

»Ich habe manchmal den Eindruck, als erwarteten wir, dass der Tod präzise sein müsste, nur weil er so endgültig ist. Aber den Gefallen tut er uns nicht.« Sie lächelte. »Er kann ziemlich unberechenbar und launisch sein. Und grausam. Aber er hat keine Macht über unser Leben. Nur Einfluss auf unser Sterben, und deshalb sind wir hier.«

»Sie will über das, was mit ihr passiert, nicht reden«, erzählte Susan. »Nur die Schmerzen erwähnt sie. Ich glaube, sie will damit allein fertig werden. Mich außen vor lassen, weil sie denkt, so könnte sie mich schützen.«

»Oh je, ich weiß nicht, ob das klug ist. Dem Tod begegnet man am besten, indem man den Trost von Familie und Freunden sucht. Ich würde Ihnen dringend raten, aktiver Anteil zu nehmen und Ihrer Mutter zu sagen, dass ihr Sterben etwas ist, das Sie mit ihr teilen wollen. Und es klingt ja, als hätten Sie noch Zeit.«

»Was sollte ich Ihrer Meinung nach machen?«

»Bringen Sie Ihre Beziehung zu Ihrer Mutter in Ordnung und helfen Sie ihr dabei, sich mit dem Sterben zu beschäftigen. Und wenn es dann so weit ist, bringen Sie sie her, und Sie beide stellen sich auf das Sterben ein. Sagen Sie, was gesagt werden muss. Rufen Sie sich ins Gedächtnis, was nicht in Vergessenheit geraten sollte.«

Susan nickte. Die Frau öffnete eine dunkle Schublade und zog eine Visitenkarte sowie eine elegante Hochglanzbroschüre heraus.

»Das sollte ein paar Ihrer Fragen beantworten«, meinte sie. »Gibt es einen Ort, den Ihre Mutter noch einmal sehen möchte, oder etwas Besonderes, das sie tun möchte? Dann rate ich Ihnen, es jetzt zu tun, bevor die Krankheit sie noch hinfälliger macht. Eine Reise, ein Erlebnis, etwas, das sie noch verwirklichen konnte, macht das Sterben manchmal leichter.«

»Ich werde es mir merken«, sagte Susan. Sie holte tief Luft. »Eine Reise. Ein Erlebnis. Etwas, das sie noch unternehmen kann, solange sie die Kraft dazu hat.«

»Klingt ein bisschen wie ein fernöstliches Mantra, nicht wahr?« Die Frau lachte leise.

»Aber es leuchtet ein. Etwas, worauf man ...«

»... worauf man sich konzentrieren kann, statt nur an die Schmerzen, den Verlust und die Angst vor dem Unbekannten zu denken.«

»Eine Reise. Ein Erlebnis.« Susan strich sich mit dem Finger übers Kinn. »Ich werde es ihr sagen.«

»Gut. Und dann freue ich mich darauf, Sie wiederzusehen. Wenn es näher rückt. Sie werden wissen, wann es so weit ist«, fügte die Frau hinzu. »Vernünftige Menschen, wie Sie offenbar einer sind, wissen immer, wann es so weit ist.«

»Danke«, meinte Susan und stand auf. »Ich bin froh, dass ich reingekommen bin.« Sie zögerte wieder. »Ich hab gesehen, dass Sie nicht mal ein Schloss an der Tür haben …«

Die Frau schüttelte den Kopf.

»Wir haben hier keine Angst vor dem Tod«, sagte sie nur.

Als Susan unter dem Vordach der Eingangsveranda hinaus ins Freie trat, stand die Sonne gerade über den angrenzenden Wolkenkratzern und blendete sie für Sekunden. Wie ein Seemann, der den Horizont absucht, legte sie die Hand an die Stirn und sah, dass der Stadtstreicher, mit dem sie vor ihrem Mittagsimbiss gesprochen hatte, schwankend auf dem Bürgersteig vor dem Hospiz herumlungerte und offenbar nervös auf sie wartete. Als er sie sah, breitete der Mann die Arme aus und grinste sie fröhlich an.

»Hallo! Hallo! Da sind Sie ja! Herzliche Grüße!«, brüllte er wie eine bizarre Christusgestalt, die an ihren Leiden Vergnügen fand.

Ohne zu antworten, blieb Susan stehen. Sie spürte das Gewicht der Pistole in ihrer Tasche.

»Eines Tages steigen wir alle die Himmelsleiter empor«, rief er ihr entgegen.

»Led Zeppelin. Das unbetitelte Album. 1971«, murmelte Susan. Langsam stieg sie die Stufen zum Hospiz herunter und ging auf den Mann zu. Lauter und deutlicher erwiderte sie: »Finden Sie nicht, dass Sie sich Ihre Hirngespinste wenigstens selbst ausdenken sollten? Sie wollen doch keine schlechte Kopie sein.«

Der Irre hatte den Kopf zurückgeworfen. Sein brauner Mantel reichte fast bis zum Boden. Sie sah, dass ein Gürtel aus einem schmutzstarrenden, bunten Lumpen die abgewetzte Hose daran hinderte, herunterzurutschen.

»Jesus wird uns alle erlösen …«

»Falls er Zeit hat. Und Lust. Was ich manchmal bezweifle …«

»Er kommt zu jedem von uns …«

»Falls er bereit ist, sich die Finger dreckig zu machen.«

»Gottes Wort in unseren Ohren.«

»Falls wir Lust haben, hinzuhören, worauf ich mich nicht verlassen würde.«

Plötzlich ließ der Mann die Arme sinken. Sein Kopf neigte sich vor, und Susan sah ein Funkeln in seinen Augen, das sie ganz gewöhnlichem, gutartigem Wahnsinn zuschrieb.

»Sein Wort ist die Wahrheit. Das hat er mir gesagt.«

»Freut mich für Sie«, entgegnete Susan, die sich an dem Mann vorbei drückte, um endlich die Straße zu erreichen.

»Aber er ist hier!«, brüllte der Irre.

»Sicher«, sagte Susan über die Schulter. »Aber klar. Jesus hat sich für seine Wiederkunft Miami ausgesucht – perfekte Wahl. Leuchtet mir ein«, kommentierte sie sarkastisch.

»Aber er ist *tatsächlich* da, und ich soll Ihnen was ausrichten, das nur für Sie bestimmt ist!«

Susan hatte den Mann schon ein paar Schritte hinter sich gelassen, doch bei seinen letzten Worten blieb sie stehen und drehte sich um. »Für mich?«

»Ja, ja, ja! Das versuche ich Ihnen doch schon die ganze Zeit zu sagen!« Der Mann grinste, so dass seine verfaulten Zähne zu sehen waren. »Jesus sagt, ich soll Ihnen ausrichten, dass Sie nie allein sein werden und dass er immer da sein wird, um Sie zu retten! Er sagt, dass Sie jahrelang in der schrecklichen Finsternis gewandelt wären, ohne ihn zu kennen, aber das soll sich jetzt ändern, halleluja!«

Susan hatte das Gefühl, als legte sich plötzlich eine eisige Dunkelheit über sie.

Are you the man who saved me? – Waren Sie mein Retter?

What is it that you want? – Was wollen Sie?

Theme where a navy do amuse? – Thema, wo eine Marine sich amüsiert?

Why is tit a tat, now a tut? – Wieso ist Tit-a-tat jetzt ein Tut?

Zwei verschlüsselte Fragen, von einem Irren beantwortet, der sie zu verfolgen schien. Sie schüttelte den Kopf.

»Jesus hat Ihnen das gesagt? Wann?«

»Gerade eben, vor ein paar Minuten. Er ist mir in einem gewaltigen Lichtblitz erschienen. Ich war richtig geblendet, Gott, von der Herrlichkeit seiner Gegenwart, und es hat mir auch Angst gemacht, und ich hab weggesehen, aber er hat die Hand nach mir ausgestreckt, und in der Sekunde spürte ich Frieden, einen wunderbaren, vollkommenen Frieden, und er hat mir eine Aufgabe erteilt und gesagt, sie wäre überaus wichtig und es würde seine Wiederkunft auf der Erde leichter machen. Helfen, den Weg zu bereiten, hat er gesagt. Er hat mich hierher mitgenommen und mir dann aufgetragen, sein Sprachrohr zu sein. Dann hat er mir auch etwas Geld gegeben. Zwanzig Mäuse!«

»Was hat er Ihnen gesagt?«

»Er hat gesagt, ich soll eins seiner Kinder finden, das ihm besonders am Herzen liegt, um ihm zwei Fragen zu beantworten.«

Susan hörte, wie ihr die Stimme zitterte. Sie hätte schreien mögen, doch ihre Worte kamen eher im Flüsterton heraus, atemlos, von der Hitze des Tages verdunstet: »Hat er noch etwas gesagt? Noch irgendetwas anderes?«

»Ja, das hat er!« Der Irre schlang vor unbändiger Freude die Arme um seinen Leib. »Er hat mich hier auf Erden zu seinem Boten gemacht! Welch eine Freude!« Der Mann schlurfte mit den Füßen über den Boden, als wollte er ein Tänzchen hinlegen.

Susan musste an sich halten. »Und wie lautete seine Botschaft? Das, was Sie mir ausrichten sollten?«

»Ach, Susan«, seufzte der Mann, und diesmal hatte sie sich auf keinen Fall verhört. »Manchmal sind seine Botschaften seltsam und geheimnisvoll.«

»Trotzdem, was hat er gesagt?«

Der Irre beruhigte sich und neigte den Kopf wieder nach vorn, als dächte er angestrengt nach. »Ich hab's nicht verstanden, aber ich musste es ihm immer wieder nachsprechen, bis ich es konnte.«

»Was?« Nur mit größter Mühe konnte sie die Panik unterdrücken.

»Ich soll Ihnen sagen: ›Ich will zurück, was mir gestohlen wurde.‹«

Der Irre schwieg einen Moment und bewegte nur stumm die Lippen. »Ja«, meinte er dann und lächelte wieder. »Ich hab's richtig behalten. Ich bin mir sicher. Wäre mir nicht recht, wenn ich es durcheinandergebracht hätte. Dann würde er mich vielleicht nicht wieder erwählen.«

»Noch was?«, fragte sie mit zitternder Stimme.

»Was wollen wir mehr?«, erwiderte der Irre mit einem freudigen wiehernden Lachen. Er drehte sich um und lief halb stolpernd, halb hüpfend wie ein Kind die Straße entlang zur Bucht mit ihrem satinblauen Wasser. Lauthals rühmte er in einer selbst erfundenen Hymne die Wiederkunft eines Mannes, von dem er glaubte, er käme vom Himmel, und von dem Susan glaubte, dass er von einem entschieden unfreundlicheren Ort entstiegen sei. Sie hätte sich gerne hingesetzt, um in Ruhe gründlich über alles nachzudenken, was sie gehört hatte, doch sie stellte fest, dass sie stattdessen mit eiligen Schritten loslief. Als sie fast beinah joggte, schaute sie sich noch einmal nach dem Mann um, aber die Straße war plötzlich leer. In der anderen Richtung sah sie in einiger Entfernung den normalen Verkehr, Polizei und Passanten. Sie schnappte nach der überhitzten Luft und rannte der trügerischen Sicherheit der anonymen Menge entgegen.

SECHZEHN
DER MANN,
DER DIE LÜGE VERSTECKTE

Als sie die Stimme ihres Sohnes am Telefon hörte, durchfuhren Diana Clayton gleichzeitig Angst- und Freudenschauer. Wie jede andere Mutter freute sie sich, von ihrem allzu fernen Kind zu hören. Die Angst war komplizierter. Sie merkte, wie alte, lang verdrängte Befürchtungen in ihrem Innern wie Samen platzten, um aufzukeimen. Diese Angst wurzelte in der Erkenntnis, dass ihr Leben, so wie es all die Jahre verlaufen war, einen Fehler hatte und dass ihnen eine große Veränderung bevorstand.

»Mutter?«, fragte Jeffrey.

»Jeffrey«, seufzte sie, »Gott sei Dank. Ich versuche schon die ganze Zeit, dich zu erreichen.«

»Tatsächlich?«

»Ja. Ich hab ständig Nachrichten bei dir im Büro hinterlassen und auch auf deinem Anrufbeantworter. Hast du sie denn nicht abgehört?«

»Nein, keine einzige.«

Jeffrey ließ die seltsame Tatsache in sein Bewusstsein sinken und kam dann zu dem Schluss, dass dies für die Effizienz der Sicherheitskräfte des Einundfünfzigsten Staates sprach. Er verband das Telefon mit dem Computer, und Sekunden später erschien das Gesicht seiner Mutter vor ihm auf dem Bildschirm. Er fand, dass sie ausgezehrt und abgespannt wirkte. Ihm wurde bewusst, dass sie seine Reaktion sehen konnte, denn sie sagte: »Ich habe abgenommen. Ist unvermeidlich. Sonst geht's mir gut.«

Er schüttelte den Kopf. »Tut mir leid. Du siehst gut aus.«

Beide ließen es bei der kleinen Lüge bewenden.

»Hast du große Schmerzen? Was sagen die Ärzte?«

»Ach, zum Teufel mit den Ärzten. Die haben keine Ahnung«, erwiderte Diana. »Was macht es schon, wenn's ein bisschen zwackt? Es ist nicht schlimmer als damals, wo ich mir das Bein gebrochen habe. Als ich von dem verdammten Dach gefallen bin. Du warst vierzehn, weißt du noch?«

Er wusste es noch. Das Dach hatte ein Leck bekommen, und sie war mit einem Eimer Teer hinaufgeklettert, um es zu reparieren, war ausgerutscht und heruntergefallen. Sie war nur ein einziges Stockwerk tief gefallen, doch es hätte schlimmer enden können als mit einem Bruch und blauen Flecken. Obwohl es bis zu seinem Führerschein noch zwei Jahre waren, hatte er sie in die Notaufnahme im Krankenhaus gefahren.

»Natürlich erinnere ich mich. Weißt du noch, wie der Arzt geguckt hat, nachdem er dir den Gips angelegt hat und dich gefragt hat, wie du nach Hause kommst, und ich die Autoschlüssel in der Hand hielt?«

Mutter und Sohn lachten bei der gemeinsamen Erinnerung.

»Wahrscheinlich hat er gedacht, wir schaffen es nicht mal um den nächsten Block, bis wir einen Unfall bauen und wieder bei ihm landen.«

Diana Clayton lächelte und nickte. »Du warst schon immer ein guter Fahrer«, meinte sie.

Jeffrey schüttelte den Kopf. »Sicher und verlässlich. Der personifizierte Langweiler. Und nicht so gut wie Susan. Die kann wirklich mit Maschinen umgehen.«

»Aber sie fährt zu schnell.«

»Passt zu ihr.«

Diana nickte wieder. »Du hast recht. Ihre Geduld wird ständig allzu sehr auf die Probe gestellt. Sie muss immer umsichtig sein, bedächtig und genau. Ich denke, das geht ihr gründlich auf die Nerven. Deshalb gibt sie ab und zu ein bisschen Gas. Ist mal was anderes.«

Jeffrey sagte nichts. Er betrachtete das Gesicht seiner Mutter auf dem Monitor. Ihm wurde klar, dass es falsch gewesen war, ihr nicht mehr Aufmerksamkeit zu schenken.

Es herrschte eine Weile Schweigen zwischen ihnen, dann sagte er: »Ich glaube, ich habe ein Problem. Wir haben ein Problem.«

Diana runzelte die Stirn. Sie holte tief Luft und sprach aus, was sie gehofft hatte, nie sagen zu müssen: »Er ist nicht gestorben. Und er hat uns gefunden.«

Jeffrey nickte. »Hat er –«, fing er an.

Seine Mutter unterbrach ihn. »Er war hier. Im Haus, während ich schlief. Er ist Susan gefolgt und hat ihr Wortspiele und Rätsel geschickt. Sie hat ihm auf die gleiche Weise geantwortet. Ich weiß nicht, was er will, aber er spielt mit uns Katz und Maus ...«

Sie zögerte und fügte hinzu: »Ich habe Angst. Deine Schwester ist robuster als ich. Aber vielleicht hat sie auch ein bisschen Angst. Sie weiß es noch nicht. Ich meine, am Anfang hab ich noch gehofft, es wäre jemand anders. Ich konnte es einfach nicht glauben, nach all den Jahren. Aber jetzt bin ich sicher, dass er es ist ...«

Sie sprach nicht weiter, sondern starrte auf das Bild ihres Sohnes.

»Woher weißt du es?«, fragte sie plötzlich. Sie sprach abgehackt, ein wenig schrill. »Ich dachte, es beträfe nur mich. Ich dachte ... ich meine, was ... hat er sich auch bei dir gemeldet?«

Jeffrey nickte langsam. »Ja.«

»Aber wie?«

»Er hat mehrere Verbrechen begangen, und ich habe mich verpflichtet, bei den Ermittlungen zu helfen. Ich hab erst auch nicht geglaubt, dass er es ist. Genau wie du. Es kam mir so vor, als hätte ich mich all die Jahre an eine Lüge klammern dürfen.«

»Was für Verbrechen?«

»Solche, über die du nie sprechen wolltest.«

Diana schloss für einen Moment die Augen, als könnte sie so das Bild aus ihrem Kopf verbannen, das nun in ihr Gestalt annahm.

»Und jetzt soll ich ihn für die hiesige Polizei finden«, fuhr ihr Sohn fort. »Aber statt dass ich ihm auf die Spur komme, sieht es so aus, als hätte er mich gefunden.«

»Er hat dich gefunden. Oh mein Gott. Bist du in Sicherheit? Bist du zu Hause?«

»Nein, ich bin nicht zu Hause. Ich bin im tiefen Westen.«

»Wo?«

»Im Einundfünfzigsten Staat. Ich bin in New Washington. Da begeht er seine Verbrechen.«

»Aber ich dachte ...«

»Ja, ich weiß. Das soll es hier eigentlich nicht geben. Deshalb hat man mich angeheuert. Jedenfalls dachte ich das, als ich herkam. Jetzt bin ich mir da nicht mehr so sicher.«

»Jeffrey, was willst du damit sagen?«

Ihr Sohn zögerte, bevor er antwortete: »Ich glaube«, begann er und wog jedes Wort bedächtig ab, da ihnen keine logischen Fakten, sondern eher ein Gefühl zugrunde lag, »dass er mich hergebracht hat. Dass alles, was er getan hat, darauf abzielte, mich hier direkt zu ihm zu führen. Dass er absichtlich so getötet hat, damit die hiesige Polizei mich holt. Ich fühle mich wie eine Figur in einem Spiel, dessen Regeln ich gerade erst zu verstehen beginne.«

Diana hielt für einige Sekunden die Luft an, dann ließ sie den Atem mit einem leisen Pfeifen entweichen.

»Er spielt Tod«, sagte sie unvermittelt.

Hinter sich hörte sie einen Schlüssel im Haustürschloss, kurze Zeit später Schritte und schließlich die Stimme ihrer Tochter: »Mutter!«

»Deine Schwester kommt nach Hause«, erklärte Diana. »Früher als sonst.«

Susan betrat die Küche und sah augenblicklich das Bild ihres Bruders auf dem Bildschirm. Wie immer durchzuckte sie eine Mischung aus widerstreitenden Gefühlen.

»Hallo Jeffrey«, begrüßte sie ihn.

»Hallo Susan. Alles in Ordnung bei dir?«

»Eher nicht«, antwortete sie.

»Was ist?«, fragte Diana.

»Er ist da. Schon wieder. Er hat mit mir Verbindung aufgenommen. Der Mann, der die Botschaften schickt …«

»Das ist nicht irgendein Mann«, unterbrach sie Diana in scharfem Ton. Ihre Tochter sah sie erstaunt an. »Ich weiß, wer es ist.«

»Dann …«

»Es ist nicht irgendein Mann«, wiederholte die Mutter. »War es nie. Es ist dein Vater.«

Alle drei verfielen in Schweigen. Susan sackte schwer auf einen Stuhl am Küchentisch und nickte, während ihr Atem so flach wurde wie bei einem Feuerwehrmann, der durch den Rauch einer brennenden Wohnung kriecht.

»Du hast es gewusst und nichts gesagt?«, entfuhr es ihr. Wut zog sich wie ein Gebirgskamm am Abgrund ihrer Worte entlang. »Du hast vermutet, er könnte es sein, und es für besser gehalten, mir nichts zu sagen?«

Diana standen die Tränen in den Augen. »Ich war mir nicht sicher. Ich wusste es nicht definitiv. Ich wollte nicht wie ein kleines Kind wegen eines Geists um Hilfe rufen. Ich war so fest davon überzeugt, er wäre tot. Ich dachte, wir wären vor ihm sicher.«

»Und jetzt ist er es nicht und wir sind es nicht«, erwiderte Susan bitter. »Vermutlich sind wir es nie gewesen.«

»Die Frage ist doch«, warf Jeffrey ein, »was er eigentlich will? Wieso findet er uns gerade jetzt? Wieso hat er nicht einfach weitergemacht –«

»Ich weiß, was er will«, unterbrach ihn Susan. »Er hat es mir gesagt. Genauer gesagt, nicht er selbst. Und auch nicht explizit, aber …«

»Was?«

»Er will wiederhaben, was ihm gestohlen wurde.«

»Er will was?«

»Was ihm gestohlen wurde. Das war seine letzte Botschaft an uns.«

Erneut trat Schweigen ein, während alle über den Satz nachdachten. Jeffrey reagierte als Erster: »Aber was zum Teufel, ich meine, was genau wurde ihm gestohlen?«

Diana war bleich geworden. Sie versuchte, das Beben in ihrer Stimme unter Kontrolle zu bekommen: »Das ist nicht schwer zu erraten. Was ihm gestohlen wurde? Du und deine Schwester. Und wer war der Dieb? Ich. Was habe ich ihm genommen? Ein Leben. Jedenfalls ein Leben so wie er es entworfen hatte. Und deshalb sah er sich gezwungen, ein neues zu entwerfen.«

»Was hat das deiner Meinung nach zu bedeuten?«, fragte Susan.

»Ich würde vermuten«, sagte Diana leise, »Rache.«

»Sei nicht albern. Rache, die sich auch gegen Jeffrey und mich richtet? Was haben wir denn getan –«

»Nein, das leuchtet wirklich nicht ein«, unterbrach sie ihr Bruder. »Aber hinsichtlich Mutter schon. Wahrscheinlich ist sie in großer Gefahr. Wahrscheinlich sind wir das alle drei, auf unterschiedliche Weise und aus unterschiedlichen Gründen.«

»*Ich will zurück, was mir gestohlen wurde*«, wiederholte Susan ruhig die Botschaft. »Jeffrey, du hast recht. Seine Beziehung, falls man es so nennen kann, ist zu jedem von uns eine andere. Ich meine, Mutter ist für ihn etwas anderes als du und dann wieder ich. Für jeden von uns ein eigener Plan.«

Sie legte eine Pause ein, sah auf und stellte fest, dass ihr Bruder zustimmend nickte. »Man könnte es vielleicht so sehen«, fuhr sie fort. »Stellen wir uns mal vor, wir wären alle Teil eines Puzzles – wenn wir richtig zusammengesetzt werden, ergibt es ein fertiges Bild. Ich denke, wir stehen vor dem Problem, rechtzeitig herauszufinden, was für ein Bild das ist und wie alles zusammenpasst ...«

Sie holte tief Luft.

» ... bevor er es für uns zusammensetzt.«

Jeffrey rieb sich mit der Hand über die Stirn und lächelte. »Susan, erinnere mich dran, dass ich nie mit dir Karten spiele. Oder Schach. Oder auch nur Dame. Ich glaube, du hast absolut recht.«

Diana hatte sich die Tränen aus den Augen gewischt. In gefasstem Ton wiederholte sie: »Er spielt den Tod. Das ist sein Spiel. Und wir sind die Spielfiguren.«

Allen drei war klar, dass sie die Wahrheit sagte.

Jeffrey erhob unwillkürlich ein wenig die Stimme; er vermutete, dass er wie in seinen Seminaren klang, wenn er den Studenten Fragen stellte. »Ich denke, es bringt herzlich wenig, sich wieder verstecken zu wollen«, erklärte er nachdenklich. »Vielleicht können wir ihm einen Strich durch die Rechnung machen, indem wir uns trennen, jeder geht in eine andere Richtung ...«

»Garantiert nicht«, meinte Susan trocken.

»Susan hat recht«, stimmte Diana zu und wandte sich zum Bildschirm. »Nein«, sagte sie, »ich glaube, das würde nicht funktionieren, selbst wenn wir es einrichten könnten. Wir müssen etwas anderes machen. Etwas, das ich wahrscheinlich schon vor fünfundzwanzig Jahren hätte tun sollen.«

»Und was?«, fragte Susan.

»Ihn in seinem eigenen Spiel schlagen.«

Susan setzte ein bitter-süffisantes Lächeln auf, das von eiserner Entschlossenheit zeugte. »Klingt vernünftig. In Ordnung. Wenn wir uns also nicht verstecken, wo wollen wir ihn dann stellen? Oben in New Jersey?«

Wieder herrschte Stille.

»Jeffrey, du bist der Experte in solchen Fragen.« Susan wandte sich dem Bildschirm zu.

Jeffrey zögerte. »Seinen Vater zu fassen ist nicht dasselbe, wie einen Mörder zu stellen. Selbst wenn er beides in einem ist. Wir sollten uns entscheiden, was von beidem wir wollen. Unserem Vater entgegentreten oder einem Mörder.«

Die Frauen antworteten nicht. Er wartete eine Sekunde, dann fügte er im Brustton der Überzeugung hinzu: »Grendels Höhle.«

Diana sah ihn verständnislos an. »Könntet ihr mir das vielleicht erklären ...« Susans Gesicht dagegen verzog sich zu einem schiefen Lächeln. Sie klatschte zu einem bescheidenen, ein wenig spöttischen Applaus.

»Er meint, Mutter, dass man, wenn man das Monster vernichten will, warten muss, bis es aus seiner Höhle kriecht, um es dann zu packen, und man darf es nicht mehr loslassen, egal, was passiert, selbst wenn es einen in seine eigene Welt zerrt, weil der Kampf nämlich da beginnt und endet.«

Für ein paar Sekunden schwiegen sie alle drei, dann hob Susan zaghaft die Hand, wie ein Schulkind, das die Antwort nicht ganz sicher weiß, aber nicht die Chance verpassen will, aufgerufen zu werden.

»Ich hab nur noch eine Frage«, meinte sie, und ihre Stimme verriet, dass ihre Zuversicht ein wenig ins Schwanken geraten war. »Wir drei finden ihn also, bevor er uns findet. Wir müssen ihm einen Schritt voraus sein, nehme ich an. Dann stellen wir ihn. Ob den Mörder oder den Vater. Und was genau bezwecken wir? Ich meine, was machen wir, wenn wir mit ihm zusammentreffen?«

Darauf hatte noch keiner von ihnen eine Antwort.

Susan und Diana entschieden sich dafür, am nächsten Morgen in Miami den ersten Flieger nach Westen zu nehmen. In der Zwischenzeit ließ sich Jeffrey von seiner Mutter auf elektronischem Wege den Brief schicken, den sie vor so vielen Jahren von dem Anwalt bekommen hatte, ebenso den Nachruf auf ihren Mann im Mitteilungsblatt der St. Thomas More Academy. Er versprach ihnen, dafür zu sorgen, dass jemand sie am Flughafen New Washington abholte, und dass er sich um ihre Unterbringung kümmern würde. Diese Aufgaben delegierte er augenblicklich an Agent Martin.

»Meinetwegen«, erklärte sich der Detective bereit. »Was haben Sie vor, wenn ich damit fertig bin, Ihre Sekretärin zu spielen?«

»Ich werde einen Tag weg sein. Vielleicht auch zwei. Sie sorgen dafür, dass meine Mutter und meine Schwester in Sicherheit sind. Unter gar keinen Umständen darf ihre Ankunft an die Öffentlichkeit dringen. Sie werden unter falschem Namen einreisen, und Sie werden die Pseudonyme durch die Kontrollen Ihrer grandiosen Passbehörde schleusen, ohne dass es auf irgendeinem Computerbildschirm auch nur eine Sekunde blinkt oder dass irgendeine Beamtendrohne einen einzigen Rülpser darüber verliert. Das betrifft auch das Ausstellen provisorischer Pässe. Keine Computereinträge. Nicht einen. Dieses ganze verdammte System ist durchlässig, und ich will nicht, dass unsere Zielperson die Ankunft von Mutter und Tochter mitbekommt. Er würde sie an ihrem Alter, ihrer Herkunft, was weiß ich woran noch erkennen, und er wäre im Vorteil, bevor wir auch nur die leiseste Chance hätten, uns einen Schlachtplan zurechtzulegen.«

Der Detective brummte etwas, das nach Zustimmung klang – nicht eben glücklich, aber eindeutig der gleichen Meinung. Jeffrey nahm an, dass Robert Martin wahrscheinlich nur deshalb den Mund hielt, weil er dachte, drei Lockvögel seien besser als einer, wenn es darum ging, ihre Jagdbeute aufzubringen. Und die Vorstellung eines Schlachtplans sagte ihm wahrscheinlich ebenfalls zu.

»Meine Schwester wird bewaffnet sein. Gut bewaffnet. Auch das sollte keinen Ärger machen.«

»Ein Mädel so recht nach meinem Geschmack.«

»Das glaube ich nicht.«

»Und Sie, Professor, wo wollen Sie hin?«

»Auf eine empfindsame Reise.«

»Leise Musik bei Mondenschein? Gitarrenklimpern im Hintergrund? Und wo mag das wohl sein?«

»Ich muss nach Hause«, erklärte Jeffrey. »Nicht für lang, aber ich muss hin.«

»Sie werden nicht in dieses Drecksloch zurückgehen, das sich Universität schimpft«, erwiderte Martin schroff. »Das ist gegen unsere Abmachung. Sie bleiben für die gesamte Dauer der Ermittlungen hier, Professor.«

Jeffrey reagierte ruhig, aber säuerlich. »Ich bin hier nicht zu Hause. Ich arbeite hier nur. Ich muss noch mal zurück.«

»Wie auch immer«, seufzte Martin und gab sich desinteressiert, »Sie sollten einen Freund mitnehmen.« Damit griff der Detective in eine Schreibtischschublade und zog eine Neun-Millimeter-Halbautomatik heraus, die er Jeffrey grinsend hinwarf.

Auf dem Nachtflug Richtung Osten fand er ein paar Stunden Schlaf, auch wenn er beim Sinkflug über dem Internationalen Flughafen von Newark aus einer Reihe von Albträumen erwachte, die ihn hartnäckig verfolgten. Es war kurz nach Sonnenaufgang, und es herrschte die Öde des nordöstlichen Winters, die sich während der nächsten Wochen halten würde. Über die luftverschmutzte Stadt hatte sich ein dichter, grauer Dunstschleier gelegt und schluckte die ersten Sonnenstrahlen, die versuchten, bis zur Erde durchzudringen. Von seinem Fenster aus erschien Jeffrey die Welt wie eine einzige kompakte Masse aus Beton und Asphalt, von Stahl und Ziegelmauern eingefasst, mit rostigem Maschen- und Stacheldraht bewehrt.

Als das Flugzeug über dem nördlichen Stadtgebiet kreiste, konnte er die Narben der Unruhen sehen – verkohlte Häuserblocks, die nach und nach verfielen. Aus der Luft waren die Linien, an denen sich Nationalgarde und Polizei formiert hatten, um der Flut der Brandstifter und Plünderer Einhalt zu gebieten, ebenso gut zu erkennen wie die Viertel, die man dem Verfall überließ. Als die Turbinen gedrosselt wurden und das Fahrgestell auf dem Boden aufsetzte, ertappte er sich dabei, wie er sich nach der offenen Weite und den sauberen Stadtanlagen des Einundfünfzigsten Staates sehnte. Er schlug sich den Gedanken aus dem Kopf und rieb sich die Augen, um den Halbschlaf abzuschütteln, dann bereitete er sich auf die Kälte vor, die ihn erwartete.

Es herrschte dichter, stockender Verkehr, als er mit seinem Leihwagen den Flughafen verließ. Der Stau setzte sich bis zur Schnellstraße und noch weitere zwanzig Meilen fort, so dass Jeffrey, als er endlich die Hauptstadt Trenton erreichte, sich nahtlos in die morgendliche Rushhour einfädeln konnte.

Er nahm die Ausfahrt Perry Street, die an dem quadratischen Gebäude aus Schlackenstein und Glas der *Trenton Times* vorbeiführte. Die Seite des wuchtigen alten Baus war von schwarzen Rußstreifen verunstaltet, besonders in der Nähe der Laderampen, vor denen zerbeulte Lieferwagen in Blaugelb in einer Schlange warteten, um die Morgenausgabe abzuholen. Ein halbes Dutzend Fahrer hatte sich um ein Feuer in einem alten Blechfass geschart und wartete auf das Zeichen zum Beladen.

Er wendete und fuhr ein paar Blocks näher an das Capitol heran, bis er das goldene, kuppelförmige Dach im Morgenlicht glänzen sah. Auf halbem Weg wurde er an einer Straßensperre aus Sandsäcken und Stacheldraht durchgewinkt, die eine Gegend städtischer Verwüstung und ausgebrannter, verbretterter Ruinen von den schmucken Reihenhäusern trennte, die im Rahmen des Stadtsanierungsprogramms wieder aufgebaut wurden. Die Polizeipräsenz war etwas gelockert, aber allenthalben spürbar, um sicherzustellen, dass die Wogen der Frustration nicht in die Straßen schwappten, in die Gelder investiert worden waren, oder gar bis zum Capitol. Jeffrey fand einen Parkplatz und lief zu Fuß weiter.

Die Anwaltskanzlei war kaum einen Häuserblock von den

Regierungsgebäuden in einem altmodischen Brownstone-Haus untergebracht, das sich seine ursprüngliche, betont elegante Fassade erhalten hatte. An der Eingangsschleuse öffnete ihm ein mürrischer und gelangweilt wirkender Wachmann die Türen.

»Haben Sie einen Termin?«, fragte er und blickte auf sein Klemmbrett.

»Ich will zu Mr. Smith«, erwiderte Jeffrey.

»Einen Termin?«, beharrte der Wachmann.

»Ja«, log er. »Jeffrey Clayton, neun Uhr.«

Der Wachmann suchte auf seinem Blatt. »Steht hier nicht«, stellte er fest und zog augenblicklich eine schwerkalibrige Handfeuerwaffe, die er auf den Professor richtete. Jeffrey ignorierte die Drohung.

»Das muss ein Irrtum sein«, sagte er.

»Uns passieren keine Irrtümer«, erklärte der Mann. »Sie gehen jetzt besser.«

»Wie wäre es, wenn Sie Mr. Smiths Sekretärin anrufen würden? Dazu sind Sie doch sicher bereit?«

»Wieso sollte ich? Sie stehen nicht auf der Liste.«

Jeffrey lächelte. Langsam griff er in seine Jacke und zog seinen befristeten Pass von der Staatssicherheit im Einundfünfzigsten Bundesstaat hervor. Er ging davon aus, dass der Mann angesichts des Abzeichens und des goldenen Adlers nicht auf die Gültigkeit achten würde.

»Sie wären gut beraten, meiner Bitte nachzukommen, denn wenn Sie es nicht tun, kehre ich mit einer Verfügung, einem Fahndungsteam und einer Spezialeinheit zurück, und wir walzen das Büro Ihres Chefs platt; früher oder später wird ihm dann aufgehen, welcher Vollidiot an der Rezeption ihm die Suppe eingebrockt hat. Reicht das als Grund?«

Der Wachmann griff zum Telefon und sagte: »Hab hier ’n Bullen, der Mr. Smith sprechen will, obwohl er keinen Termin hat. Woll’n Sie runterkommen und mit dem Mann reden?«

Er legte auf und erklärte: »Die Sekretärin kommt sofort.«

Er richtete weiterhin seine Waffe auf Jeffreys Brust. »Waffe dabei, SS-Mann?« Als Jeffrey den Kopf schüttelte, da er seine Pistole im Handschuhfach gelassen hatte, forderte der Wachmann ihn mit einer stummen Geste auf, durch den Metalldetektor zu treten. »Dann schauen wir mal«, meinte er. Als Jeffrey kein Signal auslöste, wirkte er enttäuscht. »Vielleicht haben Sie ja eine von diesen neuen Hightech-Plastik-Pistolen dabei?«, fragte er, doch bevor Jeffrey antworten konnte, kam eine Frau aus einem der Büros. Sie war jung, adrett und professionell, in einem bis zum Hals geschlossenen, eng sitzenden Herrenhemd, was Jeffrey in einem Anflug von spöttischem Humor zu der Spekulation verleitete, dass sie wahrscheinlich mit dem Anwalt schlief, der seine fade, auf Countryclubs versessene Ehefrau mit ihr betrog. Die konservative, zurückhaltende Kleidung diente wahrscheinlich dazu, ihre eigentliche Aufgabe zu verdecken. Er schmunzelte über seine Fantasie, glaubte jedoch nicht, dass er sich irrte.

»Mister?«

»Clayton. Jeffrey Clayton.«

Der Wachmann reichte ihr den Ausweis des Einundfünfzigsten Bundesstaates.

»Und in welcher Angelegenheit haben Sie die schöne neue Welt im Wilden Westen verlassen und eine so weite Reise auf sich genommen?«, fragte sie in beißend sarkastischem Ton.

»Mr. Smith hat vor einigen Jahren einen Mann vertreten, gegen den derzeit in unserem Territorium eine Großfahndung läuft.«

»Alle Angelegenheiten zwischen Mr. Smith und seinen Klienten sind streng vertraulich.«

Jeffrey lächelte. »Selbstverständlich.«

»Darum glaube ich kaum, dass er Ihnen helfen kann.« Sie reichte ihm seinen Ausweis zurück.

»Wie Sie meinen«, entgegnete Jeffrey. »Andererseits hätte ich vermutet, dass ein Anwalt diese Entscheidung lieber selbst trifft.

Wenn Sie allerdings glauben, dass er es vorzieht, seinen Namen ohne Vorwarnung auf einer Anklageschrift oder in einer Schlagzeile der hiesigen Zeitung zu entdecken, nun ja, das liegt bei Ihnen.«

Irgendwie genoss Jeffrey die Situation. Bluffen war normalerweise nicht sein Stil.

Die Sekretärin starrte ihn eindringlich an, als hoffte sie, an seinen Mundwinkeln oder seinem Kinn abzulesen, ob er es ernst meinte oder nicht. »Folgen Sie mir«, gab sie schließlich nach. »Ich sehe mal, ob er zwei Minuten erübrigen kann.« Sie machte auf dem Absatz kehrt und sagte über die Schulter hinweg: »Das sind hundertzwanzig Sekunden. Nicht mehr.«

Sie führte Jeffrey in ein Vorzimmer mit teurem, unbequemem viktorianischem Mobiliar. Auf dem Boden lag ein großer handgeknüpfter Orientteppich. In der Ecke befand sich eine antike Standuhr, die nicht richtig ging, dafür aber laut tickte. Die Sekretärin deutete auf ein Sofa mit steiler Rückenlehne und suchte hinter einem Schreibtisch räumlich wie symbolisch Distanz zu Jeffrey. Sie nahm ein Telefon und sprach schnell in die Muschel, indem sie die Hand davor legte, damit er sie nicht verstand. Nach einer Weile öffnete sich eine große Holztür, und der Anwalt trat ein. Er war spindeldürr mit einem grauen Haarschopf, der zu einem Pferdeschwanz gebunden über den Kragen seines maßgeschneiderten blauen Hemdes fiel. Die handgenähte Nadelstreifenhose wurde von Lederträgern gehalten. Seine italienischen Schuhe waren spiegelblank poliert. Die Hand, die er Jeffreys reichte, war knochig, groß und kräftig.

»Und welchen Ärger wollen Sie mir bereiten, Mr. Clayton?«, fragte der Anwalt zwischen zusammengepressten Lippen.

»Das kommt natürlich ganz drauf an«, erwiderte Jeffrey.

»Auf was?«

»Was Sie getan haben.«

Der Anwalt lächelte. »Dann hab ich nichts zu befürchten. Schießen Sie los, Mr. Clayton.«

Jeffrey reichte ihm den Brief, den er an Diana geschickt hatte. »Kommt Ihnen das bekannt vor?«

Der Anwalt las das Schriftstück langsam. »Kaum. Ist sehr lange her. Ganz vage kann ich mich entsinnen ... ein schrecklicher Autounfall, so wie ich es hier geschrieben habe. Bis zur Unkenntlichkeit verbrannte Leichen. Tragische Todesfälle ...«

»Er ist nicht gestorben.«

Der Anwalt zögerte, bevor er sagte: »Steht hier aber anders.«

»Er ist nicht gestorben. Schon gar nicht bei einem Autounfall. Erst recht nicht in selbstmörderischer Absicht.«

Der Anwalt zuckte die Achseln. »Ich wünschte, ich könnte mich erinnern. Das ist höchst seltsam. Sie meinen, der Mann ist nicht gestorben, obwohl ich auf seiner Beerdigung war? Muss ich jedenfalls gewesen sein, weil ich es hier erwähne. Glauben Sie vielleicht, ich habe die Gewohnheit, zu vorgetäuschten Begräbnissen zu gehen?«

»Dieser Mann, wie Sie ihn nennen, war mein Vater.«

Der Anwalt zog eine dünne graue Augenbraue hoch. »Tatsächlich? Trotzdem ist es wohl kein Verbrechen, jung zu sterben, auch wenn das die meisten Kinder denken mögen.«

»Das stimmt. Aber was er tatsächlich getan hat, fällt unter diese Kategorie.«

»Nämlich?«

»Mord.«

Wieder schwieg der Anwalt eine Weile. »Ein Toter, der in Mord verwickelt ist. Wie faszinierend.«

Der Anwalt schüttelte den Kopf. »Ich glaube nicht, dass ich Ihnen mit Informationen dienen kann, Mr. Clayton. Jeder mündliche oder schriftliche Wortwechsel zwischen Ihrem verstorbenen Vater und mir unterliegt der Schweigepflicht. Möglicherweise erlischt die mit seinem Tod. Darüber lässt sich füglich streiten. Falls er, wie Sie behaupten, nun plötzlich doch am Leben ist, dann hat sie natürlich volle Gültigkeit, selbst nach all den Jahren. Sehr alte Geschichte, das Ganze. Ich möchte sehr bezweifeln, dass ich überhaupt noch die Akte besitze. Meine Kanzlei ist heute vollkommen anders und bedeutend größer als zu der Zeit, da dieser Brief an Ihre Mutter herausging. Deshalb denke ich, Sie unterliegen einem Irrtum, jedenfalls kann ich Ihnen nicht helfen. Guten Tag, Mr. Clayton, und viel Glück. Joyce, führen Sie den Herrn bitte hinaus.«

Dies schien die adrette Sekretärin mit dem größten Vergnügen zu tun.

Das Gelände der St. Thomas More Academy waren von einem drei bis vier Meter hohen schmiedeeisernen Zaun eingefasst – ein reines Zierelement, hätte es nicht Warnhinweise gegeben, dass der Zaun unter Strom stand. Jeffrey vermutete, dass er noch einmal ein bis zwei Meter tief in die Erde reichte. Am Eingangstor kam ihm ein Sicherheitsmann entgegen und geleitete ihn zur Akademie. Sie liefen zwischen massiven Bauten aus rotem Klinker eine Allee entlang. Im Frühling, dachte Jeffrey, bedeckte wahrscheinlich dichtes Grün die Wände der Studentenwohnheime und Übungsräume, während jetzt, da es auf den Winter zuging, die braunen Stengel des Weins wie unzählige Fangarme die Steine hochkletterten. Von den Eingangsstufen des Verwaltungsgebäudes aus konnte man die weite Fläche der stumpf grünen Sportplätze sehen, auf denen vom reichlichen Gebrauch an vielen Stellen die nackte Erde durchkam. Der Mann vom Geleitschutz trug einen blauen Blazer und eine rote Schulkrawatte, und unter seiner Jacke erkannte Jeffrey die Umrisse einer Automatik. Er war mürrisch und wortkarg, und als die Kirchenglocke das Ende einer Stunde einläutete, schob er Jeffrey durch eine breite Flügeltür aus Glas. Dahinter spien die Übungsräume Studenten aus, die mit einem Schlag die verlassenen Gänge verstopften.

Die Assistentin des Direktors war eine ältere Frau mit einer Hornbrille auf der Nasenspitze und einem Helm aus toupiertem, blauem Haar. Sie versprühte Freundlichkeit und Effizienz, und Jeffrey kam unwillkürlich der Gedanke, dass in einer Welt der Zerstörung die alten Lehranstalten sich am langsamsten veränderten. Er konnte nicht sagen, ob das gut oder schlecht war.

»Professor Jeffrey Mitchell, du liebe Güte, ich glaube, den Namen habe ich seit Jahren nicht mehr gehört. Was sag' ich, seit Jahrzehnten. Und Sie sagen, er war Ihr Vater? Du liebe Zeit, ich kann mich nicht einmal entsinnen, dass er verheiratet war.«

»Das war er. Ich bin auf der Suche nach jemandem, der sich an seinen Tod erinnern kann. Leider habe ich ihn nie gekannt. Nicht wirklich. Sehr frühe Scheidung.«

»Verstehe«, meinte die Frau. »Das ist leider allzu oft der Fall. Und jetzt wollen Sie …«

»Nur ein paar Lücken in meinem eigenen Leben schließen«, erklärte Jeffrey. »Es tut mir leid, so unangemeldet hier hereinzuplatzen.«

Die Frau sah ihn mehr oder weniger genauso an wie einen Studenten, der wegen einer Grippe eine Klausur verpasst hatte. Verständnisvoll, aber nicht unbedingt mit Anteilnahme.

»Ich selbst kann mich nur vage erinnern«, überlegte sie. »Ich sehe ihn als einen sehr vielversprechenden jungen Mann vor mir. Scharfer Intellekt. Geschichte hat er, glaube ich, unterrichtet?«

»Ja, soviel ich weiß.«

»Leider sind nur wenige von uns übrig geblieben, die sich noch an diese Zeit erinnern könnten. Und Ihr Vater war nur ein paar Jahre hier, wenn mich meine Erinnerung nicht trügt. Wir waren nur wenige Wochen gemeinsam hier tätig, und ich habe ihn kaum kennengelernt, bevor er seinen Dienst quittierte. Ich war in der Verwaltung, während er zum Lehrkörper gehörte. Fünfundzwanzig Jahre sind eine lange Zeit, selbst an einem College wie diesem …«

»Aber …« Jeffrey entging ein kurzes Zögern in ihrem Tonfall nicht.

»Ich denke, Sie sollten sich mit dem alten Mr. Maynard unterhalten. Er ist praktisch im Ruhestand, aber er unterrichtet immer noch ein paar Stunden amerikanische Geschichte. Ich meine, mich zu entsinnen, dass er in der Zeit Ihres Vaters Institutsleiter war. Das war er mehr als dreißig Jahre lang. Er könnte etwas über ihn wissen.«

Der Geschichtsprofessor saß an einem Schreibtisch und blickte aus einem Fenster im zweiten Stock, das gegenüber einiger Sportfelder lag, als Jeffrey an die Tür klopfte und den kleinen Übungsraum betrat. Maynard war ein alter Mann mit kurz geschnittenem grauem Haar, einem melierten Bart und einer mehrfach gebrochenen, verunstalteten Boxernase. Er hatte etwas von einem Gnom und drehte sich wie ein Kind auf dem Stuhl eines Erwachsenen herum, als Jeffrey sich ihm näherte. Als er sah, dass sein Besucher kein Student war, spielte ein zartes, verlegenes Lächeln um seinen Mund, ein schüchterner Ausdruck, der zu seinem Bulldoggen-Gesicht in seltsamem Widerspruch stand.

»Wissen Sie, manchmal kann ich zu den Sportplätzen da draußen hinüberschauen und mich an bestimmte Spiele erinnern. Ich sehe die Spieler vor mir, als wäre es gestern gewesen. Alt zu werden ist schrecklich. Die Erinnerungen ersetzen die Realität. Sie sind ein bescheidener Ersatz. Und ...« Er blickte Jeffrey eindringlich an. »Sie kommen mir bekannt vor, aber nur vage. Gewöhnlich kann ich mich an alle meine ehemaligen Studenten erinnern, aber ich weiß nicht recht, wo ich Sie hinstecken soll.«

»Ich war kein Student von Ihnen.«

»Nicht? Und wie kann ich Ihnen dann helfen?«

»Ich heiße Jeffrey Clayton. Ich benötige einige Informationen ...«

»Ah, sehr gut«, meinte der Lehrer und nickte. »Das ist gut. Es gibt nur noch viel zu wenige ...«

»Ich verstehe nicht ganz?«

»Leute, die auf der Suche nach Informationen sind. Heutzutage akzeptieren die Menschen einfach, was man ihnen erzählt.

Besonders junge Menschen. Als ob Wissen um des Wissens willen ein antiquiertes, nutzloses Unterfangen wäre. Sie wollen nur wissen, was ihnen bei den standardisierten Prüfungen hilft. Ihnen Zugang zu einer der renommierten Unis verschafft. Einen gut bezahlten Job, in dem sie nicht viel arbeiten müssen. Geld, Erfolg, ein großes Haus in einer sicheren Gegend, ein teurer Wagen und anderer Luxus. Niemand will mehr lernen, weil Lernen eine berauschende Angelegenheit ist. Aber Sie sind vielleicht anders, junger Mann.«

Jeffrey schmunzelte und zuckte die Achseln. »Ich habe Wissen eigentlich noch nie an Erfolg geknüpft.«

»Trotzdem kommen Sie auf der Suche nach Informationen?«

»Über einen Mann, den Sie einmal kannten.«

»Und der wäre?«

»Jeffrey Mitchell. Ehemaliger Kollege hier an Ihrem Institut.«

Maynard wippte auf seinem Stuhl und bohrte den Blick in seinen Besucher. »Das ist allerdings höchst seltsam«, stellte er fest. »Aber nicht gänzlich unerwartet. Selbst nach so vielen Jahren.«

»Erinnern Sie sich an ihn?«

»Allerdings.« Er starrte Jeffrey weiter an. »Nach einer Weile fragte er: »Sie sind, nehme ich an, mit Mr. Mitchell verwandt?«

»Ja, er war mein Vater.«

»Ach so, hätte ich mir eigentlich denken können. Die Ähnlichkeit ist nicht zu übersehen, selbst die Statur. Er war groß und dünn, genau wie Sie. Drahtig und athletisch. Ein Mann mit starker Kondition, geistig wie physisch. Spielen Sie auch Geige? Nicht? Schade. Er war ziemlich begabt. Also, Sohn des Mannes, den ich einmal kannte, wenn auch nicht allzu gut, was möchten Sie von mir wissen?«

»Er ist gestorben …«

»Soweit ich weiß. Soweit ich gelesen habe.«

»In Wahrheit ist er damals nicht gestorben.«

»Aha, interessant. Und lebt er noch?«

»Ja.«

»Und Sie?«

»Ich habe ihn seit meiner Kindheit nicht gesehen. Ich war neun Jahre alt. Ist jetzt fünfundzwanzig Jahre her.«

»Und wie ein Waisenkind oder besser gesagt, ein Kind, das unter Tränen zur Adoption freigegeben wurde, haben Sie sich auf die Suche nach dem Mann begeben, der Sie im Stich gelassen hat?«

»Im Stich gelassen ist vielleicht nicht das richtige Wort. Aber irgendwie schon.«

Der Geschichtslehrer verdrehte die Augen, schwang sich auf seinem Stuhl hin und her, warf erneut eine Blick aus dem Fenster über die Sportanlagen und wandte sich wieder Jeffrey zu.

»Junger Mann, ich kann Ihnen von Ihrem Vorhaben nur abraten.«

Jeffrey stand vor dem Schreibtisch und zögerte einen Moment, bevor er fragte: »Und wieso?«

»Erhoffen Sie sich von der Information irgendeinen Nutzen? Wollen Sie damit eine Lücke in Ihrem Leben füllen?«

Das traf zwar, was er hoffte, nicht den Nagel auf den Kopf, war aber auch nicht ganz falsch. Jeffrey überlegte, dass es eigentlich klüger gewesen wäre, wenn er sich vorher klargemacht hätte, was genau er wissen wollte. Doch statt damit herauszuplatzen, wiederholte er: »Erinnern Sie sich an ihn?«

»Selbstverständlich. Er hat auf mich einen unvergesslichen Eindruck gemacht.«

»Und welchen?«

»Er war ein gefährlicher Mann.«

Bei dieser Antwort verstummte Jeffrey einen Moment, bevor er nachhakte: »Inwiefern?«

»Er war ein höchst ungewöhnlicher Historiker.«

»Wie kommen Sie darauf?«

»Die meisten von uns sind von den Wechselfällen der Geschichte fasziniert. Wieso dies oder jenes passiert ist. Es ist ein Spiel, wissen Sie, als ob man eine Landkarte durch Papier abpausen wollte, das nicht dünn genug ist.«

»Und er war anders?«

»Ja, zumindest war das mein Eindruck ...«

»Und?«

Der ältere Mann überlegte, dann zuckte er die Achseln. »Er liebte die Geschichte, weil – das ist nur meine persönliche Anschauung, das dürfen Sie nicht vergessen –, weil er sie benutzen wollte. Für seine eigenen Zwecke.«

»Ich verstehe nicht ganz.«

»Die Geschichte ist oft eine Zusammenstellung der Fehler, die Menschen begangen haben. Ich hatte das Gefühl, als lechzte Ihr Vater danach, immer mehr darüber zu erfahren, weil er selbst diese Fehler vermeiden wollte.«

»Verstehe –«, fing Jeffrey an.

»Nein, das glaube ich nicht. Ihr Vater hat europäische Geschichte unterrichtet, aber das war nicht sein eigentliches Gebiet.«

»Sondern?«

Der kleine Mann lächelte wieder. »Nur eine Meinung. Ein Gefühl. Wofür ich keine Beweise habe.« Er schwieg und seufzte. »Ich werde alt. Nur noch ein Seminar. Postgraduierte. Die mögen meinen Stil nicht mehr. Sind brüsk. Angriffslustig. Provokativ. Ziehen Theorien in Zweifel. Rütteln an Konventionen. Das ist das Problem, wenn man Historiker ist, wissen Sie? Man hat für die moderne Welt nicht viel übrig. Man sehnt sich nach den alten Zeiten.«

»Sie sagten gerade, ›sein eigentliches Gebiet‹.«

»Was wissen Sie über Ihren Vater, Mr. Clayton?«

»Was ich weiß, gefällt mir nicht.«

»Das haben Sie schön gesagt. Was ich jetzt sage, mag hart klingen, Mr. Clayton, aber ich war hocherfreut, als Ihr Vater mir erklärte, er wolle gehen. Und nicht, weil er kein guter Lehrer gewesen wäre, denn das war er. Wahrscheinlich einer der

Besten, die ich je kennengelernt habe. Und beliebt. Aber wir hatten schon eine Studentin verloren. Eine arme junge Frau, die vom Campus entführt und äußerst brutal ermordet worden war. Ich wollte nicht, dass das noch einer zustößt.«

»Sie meinen, er hatte damit zu tun?«

»Was wissen Sie, Mr. Clayton?«

»Ich weiß, dass die Polizei ihn vernommen hat.«

Der alte Mann schüttelte den Kopf. »Die Polizei!«, schnaubte er. »Die hatten keine Ahnung, wonach sie suchen sollten. Ein Historiker weiß es besser. Er weiß, dass alle Ereignisse ein Zusammenspiel vieler Faktoren sind, dass Kopf und Herz, Politik, wirtschaftliche Aspekte und auch der Zufall, alle unwägbaren Kräfte dieser Welt eine Rolle spielen. Ist Ihnen das klar, Mr. Clayton?«

»Für mein Fachgebiet trifft das sicher zu.«

»Und was ist Ihr Fachgebiet, wenn ich fragen darf?«, wollte der alte Mann wissen, während er sich die gebrochene Nase rieb.

»Ich bin Professor für kriminelle Verhaltensstörungen, an der Universität von Massachusetts.«

»Ach, wie interessant. Demnach sind Sie Spezialist ...«

»Ich habe mich spezialisiert auf Tötungsdelikte.«

Der alte Professor lächelte. »Genau wie Ihr Vater.«

Jeffrey lehnte sich in einer stummen fragenden Geste vor. Der Historiker wippte auf seinem Stuhl.

»Eigentlich hat es mich gewundert«, fuhr der Ältere fort, »dass im Lauf der Jahre niemand gekommen ist, um nach Jeffrey Mitchell zu fragen. Und nach so langer Zeit habe ich dann beinahe selbst an diesen berühmten Autounfall geglaubt und daran, dass die Welt von einer kleinen, aber tödlichen Kugel verschont geblieben war. Das ist ein Klischee. Ich sollte mir eigentlich keine Klischees erlauben, selbst jetzt, da ich alt bin und mich nicht mehr so nützlich wie früher machen kann. Ein Historiker sollte grundsätzlich zweifeln. Der einfachen Antwort misstrauen.

Der Vorstellung, dass der Zufall der Welt je etwas Gutes beschert hätte. Denn das kommt nur selten vor. Man sollte alles infrage stellen. Denn in der Geschichte stößt man nur zu einer Wahrheit vor, wenn man gesunde Zweifel mit einer Prise Skepsis würzt ...«

»Mein Vater ...«

»Wenn Sie mehr über den Tod erfahren wollten, über das Töten, über Folter, über all die Gelegenheiten, bei denen die dunklere Seite der menschlichen Natur ausbricht, dann war er Ihr Mann. Er war ein wandelndes Lexikon des Bösen: die Autodafé, die Inquisition, Vlad der Pfähler, die Christen in den Katakomben, Tamerlan der Eroberer, die Ketzerverbrennungen im Hundertjährigen Krieg. Darin war er überaus beschlagen. Welchen Teil der Frauenleber hat Jack the Ripper mit seiner berühmten Herausforderung an die Polizei geschickt? Ihr Vater wusste so etwas. Billy the Kids Lieblingswaffe? Ein Colt Kaliber vierundvierzig – nicht so viel anders als der Charter Arms Bulldog Kaliber vierundvierzig, den Berkowitz, der Son of Sam, benutzte. Die genaue Formel für Zyklon B? Das konnte Ihnen Ihr Vater ebenfalls sagen, und auch die Temperatur der Öfen in Auschwitz. Wie viele Männer an der Somme in den ersten Minuten nach dem Zeichen zum Angriff draufgingen? Er wusste es. Ethnische Säuberungen und serbische Todeslager? Tutsis und Hutus in Ruanda? Er konnte sämtliche Details zu diesen Abscheulichkeiten aus dem Ärmel schütteln. Er wusste, wie viele Peitschenschläge einen Mann töteten, der in den zaristischen Gulags des vorrevolutionären Russland bestraft werden sollte, und er wusste, welchen Bruchteil einer Sekunde das Fallbeil der Guillotine brauchte, und er hätte mit einem kleinen Lächeln hinzugefügt, dass Monsieur Guillotin, der Erfinder der Vorrichtung, den französischen Behörden überzeugend und arglistig einredete, dass die bemitleidenswerten Opfer der Höllenmaschine ›nicht mehr als ein leichtes Kitzeln im Nacken‹ spüren würden. Das alles und mehr konnten Sie von ihm erfahren.«

Der alte Mann hüstelte. »Wenn Sie etwas über Ihren Vater wissen wollen, dann müssen Sie so viel wie möglich über den Tod in Erfahrung bringen.«

Jeffrey wedelte ein wenig mit der Hand, als wolle er den Geruch einer Erinnerung abwehren. »Er hat Ihnen Angst gemacht?«

»Natürlich. Einmal hat er mir gegenüber behauptet, wenn die Geschichte eines deutlich mache, dann die Leichtigkeit, mit der man töten könne.«

»Haben Sie das der Polizei erzählt?«

Der Geschichtslehrer schüttelte den Kopf. »Ihnen was erzählt? Dass ihr Tatverdächtiger sich offenbar bestens mit Leben und Sterben so ziemlich jedes größeren oder kleineren Mörders auskannte, den die moderne Welt zu bieten hatte? Was hätte das bewiesen?«

»Vielleicht wäre es eine nützliche Erkenntnis gewesen.«

»Das Mädchen wurde ermordet. Eine Reihe von Leuten, darunter auch Ihr Vater, wurden vernommen. Aber er war nicht der Einzige. Ein paar andere Lehrer, ein Hausmeister, ein Angestellter vom Küchenpersonal und der Trainer der Jugendmannschaft der Lacrosse-Spielerinnen wurden ebenfalls verhört. Genau wie die anderen ließen sie ihn ohne Anklage laufen, da sie keine Beweise gegen ihn hatten. Nur Verdachtsmomente. Kurz darauf kündigte er seine Stelle. Und dann wieder ein paar Wochen später die überraschende Nachricht von seinem Tod. Angeblichen Tod, wie Sie sagen. Dennoch eine Nachricht. Ein kleiner Schock. Ein unerwartetes Ereignis. Vielleicht von einigem Interesse, weil der Zeitpunkt so ungewöhnlich war. Aber es wurden kaum Fragen gestellt und noch weniger Antworten gefunden. Das Leben ging weiter. In Instituten wie diesem hier ist das normal. Egal, was in der Welt passiert, das Leben an einer Lehranstalt wie dieser geht einfach weiter wie zuvor und in alle Zukunft.«

Jeffrey sah zwischen dem College und dem Staat, für den er

arbeitete, einige Gemeinsamkeiten. Beide glaubten, sie könnten – jeweils auf ihre Art – den Rest der Welt draußen halten. Beide hatten dieselben Probleme damit, die Illusion aufrechtzuerhalten.

»Erinnern Sie sich zufällig, was er gesagt hat? Als er kündigte?«

Der alte Mr. Maynard nickte und beugte sich vor. »Ich habe ihn zweimal getroffen, und an beide Gelegenheiten kann ich mich nach all den Jahren ganz genau erinnern. Das gehört sich für einen Historiker auch so, Mr. Clayton. Sie müssen sich wie ein Journalist den Blick fürs Detail bewahren.«

»Und?«

»Wir sind uns zweimal begegnet. Das erste Mal kurz nach dem Verhör durch die Polizei. Ich bin Ihrem Vater zufällig in einem Tante-Emma-Laden über den Weg gelaufen. Wir haben beide ein paar Einkäufe gemacht. Der ist immer noch da, die Straße rauf, nicht weit vom Gelände der Akademie. Zigaretten, Zeitungen, Milch, Wasser und Lebensmittel, die gelinde gesagt ungenießbar sind ...«

»Ja.«

»Er hat ein paar Witze gemacht. Zuerst über die staatliche Lotterie, dann über die Polizei. Er schien sich nichts aus der Sache zu machen. Wissen Sie, Mr. Clayton, dass Ihr Vater eine lässige Nonchalance besaß? Hinter dieser lockeren Art hat er viel von sich versteckt. Auf jeden Fall hat er damit seine Ader für Präzision kaschiert. Er hatte etwas von einem Naturwissenschaftler, denke ich. Er konnte amüsant, dann wieder schüchtern sein, aber unter der Fassade kalt und berechnend. Sind Sie auch so, Mr. Clayton?«

Jeffrey antwortete nicht.

»Er war ein höchst beängstigender Mann. Er konnte aalglatt sein, und er hatte etwas Lauerndes an sich, wie ein gefräßiger Hai. Ich entsinne mich, wie es mir bei einer Unterhaltung eines Abends kalt den Rücken herunterlief. Ich kam mir vor, als spräche ich mit einem Fuchs an der Tür zum Hühnerstall, der mir versichert, es gäbe keinen Grund zur Sorge. Eine Woche später dann erschien er plötzlich in meinem Büro. Völlig unerwartet. Ohne viel Federlesens erklärte er mir, er werde uns in der kommenden Woche verlassen. Keine wirkliche Erklärung, nur, dass er eine Erbschaft gemacht hätte. Ich erkundigte mich nach dem Verhör, aber er lachte nur und meinte, da sei nichts weiter. Ich fragte ihn, was er vorhätte, und er sagte – und daran erinnere ich mich genau –, er sagte, es gäbe Menschen, die er finden müsse. Diese Worte habe ich noch genau im Ohr. *Menschen, die er finden müsse.* Er hatte das Auge eines Jägers. Ich versuchte, mehr aus ihm herauszubekommen, doch er machte auf dem Absatz kehrt und ging zur Tür heraus. Als ich später nach ihm gesucht habe, war er schon auf und davon. Hatte seine Schließfächer und Bücherregale leer geräumt. Ich rief bei ihm zu Hause an, doch das Telefon war schon abgeschaltet. Vielleicht ein, zwei Tage später bin ich bei ihm daheim vorbeigefahren, aber das Haus stand leer, und es prangte ein Verkaufsschild vor dem Eingang. Mit einem Wort, er war verschwunden. Das hatte ich kaum verdaut, als ich die Nachricht von seinem Tod erhielt.«

»Wann war das?«

»Na ja, ich weiß noch, dass wir uns glücklich schätzen konnten, denn es war nur noch eine Woche bis zu den Weihnachtsferien, und wir mussten nur ein paar von seinen Unterrichtsstunden überbrücken. Wir waren gerade dabei, einen Ersatz zu suchen, als wir von dem Autounfall hörten. Am Silvesterabend. Alkohol und überhöhte Geschwindigkeit. Nicht allzu ungewöhnlich, leider Gottes. In der Nacht hatte es die ganze Ostküste entlang gefrierenden Nieselregen gegeben und entsprechend viele Unfälle, darunter den Ihres Vaters. Jedenfalls wurde es uns so mitgeteilt.«

»Wissen Sie zufällig noch, wie Sie davon erfuhren?«

»Ah, eine ausgezeichnete Frage. Durch einen Anwalt vielleicht? In diesem Punkt kann ich mich nicht mehr so gut erinnern, wie ich es eigentlich sollte.«

Jeffrey nickte. Das leuchtete ein. Er wusste auch, welcher Anwalt angerufen hatte.

»Und das Begräbnis?«

»Also, das war merkwürdig. Niemand, den ich kannte, hatte irgendetwas über Zeit, Ort und dergleichen erfahren, also ging keiner hin. Das könnten Sie vielleicht im Mikrofilmarchiv der *Trenton Times* nachprüfen.«

»Das werde ich tun. Können Sie sich sonst noch an etwas erinnern, das mir möglicherweise weiterhelfen würde?«

Der alte Historiker lächelte trocken. »Aber, mein armer Mr. Clayton, ich bezweifle sehr, dass ich Ihnen irgendetwas erzählt habe, das Ihnen weiterhelfen könnte. Viel, das Sie verstören muss. Einiges, von dem Sie Albträume bekommen könnten. Ganz bestimmt einiges, das Ihnen heute, morgen und wahrscheinlich noch lange Zeit zu schaffen machen wird. Aber helfen? Nein, ich glaube kaum, dass Wissen dieser Art irgendjemandem hilft. Schon gar nicht einem Kind. Nein, es wäre viel klüger von Ihnen gewesen – und besser für Sie außerdem –, diese Fragen nie zu stellen. Es mag zwar selten sein, aber zuweilen ist dieses weiße Feld, dieses Nichtwissen, der Wahrheit vorzuziehen.«

»Da mögen Sie recht haben«, erwiderte Jeffrey kalt, »aber ich hatte keine Wahl.«

Jeffrey stieg der beißende Geruch von Rauch in die Nase, ohne dass er hätte sagen können, woher. Der Himmel verschwand selbst mitten am Tage hinter einer Glocke aus graubraunem Smog und Dunst, und was immer gerade brannte, trug zur Trostlosigkeit bei.

Ein paar Blocks von dem Haus entfernt, in dem er die ersten neun Jahre seines Lebens verbracht hatte, hielt er an der Hauptstraße jener Kleinstadt an, die vor so vielen Jahren wegen eines einzigen Verbrechens in der ersten Hälfte des zwanzigsten Jahrhunderts in die Schlagzeilen gekommen war. Als Student hatte er einige Zeit in einer Unibibliothek verbracht und sich durch Dutzende Bücher über Kidnapping gelesen, um irgendwo auf Bilder seiner Heimatstadt aus jener Zeit zu stoßen. Jahrzehnte zuvor war es ein ausgesprochen ruhiges Fleckchen Erde gewesen, ein Ort für Bauerngehöfte und ein beschauliches Leben, ein Mikrokosmos der friedlichen, traditionellen Welt des kleinstädtischen Amerikas, was vermutlich den weltberühmten Piloten überhaupt erst für Hopewell eingenommen hatte. Für ihn war es ein vermeintlicher Zufluchtsort, ohne ihn von den großen politischen Strömungen zu isolieren, in die er eingetaucht war. Der Flieger war ein ungewöhnlicher Mann, vom Rampenlicht, das ihm seine Atlantiküberquerung beschert hatte, offenbar sowohl verstört wie angezogen.

Natürlich änderte sich alles von einer Sekunde auf die andere, als die ganze Welt die Entführung des Babys verfolgte. Die Presse, die über den Fall berichtete, fiel über den Ort herein, und der Schauprozess gegen den des Verbrechens beschuldigten Mann, der nur ein Stück die Straße hinunter in Flemington stattfand, das alles brachte für den Ort in den folgenden Jahren unwiderrufliche Veränderungen, und Hopewell wurde zum Synonym für einen einzigen Akt des Bösen. Es war wie eine wasserfeste Farbe, die an Hopewell haften blieb, egal, wie idyllisch es war. Außerdem hatte sich über die Jahre auch der Charakter der Stadt verändert. Die Farmer verkauften ihr Land an Bauunternehmer; die wiederum parzellierten es, um darauf Luxusunterkünfte für die Geschäftsleute aus Philadelphia und New York zu errichten, die der Großstadt zu entkommen hofften, indem sie aufs Land zogen – aber auch nicht zu weit weg. Der Ort litt unter seiner Nähe zu beiden Städten. Es gibt nicht viel, dachte Jeffrey, das sich auf ländliche Gegenden so verheerend auswirkt wie eine günstige Lage.

Sein eigenes Zuhause war älter gewesen, ein umgebautes

Relikt aus der Zeit der Kindsentführung, auch wenn es in einer Nebenstraße unweit des Zentrums lag, das Anwesen des Fliegers dagegen einige Meilen weiter draußen. Er erinnerte sich, dass ihr Haus groß und geräumig gewesen war, voller dunkler Winkel und überraschender Lichteinfälle. Er hatte ein Zimmer im ersten Stock bewohnt, zur Straße hinaus und mit einem halbkreisförmigen Grundriss. Er versuchte, sich das Zimmer ins Gedächtnis zu rufen. Woran er sich erinnern konnte, war sein Bett, ein Bücherregal und das Fossil eines prähistorischen Krustentiers, das er an einem Flussbett in der Nähe gefunden hatte Bei ihrem übereilten Aufbruch hatte er nicht daran gedacht, es mitzunehmen. Jahrelang hatte er den Verlust bereut. Der Stein hatte sich faszinierend kalt angefühlt, und er hatte es immer genossen, mit den Fingern darüberzustreichen, so als könnte das Fossil unter seiner Hand plötzlich wieder zu Leben erwachen.

Er ließ den Motor an und rief sich in Erinnerung, dass er zu keinem anderen Zweck gekommen war, als Informationen einzuholen. Diese Reise zu dem Haus, das sie fluchtartig verlassen hatten, war nichts weiter als ein Vorstoß ins Ungewisse.

Er fuhr seine Straße entlang und wehrte eine Flut der Erinnerungen ab.

Als er anhielt, schärfte er sich noch einmal ein: *Du hast nichts Unrechtes getan* – eine seltsame Botschaft, das räumte er ein. Dann erst wagte er, aufzuschauen und das Haus zu betrachten.

Fünfundzwanzig Jahre sind ein seltsamer Filter. Dasselbe gilt für den Unterschied zwischen einem Alter von neun und vierunddreißig. Das Haus erschien ihm kleiner und trotz des schwachen Sonnenlichts, das sich durch den grauen Himmel kämpfte, heller. Freundlicher als erwartet. Es war gestrichen worden. Während er sich an den schiefergrauen Farbton der Schindelverkleidung erinnern konnte, mit schwarzen Läden an den Fenstern, setzte sich jetzt Weiß von den grünen Läden ab. Er entsann sich einer großen Eiche, die im Vorgarten gestanden und ihren Schatten über die Hausfront geworfen hatte, doch sie war verschwunden.

Er stieg aus und entdeckte einen Mann, der vornübergebeugt neben den Eingangsstufen mit dem Rechen ein Beet bearbeitete. Nicht weit von ihm stand ein Schild: ZU VERKAUFEN. Beim Zuschlagen der Wagentür drehte der Mann den Kopf halb um und griff nach etwas – wahrscheinlich nach einer Waffe, vermutete der Professor, auch wenn er sie nicht auf sich gerichtet sah. Jeffrey ging langsam auf ihn zu.

Der Mann schien etwa Mitte vierzig zu sein, stämmig und mit ein paar Pfunden zu viel um die Körpermitte. Er trug eine Jeans mit Bügelfalten und eine altmodische Bomberjacke mit Pelzkragen.

»Kann ich Ihnen helfen?«, fragte er, als der Professor näher kam.

»Wahrscheinlich nicht«, erwiderte Jeffrey. »Ich hab hier als Kind für kurze Zeit gewohnt und dachte, da ich gerade auf der Durchfahrt war, ich schau mal am alten Haus vorbei.«

Der Mann nickte und schien beruhigt, dass der Fremde keine Bedrohung war. »Wollen Sie's kaufen? Ich mach Ihnen einen guten Preis.«

Jeffrey schüttelte den Kopf.

»Sie haben hier gewohnt? Wann denn?«

»Vor ungefähr fünfundzwanzig Jahren. Und Sie?«

»Nee, so lang nicht. Wir haben es vor drei Jahren von einem Ehepaar gekauft, das zwei, vielleicht drei Jahre drin wohnte. Die haben es auch wieder von anderen Leuten, die nur kurz drin waren. Hat schon oft den Besitzer gewechselt.«

»Tatsächlich? Können Sie mir sagen, wieso?«

Der Mann zuckte die Achseln. »Pech, würde ich denken.«

Jeffrey sah ihn mit einem fragenden Blick an.

Der Mann zuckte wieder die Achseln. »Um die Wahrheit zu sagen, hat niemand, den ich kenne, hier je Glück gehabt. Ich bin gerade versetzt worden. Nach Scheiß-Omaha. Gott. Muss die Kinder, die Frau, den blöden Hund und die Katze entwurzeln, um irgendwo in die Pampa zu ziehen.«

»Tut mir leid.«

»Der Kerl vor mir bekam Krebs. Familie davor, die hatten ein Kind, das von einem Auto überfahren wurde, direkt da vorne. Hab gehört, dass sich irgendwer sogar an einen Mord erinnert, der in dem Haus passiert sein soll, aber, na ja, nichts Genaues weiß man nicht, und ich hab sogar in den alten Zeitungen nachgesehen, aber nix gefunden. Das Haus bringt einfach Pech. Wenigstens ham sie mich nicht gefeuert. Das wäre nun echt Pech gewesen.«

Jeffrey sah den Mann nachdenklich an. »Ein Mord?«

»Oder so was in der Art. Wer weiß? Wie gesagt, niemand weiß irgendwas Konkretes. Wollen Sie sich mal umsehen?«

»Vielleicht einen Moment.«

»Ist wahrscheinlich drei-, viermal renoviert worden, seit Sie hier gewohnt haben.«

»Das ist anzunehmen.«

Der Mann führte Jeffrey durch die Eingangstür in eine kleine Diele und von da aus im Schnelldurchgang in die Küche mit später angebautem Speisezimmer, das Wohnzimmer und einen kleinen Raum, der, wie Jeffrey sich erinnerte, das Arbeitszimmer seines Vaters gewesen war, während dort jetzt eine Stereoanlage und ein über die ganze Wand reichender Fernseher untergebracht waren. Er merkte, dass sein Kopf schnell und mit mathematischer Präzision arbeitete, um eine Gleichung anzustellen, die er aus seinem tiefsten Innern hervorholen musste. Es wirkte alles sauberer, als er es in Erinnerung hatte. Heller.

»Meine Frau«, erklärte der Mann, »die ist von uns beiden diejenige mit der Liebe zur modernen Kunst und den Pastellbildern an den Wänden. Welches war Ihr Zimmer?«

»Oben rechts. Rundes Zimmer.«

»Ah, mein Arbeitszimmer. Hab 'ne Reihe Regale eingebaut und meinen Computer drin. Wollen Sie's sehen?«

Jeffrey durchzuckte eine plötzliche Erinnerung, wie er sich in seinem Zimmer versteckte und das Gesicht ins Kissen drückte. Er schüttelte den Kopf.

»Nein«, lehnte er ab. »Nicht nötig, ist nicht so wichtig.«

»Wie Sie wollen«, meinte der Hauseigentümer. »Verdammt, ich mach ständig Führungen mit den Maklern und ihren Klienten, ich hab die Masche inzwischen ganz gut drauf.« Der Mann lächelte und wollte Jeffrey schon wieder nach draußen begleiten. »Mensch, muss für Sie seltsam sein, nach all den Jahren, wo es ganz anders aussieht und so.«

»Ein bisschen komisch schon. Es kommt mir kleiner vor, als ich es in Erinnerung habe.«

»Das ist nur natürlich. Sie waren damals selbst kleiner.«

Jeffrey nickte.

»Also, ich schätze, der einzige Raum, der noch genauso wie damals ist, das ist der im Keller. Den haben die Leute einfach nicht bemerkt.«

»Wie bitte?«

»Dieser komische kleine Raum im Keller, am Brenner vorbei. Ich wette, die meisten Eigentümer haben überhaupt nicht davon gewusst. Wir haben es auch erst mitgekriegt, weil wir 'nen Kammerjäger da hatten, und er hat es gemerkt, indem er an die Wände klopfte. Man kann die Tür kaum sehen. Oder besser gesagt, als er das entdeckt hat, war gar keine Tür da. Das Zimmer war mit Spachtelmasse und Gips versiegelt. Als der Typ ordentlich dagegen gehauen hat, klang es hohl, und wir beide wurden neugierig und haben es aufgestemmt.«

»Wie ein Geheimzimmer?«, fragte Jeffrey.

Der Mann breitete die Arme aus. »Keine Ahnung. Früher vielleicht mal. Wie eine Art Versteck. Muss lange her sein. Wollen Sie mal gucken?«

Jeffrey nickte.

»Okay. Nicht allzu sauber da unten, macht Ihnen hoffentlich nix aus.«

Hinter der Treppe befand sich eine kleine Tür, die, wie Jeffrey sich erinnerte, in den Keller hinabführte. Er konnte sich nicht entsinnen, da unten viel Zeit verbracht zu haben. Staubig, dunkel und für einen Neunjährigen keineswegs einladend. Er blieb auf dem oberen Treppenabsatz stehen, während der Eigentümer mit polternden Schritten nach unten ging. Da war noch etwas, erinnerte er sich. Eine entlegene Erinnerung zuckte ihm durch den Kopf: von ferne die leisen Klänge einer Violine, verborgen wie der Raum.

»Ist das der einzige Zugang?«, fragte er.

»Nein, es gibt noch einen von draußen, von der Seite. Eine Tür und ein Schacht, so wie die Leute früher an ihre Kohlenvorräte kamen. Natürlich ist der schon lange verschwunden.«

Der Mann drückte auf einen Lichtschalter, und Jeffrey sah einen Stapel Kisten und Kartons sowie ein altes Schaukelpferd. »Ist für nichts anderes mehr zu gebrauchen, nur noch Gerümpel«, seufzte der Mann.

»Wo ist die Tür?«

»Da drüben. Hinter dem Ölbrenner ausgerechnet.«

Jeffrey musste sich an dem Brenner vorbeiwinden, der im selben Moment mit einem dumpfen Geräusch ansprang. Die Tür, die der Mann erwähnt hatte, war eine Sperrholzplatte, die eine quadratische Öffnung in der Wand abdeckte und vom Boden bis auf Jeffreys Augenhöhe reichte.

»Hab dieses alte Holz drangemacht«, berichtete der Mann. »Wie gesagt, da war mal Spachtelmasse, sah aus wie 'ne Wand. Kein Mensch wär auf die Idee gekommen, dass es da 'n Zimmer gibt. War jahrelang zugekleistert. Vielleicht ursprünglich mal 'n Kohlenkeller, den man umgebaut hat. Gibt's in vielen alten Häusern. Werden genauso wie die Kohlenminen dicht gemacht.«

Jeffrey schob das Brett zur Seite und beugte sich hinunter. Der Eigentümer schnappte sich eine Taschenlampe, die auf dem Sicherungskasten stand, und reichte sie Jeffrey. Im Eingang hingen Spinnweben, die der Professor beiseitewischte, bevor er sich bückte und den Raum betrat.

Der Verschlag war etwa zwei mal drei Meter groß, mit einer zwei Meter vierzig hohen Decke, an der eine Schalldämmung in doppelter Dicke angebracht war. In der Mitte der Decke befand sich eine einzige, leere Lampenfassung. Keine Fenster. Es roch muffig wie in einer Gruft. Die Luft erinnerte an eine Krypta. Die Wände waren mit einer dicken Schicht Hochglanzweiß lackiert, in dem sich der Lichtstrahl der Taschenlampe spiegelte. Der Boden bestand aus grauem Zement.

Der Raum war leer.

»Sehen Sie?«, fragte der Hauseigentümer. »Wozu zum Teufel soll das gut sein? Nicht mal als Lagerraum. Zu mühsam, rein- und rauszukommen. Vielleicht mal ein Weinkeller? Möglich wär's. Auf jeden Fall kalt genug. Aber ich weiß nicht. Irgendwer hat ihn früher mal für irgendwas benutzt. Können Sie sich dran erinnern? Verflucht, hat was von einer Zelle im Alcatraz, nur dass sie da bestimmt ein Fenster zum Rausgucken haben.«

Jeffrey ließ den Lichtstrahl langsam über die Wände wandern. Drei waren leer. An einer befand sich jeweils kurz vor der Kante je ein kleiner Metallring, beide mit einem Durchmesser von vielleicht sieben Zentimetern.

Er richtete die Lampe auf die Ringe.

»Haben Sie eine Ahnung, wozu die Dinger dienen könnten?«, wandte er sich an den Hausbesitzer. »Wissen Sie, wer sie dort angebracht hat?«

»Ja, die hab ich zum ersten Mal gesehen, als ich und der Kammerjäger den Raum entdeckten. Nicht den leisesten Schimmer, Mann. Fällt Ihnen dazu was ein?«

Ihm fiel durchaus etwas ein, doch er sprach es nicht aus. Er wusste sogar ganz genau, wozu sie dienten. Wenn jemand an diesen Ringen angekettet wurde, dann hing er vor der weißen Wand wie ein Schneeengel. Jeffrey ging näher heran und strich mit dem Finger über die glatte weiße Farbe neben den Ringen.

Er fragte sich, ob er wohl Einschnitte und Rillen in der verspachtelten Bretterwand finden würde, die anschließend übermalt worden war. Kerben, die Fingernägel vielleicht aus Verzweiflung und Panik hinterlassen würden. Er glaubte nicht, dass die Farbe einer professionellen Untersuchung durch einen Forensiker standhalten würde; zweifellos würden sich mikroskopisch kleine Partikel eines Opfers darin befinden, das hier zurückgelassen worden war. Doch vor fünfundzwanzig Jahren hatte Agent Martin nicht genügend Beweismaterial zusammentragen können, um selbst vom verständnisvollsten Richter einen Durchsuchungsbefehl zu erwirken. Jahrzehnte später entdeckte der Kammerjäger den Raum bei seiner Suche nach einer Ungezieferseuche, ohne zu ahnen, dass er eine Verseuchung ganz anderen Ausmaßes aufgedeckt hatte. Jeffrey hätte nicht sagen können, ob die Staatspolizei New Jersey auch nur halb so clever gewesen wäre. Er bezweifelte es. Er glaubte nicht, dass sie auch nur die geringste Vorstellung hatten, wonach sie suchten.

Jeffrey ging in die Hocke und strich mit dem Finger über den kalten Zementboden. In diesem Licht konnte er keine Flecken erkennen. Der ganze Raum hätte voller Blut und anderen Rückständen des Todes sein müssen. Jeffrey beantwortete sich die Frage selbst: Plastikfolie. In jedem Haushaltswarengeschäft zu bekommen. Auf jeder Mülldeponie leicht zu entsorgen. Er schnüffelte angestrengt, ob noch irgendein verräterischer Geruch nach Reinigungsmitteln in der Luft hing, doch nichts hatte die Jahrzehnte überdauert.

Er drehte sich langsam um und ließ den winzigen Raum auf sich wirken. Nicht viel dran, dachte er. Dann wurde ihm klar, dass es nicht anders zu erwarten gewesen war.

Während er dort kniete, erinnerte er sich an die Stimme seines Vaters, wie er ihm an irgendeinem ruhigen, spannungsgeladenen Abend am Esstisch sagte, er solle sein Gedeck mit zum Küchenbecken nehmen, es unter den Wasserhahn halten und in den Geschirrspüler stecken. *Immer schön sauber machen, wenn du fertig bist.* Die Mahnung, die alle Kinder von ihren Eltern bekommen.

Für seinen Vater bedeutete die Botschaft allerdings viel mehr.

Der Professor stand auf. Das, was er gesehen hatte, ließ keine Rückschlüsse darauf zu, ob der winzige Raum Zeuge nur eines Horrorszenarios geworden war oder von hundert. Er vermutete Ersteres, ohne Letzteres ausschließen zu können.

Ihm kam plötzlich eine Idee, und er wusste den Namen des Mannes, der ihm – abgesehen von seinem Vater – diese Frage vielleicht beantworten konnte.

Beim Verlassen der Folterkammer überkam Jeffrey plötzlich eine eisige Kälte, wie kurz vor einem Anfall von Schüttelfrost, dann ein Krampf in der Magengegend wie der Vorbote von Brechreiz. Ihm wurde klar, dass er in einem sehr kleinen Raum viel dazugelernt hatte, und er hasste sich aus tiefstem Herzen dafür, dass er es bis ins letzte Detail verstehen konnte.

Das Archiv der *Trenton Times* hatte wenig Ähnlichkeit mit dem modernen, computerisierten Büro der *New Washington Post*. Es war in einem beengten Nebenzimmer notdürftig untergebracht, nicht allzu weit von dem höhlenartigen Raum mit niedriger Decke voller Stahlschreibtische und wackeliger Stühle, in dem die Redaktion arbeitete. Nur eine entfernte Wand verfügte über Fenster, deren Scheiben allerdings unter einer dicken Schicht von grauem Schmutz verschwanden und für ein dauerhaftes abendliches Dämmerlicht sorgten. Das Archiv war vollgestellt mit Aktenschränke aus Metall und zusätzlich mit zwei älteren Computermodellen und einem Mikrofilmgerät ausgestattet. Ein junger Mann, dessen Wangen von einem schweren Aknebefall gezeichnet waren, legte, ohne ein Wort zu verlieren, den uralten Film für Jeffrey ein.

Der Professor las den Artikel der Zeitung über den Mord an der jungen Frau an der St. Thomas More Academy und fand genau, womit er gerechnet hatte: reißerische Details über die Entdeckung der Leiche im Wald, allerdings ohne Erkenntnisse, die das Team der Spurensuche zusammengetragen hatte. Es folgten die obligatorischen Zitate der Polizisten, darunter auch des jungen Detective Martin, über die Vernehmungen einiger Tatverdächtiger sowie einer Reihe vielversprechender Spuren, denen jetzt nachgegangen werde – der übliche Euphemismus, wenn die Polizei auf der Stelle trat. Der Name seines Vaters kam nicht vor. Es folgte ein dürftiges Porträt des Opfers in der Art einer Schülerzeitung sowie die ganz und gar vorhersagbaren Bemerkungen ihrer Mitstudenten, sie sei ein stilles Mädchen gewesen, das niemand besonders gut kannte, aber offenbar freundlich, ein Mensch, der eigentlich keine Feinde haben konnte – als ob der Mann, der sie ausgesucht hatte, einen speziellen Hass auf sie gehegt hätte. Der Hass, dem sie zum Opfer gefallen war, war viel grundlegenderer Art.

Als Nächstes suchte Jeffrey nach einem Bericht über den Autounfall. Der Professor hatte den Eindruck, dass die *Trenton Times* eine Art Zwitterstellung einnahm: einerseits gerade groß genug, um sich ernsthaft mit dem Weltgeschehen zu befassen, und auch ganz gewiss wichtig genug, um ein kritisches Auge auf die bundesstaatlichen Geschäfte zu werfen, die einen Häuserblock entfernt im Capitol ausgeheckt wurden, andererseits aber nicht zu bedeutsam, um einen Autounfall zu übergehen, bei dem ein Mitbürger der Stadt gestorben war, besonders, da ein spektakuläres Feuer hinzu kam.

Er durchsuchte die Seiten der Zeitung gründlich, ohne ein Wort zu entdecken. Schließlich fand er in der Ausgabe drei Tage nach Silvester in der Rubrik Nachrufe einen einzigen, kleinen Eintrag:

> Jeffrey Mitchell, 37, ehemaliger Geschichtsprofessor an der St. Thomas More Academy in Lawrenceville, verstarb unerwartet am ersten Januar. Mr. Mitchell saß nach Auskunft der

Polizei am Steuer eines Autos, das in Havre de Grace, Maryland, mit einem anderen Fahrzeug kollidierte. Die Beisetzung findet im engsten Familienkreis im Bestattungsinstitut O'Malley Brothers, Aberdeen, Maryland, statt.

Er las den Nachruf mehrmals. Er hatte nicht die geringste Ahnung, was sein Vater in der Silvesternacht in einer kleinen Stadt im ländlichen Maryland zu suchen hatte. *Havre de Grace. Sicherer Hafen.* Das machte ihn stutzig. Er versuchte, sich in einen überlasteten Redaktionschef hineinzuversetzen, dessen halber Mitarbeiterstab die Feiertage daheim im Kreis der Familie verbringen wollte. Normalerweise würde man erwarten, dass der Redakteur beim Anblick dieses Nachrufs eine Story witterte. Aber wäre er auch bereit, jemanden hundert Meilen nach Süden zu schicken, um einer vagen Möglichkeit nachzugehen? Vielleicht nicht. Vielleicht würde es einfach durchs Raster rutschen.

Jeffrey überflog die nachfolgenden Ausgaben auf der Suche nach weiteren Berichten, fand jedoch keine. Er lehnte sich auf seinem Stuhl zurück und ließ den Apparat vor sich hin surren. Er war entmutigt und fürchtete, nach Maryland fahren zu müssen, um dort ein Bestattungsinstitut zu suchen, das es schon lange nicht mehr gab, oder auch einen Polizeibericht, der wahrscheinlich ebenfalls unwiederbringlich verschwunden war. *Sicherer Hafen.* Er bezweifelte, dass die Stadt über eine eigene Zeitung verfügte, von der er sich Informationen erhoffen konnte. Aberdeen war größer und hatte wohl ein eigenes Blatt, doch er hatte keine Ahnung, wie viel Hilfe er sich von dort erhoffen durfte. Er leckte sich über die trockenen Lippen und dachte an den Mann, der ein paar Häuserblocks entfernt in seiner vornehmen Kanzlei saß und seine Fragen beantworten konnte.

Er wollte gerade das Mikrofilmgerät ausschalten, als sein Blick die Seite streifte, die er auf dem Monitor hatte. Unten rechts befand sich im Regionalteil ein kurzer Artikel, der ihm ins Auge sprang. Die Überschrift lautete: LOTTO-JACKPOT VON ANWALT EINGEFORDERT.

Er stellte die Schärfe ein und las die unschätzbaren wenigen Absätze:

> Die anonyme Gewinnerin des drittgrößten Jackpots, den die bundesstaatliche Lotterie je zu vergeben hatte, hat sich gemeldet und den in Trenton ansässigen Anwalt H. Kenneth Smith zur Lottozentrale entsendet, um ihre 32,4 Millionen Dollar einzufordern.
> Smith präsentierte der Gesellschaft einen unterschriebenen und notariell beglaubigten Schein; dies war der erste Gewinn seit sechs Wochen, in denen sich der Jackpot angesammelt hatte. Mr. Smith erklärte den Reportern, die Gewinnerin wolle unbedingt anonym bleiben. Die Vertreter der Lotteriegesellschaft unterliegen in Bezug auf die Gewinner der gesetzlichen Schweigepflicht, von der sie nur der Betreffende selbst entbinden kann.
> Der Preis, den die glückliche Gewinnerin einstreicht, ist ein jährlicher Scheck in Höhe von 1,3 Millionen Dollar über zwanzig Jahre hinweg, nach allen steuerlichen Abzügen. Anwalt Smith lehnte es ab, sich zur Person der Gewinnerin zu äußern, über die er nur bemerkte, sie sei noch jung und schätzte ihre Privatsphäre; sie befürchte, von skrupellosen Heiratsschwindlern und anderen Betrügern belagert zu werden.
> Die Vertreter der Lotteriegesellschaft schätzten den nächsten Jackpot auf zwei Millionen Dollar.

Jeffrey beugte sich vor, um den Mikrofilm besser lesen zu können, und dachte: Da haben wir's. Er grinste bei dem Gedanken, wie leicht dem Anwalt die Lüge über die Lippen gekommen sein musste – ein weibliches Pronomen zu benutzen, als er es ablehnte, den Gewinner beim Namen zu nennen. Ein kleiner, harmloser Betrug, der Glaubwürdigkeit suggerierte. Was für Lügen gab es noch? Den Unfall außerhalb der Stadt. Ein Bestattungsinstitut, das es vermutlich nie gegeben hatte. Jeffrey war sich einigermaßen sicher, in der Mischung aus Lügenmärchen einige Wahrheiten zu entdecken; das Wesentliche war ihm allerdings jetzt schon klar: Das Ganze hatte den Zweck, aus dem Leben des Jeffrey Mitchell zu schlüpfen und ein neues Leben zu beginnen – das Leben desselben Menschen, aber mit neuem Namen und neuer Identität, mit mehr als genug finanziellen Mitteln, um nach freiem Belieben einer alten, bösen Begierde zu frönen. Jeffrey erinnerte sich an die Worte des Geschichtsprofessors: *Er sagte, er hätte eine Erbschaft gemacht* ... Eine Erbschaft der ganz besonderen Art.

Jeffrey wusste nicht, wie viele Menschen von der Hand seines Vaters gestorben waren, doch die Ironie, dass jeder Mord, den er begangen hatte, vom Bundesstaat New Jersey gefördert worden war, entging ihm nicht.

Bei diesem Gedanken musste der Sohn des Mörders laut lachen, so dass der pockennarbige Angestellte in seine Richtung schaute. »He!«, rief er, als Jeffrey aufstand und aus dem Archiv marschierte, ohne den Apparat auszuschalten. Er wollte noch einmal versuchen, den Anwalt zur Rede zu stellen, aber diesmal musste er sich mehr Nachdruck verschaffen.

In der Straße, in der die Kanzlei lag, standen ein paar vernachlässigte Ulmen, in deren kahlen Zweigen sich die Dunkelheit fing. Eine gelbe Natriumdampflaterne surrte kurz, als sie durch eine Schaltuhr eingeschaltet wurde und in der Mitte des Häuserblocks diffuses Licht aussandte. Die Reihe der Brownstone-Häuser mit ihren Büros hüllte sich immer mehr in abendliches Dunkel, als die Angestellten in Trauben aus den Türen drängten. Mehr als einmal beobachtete Jeffrey, wie Wachleute mit Automatikwaffen vor der Brust ihre Schutzbefohlenen die Straße entlang eskortierten. Jeffrey musste an Hütehunde denken, die eine Schafherde vorantreiben.

Er saß in seinem Leihwagen und hatte einen Finger an die Neun-Millimeter-Pistole gelegt. Er schätzte, dass der Anwalt nicht mehr lange auf sich warten lassen würde. Er hoffte, dass der arrogante Mann allein herauskommen würde, auch wenn er sich nicht ganz auf diese Möglichkeit verließ. H. Kenneth Smith, Esq. hätte es nicht so weit gebracht, hätte er zu Leichtsinn geneigt.

Jeffrey empfand eine Mischung aus Angst und Erregung, wenn er daran dachte, dass der bevorstehende Schritt ihn seinem Vater ein gutes Stück näher bringen würde.

Er hatte nicht lange gebraucht, um die abendlichen Gewohnheiten des Anwalts zu entdecken. Ein kurzer schneller Rundgang durch das Viertel zwischen Capitol und Kanzlei hatte ihn zu dem einzigen Parkplatz geführt, auf dem vornehmlich neue und teure Luxusautos standen und ein großes Schild verkündete: NUR MONATSMIETEN. NICHT FÜR DEN TAGESVERKEHR. Es gab keinen Wächter, dafür aber einen drei bis vier Meter hohen Zaun mit Natodraht am oberen Rand. Der Zugang zu diesem Parkplatz erfolgte über eine einzige Fahrbahn durch ein Schiebetor, das von einer elektronischen Kamera gesteuert wurde. Außerdem gab es im Zaun eine schmale Eingangstür. Diese öffnete sich mithilfe eines Infrarotschlüssels.

Jeffrey ging davon aus, dass der Anwalt sein Fahrzeug dort abstellte. Der Trick bestand nun darin, den Mann an einer Stelle abzufangen, an der er wehrlos war, und es kostete Jeffrey einige Mühe, diese Stelle ausfindig zu machen. Zu den Pflichten des stämmigen Wachmanns gehörte es zweifellos auch, darauf zu achten, dass sein Arbeitgeber jeweils sicher hinters Lenkrad kam. Jeffrey traute dem Mann zu, dass er nicht zögern würde, auf jeden zu schießen, der eine Bedrohung darstellte – besonders auf dem Weg zwischen Büro und Parkplatz. War er erst einmal im Innern des umzäunten Platzes, konnte er ihn nicht mehr fassen. Jeffrey machte die Pistole feuerbereit und kam zu dem Schluss, dass er den Anwalt auf der Straße abfangen musste, kurz bevor er den Parkplatz erreichte. An dieser Stelle würde er sich auf das konzentrieren, was vor ihm lag, und vielleicht nicht mitbekommen, wenn sich hinter ihm etwas bewegte. Ihm war klar, dass der Plan nicht unbedingt genial war, aber auf die Schnelle fand sich nichts Besseres.

Kam es hart auf hart, würde er den Wachmann so behandeln, wie es Agent Martin getan hätte: wie ein lästiges Hindernis auf dem Weg zu den Informationen, die er brauchte. Er war sich nicht ganz sicher, ob er es wirklich fertigbringen würde, den Mann zu erschießen, doch er war auf die Kooperation des Anwalts angewiesen, und die hatte wahrscheinlich ihren Preis.

Außer dass er rein theoretisch beschloss, notfalls von seiner Waffe Gebrauch zu machen, besaß er keinen konkreten Plan. Das bedrückte ihn und trug nicht wenig zu der Mischung aus Aufregung und Zorn bei, die sich in ihm zusammenbraute.

Es wurde immer dunkler; kaum einen Häuserblock entfernt jaulten bereits die ersten Polizeisirenen auf, da sah er, wie der Sicherheitsmann vor der Eingangsschleuse erschien und ein wachsames Auge in beide Richtungen der Straße warf. Kaum drehte sich der Mann wieder um, stieg Jeffrey aus dem Wagen und huschte in den Schatten am Rande des Bürgersteigs. Er hatte noch nicht lange im Schutz der parkenden Autos, eines Baums und der Dunkelheit gewartet, die Pistole schussbereit in der Rechten, als er den Anwalt, den Bodyguard und die Sekretärin aus dem Gebäude kommen sah. Es war ein frostiger Abend; alle drei hatten unter ihren Mänteln die Schultern eingezogen und liefen zügig gegen den Wind, der immer heftiger wurde und Papier über den Bürgersteig wirbelte. Jeffrey bedankte sich bei der Kälte; sie verleitete die drei dazu, möglichst schnell zu laufen und nicht auf das zu achten, was in ihrem Rücken geschah.

Mit dem Parkplatz lag er richtig. Das Trio schritt forsch durch die Dunkelheit, ohne zu merken, dass ihnen jemand auf dem gegenüberliegenden Bürgersteig folgte. Er mahnte sich zur Geduld; er musste immer ein Stück hinter ihnen bleiben, damit sie ihn nicht entdeckten, wenn sie einmal kurz zur Seite blickten. Dann wieder beschleunigte er seine Schritte, da er fürchtete, ihnen zu viel Vorsprung zu lassen. Für einen Moment dachte er daran, dass Agent Martin vermutlich ganz genau gewusst hätte, welchen Abstand er halten musste, gerade genug, um nicht bemerkt zu werden, dabei aber ausreichend nah, damit er im entscheidenden Moment schnell aufschließen konnte.

Auch sein Vater hätte wahrscheinlich die richtige Technik gekannt.

Als der Anwalt und sein kleines Gefolge sich dem Parkplatz näherten, sah Jeffrey, wo ihre Fahrzeuge standen: die letzten drei Autos, hübsch ordentlich in Reih und Glied. Das Erste war ein Geländewagen mit Allradantrieb, dicken Reifen und einem Überrollbügel aus Chrom, der im Scheinwerferlicht des Platzes blitzte. Daneben stand eine bescheidenere Limousine und auf dem hintersten Platz ein luxuriöser Importwagen aus Europa.

Jeffrey überquerte hinter ihnen die Straße, immer im Schatten der Laternen. Seine Waffe hatte er entsichert. Er hörte seine kurzen, keuchenden Atemzüge und sah die Kondenswolken vor seinem Mund. Er packte seine Waffe fester und spürte, wie sich alle seine Muskeln spannten. Die Mischung aus Angst und Erregung hätte er vielleicht prickelnd gefunden, hätte er sich nicht gänzlich auf die drei Menschen konzentrieren müssen, die einen halben Häuserblock vor ihm liefen. Er beschleunigte wieder seine Schritte und verkürzte den Abstand.

Die Stimme neben ihm kam unerwartet. »Hey, Mann, wozu die Eile?«

Jeffrey wirbelte so schnell herum, dass er fast gestolpert wäre. In ein und derselben Bewegung hob er die Pistole und zielte.

»Wer sind Sie?«, platzte er heraus, als er eine Gestalt sah, die fast mit dem Schatten verschmolz.

Nach kurzem Zögern kam die Antwort: »Niemand, Mann niemand.«

»Was wollen Sie?«

»Nichts, Mann.«

Ein Afroamerikaner in dunkler Hose und schwarzer Lederjacke, die ihm wie eine zweite Haut anlag, trat aus dem Versteck im Schatten der Laternen. Er hielt die Hände hoch. »Schon gut, schon gut«, sagte der Mann.

»Von wegen«, erwiderte Jeffrey und richtete die Waffe auf die Brust des Mannes. »Wo ist deine Knarre? Oder dein Messer? Was wolltest du benutzen?«

Der Mann machte einen Schritt zurück. »Keine Ahnung, wovon Sie reden, Mann.« Doch er grinste, als machte ihm die Lüge Spaß. Jeffrey sah dem Mann fest in die Augen, der weiter die Hände hoch hielt, dabei jedoch rückwärts weiterging. »Heute Nacht haben Sie Glück gehabt, Boss«, erklärte der Mann in einem leicht singenden Tonfall, als wollte er die Pointe eines Witzes besonders betonen. »Heute gehen Sie nicht drauf, Boss, aber morgen und übermorgen sollten Sie darauf achten, wo Sie lang laufen. Heute haben Sie noch mal Schwein gehabt, können den nächsten Morgen sehen.« Der Mann lachte, griff langsam in die Lederjacke, zog ein großes Springmesser heraus und ließ es aufschnappen. Wieder grinste er und machte eine schneidende Bewegung in der Luft. Dann drehte er sich blitzschnell um und ging davon wie ein Mann, der wusste, dass sich für eine verpasste Gelegenheit jede Menge neue boten.

Jeffrey zielte weiter auf seinen Rücken, bemerkte aber, wie seine eigene Hand zitterte. Er erinnerte sich, dass er gezögert und somit tatsächlich Glück gehabt hatte, da Zögern den Tod bedeuten konnte. Er atmete einmal tief aus, und als er sah, dass der Mann in der Nacht verschwunden war, drehte er sich wieder zu dem Anwalt, der Sekretärin und dem Wachmann um.

Sie waren verschwunden, und Jeffrey rannte los, während er die wertvollen Sekunden verfluchte, die er verloren hatte. Er war vielleicht noch dreißig Meter vom Parkplatz entfernt, als er sah, wie die Scheinwerfer aller drei Fahrzeuge wie auf Kommando eingeschaltet wurden.

Er lief langsamer und duckte sich in einen Schatten, ohne jedoch stehen zu bleiben. Er ließ die Waffe sinken und atmete bewusst langsam, um sein Herzklopfen zu beruhigen. Er zog die Schultern hoch und drückte das Kinn in die Brust. Er wollte weder erkannt werden, noch unnötig Aufmerksamkeit auf sich lenken, indem er sich versteckte. Er beschloss, an dem Platz vorbeizugehen, und tröstete sich wie der Straßenräuber damit, dass sich morgen eine andere Gelegenheit bieten würde.

Während er noch dastand, kam der Truck des Wachmanns langsam mit brummendem Motor in Fahrt. Als er auf die Kontaktschiene rumpelte und damit das automatische Schiebetor öffnete, blieb er einen Moment stehen. Dann fuhr der Geländewagen hinaus, hielt am Rand des Bürgersteigs noch einmal an und fuhr schließlich mit quietschenden Reifen auf die Straße. Jeffrey erwartete, dass die anderen beiden Fahrzeuge in kurzem Abstand folgen würden, doch das taten sie nicht.

Vielmehr erloschen die Lichter am Wagen der Sekretärin abrupt. Kurz darauf stieg sie aus. Ihr prüfender Blick wanderte nach links und rechts die Straße entlang, dann lief sie rasch zur Beifahrerseite des Anwaltsautos. Die Tür ging auf, und sie schlüpfte hinein.

Im selben Moment sprang Jeffrey, angetrieben von einem Drang, den er nie für möglich gehalten hätte, am Schiebetor vorbei auf den Parkplatz. Er presste sich mit dem Rücken an eine Ziegelwand und konnte nicht sagen, ob er gesehen worden war.

Er atmete mit einem langen Pfeifton aus.

Im Anwaltsauto konnte er die Umrisse zweier eng aneinandergeschmiegter Gestalten erkennen.

Er sah seine Chance und sprintete hinüber, froh, dass seine Muskeln auf die plötzliche Herausforderung zuverlässig reagierten. Wie ein Schnellläufer bewegte er die Arme mit und war an der Seite des Wagens, bevor der Anwalt und seine Sekretärin sich aus ihrem langen Kuss gelöst hatten. Im Bruchteil einer Sekunde wurden sie sich seiner Gegenwart bewusst und wichen entsetzt zurück; im nächsten Moment hatte er die Scheibe auf der Fahrerseite mit dem Kolben seiner Pistole eingeschlagen, so dass die Scherben über die beiden Liebenden flogen.

Die Frau schrie, der Anwalt brüllte irgendetwas Unverständliches und griff nach dem Schalthebel.

»Finger weg«, befahl Jeffrey.

Die Hand des Anwalts schwebte über dem Knauf, dann zog er sie zurück. Seine Stimme war vor Überraschung schrill und zittrig. »Was wollen Sie?«, fragte er. Die Sekretärin war vor dem Lauf von Jeffreys Pistole zurückgewichen, als könnte sich jeder Zentimeter Abstand als lebensrettend erweisen. »Was wollen Sie?«, wiederholte der Anwalt – in flehentlichem Ton.

»Was ich will?«, erwiderte Jeffrey bedächtig. »Was ich will?« Er spürte, wie ihm das Adrenalin in den Ohren pochte. Die Angst, die er in dem vorhin noch so arroganten Gesicht des Anwalts sah, und die Panik der adretten Sekretärin waren berauschend. In diesem Moment hatte er das Gefühl, sein Leben besser als je zuvor unter Kontrolle zu haben. »Was ich will, hätten Sie mir heute Morgen wesentlich einfacher und wesentlich höflicher geben können«, gab er kalt zurück.

Wie er schon vermutet hatte, verbarg sich im Eingangsbereich zum Anwaltsbüro noch eine zweite, versteckte Alarmanlage hinter der Holzvertäfelung. Er fühlte den Draht des Sensors direkt unter einem feinen Grat im Anstrich. Das musste ein stiller Alarm sein, nahm Jeffrey an, der entweder zur Polizeistation Trenton oder, falls die nicht zuverlässig war, zu irgendeinem Sicherheitsdienst führte.

Er wandte sich an die Sekretärin und den Anwalt. »Abschalten«, verlangte er.

»Ich weiß nicht, wie«, sagte die Sekretärin.

Jeffrey schüttelte den Kopf. Er betrachtete ruhig die Pistole in seiner Hand, als wollte er sehen, ob sie eine Halluzination war. »Sind Sie verrückt«, fragte er. »Meinen Sie, ich benutze die hier nicht?«

»Nein«, entgegnete der Anwalt. »Sie scheinen ein vernünftiger Mann zu sein, Mr. Clayton. Sie arbeiten für eine staatliche Behörde. Die würden sicherlich die Stirn runzeln, wenn Sie von der Waffe Gebrauch machen würden, um einen Durchsuchungsbefehl zu erzwingen.«

Der Anwalt und die Sekretärin standen an der Wand und hielten die Hände hinter dem Kopf verschränkt. Der Professor beobachtete, wie sie verstohlene Blicke wechselten. Der Überraschungseffekt verpuffte. Sie fassten sich langsam und begannen, mit der Situation klarzukommen.

»Ziehen Sie sich bitte aus«, wies er sie an.

»Was?«

»Genau, wie ich es sage. Ziehen Sie Ihre Kleider aus. Jetzt.« Um seiner Forderung Nachdruck zu verleihen, richtete er die Pistole auf die Sekretärin.

»Ich werde unter gar keinen Umständen –«

Jeffrey hielt die Hand hoch, um den Mann zum Schweigen zu bringen. »Ich bitte Sie, Mr. Smith, das ist mehr oder weniger das, was Sie ohnehin gerade tun wollten, als ich Sie so unangenehm unterbrochen habe. Wir ändern nur die Umstände und den Schauplatz. Und verderben vielleicht auch ein bisschen den Spaß an der Sache.«

»Das mache ich nicht.«

»Oh doch, Sie werden, oder ich puste Ihrer Sekretärin ein Loch in den Fuß. Es wird sie zum Krüppel machen und unglaublich schmerzhaft sein. Aber es bringt sie nicht um.«

»Das machen Sie nicht.«

»So, so, ein Zweifler.« Er trat vor. »Ich hasse es, wenn man meine Aufrichtigkeit infrage stellt.« Er zielte, hielt inne und sah der Sekretärin in die verängstigten Augen. »Oder wäre es Ihnen vielleicht lieber, wenn ich *seinen* Fuß nehme? Für mich bleibt sich das eigentlich gleich …«

»Nehmen Sie seinen«, beeilte sie sich.

»Oder vielleicht beide?«

»Nein, seinen.«

»Warten Sie!« Der Anwalt blickte verzweifelt in den Lauf der Pistole. »Meinetwegen«, gab er nach. Er fing an, seine Krawatte zu lockern. Die Sekretärin zögerte, dann begann sie, ihr Hemd aufzuknöpfen. Beide hörten auf, als sie an ihre Unterwäsche kamen. »Das sollte genügen«, meinte der Anwalt. »Wenn Sie wirklich nur Informationen brauchen, dann müssen Sie uns nicht die Würde nehmen.«

»Würde? Sie haben Angst, Ihre Würde zu verlieren? Sie machen Witze. Und wie«, entgegnete Jeffrey. »Nackt fühlt man sich seltsam ausgeliefert, nicht wahr? Wenn man nackt ist, neigt man viel weniger dazu, Schwierigkeiten zu machen. Oder Risiken einzugehen. Das ist simpelste Psychologie, Mr. Smith. Und ich habe Ihnen bereits gesagt, wer mein Vater ist, also würde ich annehmen, dass ich, selbst wenn ich nur halb so viel von der Psychologie der Dominanz verstehe wie er, doch eine ganze Menge begreife.«

Jeffrey schwieg, während die Sekretärin und der Anwalt ihre restlichen Kleider auf den Boden fallen ließen.

»Gut«, sagte er. »Und jetzt noch einmal. Wie kann ich den Alarm ausschalten?«

Die Sekretärin hatte unwillkürlich eine Hand sinken lassen, um ihre Scham zu bedecken, während sie die andere hinter dem Kopf ließ. »Hinter dem Gemälde an der Wand ist ein Schalter«, erklärte sie grimmig und starrte erst Jeffrey, dann ihren Liebhaber an.

»Schon besser«, lobte Jeffrey mit einem Grinsen.

Die Sekretärin brauchte nur wenige Minuten, um die richtige Akte in einem handgeschnitzten Eichenschrank in einer Ecke des Anwaltsbüros zu finden. Sie trug sie quer durchs Zimmer, tappte mit den Füßen über den Teppich und zog sich auf einen Stuhl an der Wand zurück, wo sie ihr Bestes tat, sich zu einem kleinen Ball zusammenzurollen, um ihre Nacktheit zu verbergen. Der Anwalt griff nach den Schriftstücken, wobei der Ledersessel unter seiner Haut quietschte. Er schien sich weniger unbehaglich zu fühlen als die junge Frau, als hätte er sich mit der Nacktheit abgefunden. Er klappte die Akte auf, und Jeffrey sah zu seiner Enttäuschung, dass sie äußerst dünn war.

»Ich habe ihn nicht gut gekannt«, berichtete Smith. »Wir haben uns nur ein, zwei Mal getroffen. Danach vielleicht im Lauf der Jahre ein, zwei Anrufe, nicht mehr. In den letzten fünf Jahren nichts. Aber das ist ja auch verständlich ...«

»Wieso?«

»Weil der Staat vor fünf Jahren aufgehört hat, den Lotteriegewinn auszuzahlen. Er hatte seinen Gewinn erschöpft. Na ja, wohl nicht direkt erschöpft. Ich weiß nicht, wie er sein Geld angelegt hat. Aber ich vermute, klug. Ihr Vater machte auf mich den Eindruck eines sehr umsichtigen, selbstbeherrschten Mannes. Er hatte einen Plan, und den führte er bis ins kleinste Detail aus.«

»Was für einen Plan?«

»Ich habe die Zahlungen entgegengenommen. Dann habe ich das Geld, abzüglich meines Honorars, auf ein Konto meines Klienten eingezahlt – das entsprechend der anwaltlichen Schweigepflicht vor allzu neugierigen Augen geschützt ist –, von wo aus es auf eine Reihe karibischer Offshore-Banken verteilt wurde. Was danach damit passierte, weiß ich nicht. Wahrscheinlich wurde es dann, nach einer äußerst geringen Überweisungsgebühr auf ein anderes Konto Ihres Vaters unter einem erfundenen Namen oder einer Scheinfirma wieder in die USA geschleust, doch an diesem Punkt konnte es niemand mehr zu der ursprünglichen Quelle zurückverfolgen. Ich habe nichts weiter getan, als den Stein ins Rollen zu bringen. Wo er liegen blieb, kann ich nicht sagen.«

»Sie wurden dafür großzügig bezahlt?«

»Wenn Sie jung sind, fast ohne eigene Mittel, und ein Mann kommt daher und sagt Ihnen, ich zahle Ihnen hunderttausend Dollar im Jahr für Banküberweisungen, die eine Stunde Arbeit kosten ...« Der Anwalt zuckte mit den nackten Schultern »Na ja, es war ein gutes Geschäft.«

»Da war noch etwas. Sein Tod.«

»Sein Tod fand ausschließlich auf dem Papier statt.«

»Wie meinen Sie das?«

»Es gab keinen Autounfall. Nur einen Unfallbericht. Es gab Versicherungsansprüche. Es wurde eine Einäscherung bezahlt. Zeitungen, sein ehemaliges College informiert – so viel wie möglich, um etwas zu dokumentieren, das nicht stattgefunden hat. Die Kopien finden Sie in der Akte. Aber es gab keinen Tod.«

»Und das haben Sie für ihn gemacht?«

Der Anwalt zuckte die Achseln. »Er sagte, er wollte von vorn anfangen.«

»Geht das etwas genauer?«

»Er hat nie explizit erklärt, dass er seine Identität wechseln wolle. Und ich war klug genug, ihn nie direkt zu fragen, auch wenn jeder Vollidiot gesehen hätte, dass es darum ging. Wissen Sie, ich habe ein bisschen über ihn recherchiert, er hatte kein Vorstrafenregister, weder bei der örtlichen Polizei, noch in der nationalen Datei. Jedenfalls hab ich nichts gefunden. Also sagen Sie mir, Mr. Clayton, was sollte ich machen? Das Geld ablehnen? Ein Mann, der in seinem Beruf angesehen ist, möchte, obwohl weder kriminelle noch gesellschaftliche Gründe dafür vorliegen, ein Leben hinter sich lassen und irgendwo anders ein neues beginnen. Dafür ist er bereit, einen fantastischen Preis zu zahlen. Wer bin ich denn, mich ihm in den Weg zu stellen?«

»Haben Sie ihn nicht gefragt?«

»Bei meinem kurzen Treffen mit Ihrem Vater habe ich den Eindruck gewonnen, dass es nicht meine Aufgabe sein sollte, seine Motive zu hinterfragen. Als er eine Exfrau erwähnte und den Brief für sie hinterließ, habe ich das Thema angeschnitten, aber er wurde ungehalten und hat mich aufgefordert, einfach nur zu tun, wofür ich bezahlt würde, und mit diesem Arrangement konnte ich gut leben.«

Der Anwalt deutete mit einer Geste auf den Raum. »Das Geld von Ihrem Vater hat dabei geholfen, das hier aufzubauen. Es war mein Startkapital. Ich stehe in seiner Schuld.«

»Kann ich dem, was er heute ist, auf die Spur kommen?«

»Unmöglich.« Der Anwalt schüttelte den Kopf.

»Wieso?«

»Weil es kein schmutziges Geld war! Er hat *sauberes* Geld gewaschen! Weil er nicht das Geld zu schützen hatte, sondern sich selbst! Sehen Sie nicht den Unterschied?«

»Aber das Finanzamt hat doch sicher –«

»Ich hab die Steuern gezahlt. Die staatlichen und bundesstaatlichen. Von deren Warte gab es nichts zu verfolgen. Und auch nicht von meiner Kanzlei aus. Wo das Geld letztlich landete und wie es irgendwo weit weg von hier verwendet wurde, zu welchem Zweck und mit welchem Ziel, darüber kann ich nicht einmal spekulieren. Das letzte Mal, dass ich von Ihrem Vater gehört habe, ist zwanzig Jahre her. Abgesehen von dem, was ich Ihnen schon beschrieben habe, war das die einzige Gelegenheit, dass er mich um etwas gebeten hat.«

»Und das wäre?«

»Er hat mich ersucht, für ihn nach West Virginia zu reisen, ins dortige Staatsgefängnis. Ich sollte jemanden bei einer Anhörung zur vorzeitigen Haftentlassung vertreten. Das habe ich auch getan, mit Erfolg.«

»Dieser Jemand, hat der auch einen Namen?«

»Elizabeth Wilson. Aber die kann Ihnen nicht weiterhelfen.«

»Wieso nicht?«

»Sie ist tot.«

»Wie das?«

»Ein halbes Jahr nach ihrer Entlassung hat sie sich in der

kleinen hinterwäldlerischen Stadt, in der sie lebte, in einer Bar betrunken und sich von irgendwelchen fragwürdigen Subjekten aufreißen lassen. Ein paar von ihren Kleidern wurden im Wald gefunden. Blutverschmiert. Höschen, glaube ich. Ich weiß nicht, weshalb Ihr Vater der Frau helfen wollte, jedenfalls hat es nichts genützt.«

Der Anwalt schien seine Nacktheit vergessen zu haben. Er stand auf, lief um den Schreibtisch herum und stieß, um das Gesagte zu unterstreichen, mit dem Finger in die Luft.

»Ich hab ihn manchmal beneidet«, erklärte Smith. »Er war der einzige wahrhaft freie Mann, den ich je gekannt habe. Er konnte machen, was er wollte. Sich aufbauen, was er wollte. Der Mensch sein, der er sein wollte. Er konnte einfach sagen: Hier bin ich, was kostet die Welt?«

»Haben Sie auch nur die leiseste Ahnung, in was für einer Welt er lebte?«

Der Anwalt blieb mitten im Zimmer stehen. »Nein«, antwortete er.

»Ein Albtraum«, erwiderte Jeffrey.

Der Anwalt schwieg. Sein Blick fiel auf die Pistole in Jeffreys Hand.

»Und?«, fragte er langsam. »Wie der Vater, so der Sohn?«

SIEBZEHN
DIE ERSTE TÜR WIRD GEÖFFNET

Diana und Susan Clayton liefen die Gangway hinunter. In ihrem Handgepäck führten sie eine beträchtliche Anzahl von Medikamenten, einige Waffen, für die sie erstaunlicherweise eine Genehmigung erhalten hatten, und eine gehörige Portion Angst mit sich. Diana sah sich in dem Strom gut gekleideter Geschäftsreisender um, fühlte sich einen Moment lang angesichts der glitzernden Hightech-Lichter im Flughafen verwirrt und wurde sich bewusst, dass dies seit knapp fünfundzwanzig Jahren das erste Mal war, dass sie Florida verließ. Noch nie hatte sie ihren Sohn in Massachusetts besucht – und auch nie eine Einladung von ihm bekommen. Und da sie sich so wirkungsvoll vom Rest ihrer Familie abgekapselt hatte, hatte es auch sonst niemanden gegeben, den sie hätte besuchen können.

Auch Susan war nicht oft verreist. In den letzten Jahren hatte sie es damit entschuldigt, ihre Mutter nicht allein lassen zu können. In Wahrheit jedoch führten sie ihre eigenen Reisen entweder in die intellektuellen Befriedigung der Spiele, die sie erfand, oder in die Einsamkeit ihres Flachboots auf seichtem Gewässer. Jeder Angelausflug war für sie ein einmaliges Abenteuer. Selbst wenn sie auf vertrauten Wassern reiste, war es jedes Mal anders und ungewöhnlich. Bei den Erfindungen ihres Alter Ego Mata Hari verhielt es sich ähnlich.

Sie stiegen in Miami mit dem Gefühl ins Flugzeug, dem Ende einer Geschichte näher zu kommen, ohne bislang gewusst zu haben, dass sie darin eine Rolle spielten, und die dennoch ihr Leben auf unaussprechliche Weise beherrschte. Besonders Susan

Clayton hatte die seltsame Aufregung eines Waisenkinds erfasst, seit sie wusste, dass der Mann, der sie verfolgte, ihr Vater war, und diese gespannte Erwartung hatte einen Teil der Ängste verdrängt: *Jetzt werde ich herausfinden, weshalb ich so bin, wie ich bin.*

Doch je näher die dröhnenden Turbinen sie der Welt des Einundfünfzigsten Bundesstaates brachten, desto mehr schwand die Zuversicht, und als sie schließlich unweit von New Washington mit dem Landeanflug begannen und zur letzten Runde über dem Flughafen ansetzten, hüllten sie sich beide in Schweigen, während Zweifel an ihnen nagten.

Wissen ist eine gefährliche Sache, dachte Susan. Selbsterkenntnis kann ebenso verletzen wie helfen.

Auch wenn sie diese Ängste einander nicht eingestanden, waren sich beide der Spannung bewusst, unter der sie inzwischen standen. Besonders Diana mit dem mütterlichen Instinkt und der vagen Furcht vor allem, was sie nicht unmittelbar verstand, hatte das Gefühl, als wäre ihr Leben plötzlich brüchig geworden, als säßen sie fest, während ein Unwetter heraufzog, als versuchten sie verzweifelt, einen abgewürgten Motor anzuwerfen, und horchten gebannt auf den immer heftiger brüllenden Wind. Als das Fahrgestell auf die Landebahn traf und über den Boden holperte, schloss sie die Augen und versuchte, sich an eine einzige Erinnerung aus Susans und Jeffreys Kindheit zu klammern, als es nur noch sie drei gab, arm, aber in Sicherheit, in dem kleinen Haus auf den Keys vor dem Albtraum versteckt, dem sie entkommen waren. Sie wollte sich an einen ganz normalen Tag erinnern, an dem nichts Bemerkenswertes passiert war. Ein Tag, an dem die Stunden einfach verstrichen waren, weiter nichts. Doch eine solche Erinnerung stellte sich nicht ein und schien in unerreichbare Ferne gerückt.

Als die beiden Frauen in der Ankunftshalle stehen blieben, löste sich Agent Martin von der gegenüberliegenden Wand, wo er sich unter einem großen Schild angelehnt hatte: WILLKOM-

MEN AM BESTEN ORT DER WELT. Unter dem Schild verwiesen Pfeile auf die EINWANDERUNGSBEHÖRDE, die PASSKONTROLLE und den SICHERHEITSDIENST. Er legte die wenigen Meter bis zu ihnen mit drei großen Schritten zurück und versteckte seine Frustration darüber, für die beiden den Chauffeur zu spielen, unter dem breiten und wahrscheinlich leicht zu durchschauenden Lächeln, mit dem er Mutter und Tochter begrüßte.

»Hallo«, sagte er, »der Professor schickt mich, um Sie abzuholen.«

Susan betrachtete ihn misstrauisch. Sie sah sich seinen Dienstausweis, wie der Detective fand, ein, zwei Sekunden länger als nötig an.

»Wo ist Jeffrey?«, wollte Diana wissen.

Agent Martin lächelte, und diesmal so falsch, dass Susan es eindeutig durchschaute. »Nun ja, eigentlich hatte ich gehofft, das könnten Sie mir sagen. Mir hat er nur gesagt, er müsste nach Hause.«

»Dann ist er nach New Jersey gefahren«, überlegte Diana. »Ich wüsste nur gerne, was er sich davon erhofft.«

»Sind Sie sicher, dass Sie es nicht wissen?«, fragte Martin.

»Da sind wir beide geboren«, erklärte Susan dem Detective. »Da hat für uns alles angefangen. Da hat vieles angefangen. Er wird nach einer Spur suchen, die er verfolgen kann, um zu sehen, wo es alles enden wird. Das ist doch eigentlich naheliegend, besonders für einen Polizisten.«

Agent Martin runzelte die Stirn. »Sie sind diejenige, die diese Spiele entwirft, richtig?«

»Sie haben Ihre Hausaufgaben gemacht, richtig.«

»Das hier ist kein Spiel.«

Susan grinste süß-säuerlich. »Natürlich ist es das«, gab sie zurück. »Nur kein besonders schönes«, fügte sie bitter hinzu.

Da der Detective nicht gleich antwortete, herrschte einen Moment lang Schweigen, das Susan mit der Frage unterbrach: »Und jetzt bringen Sie uns irgendwohin?«

»Ja.« Er zeigte auf die Passagiere der Business Class, die sich geduldig in einer Schlange vor der Passkontrolle aufreihten. »Ich habe ein paar Vorkehrungen getroffen, so dass wir den gewöhnlichen Papierkram umgehen können. Ich bringe Sie an einen sicheren Ort.«

Susan lachte zynisch. »Ausgezeichnet. Den Ort wollte ich schon immer mal sehen. Falls er existiert.«

Der Detective nahm eins der Gepäckstücke, die Diana auf den Boden gestellt hatte. Er griff auch nach Susans, doch sie winkte dankend ab. »Ich trage meine Sachen selbst«, sagte sie. »Habe ich schon immer.«

Agent Martin seufzte, lächelte und schwang sich zu noch größerer Heiterkeit auf. »Wie Sie wünschen«, meinte er und kam zu dem Schluss, dass er Susan Clayton nicht besonders sympathisch fand. Dass er ihren Bruder nicht mochte, wusste er längst, und über Diana Clayton konnte er sich so schnell kein Bild machen, auch wenn er neugierig war, was für eine Frau einen Mörder heiratete. Die Frau eines Mörders. Die Kinder eines Mörders. Einerseits konnte er mit ihnen allen nicht viel anfangen, doch auf der anderen Seite wusste er, dass sie für das, was er sich vorgenommen hatte, unverzichtbar waren. Er hob den Arm, zeigte Richtung Ausgang und rief sich ins Gedächtnis, dass es ihm scheißegal sein würde, wenn die Claytons – nachdem sie ihm und dem Einundfünfzigsten Staat geholfen hatten, das Problem zu lösen –, am Ende alle draufgingen.

Agent Martin bot den Frauen eine Kurzversion der Touristenrundfahrt durch New Washington. Er zeigte ihnen die Amtsgebäude, ohne sie jedoch mit nach drinnen zu nehmen, besonders nicht in das Büro, das er mit Jeffrey teilte. Während sie durch die Straßen und Boulevards der City fuhren, redete er munter drauflos und erläuterte ihnen gut gelaunt die Sehenswürdigkeiten. Er machten Schwenks in die näher gelegenen Neubaugebiete, hielt sich immer an die grünen Viertel, um schließlich vor einer etwas abseits gelegenen Reihe Stadthäuser zu halten, die an ein paar der teureren Vororte grenzte und ein gutes Stück vom Geschäftszentrum der City entfernt war.

Die Stadthäuser, die in ihrem Zuschnitt und ihrer Gesamtanlage – mit einigen barocken Schnörkeln und weinbewachsenen Wänden – die Reihenhäuser in San Francisco imitierten, befanden sich am Ende einer Sackgasse am Fuße der ersten vorgelagerten Hügelketten, nur wenige Meilen von den eigentlichen Bergen im Westen entfernt. Auf der anderen Straßenseite befand sich ein öffentliches Schwimmbad neben einem halben Dutzend Tennisplätzen sowie ein weiträumiger Spielplatz mit Klettergerüsten und Schaukeln für kleine Kinder. Hinter den Stadthäusern schlossen sich bescheidene Rasengrundstücke an – gerade genug Platz für einen Tisch, ein paar Stühle, einen Grill und eine Hängematte. Ein etwa drei Meter hoher massiver Holzzaun markierte die Rückseite jedes Grundstücks und diente weniger dem Schutz vor Eindringlingen, sondern sollte vielmehr kleine Kinder davor bewahren, hinüberzuklettern und eine steile Böschung hinunterzufallen, die hinter den Reihenhäusern lag. Jenseits des Grabens befand sich freies Bauland, größtenteils mit Unkraut, Gebüsch und knorrigen Salbeisträuchern bewachsen.

Das letzte Haus war staatliches Eigentum.

Agent Martin bog auf einen kleinen Parkplatz ein. »Da wären wir«, meinte er. »Hier werden Sie sich wohlfühlen.« Er ging um den Wagen herum zum Kofferraum, nahm das Gepäck von Diana und ließ die Hecktür für Susan offen. Er war schon auf dem kurzen Gehweg zum Haus, als die junge Frau fragte:

»Wollen Sie nicht abschließen?«

Er drehte sich um und schüttelte den Kopf. »Ich hab Ihrem Bruder bereits dasselbe gesagt. Hier ist es nicht *nötig*, den Wagen abzuschließen. Hier ist es nicht *nötig*, die Haustür abzuschließen. Hier ist es nicht *nötig*, Ihren Kindern elektronische Ortungsgeräte umzuschnallen. Hier ist es nicht *nötig*, jedes Mal beim

Betreten und Verlassen des Hauses die Alarmanlage ein- und auszuschalten. Hier nicht. Darum geht es schließlich. Das ist das Schöne an diesem Staat. Sie brauchen Ihre Tür nicht abzuschließen.«

Susan schwieg und ließ den Blick argwöhnisch über die Sackgasse schweifen.

»Doch, das müssen wir«, erwiderte sie. Inmitten des leisen, dumpfen Aufschlags von Tennisbällen und dem fröhlichen Geschrei spielender Kinder aus der Ferne klangen ihre Worte deplatziert.

Der Detective brauchte nicht lange, um den beiden Frauen das Haus von innen zu zeigen. Es gab eine Küche mit anschließendem Esszimmer, das in ein kleines Wohnzimmer überging. Daran angrenzend befand sich ein Medienzimmer mit Computer, Stereoanlage und Fernseher. Auch im Küchenbereich stand ein Computer und ein dritter in einem der drei Schlafzimmer im Obergeschoss. Das ganze Haus war in einem unauffälligen Stil eingerichtet, einen Hauch besser als ein gutes Hotel, aber eine Stufe unter dem, was eine echte Familie investieren würde. Agent Martin erklärte, dieses Haus werde von den Behörden benutzt, um darin Geschäftsleute unterzubringen, die in keinem der Hotels absteigen wollten.

»Sie können alles, was Sie brauchen, per Computer ordern«, erklärte er Susan. »Ihre Lebensmittel bestellen. Einen Film. Eine Pizza. Egal, was. Wegen der Kosten machen Sie sich keine Sorgen. Ich setze alles der Staatssicherheit auf die Rechnung.«

Martin schaltete einen der Computer ein. »Das ist Ihr Passwort«, sagte er und tippte 2KODAK1. »Jetzt können Sie sich alles, was Sie wollen, direkt vor die Haustür liefern lassen.« Der heitere Ton verdeckte eine Lüge.

Er trat zurück und beobachtete Susan, um zu sehen, ob sie die Doppeldeutigkeit mitbekommen hatte, doch ihr Gesicht blieb ausdruckslos.

»Also«, sagte er nach einer Weile, »ich geh dann mal, und Sie können sich häuslich einrichten. Sie können sich direkt über Computer bei mir melden. Ihr Bruder auch, wenn er zurück ist, aber ich schätze, ich höre schon früher von ihm. Dann können wir uns alle treffen und die nächsten Schritte besprechen.«

Agent Martin machte Anstalten zu gehen. Diana stand am Computer und gab mit einer triumphierenden Geste die Seite eines Lebensmittelladens ein. Auf dem Bildschirm erschien in leuchtenden Lettern: WILLKOMMEN BEI A&P!, woraufhin ein elektronischer Einkaufswagen sich durch Gang Eins, Gemüse und Früchte, in Bewegung setzte. Susan ließ Agent Martin nicht aus dem Auge, und der Detective dachte: Vor der nimm dich in Acht.

»Wir kommen bestimmt zurecht«, meinte Susan.

Als Agent Martin das Haus verlassen hatte, hörte er hinter sich das ungewohnte Geräusch eines Riegels, der vorgeschoben wurde.

Susan lief durch das Haus, während ihre Mutter per Computer Lebensmittel bestellte und die Lieferung durch einen lokalen Service arrangierte. Susan freute sich, als sie hörte, wie Diana ein paar Dinge orderte, die sie normalerweise als Luxus betrachtet hätten – etwas Brie, Importbier, einen teuren Chardonnay, Filetsteak. Susan inspizierte ihr Domizil wie ein General ein Stück Land vor der Schlacht. Es war wichtig für sie zu wissen, wo der Kampf ausgetragen werden würde, wenn es dazu kam. Sie musste erhöhtes Gelände zu ihrem Vorteil nutzen können und wissen, wo sie einen Hinterhalt legen konnte.

Diana hatte inzwischen bemerkt, was Susan beschäftigte, und beschloss, sich ihrerseits zu rüsten. Als sie ihre Bestellung abgeschlossen hatte, bat sie den Lieferservice um eine Beschreibung der Person, die sie schicken würden, außerdem um eine Beschreibung des Lieferwagens. Doch als sie aus der Leitung ging, traf sie die Erschöpfung vom Flug und die Anspannung wegen des Grunds ihrer Reise mit voller Wucht. Sie ließ sich schwer in einen Sessel fallen und schaute ihrer Tochter zu, die sich langsam von Zimmer zu Zimmer durcharbeitete.

Susan sah, dass die einzigen Schlösser an den Fenstern im Erdgeschoss veraltet und wahrscheinlich unwirksam waren. Die Haustür verfügte über einen einzigen Riegel, aber keine Kette. Es gab keine Alarmanlage. An der Rückseite befand sich eine Schiebetür zur Terrasse, mit einem Schnappschloss, das nicht dafür ausgelegt war, irgendetwas draußen zu halten. In einer Abstellkammer fand sie einen Besen, lehnte ihn an eine Wand und brach, mit einem schnellen Tritt, den Stiel vom Kopfteil ab. Sie verkeilte den Stiel zwischen Rahmen und Tür, so dass diese zwar mit primitiven Mitteln, aber dennoch wirkungsvoll verschlossen war. Wer hier einbrechen wollte, musste die Scheibe einschlagen.

Das Obergeschoss, stellte sie fest, war vermutlich sicher. Sie konnte keine Stelle entdecken, von der aus jemand ohne Leiter an eins der Fenster gelangen konnte. An der Rückseite des Hauses reichte ein kleines Blumenspalier bis zum Balkon des Elternschlafzimmers, doch sie bezweifelte, dass es dem Gewicht eines Erwachsenen standhalten würde, und die Rosen, die sich daran hochrankten, hatten spitze Dornen. Mehr Bedenken hatte sie hinsichtlich der angrenzenden Häuser; sie hielt es außerdem für möglich, dass jemand es über das Dach probieren könnte, stellte aber auch fest, dass es ihr nicht möglich war, dagegen Vorkehrungen zu treffen. Glücklicherweise hatte das Dach eine steile Neigung, und sie ging davon aus, dass jemand, der einbrechen wollte, es erst einmal im Erdgeschoss versuchen würde.

Sie machte ihre kleine Reisetasche auf und holte drei verschiedene Pistolen heraus. Neben den beiden Handfeuerwaffen – einer kurzläufigen Colt Magnum .357, die sie mit Flachkopfgeschossen geladen hatte, einer ausgesprochen wirkungsvollen Waffe für kurze Distanzen, und einer leichten Ruger .380 Halbautomatik, mit neun Schuss im Ladestreifen und einem zehnten in der Kammer – hatte sie eine vollautomatische Uzi-Maschinenpistole dabei. Sie hatte die Uzi von einem ehemaligen Drogendealer auf den Keys illegal erstanden, einem Mann, mit dem sie Angler-Informationen austauschte und der nie beleidigt war, wenn sie seine Einladungen zu einem Date ein ums andere Mal ausschlug. Der Verehrer hatte ihr die Waffe geschenkt, so wie andere Männer in früheren Zeiten Blumen oder Pralinen mitgebracht hätten. Sie hängte die Maschinenpistole an einem Gurt über einen Kleiderbügel im Schrank des Schlafzimmers im ersten Stock und tarnte sie mit einem Sweatshirt.

Im Flur des Obergeschosses befand sich ein Wäscheschrank; sie versteckte die Ruger, geladen und schussbereit, zwischen zwei Handtüchern im mittleren Fach. Die Magnum wurde in der Küche hinter einer Reihe Kochbücher verstaut. Sie zeigte ihrer Mutter, wo sich die Waffen befanden.

»Hast du gemerkt«, fragte Diana leise, aber in trotzigem Ton, »dass hier nirgends bewaffnete Sicherheitsleute zu sehen sind? Zu Hause wimmelt es davon. Hier nicht.«

Sie bekam keine Antwort.

Die beiden Frauen gingen ins Wohnzimmer und ließen sich einander gegenüber auf die Polster fallen. Auch bei Susan machte sich plötzlich Erschöpfung breit. An Diana Clayton nagten fortgesetzt Schmerzen aufgrund ihrer Krankheit. Eine Weile lang hatte der Krebs sie in Frieden gelassen, fast, als wollte er sehen, welche Folgen diese seltsamen Ereignisse für ihn hatten. Doch jetzt, nachdem er festgestellt hatte, dass der Schauplatzwechsel keine Bedrohung darstellte, hielt er es für angebracht, sich in Erinnerung zu bringen. Ein stechender Schmerz durchfuhr ihren Bauch, und sie schnappte laut nach Luft.

Ihre Tochter schaute auf. »Alles in Ordnung?«

»Ja, kein Problem«, log Diana.

»Du solltest dich ausruhen. Eine Tablette nehmen. Ist wirklich alles in Ordnung?«

»Das geht vorüber. Aber ich nehme besser ein, zwei Pillen.«

Susan stand auf und hockte sich neben die Knie ihrer Mutter, um ihre Hand zu streicheln. »Es tut weh, nicht wahr? Was kann ich tun?«

»Wir tun, was wir können.«

»Vielleicht hätten wir nicht herkommen sollen?«

Diana lachte. »Wo sollten wir denn sonst hin? Zu Hause auf ihn warten, jetzt, da er uns gefunden hat? Ich bin genau da, wo ich sein möchte. Schmerzen hin, Schmerzen her. Was auch immer passiert. Außerdem hat Jeffrey gesagt, er braucht uns. Wir brauchen uns alle gegenseitig. Und wir müssen diese Sache zu einem Ende bringen. So oder so.«

Diana schüttelte den Kopf.

»Weißt du, Liebes, irgendwie habe ich fünfundzwanzig Jahre auf diesen Moment gewartet. Jetzt, da es so weit ist, lasse ich mir das nicht nehmen.«

Susan zögerte. »Du hast nie über unseren Vater gesprochen. Ich kann mich nicht entsinnen, dass wir je über ihn geredet hätten.«

»Aber das haben wir«, erwiderte ihre Mutter mit einem Lächeln. »Tausend Mal. Jedes Mal, wenn wir über uns geredet haben. Oder über einander. Jedes Mal, wenn du ein Problem hattest oder etwas, das dir wehgetan hat, haben wir über deinen Vater geredet. Das war dir nur nicht bewusst.«

Susan zögerte mit ihrer Frage. »Wieso? Ich meine, was hat dich dazu gebracht, ihn zu verlassen, damals?«

Ihre Mutter zuckte die Achseln. »Ich wünschte, ich könnte es dir sagen. Ich wünschte, es hätte einen bestimmten Moment gegeben. Aber den gab es nicht. Es war die ganze Art, wie er klang, wie er sprach. Wie er mich am Morgen ansah. Wie er plötzlich verschwand, und dann stand er plötzlich am Ausguss in der Küche und wusch sich obsessiv die Hände. Oder am Herd, wo er ein Jagdmesser in einem Topf Wasser abkochte. Ist es dieser durchdringende Blick gewesen? Der schroffe Klang seiner Worte? Einmal habe ich schreckliche, grausame Pornografie bei ihm gefunden, und er hat mich angebrüllt, ich sollte es nur ja nie wieder wagen, seine Sachen anzurühren. War es sein Geruch? Kann man das Böse riechen? Hast du gewusst, dass der Mann, der Eichmann identifiziert hat, blind war? Er hat den Buchhalter des Todes an seinem Rasierwasser erkannt. Irgendwie war es bei mir genauso. Es war eigentlich nichts. Und zugleich alles auf einmal.«

»Wieso hat er dich nicht aufgehalten?«

»Ich glaube, er hat mir nicht zugetraut, dass ich es schaffe. Ich glaube, er konnte sich einfach nicht vorstellen, dass ich ihm tatsächlich dich und deinen Bruder wegnehmen würde. Er hat wahrscheinlich gedacht, wir würden an der nächsten Kreuzung umkehren. Oder vielleicht am Rand der Stadt. Auf jeden Fall, bevor wir bis zur Bank kommen und ich mir ein bisschen Geld holen konnte. Er hätte nie gedacht, dass ich einfach weiterfahren würde, ohne einmal zurückzublicken. Er war viel zu arrogant, um mir so was zuzutrauen.«

»Aber du hast es gemacht.«

»Ja. Es stand viel auf dem Spiel.«

»Was?«

»Du und dein Bruder.«

Diana lächelte ironisch, als gäbe es nichts Näherliegendes; dann griff sie in ihre Tasche und zog ein kleines Pillenfläschchen hervor. Sie schüttete sich zwei Tabletten in die Hand und warf sie sich in den Mund, um sie ohne Wasser zu schlucken.

»Ich denke, ich leg' mich ein Weilchen hin«, erklärte sie. Sie strengte sich an, zügig zu laufen und jedes Schwanken oder Hinken zu vermeiden, das die Krankheit verursachte, als sie zur Treppe ging und hinaufstieg.

Susan blieb sitzen. Sie horchte auf das Öffnen und Schließen der Bade- und der Schlafzimmertür. Sie lehnte den Kopf zurück, schloss die Augen und versuchte, sich den Mann vorzustellen, der ihnen auf den Fersen war.

Graues Haar statt braunes? Sie erinnerte sich an ein Lächeln, ein legeres, spöttisches Grinsen, das ihr Angst machte. Was hat er uns angetan? Es musste etwas geben, aber was? Sie verfluchte innerlich ihre lückenhafte Erinnerung, denn sie wusste, dass etwas passiert, aber durch jahrelange Verdrängung verschüttet war. Sie stellte sich vor, wie sie selbst als Kind gewesen war, ein Wildfang mit Pferdeschwanz, schmutzigen Fingernägeln und in Jeans, der durch ein großes Haus läuft. Es gab ein Arbeitszimmer, rief sie sich ins Gedächtnis. Meistens war er da. Vor ihrem geistigen Auge war sie klein, vielleicht drei oder vier, und stand vor der Tür zum Arbeitszimmer. Sie versuchte, sich vorzustellen, wie sie die Tür auf schob und den Mann im Zimmer anstarrte, doch sie brachte es nicht über sich. Sie riss die Augen auf und schnappte nach Luft, als hätte sie unter Wasser den Atem angehalten. Ihr Herz raste. Sie blieb sitzen, bis es sich beruhigt hatte.

Als plötzlich das Telefon klingelte, sprang sie auf und war mit einem großen Schritt am Hörer.

»Susan?« Es war ihr Bruder.

»Jeffrey! Wo steckst du?«

»Ich war in New Jersey. Bin auf dem Rückweg. Ich muss nur noch jemanden in Texas sprechen, das heißt, wenn er mich empfängt, da bin ich mir aber nicht sicher. Bei dir und Mom alles klar? Hattet ihr einen guten Flug?«

Susan drückte auf die Computerverbindung, und Jeffreys Gesicht erschien auf dem Monitor. Er wirkte fast freudig erregt, was sie erstaunlich fand.

»Wir hatten einen guten Flug«, berichtete sie knapp. »Mich interessiert weitaus mehr, was du rausgefunden hast.«

»Ich habe festgestellt, dass es nahezu unmöglich sein wird, unseren Vater mit herkömmlichen Mitteln zu finden. Ich erklär's euch im Einzelnen, wenn wir uns sehen. Aber uns bleiben nur unorthodoxe Methoden. Ich glaube, das hatte die dortige Polizei mehr oder weniger auch schon begriffen, als sie mich ins Boot holten. Vielleicht war es ihnen letztlich nicht klar, aber darauf läuft es hinaus.«

Er schwieg, dann fragte er: »Und? Wie gefällt dir die Zukunft?«

Susan zuckte die Achseln. »Werd 'ne Weile brauchen, um mich dran zu gewöhnen. Dieser Staat ist so blitzsauber und korrekt, dass man sich fragt, was passiert, wenn man in der Öffentlichkeit rülpst. Wahrscheinlich kriegt man einen Strafzettel. Oder wird verhaftet. Ist mir irgendwie unheimlich. Den Leuten gefällt das?«

»Offenbar schon. Du wirst dich wundern, auf was die meisten für echte Sicherheit verzichten. Und du wirst dich wundern, wie schnell du dich dran gewöhnst. War Martin eine Hilfe?«

»Der unglaubliche Hulk? Wo hast du denn den aufgetrieben?«

»Eigentlich hat er mich aufgetrieben.«

»Na ja, er hat uns ein bisschen rumkutschiert und dann in dieses Haus verfrachtet, wo wir auf dich warten sollen. Woher hat er diese Narben am Hals?«

»Keine Ahnung.«

»Muss 'ne ganz schöne Geschichte dahinterstecken.«

»Ich weiß nicht, ob ich sie hören will.«

Susan lachte, und Jeffrey hatte das Gefühl, sie seit Jahren zum ersten Mal lachen zu hören.

»Er wirkt wie ein extrem harter Bursche.«

»Er ist gefährlich, Susie. Trau ihm nicht über den Weg. Er ist wahrscheinlich die zweitgefährlichste Person, mit der wir es zu tun haben. Nein, korrigiere, die drittgefährlichste. Der zweiten statte ich einen Besuch ab, bevor ich zurück bin.«

»Vom wem redest du?«

»Jemand, der mir helfen könnte. Wenn er will. Wird sich zeigen.«

»Jeffrey ...« Sie zögerte. »Ich muss dich etwas fragen. Was hast du über ...« Sie setzte noch einmal an. » ... unseren Dad rausgefunden? Dad passt wohl nicht. Unseren Paps? Unseren allerliebsten Vater? Gott, Jeffrey, wie soll ich ihn nennen?«

»Sieh ihn nicht als einen Menschen, mit dem wir blutsverwandt sind. Sieh in ihm ein Wesen, mit dem wir es besser als irgendjemand anders aufnehmen können.«

Susan hüstelte. »Das ist ein plumper Trick. Was hast du über ihn rausgefunden?«

»Ich habe erfahren, dass er gebildet und mit allen Wassern gewaschen ist, extrem reich und ganz und gar herzlos. Die meisten Mörder passen in keine dieser Kategorien außer der letzten. Ein paar vielleicht in zwei, weshalb sie äußerst schwer zu fassen sind. Ich hab noch nie von einem Mörder gehört, der drei Kategorien erfüllt, geschweige denn, alle vier.«

Diese Beschreibung erwischte Susan eiskalt. Sie merkte, wie ihre Kehle trocken wurde. Sie hätte gerne etwas Kluges gefragt oder etwas Tiefsinniges gesagt, aber ihr fehlten die Worte. Sie war erleichtert, als Jeffrey fragte: »Wie geht es Mom?«

Susan warf einen Blick über die Schulter, die Treppe hoch, wo ihre Mutter sich hingelegt hatte und hoffentlich schlief.

»Hält sich so weit recht gut. Hat Schmerzen, aber sie lässt sich noch weniger unterkriegen als sonst, was irgendwie merkwürdig ist. Ich habe das seltsame Gefühl, dass die Sache bei ihr Kräfte mobilisiert. Jeffrey, weißt du, wie krank sie ist?«

Jetzt verstummte ihr Bruder. Ihm lagen mehrere Antworten auf der Zunge, aber er brachte nur ein schwaches »Sehr«, heraus.

»Ja. Sehr. Im Endstadium.«

Sie schwiegen beide, während er versuchte, das Wort zu begreifen.

Die Vergangenheit seines Vaters erschien Jeffrey wie eine Platte aus nassem Zement, der gekonnt geglättet und über die Jahre ausgehärtet war. Die Vergangenheit seiner Mutter hingegen war für ihn wie eine Leinwand in flammenden Farben. Das war der Unterschied zwischen beiden.

Susan schüttelte den Kopf. »Aber sie *will* hier sein. Wie gesagt, das alles scheint ihr einen wahren Energieschub zu geben.

Obwohl wir den ganzen Tag auf Reisen waren, wirkte sie noch ziemlich munter.«

Jeffrey schwieg, und in diesem Moment kam ihm eine Idee.

»Meinst du, dass du Mutter allein lassen kannst?«, fragte er. »Nicht für lange. Nur für einen Tag.«

Susan antwortete nicht sofort. »Wieso? Was hast du vor?«

»Vielleicht möchtest du bei einer Vernehmung dabei sein. Dann hast du eine bessere Vorstellung davon, womit wir es zu tun haben, und auch davon, womit ich meine Brötchen verdiene.«

Susan zog interessiert eine Augenbraue hoch. »Klingt aufregend. Ich weiß nur nicht, ob ich Mutter ...« Sie hörte hinter sich ein Geräusch und drehte sich um. Diana stand am unteren Treppenabsatz und betrachtete sie und Jeffrey auf dem Bildschirm. Sie beantwortete die Frage für alle beide.

»Hallo, Jeffrey«, begrüßte sie ihren Sohn mit einem Lächeln. »Ich habe deine Stimme gehört, und dachte, ich träume, doch dann habe ich gemerkt, dass du es wirklich bist, deshalb ich bin runtergekommen. Ich kann es kaum abwarten, bis wir drei wieder zusammen sind.«

Diana drehte sich zu ihrer Tochter um und dachte an all die schwierigen Worte, die Susan und Jeffrey über die letzten Jahre miteinander gewechselt hatten, und sie fand es beinahe amüsant, dass ihre Beziehung ausgerechnet durch den Mann wieder ins Lot kommen sollte, vor dem sie als Kinder geflohen waren. »Geh«, sagte sie. »Für einen Tag schaffe ich das schon. Ich werde es einfach ruhig angehen lassen. Mich ein bisschen erholen. Vielleicht einen Spaziergang machen. Oder ich lasse mir von jemandem ein bisschen mehr vom Territorium zeigen. Jedenfalls gefällt es mir hier, glaube ich. Es ist sehr sauber. Und ruhig. Es erinnert mich ein bisschen daran, wie es in meiner Kindheit war.«

Das überraschte Susan. »Tatsächlich?« Sie nickte. »In Ordnung. Wenn du sicher bist ...« Ihre Mutter winkte ab. »Was soll ich machen?«, fragte sie ihren Bruder.

»Fahr morgen früh zum Flughafen und nimm den ersten Flieger nach Texas. Von da eine Pendlerverbindung nach Huntsville. Der Computercode, den Agent Martin dir gegeben hat, sollte das alles abdecken, das Buchen der Flüge, die Bezahlung und alles andere. Nimm nicht viel Gepäck mit und auf gar keinen Fall Waffen.«

»In Ordnung. Was gibt es in Huntsville, Texas?«

»Einen Mann, bei dessen Festnahme ich geholfen habe.«

»Er sitzt im Gefängnis?«

»Im Todestrakt.«

»Nun denn«, meinte sie nach kurzem Zögern. »Dann weiß er wohl, was er von der Zukunft zu erwarten hat.«

In seinem Büro in der Staatssicherheit spielte Agent Robert Martin das Band mit dem Telefongespräch zwischen Bruder und Schwester ab. Auf seinem Videomonitor musterte er Jeffreys Gesicht und suchte nach Anzeichen dafür, dass der Professor an Informationen gekommen war, die sie zu ihrer Zielperson führen könnten. Nach der Unterhaltung mit seiner Schwester zu urteilen, war Jeffrey tatsächlich fündig geworden. Doch Agent Martin widerstand der Versuchung, sie mit aggressiven Mitteln aus ihm herauszubekommen. Was er wissen musste, würde er rechtzeitig erfahren, solange er aufmerksam beobachtete und abhörte.

Er beendete die Wiedergabe des Telefonmitschnitts und stellte den Computer so ein, dass alles, was Mutter oder Tochter auf den Hauscomputern machten, auch auf seinem Monitor erschien. Wenige Minuten später sah er, wie erwartet, die Buchung der Flüge. Kurz danach war für den frühen Morgen ein Taxi zum Flughafen bestellt. Auch die Gespräche im Haus waren separat aufgezeichnet worden, doch er kam zu dem Schluss, dass er die nicht zu belauschen brauchte.

Martin zuckte auf seinem Stuhl zusammen. Der unglaubliche Hulk, dachte er irritiert. Er merkte, dass er mit den Fingern über seine Narben strich.

Sie taten immer noch weh. Sie hatten immer wehgetan.

Ein Psychologe hatte ihm einmal erklärt, was Phantomschmerz ist, und beschrieben, dass einem Amputierten das abgenommene Bein noch lange wehtun konnte. Der Arzt hatte vermutet, das Brennen in seinen Narben am Hals fiele in dieselbe Kategorie. Die Verletzung war nicht mehr physisch, sondern mental. Doch der Schmerz war derselbe. Er hatte gehofft, mit dem Tod des Bruders, der sie ihm beigebracht hatte – eine Pfanne mit brutzelndem, zerlassenem Speck, die am Ende eines Streits quer über den Tisch an seine Kehle geflogen war – müssten sie verschwinden, aber das war nicht der Fall. Sein Bruder war vor über zehn Jahren bei einer Messerstecherei auf dem Gefängnishof ums Leben gekommen, und die Narben brannten immer noch. Über die Jahre hatte er sich mit der Empfindung und dem Schmerz irgendwie abgefunden und auch mit der Tatsache, dass er ein Mal auf der Haut trug, das ihn zu gleichen Teilen mit Hass und Schmerz erfüllte.

Er starrte auf den Monitor und rief sich noch einmal Jeffrey Claytons Gesicht ins Gedächtnis.

Sie haben beinahe recht, Professor. Ich bin der gefährlichste Mann, dem Sie je begegnen werden, dachte er. Nicht der zweit- oder drittgefährlichste, nein, ich führe die Liste an. Und es dauert nicht mehr lang, bis ich es Ihnen beweisen werde, und genauso Ihrem Vater.

Robert Martin grinste. Der einzige Unterschied zwischen seinem toten Bruder und ihm selbst war die Dienstmarke, die er besaß. Und damit fiel seine eigene Gewaltbereitschaft in eine völlig andere Kategorie.

Martin stieß sich vom Schreibtisch ab. Er notierte die Uhrzeit, für die der Wagen ans Haus bestellt worden war, und beschloss, da zu sein, um Susan Claytons Abreise zu observieren.

Der Bildschirm waberte vor seinen Augen wie an einem heißen Tag die flirrende Luft über dem Highway. Er hatte bereits einen einzigen Befehl eingetippt, mit dem er die Behörde autorisierte, für alle Ausgaben aufzukommen, die unter 2KODAK1 anfielen.

Er hatte diese Entscheidung bekräftigt, indem er in einem internen Memo 2KODAK1 als Diana und Susan Clayton aus Tavernier, Florida, identifizierte. Eine Kopie dieses Memos hatte er elektronisch an seine Vorgesetzten bei der Sicherheit wie auch bei der Einwanderungsbehörde und der Passkontrolle geschickt. Damit stand es Mutter und Tochter frei, innerhalb des gesamten Staates zu reisen wie auch, ihn zu verlassen und zurückzukehren.

Er schmunzelte. Dieses Memo war genau das, was Jeffrey ihm untersagt hatte.

Agent Martin wusste zwar nicht, wie lange der Mann, den er jagte, brauchen würde, bis er herausfand, dass seine Frau und seine Tochter in einem staatseigenen Haus in New Washington wohnten. Möglicherweise wusste er es schon, doch Martin bezweifelte, dass selbst ein so gewiefter Killer wie Jeffreys Vater derart schnell auf dem Laufenden war. Irgendwo zwischen vierundzwanzig bis achtundvierzig Stunden, nahm er an. Wenn er es herausgefunden hat, dachte er, und einiges von ihren Computeraktivitäten mitbekommt, wird er immer noch vorsichtig sein, auf der Hut, aber neugierig. Und langsam, aber sicher wird die Neugier die Oberhand gewinnen. Aber einfach nur die Computerpost zu lesen wird ihm nicht reichen, oder? Nein, er wird sie sehen wollen. Also geht er zu dem Haus und kundschaftet sie aus. Aber auch das wird ihm nicht genügen, nicht wahr? Nein. Er wird mit ihnen reden wollen. Auge in Auge. Und danach wird er auf Tuchfühlung mit ihnen gehen wollen.

Und wenn er das tut, bin ich da. Auf der Lauer.

Agent Martin stand auf: 2KODAK1 – zwei Köder Klasse eins. Schwaches Wortspiel, dachte er. Aber immerhin.

In diesem Moment kam ihm die Frage in den Sinn, ob die im Wald angepflockte Ziege aus Angst zu meckern beginnt, wenn sich der Tiger nähert, oder aus Frustration, weil sie weiß, dass ihr unbedeutendes Leben geopfert wird, damit der Jäger, der sich im Gebüsch versteckt, einen einzigen sauberen Schuss abgeben kann.

Als Agent Martin das Büro verließ, hatte er zum ersten Mal seit Wochen das Gefühl, einen Vorsprung gewonnen zu haben.

Es war noch stockdunkel, als der Detective von zu Hause aufbrach, um zu dem Haus zu fahren, in dem Mutter und Tochter schliefen. So früh am Morgen, vor Sonnenaufgang, herrschte noch wenig Verkehr. Das Leben im Einundfünfzigsten Bundesstaat war weniger hektisch als anderswo; die Geschäftszeiten richteten sich eher nach den Bedürfnissen der Bewohner, und so fuhr er in zügigem Tempo an den verschlafenen Wohngebieten vorbei. Den wenigen Fahrzeugen, die ihn überholten oder deren Scheinwerfer in seinem Rückspiegel aufblitzten, schenkte er wenig Beachtung. Er schätzte, dass ihm noch gut anderthalb Stunden bis Tagesanbruch blieben, und so fuhr er erst einmal gemächlich an der Abzweigung vorbei, die zu der Sackgasse der Claytons führte.

Er hatte das Haus mit Sorgfalt gewählt. Der Staat besaß in verschiedenen Gegenden eine Reihe von Häusern, die allerdings nicht alle im selben Maße verwanzt waren wie dieses. Und nicht alle lagen derart günstig. Der steile Abhang an der Rückseite des Viertels, der hohe Zaun am Rand des Grabens, der praktisch ausschloss, dass sich irgendjemand von dieser Seite näherte. Agent Martin bezweifelte, dass der Gesuchte diese Route wählen würde, denn das erforderte eine athletische Kraft, die er dem älteren Mann kaum zutraute. Außerdem schien dies nicht sein Stil zu sein; Jeffreys Vater war nicht die Sorte Mörder, die ihre Opfer überwältigen; er war eher der Typ, der sie austrickste und verführte, so dass sie viel zu spät begriffen, dass der Mann, in dessen Augen sie blickten, ihnen das größte Leid zufügen wollte.

Martin fuhr noch ein, zwei Minuten und gelangte in die ersten Ausläufer der Berge. Beinahe hätte er den unbefestigten Weg verpasst, nach dem er suchte, und musste fest auf die Bremse treten und das Lenkrad herumwerfen, um noch abbiegen zu können. Der nicht gekennzeichnete Streifenwagen holperte über das lose Geröll und wirbelte hinter sich eine braune Staubwolke auf, bevor er in der Nacht verschwand.

Die Straße war voller Schlaglöcher und Furchen, die der Regen gegraben hatte, und der Detective fuhr langsamer und fluchend, als er sah, wie seine Scheinwerfer hüpften. Ein Hase rettete sich vor ihm ins Gebüsch, und zwei Rehe erstarrten einen Moment lang im Licht, so dass die Augen rot leuchteten, bevor die Tiere plötzlich in großen Sätzen die Flucht ergriffen.

Er glaubte kaum, dass viele von dieser Straße wussten, und schätzte, dass in den letzten Jahren nur wenige hier entlanggefahren waren. Vogelkundler und Wanderer vielleicht. Radler mit Mountainbikes oder Naturfreunde mit Allradantrieb, die es am Wochenende hierher verschlug. Es gab hier wenig Lohnendes. Ein Feldvermessungsteam hatte den Weg für ein neues Bauvorhaben inspiziert, das Gelände aber als schlecht geeignet eingestuft. Ziemlich schwierig, Wasser und Baumaterial die Hänge hochzubekommen, und die Aussicht war nicht so spektakulär, dass sie die Mühe lohnte.

Die Reifen knirschten, als der Agent auf der sandigen Erde bremste. Er schaltete den Motor aus und blieb eine Weile sitzen, bis sich seine Augen an die Dunkelheit gewöhnt hatten. Auf dem Beifahrersitz hatte Martin zwei Ferngläser: ein normales für die Zeit nach Sonnenaufgang und ein größeres, unhandlicheres Nachtsichtgerät in olivgrüner Tarnfarbe aus Militärbeständen. Er hängte sich beide um. Dann nahm er eine kleine Taschenlampe, die einen rötlichen Nachtstrahl aussandte, eine Schultertasche mit Butterteiggebäck sowie einer Thermosflasche mit schwarzem Kaffee und zog los.

Er schwenkte mit der Taschenlampe quer über den Pfad,

um nicht auf eine schlafende Klapperschlange zu treten. Die Stelle, zu der er wollte, war nur hundert Meter von seinem Auto entfernt, doch das Gelände war beschwerlich, voller Felsgestein und lockerem Schiefersand, worauf man so leicht ausrutschen konnte wie auf dem Eis eines gefrorenen Sees. Er stolperte mehr als einmal, hielt sich mühsam aufrecht und stapfte weiter.

Martin brauchte fast eine Viertelstunde, um die Strecke zurückzulegen. Doch seine Belohnung lag vor ihm, als er das Ende des Trampelpfades erreichte. Er stand am Rand einer ansehnlichen Klippe, mit Blick über das Schwimmbad und die Tennisplätze. Von dieser Stelle aus hatte er einen ungehinderten Blick über die gesamte Häuserreihe. Vor allem aber lag das letzte Haus in seiner Schusslinie. Aus dieser Höhe konnte er sogar einen Teil der Terrasse sehen.

Martin lehnte sich an die Kante eines großen, flachen Findlings und setzte das Nachtsichtgerät an die Augen. Er suchte die ganze Gegend ab, sah jedoch nichts, was sich auf der Straße bewegte. Er ließ das Fernglas sinken, schraubte die Thermosflasche auf und goss sich eine Tasse Kaffee ein. Die Flüssigkeit vermengte sich mit der Dunkelheit; es war, als schlürfte er ein wenig von der Nacht, nur dass sie ihm heiß den Schlund herunterlief. Die Luft war kühl, und er legte die Hände um die Tasse, um sie zu wärmen.

Zwischen zwei Schlucken summte er ein paar Melodien. Zuerst aus Broadway-Musicals, die er nie gesehen hatte, dann, während die Minuten verrannen, anonyme Klänge, die in Tonfolgen unbekannten Ursprungs hinüberglitten. Sie verloren sich im Dunkel und richteten gegen die Einsamkeit seiner Wache wenig aus.

Die Kälte und die nachtschlafende Zeit verschworen sich gegen ihn, und er musste sich anstrengen, in seiner Aufmerksamkeit nicht nachzulassen. Die Nacht schien Geräusche von sich zu geben; ein Rascheln im Gras und Gebüsch, ein dumpfes Schlagen von Stein an Stein. Gelegentlich schwenkte er das Nachtsichtgerät in alle Richtungen und suchte auch die Umgebung in seinem Rücken ab. Er erhaschte einen Blick auf einen Waschbär und dann ein Opossum – nachtaktive Tiere, welche die letzten Stunden vor dem Morgengrauen nutzten.

Martin atmete langsam aus, griff mit der Rechten unter sein Jackett, um seine halbautomatische Pistole im Schulterholster zu spüren. Ein-, zweimal fluchte er laut und ließ die Kraftausdrücke wie Streichhölzer in der Dunkelheit zünden. Er wetterte gegen die Zeit, die nicht vergehen wollte, die Einsamkeit und das irritierende Gefühl, wie ein Raubvogel auf der Klippe zu sitzen. Er war ein wenig nervös. Die wilde Natur im neuen Staat war seine Sache nicht. In einer städtischen Umgebung gab es keine Dunkelheit. Er hatte sich nur wenige hundert Meter vom nächsten Wohngebiet entfernt einen Schritt weit in unbebautes, urwüchsiges Gelände vorgewagt, dennoch wirbelte er bei jedem Klappern oder Knarren herum.

Agent Martin blickte Richtung Osten. »Komm schon, Morgen, verflucht noch mal, beeil dich.«

Er war nicht so optimistisch zu glauben, dass seine Zielperson schon in der ersten Nacht auftauchen würde. Das wäre zu schön, um wahr zu sein, sagte er sich. Aber er glaubte auch nicht, lange warten zu müssen, bevor Jeffreys Vater auftauchte. Martin hatte sich all die anderen Fälle genau angesehen und nach einem Zeitmuster gesucht, das er sich zunutze machen konnte, aber nichts gefunden. Die Entführungen hatten sowohl bei Tag als auch bei Nacht, von früh bis spät stattgefunden. Das Wetter hatte von schwülheiß bis kalt und stürmisch gereicht. Auch wenn er wusste, dass die Verbrechen durchaus ein Schema erkennen ließen, so lag dieses weniger in der Art, wie er die Opfer in seine Gewalt brachte, als in der Art, wie er sie tötete. Martin hatte sich einfach auf sein Urteil verlassen. Er beabsichtigte, in der nächsten Nacht wieder am Steilhang zu sein – von Mitternacht bis zum Morgengrauen.

Natürlich hatte er nicht die Absicht, Jeffrey zu verraten, was er tat.

Der Detective zog die Schultern nach vorn und nahm sich vor, das nächste Mal eine wärmere Jacke und einen Schlafsack mitzubringen. Und mehr zu essen. Und etwas weniger Klebriges als die Kekse, die seine Finger mit einer geleeartigen Masse überzogen, an der er leckte wie ein Tier. Er trocknete sich die Hände an einem Bausch Papiertücher ab und warf die Reste weg. Er wechselte ständig die unbequeme Stellung, da der harte Fels, an den er sich lehnte, ihm in den Rücken schnitt.

Ein Blick auf die Armbanduhr sagte ihm, dass es fast halb sechs war. Der Fahrdienst war für zehn vor sechs bestellt. Susan Claytons Flug ging um halb acht. Wie erwartet, sah er, wie im Haus ein Licht anging.

Fast im selben Moment kroch der zarteste Hauch von Dämmerlicht über den Hügel. Agent Martin streckte den Arm aus und konnte zum ersten Mal die Narben auf seinem Handrücken erkennen. Martin legte das Nachtsichtgerät beiseite und hob das normale Fernglas an die Augen. Er blickte zur Straße hinunter und fluchte über die verschwommene, graue Welt, die er sah. Er merkte, dass ihm in diesem gleitenden Moment kurz vor dem Morgengrauen weder das Nachtsicht- noch das normale Fernglas so recht weiterhelfen konnte.

Es war eine Schwebe, für die er nichts übrig hatte.

Das erste Morgenlicht und der Fahrdienst schienen gleichzeitig einzutreffen, während er angestrengt hinüberstarrte.

Er sah, wie Susan Clayton mit einer einzigen Tasche in der einen Hand aus der Haustür trat und sich mit der anderen durchs halb getrocknete Haar strich, als der Wagen gerade die Straße entlang kam. Er sah auf die Uhr und stellte fest, dass das Taxi fünf Minuten zu früh dran war. Sie wartete auf dem Bürgersteig, während es langsam näher rollte.

Robert Martin zuckte zusammen und saß plötzlich kerzengerade.

Er pfiff durch die Zähne und fühlte sich wie elektrisiert.

Fünf Minuten zu früh.

Er drückte das Fernglas an die Augen.

»Nein!«, rief er laut. Dann flüsterte er in einer plötzlichen, entsetzlichen Gewissheit: »Das ist er.«

Er war zu weit weg, um ihr eine Warnung zuzubrüllen, und er war sich nicht einmal sicher, ob er es überhaupt wollte. Er versuchte, seine Gedanken zu ordnen, und ermahnte sich zu eiserner Kälte, um gewappnet zu sein. Er hatte nicht damit gerechnet, dass seine entscheidende Chance so schnell kommen würde, doch sie war da. Im Grunde nicht allzu erstaunlich: ein per Computer bestelltes Taxi. Ein leichteres Täuschungsmanöver war kaum denkbar: Sie würde einfach in jeden Wagen einsteigen, ohne darüber nachzudenken, was sie tat.

Und vor allem, ohne auf den Fahrer zu achten.

Er sah, wie der Wagen bremste und stehen blieb. Susan Clayton griff im selben Moment nach der Tür, als der Fahrer halb hinter dem Lenkrad hervorkam. Martin richtete das Fernglas nur auf den Mann, der eine Art Baseballmütze tief ins Gesicht gezogen hatte, so dass man es nicht erkennen konnte. Martin fluchte wieder, vor allem auf die dunkelgraue Dämmerung, die dafür sorgte, dass alles in seinem Gesichtsfeld verschwamm. Er ließ das Fernglas sinken, rieb sich kräftig die Augen und setzte dann seine Observation fort. Der Mann wirkte in der Schulterpartie kompakt und auch sonst recht kräftig; vor allem kam unter der Kappe, wenn er sich nicht täuschte, graues Haar zum Vorschein. Der Fahrer blieb einen Moment neben dem Wagen stehen, als wollte er sehen, ob Susan Clayton Hilfe mit ihrem Gepäck benötigte, oder ob er zu ihrer Seite herumkommen sollte, um ihr die Tür zu öffnen, was beides nicht erforderlich war. Dann verschwand er wieder hinter dem Steuer, wo Martin ihn nicht sehen konnte, so dass er nur einen kurzen Blick auf ihn erhaschte; aber fürs Erste genug, dachte er. Das richtige Alter. Die richtige Größe. Die richtige Zeit.

Die richtige Person.

Martin warf einen letzten Blick hinunter, um sich Farbe und Modell des Autos zu merken. Er sah ihm hinterher, als es auf dem Wendehammer drehte, und notierte sich das Kennzeichen.

Als der Wagen schließlich aus der Sackgasse fuhr, drehte Martin sich um und rannte zu seinem eigenen Auto.

Wie ein Linebacker auf der Suche nach dem Spieler im Ballbesitz preschte der Detective durchs Gebüsch und Unterholz. Er sprang über einen großen Stein und arbeitete sich durch losen Schiefer durch – ganz gleich, was ihm im Wege stand. Ihm war egal, was für einen Lärm er machte, und hatte keinen Sinn für die kleinen Tiere, die vor ihm das Weite suchten.

Zwanzig Meter vor seinem Wagen wurde der Weg eben; er rannte, so schnell er konnte, mit fliegenden Armen und von der Anstrengung gerötetem Gesicht. Er überlegte schon, welche Route das Taxi nehmen, in welche Richtung der Mann hinterm Steuer fahren würde, und wann der Moment gekommen wäre, in dem er nicht zum Flughafen, sondern in eine andere Richtung fuhr. *Er wird ihr sagen, es wäre eine Abkürzung, und sie kennt sich zu wenig aus, um es zu durchschauen.* Martin keuchte von der Anstrengung seines Sprints, wusste aber, dass er sie einholen musste, bevor der Mörder so weit war. Er musste ihm in der Sekunde auf den Fersen sein, in der Jeffreys Vater auf seinen tödlichen Umweg schwenkte.

Dem Detective brannte die Lunge, und er schnappte nach der dünnen Morgenluft. Er fühlte, wie sich seine Brust aufblähte und sein Herz auf Hochtouren pumpte. Vor ihm war der Wagen im fahlen Licht nur schemenhaft zu erkennen, und er hastete voran. Doch er stolperte über einen losen Stein, so dass er der Länge nach hinfiel.

»Gott verdammt!« Martin schickte einen Schwall an Kraftausdrücken in die Stille. Er rappelte sich auf und schmeckte Sand auf der Zunge. Sein Knöchel protestierte mit einem pochenden Schmerz gegen den Sturz und die Verstauchung. Seine Hose war zerrissen, und er merkte, wie ihm von einer langgezogenen, brennenden Schürfwunde am Knie das Blut herunterlief. Er ignorierte den Schmerz und drängte voran. Er nahm sich nicht einmal die Zeit, den Dreck von den Kleidern zu klopfen, sondern hastete weiter, um keine Sekunde zu verlieren.

Er packte den Griff, riss die Tür auf und warf sich in sein Auto, wo er mit einer Bewegung die Ferngläser auf den Beifahrersitz warf und mit der anderen versuchte, den Schlüssel in die Zündung zu stecken.

»Verflucht noch mal!«, keuchte er und stach auf die Zündung ein.

»So eilig, Detective?«, fragte eine Stimme leise hinter seinem rechten Ohr.

Robert Martin schrie auf, fast kreischend schrill und unartikuliert, kein Wort, sondern nur ein Laut, der absolute Angst zum Ausdruck brachte. Sein Körper spannte sich mit einem heftigen Ruck wie ein Seil, mit dem ein Boot an den Strand gezogen wird, während eine starke Böe und Wellen den Rumpf wieder ins Wasser ziehen. Er konnte die Gestalt, die sich hinter ihm erhoben hatte, nicht sehen, doch in der aufwallenden Panik, die ihn in dieser Sekunde überlief, wusste er, wer es war, und er ließ die Autoschlüssel fallen, um nach seiner Automatik zu greifen.

Seine Hand war auf halber Distanz zum Holster, als der Mann sich wieder meldete: »Sie sind tot, sobald Sie Ihre Waffe auch nur berühren.«

Bei dem nüchtern-kalten Ton hielt seine Hand sofort inne und schwebte vor ihm in der Luft. Erst da wurde ihm die Klinge an seiner Kehle bewusst.

Der Mann meldete sich erneut, als wollte er eine Frage beantworten, die gar nicht gestellt worden war: »Es ist ein altmodisches Rasiermesser mit gerader Klinge und einem echten, geschnitzten Elfenbeingriff, Detective, das ich vor nicht allzu langer Zeit nicht eben billig in einem Antiquitätengeschäft erstanden habe, auch wenn ich bezweifle, dass der Händler ahnte, wozu es gedacht war. Eine bemerkenswerte Waffe, wissen Sie. Klein und handlich. Und scharf. Tatsächlich sehr scharf. Es wird Ihre Halsschlagader mit einer kleinen Drehung meines Handgelenks durchschneiden, was, wie ich mir habe sagen lassen, eine unangenehme Art zu sterben ist. Es ist eine Waffe, die interessante Möglichkeiten bietet. Sie steht für jahrhundertealtes Können. Jahrzehntelang nicht weiterentwickelt. Nichts Neues dabei, außer dem Schlitz, den sie in Ihrem Hals hinterlassen wird. Sie müssen sich also fragen: Möchte ich so sterben? Hier und jetzt? Nachdem ich so weit gekommen bin? Ohne Antworten auf meine Fragen zu erhalten?«

Der Mann schwieg.

»Und, möchten Sie das, Detective?«

Robert Martin schürzte die trockenen Lippen und sagte heiser: »Nein.«

»Gut«, meinte der Mann. »Und jetzt keine Bewegung, während ich mir Ihre Waffe nehme.«

Martin spürte, wie der Mann die freie Hand um seine Brust wand und nach der Automatik griff. Dabei rührte sich die kalte Klinge nicht von seinem Hals. Der Mann brauchte einen Moment, um die Pistole aus Martins Holster zu ziehen. Der Detective blickte in den Rückspiegel, um einen Blick auf den Mann zu erhaschen, doch der Spiegel war verdreht. Er versuchte, seine Größe abzuschätzen, doch er sah rein gar nichts. Er hörte nur diese Stimme, die ruhig und gelassen durch die frühe Morgendämmerung drang.

»Wer sind Sie?«, wollte Martin wissen.

Der Mann lachte auf. »Wie das alte Kinderspiel, bei dem man zwanzig Fragen hat. Bist du Stein, Pflanze oder Tier? Bist du größer als ein Brotkasten? Kleiner als ein Kombi? Detective, Sie sollten mir Fragen stellen, deren Antworten Sie nicht schon kennen. Wie auch immer, ich bin der Mann, den Sie seit Monaten jagen. Und jetzt haben Sie mich gefunden. Wenn auch nicht ganz so, wie Sie es sich vorgestellt hatten.«

Martin versuchte, sich zu entspannen. Er wollte mit aller Macht das Gesicht des Mannes hinter sich sehen, doch die kleinste Regung verstärkte den Druck der Klinge an seinem Hals. Er ließ die Hände in den Schoß sinken, doch der Abstand zwischen seinen Fingern und dem Ersatzrevolver in seinem Knöchelholster schien unüberbrückbar.

»Woher wussten Sie, dass ich hier bin?«, krächzte Martin.

»Meinen Sie, ich wäre mit Dummheit so weit gekommen, Detective?«, beantwortete die Stimme eine Frage mit einer Gegenfrage.

»Nein«, erwiderte Martin.

»Na schön. Woher wusste ich, dass Sie hier sind? Es gibt zwei Antworten auf diese Frage. Die Erste ist einfach: Weil ich nicht weit weg war, als Sie meine Tochter und meine Frau am Flughafen abgeholt haben, und ich bin Ihnen auch bei Ihrer gemütlichen Fahrt durch unsere schöne Stadt gefolgt; ich wusste ebenfalls, dass Sie die beiden nicht allein auf mich warten lassen würden. War es unter dieser Voraussetzung nicht viel sinnvoller zu beobachten, welche Schritte Sie als Nächstes unternehmen würden, statt die beiden zu verfolgen? Natürlich habe ich nicht mit so viel Glück gerechnet. Ich hätte nie gedacht, dass Sie mich aus freien Stücken an einem Ort empfangen würden, wie ich ihn nicht besser hätte finden können. Einsam, entlegen, still, wohin sich kaum eine Menschenseele verirrt. Da habe ich einfach Glück gehabt, aber ist Glück nicht auch der Lohn für gute Planung? Ich glaube ja. Jedenfalls, Detective, ist das die eine Antwort auf Ihre Frage. Die komplexere Antwort geht natürlich ein bisschen tiefer. Und diese Antwort lautet: Seit ich erwachsen bin, habe ich mein ganzes Leben damit zugebracht, anderen Menschen Fallen zu stellen, in die sie ohne Vorwarnung hineintappten. Haben Sie gedacht, ich würde es nicht merken, wenn jemand umgekehrt mir ein Beinchen stellen will?«

Die Schneide zuckte an der Kehle des Detective. Er hüstelte. »Ja.«

»Aber wie Sie sehen, haben Sie sich geirrt, Detective.«
Martin ächzte. Wieder wechselte er die Stellung.
»Sie würden gerne mein Gesicht sehen, nicht wahr?«
Martin spannte die Schultern an.
»Haben Sie manchmal von unserem ersten und einzigen Treffen vor so vielen Jahren geträumt? Haben Sie sich auszumalen versucht, wie ich mich seit unserer kleinen Unterhaltung damals verändert habe?«
»Ja.«
»Nicht umdrehen, Detective. Überlegen Sie einfach mal. Sie waren damals dünner, jugendlicher und athletischer. Muss das Alter nicht bei mir dieselbe Wirkung zeigen? Weniger Haar vielleicht. Ein bisschen mehr Fleisch auf den Wangen. Fülliger um die Körpermitte. Mit diesen Veränderungen wäre zu rechnen, oder?«
»Ja.«
»Und haben Sie bei meinem früheren Arbeitgeber oder vielleicht mithilfe meines Führerscheins nach einem alten Foto von mir gesucht, das Sie mithilfe eines Computerprogramms altern lassen können, so dass Sie auf elektronischem Wege herausfinden, wie ich jetzt aussehe?«
»Es gab keine Fotos, jedenfalls habe ich keine gefunden.«
»Ach, Pech aber auch. Trotzdem, Ihre Neugier geht noch in eine andere Richtung, nicht wahr? Sie glauben, es könnte zusätzlich Chirurgie im Spiel sein, habe ich recht?«
»Ja.«
»Und das kann ich nur bestätigen. Der wahre Test kommt natürlich erst noch. Es gibt drei Menschen, die mich wiedererkennen sollten. Sie sollten es wissen, sobald sie mich sehen. Sobald sie mich riechen. Sobald sie mich hören. Aber werden sie das auch? Werden sie mich trotz all der Jahre, trotz der besten ärztlichen Kunst erkennen? Werden sie die Veränderungen am Kinn, an den Wangenknochen, der Nase, was weiß ich, bemerken? Was ist gleich geblieben? Was ist anders? Werden sie

bei aller Veränderung noch sehen, was unverändert ist? Das ist, finde ich, eine interessante Frage. Und das ist ein Spiel, das sich wirklich lohnt.«

Martin bekam schwer Luft. Er hatte eine trockene Kehle, seine Muskeln waren verspannt, und die Hände zitterten. Die Klinge an seiner Kehle bewirkte, dass er sich fühlte, wie mit einer reißfesten, unsichtbaren Schnur gefesselt. Die Stimme des Mörders war melodisch und weich. Er hörte die Bildung heraus, aber auch den Killer – so drückend wie die schwüle Hitze an einem Sommertag. Er wusste, dass diese flüssige Sprache und der sanfte Ton schon mehr als einmal dazu gedient hatten, ein Opfer am Abgrund des Entsetzens zu beruhigen. Die entspannte Gewissheit seiner Sprechweise war verstörend; sie stand im Widerspruch zu der Gewalt, die folgen sollte, und suggerierte etwas anderes, etwas viel weniger Schlimmes als das, was tatsächlich folgen sollte. Wie die sprichwörtlichen Tränen des Krokodils war die Ruhe des Mörders eine Maske, die darüber hinwegtäuschen sollte, was er beabsichtigte. Martin kämpfte innerlich mit einer großen Angst; er rief sich ins Bewusstsein, dass er selbst ein Mann der Tat war, ein Mann der Gewalt. Er bestand darauf, dem Mann, der ihn mit dem Messer an der Kehle kitzelte, gewachsen zu sein. Er war damit vertraut und konnte damit umgehen. Er erinnerte sich an seine eigene Gefährlichkeit. *Du bist nicht weniger ein Killer als er.* Er beschloss, nicht kampflos zu sterben.

Er wird dir eine Gelegenheit geben. Verpasse sie nicht.

Martin stählte sich und wartete.

Aber welchen Schachzug er machen würde und wann, dass schien in weiter Ferne zu liegen, nicht vorhersehbar.

»Haben Sie Angst davor zu sterben, Detective?«, fragte der Mann.

»Nein«, erwiderte Martin.

»Wirklich? Ich auch nicht. Schon seltsam, finden Sie nicht? Ein Mann, der mit dem Tod so vertraut ist wie ich, hat immer noch Fragen. Merkwürdig, oder? Jeder kämpft auf die eine oder andere Weise gegen das Altern an. Manche suchen bei Chirurgen ihr Heil. Ich hab diese Leute gesehen, als ich meine Operationen machen ließ. Natürlich ging es mir um etwas anderes. Manche investieren ihr Geld in teure Kuren mit Schlammbädern und was weiß ich. Andere machen Sport oder Diät oder essen nichts anderes als Algen und Kaffeesatz oder sonst irgendein dummes Zeug. Manche lassen sich die Haare lang wachsen und kaufen sich ein Motorrad. Wir hassen das, was mit uns geschieht. Wir hassen, dass es unabwendbar ist, nicht wahr?«

»Ja«, bestätigte Martin.

»Wissen Sie, wie ich mich jung halte, Detective?«

»Nein.«

»Ich töte.«

Die Stimme war kalt und zugleich lebendig. Hart und verführerisch.

Der Mann schwieg, als dächte er über seine Worte nach. Dann fügte er hinzu: »Der Drang hat mit den Jahren vielleicht nachgelassen, aber das Können ist gewachsen. Ich brauche es weniger, aber es ist leichter geworden …«

Wieder zögerte er, bevor er sagte: »Die Welt ist ein seltsamer Ort, Detective. Voller Ungereimtheiten und Widersprüche.«

Martin glitt mit der Hand von seinem Schoß zur Hüfte, ein paar Zentimeter näher heran an die Waffe kurz über seinem rechten Fuß. Er rief sich ins Gedächtnis, wo und wie genau die Pistole im Holster steckte. Sie war mit einem einzigen Riemen befestigt. Da war eine Schnalle, die manchmal klemmte, weil er sie zu lange nicht geölt hatte. Die musste er zuerst aufmachen, um an den Kolben zu kommen. Er versuchte, sich zu erinnern, ob die Waffe gesichert war, und konnte es im Augenblick nicht sagen. Für Sekunden kniff er die Augen zusammen und konzentrierte sich, doch dieses wichtige Detail hatte er nicht in Erinnerung, und er verfluchte sich dafür. Das Rasiermesser drückte sich weiter in seinen Hals, und ihm wurde klar, dass er sich mit einer plötzlichen Bewegung nach vorn, um seinen Ersatzrevolver zu ergreifen, höchstwahrscheinlich die Kehle aufschlitzen würde.

»Sie würden mich gerne töten, nicht wahr, Detective?«

Martin zog leicht die Schultern hoch und antwortete nach kurzem Zögern: »Unbedingt.«

Der Mörder lachte. »Das war ja auch von Anfang an der Plan, nicht wahr, Detective? Jeffrey würde mich finden, aber er wäre zwiegespalten. Er würde zögern. Er hätte Zweifel, immerhin bin ich sein Vater. Folglich würde er nichts unternehmen – zumindest nicht direkt. Nicht im entscheidenden Moment. Aber Sie wären da und würden ohne mit der Wimper zu zucken handeln. Und Sie würden mir ohne die geringsten Skrupel den Garaus machen ...«

Die Stimme schwieg und fuhr dann fort: »Es war nie eine Festnahme geplant, nicht wahr? Keine Anklage, kein Verteidiger, kein Prozess, nichts von alledem, geben Sie's zu? Und schon gar keine Öffentlichkeit. Sie wollten einfach nur das Problem beseitigen, das der Staat mit mir hat – ein für alle Male, richtig?«

Robert Martin wollte nicht antworten. Er leckte sich über die Lippen, doch alles, was er an Feuchtigkeit in sich hatte, schien von den Worten des Killers aufgesogen.

Das Rasiermesser zuckte unter seinem Kinn, und er fühlte einen leichten, schneidenden Schmerz.

»Richtig?«, wiederholte der Killer drängend.

»Ja«, brachte Martin heiser heraus.

Wieder herrschte für Augenblicke Stille, bevor der Mörder weitersprach.

»Das war eine vorhersehbare Reaktion. Aber eins wüsste ich gern. Sie haben mit ihm gesprochen. Ich gehe davon aus, dass Sie ihn ein bisschen kennengelernt haben. Glauben Sie, Jeffrey will mich auch umbringen?«

»Ich weiß es nicht. Ich hatte nie die Absicht, ihn vor die Entscheidung zu stellen.«

Der Mann mit der Klinge schien darüber nachzudenken.

»Das war eine ehrliche Antwort, Detective. Das weiß ich zu schätzen. Sie sollten von Anfang an der Killer sein. Jeffreys Rolle war begrenzt. Einmalig, aber begrenzt. Sehe ich das falsch?«

Martin hielt es nicht für ratsam zu lügen. »Natürlich nicht.«

»Streng genommen sind Sie kein Polizist, Detective, ich meine, früher vielleicht mal, aber jetzt nicht mehr. Jetzt sind Sie nur noch ein staatlich bestellter Killer. Jemand, der aufräumt, nicht wahr? Eine Art spezieller Hausmeisterdienst.«

Agent Martin antwortete nicht.

»Ich habe Ihre Personalakte gelesen, Detective.«

»Dann erübrigt sich die Antwort ja.«

Er hörte ein trockenes Lachen hinter sich. »Wo Sie recht haben, da haben Sie recht.« Es trat eine kurze Pause ein, bevor der Mann sagte: »Aber meine Frau und meine Tochter, wie passen die ins Bild? Ihre Abreise aus Florida hat mich überrascht. Eigentlich hatte ich unser Wiedersehen für dort geplant.«

»Das war die Idee Ihres Sohnes. Mir ist auch nicht so ganz klar, was er sich von ihnen verspricht.«

»Wissen Sie, wie sehr ich sie in den letzten Jahren vermisst habe? Wie sehr ich mir gewünscht habe, wir wären noch zusammen? Selbst ein Bösewicht wie ich braucht im Alter den Trost seiner Familie.«

Martin schüttelte zaghaft den Kopf. »Hören Sie auf mit dem sentimentalen Quatsch. Das kaufe ich Ihnen nicht ab.«

Der Mörder lachte wieder. »Na ja, Detective, zumindest sind Sie nicht auf den Kopf gefallen. Ein bisschen natürlich schon, ich meine, hier hoch zu kommen und nicht auf den Wagen zu achten, der Ihnen folgt. Und erst recht, den Wagen nicht abzuschließen. Wieso haben Sie das nicht gemacht, Detective?«

»Tue ich nie. Hier nicht. Diese Welt ist sicher.«

»Jetzt nicht mehr, oder?«

Martin antwortete nicht, und plötzlich verstärkte sich der Druck der Rasierklinge an seinem Hals. Er spürte, wie ihm ein dünnes Rinnsal Blut den Hals herunterlief und ihm in den Kragen sickerte.

»Sie haben es immer noch nicht verstanden, Detective, oder? Bis heute nicht.«

»Was kapiert?«

»Zu töten ist eine Sache. Das tun viele. Ganz gewöhnliche Begleiterscheinung heutzutage. Sogar ungestraft und oft und nach freiem Belieben. Es ist nicht schwer, mit Mord davonzukommen. Es fällt nicht mal allzu sehr auf, nicht wahr?«

»Nein. Ihr Sohn hat mehr oder weniger dasselbe gesagt.«

»Tatsächlich? Kluger Junge. Aber sagen Sie mir eins, Detective. Versetzen Sie sich in meine Lage, sollte nicht allzu schwer für Sie sein. Schließlich ist das für einen guten Polizisten selbstverständlich. Regel Nummer eins: Lerne zu denken wie ein Mörder. Vollziehe dieselben Gedankenmuster nach. Sehe die Emotionen voraus. Werde sozusagen eins mit ihm. Lerne zu verstehen, welche Impulse den Mörder antreiben, und so solltest du es schaffen, ihn zu finden, nicht wahr? Das bringen sie euch doch bei? In jedem Seminar. Und genau diese Lektion gibt jeder alte Fuchs, der in den Ruhestand geht, dem jungen Heißsporn auf den Weg, der die Karriereleiter erklimmen will.«

»Ja.«

»Also, sind Sie noch nie auf die Idee gekommen, dass es umgekehrt genauso ist? Ein gestandener Mörder muss lernen, wie ein Polizist zu denken. Haben Sie daran schon mal gedacht, Detective?«

»Nein.«

»Macht nichts. Nicht nur Sie sind auf dem Auge blind. Aber mir ist der Gedanke gekommen, schon vor Jahren.«

Der Mann mit der Rasierklinge schwieg.

»Und Sie hatten recht. Damals. Ich hab dieses erste Paar Handschellen tatsächlich abgekocht, nachdem ich es der jungen Frau angelegt habe.«

Robert Martins Hände spannten sich. Das morgendliche Licht

strömte in den Wagen, und dennoch konnte er das Gesicht des Mannes nicht sehen. Er spürte den Atem des Mörders im Nacken, aber das war alles.

»Bedauern Sie es, dass Sie mich vor fünfundzwanzig Jahren nicht ein wenig emsiger verfolgt haben?«

»Ja. Ich wusste, dass Sie es waren. Aber wir hatten nichts gegen Sie in der Hand.«

»Und ich wusste, dass Sie es wussten. Der Unterschied zwischen Ihnen und mir ist natürlich, dass ich keine Angst hatte. Nie. Ich hatte immer zu viel, was nicht zum Bild eines Mörders passte. Ich bin weiß. Gebildet. Spreche artikuliert. Bin intelligent. Übte einen akademischen Beruf aus. War verheiratet, hatte eine reizende Familie. Die war natürlich der entscheidende Punkt, wissen Sie. Die perfekte Tarnung. Die Tünche der Normalität. Einem unverheirateten Mann trauen die Leute alles zu, sogar die Wahrheit. Aber einem Mann mit einer Familie, die ihn hingebungsvoll liebt? Tja, so ein Mann kommt mit allem durch, sogar mit Mord. Sogar mit einem Dutzend Morde ...«

Er hüstelte einmal.

»So wie ich natürlich.«

Der Mörder verstummte. Martin erkannte, dass der Killer die Situation genoss, während er selbst über die Ironie beinahe schmunzeln musste. Jeffreys Vater war wie jeder andere Akademiker auch: In sein Fachgebiet verliebt, vernarrt. Es war das einzige Thema, das ihn interessierte. Und sein Fachgebiet war eben der Tod.

Auf einmal durchdrang Bitterkeit die Worte des Killers, und Martin spürte, wie die Wut sich hinter seinem rechten Ohr zusammenballte:

»Verdammt, sie soll für immer in der Hölle schmoren! Mit den Kindern hat sie mir meine Deckung genommen! Sie hat mir gestohlen, was ich mir aufgebaut hatte. Sie hat mir dieses perfekte Leben zerstört! Das war das einzige Mal, dass ich Angst hatte, wissen Sie. Als ich Ihnen erklären musste, weshalb sie verschwunden waren. Zumindest ein paar Minuten lang habe ich gefürchtet, Sie würden es durchschauen. Haben Sie nicht. Dafür waren Sie nicht clever genug.«

Dem Detective war plötzlich kalt. Er zitterte unwillkürlich, bevor er antwortete. »Wäre ich es nur gewesen«, sagte er. »Ich wusste es. Ich hab nur nichts unternommen.«

»Sie meinen, Ihnen waren die Hände gebunden, durch das System? Dienstvorschriften. Gesetze. Gesellschaftliche Gepflogenheiten, richtig?«

»Ja.«

»Aber hier ist es nicht ganz dasselbe, nicht wahr?«

»Nein.«

»Und genau darum geht es in dieser Welt, stimmt's?«

»Ja.«

»Und mir auch.«

»Ich kann nicht folgen.«

»Dann lassen Sie es mich erklären, Detective. Ist eigentlich gar nicht so kompliziert. Es wimmelt auf der Welt von Mördern. Mördern jedweder Couleur. Der eine mordet für den besonderen Kick, der andere ist ein Triebtäter, der dritte macht's fürs Geld, was weiß ich. Mord ist eine alltägliche Angelegenheit, was sag' ich, eine stündliche, minütliche, sekündliche. Ständig sterben Menschen eines gewaltsamen Todes. Und wir sind auch nicht mehr deswegen schockiert, habe ich recht? Verrohung der Sitten? Sadismus? Nichts Neues. Gewalt und Tod sind für uns eine Form der Unterhaltung. Wir finden das anregend. Sie brauchen nur ins Kino zu gehen, in einem Buchladen zu stöbern, Gewalt prägt unsere Kunst, unsere Geschichte, unsere Seelen ...sie ist«, erklärte der Mörder und holte einmal tief Luft, »unser wahrer Beitrag zu dieser Welt.«

Martin wand sich behutsam auf seinem Sitz. Er überlegte, ob der Vortrag ihm Gelegenheit verschaffte, sich nach vorn zu beugen, um an seine Pistole zu kommen, doch wie zur Antwort drückte sich die Rasierklinge wieder fester an seinen Hals, und der Mörder neigte sich noch mehr vor, so dass seine Worte Martin wie ein heißer Luftstrahl trafen.

»Sehen Sie, Agent Martin, wenn ich zur Hölle fahre, möchte ich mit Applaus und Hochrufen empfangen werden. Ich wünsche mir eine Ehrengarde aus Mördern – aus all den Messerschlitzern, Schlächtern und Irren. Ich will mir neben ihnen einen Platz in der Geschichte erobern. ... Ich will«, flüsterte der Mörder kalt, »dass man mich nicht vergisst.«

»Und was wollen Sie dafür zu tun?«, fragte Martin.

Der Killer schnaubte verächtlich. »Dieser Staat«, antwortete er langsam, »dieser geplante Einundfünfzigste Bundesstaat des größten Staatenbundes der Geschichte. Worum handelt es sich dabei? Es ist ein geografischer Ort, aber seine eigentlichen Grenzen sind philosophischer Natur, nicht wahr?«

»Ja.«

»Und genau hier, in diesem Auto, haben wir den Beweis dafür, Detective. Uns. Sie und mich und diese unseligerweise nicht verschlossene Tür, die es mir erlaubt hat, mich auf den Rücksitz zu setzen und auf Sie zu warten. Stimmen Sie mir nicht zu?«

»Ja.«

»Gut, Detective, dann sagen Sie mir eins: Wer wird wohl in die Geschichte eingehen – diese alberne Meute Politiker und Geschäftsleute, auf deren Mist diese rückständige Welt gewachsen ist, diese Einfaltspinsel, die meinen, unser künftiges Heil läge darin, die Vergangenheit zu beschwören – oder ...«

Martin spürte das Grinsen des Mannes im Nacken.

»... der Mann, der den Traum platzen lässt?«

Unter Husten brachte Martin seinen Protest heraus. »Das wird Ihnen nicht gelingen«, widersprach er. Er wusste selbst, dass seine Worte erbärmlich klangen.

»Oh, das werde ich, Detective. Denn Ihre Vorstellung von persönlicher Sicherheit steht auf äußerst wackeligen Füßen. Hätten Sie sich nicht derart ins Zeug gelegt, das Ausmaß meiner Taten zu vertuschen, zum Teil mit lächerlichen Mitteln übrigens, dann wäre es mir längst gelungen. Wilde Hunde, also wirklich! Aber das hat mich natürlich darauf gebracht, das Spiel ein wenig abzuwandeln, was die Anwesenheit meines Sohnes erforderlich machte. Meines beinahe berühmten Sohnes. Meines renommierten und respektierten Sohnes. Und was unsere persönliche Fehde betrifft – meinen Sie wirklich, die Nachrichtenmedien der übrigen fünfzig Staaten würden sich das entgehen lassen? Rührt dieser Wettstreit nicht an die tiefsten, ältesten Instinkte? Etwas, das jeder auf eine ganz urtümliche Weise versteht? Vater gegen Sohn, Sohn gegen Vater. Aus dem Grund musste ich ihn herbringen, Detective.«

Jeffreys Erzeuger holte tief Luft.

»Es war von Anfang an geplant, dass Sie ihn finden und zu mir bringen. Und dafür, dass Sie genau das getan haben, was ich von Ihnen erwartet habe, möchte ich Ihnen danken.«

Martin hatte das Gefühl, nicht mehr atmen zu können. Er starrte durch die Windschutzscheibe und sah, dass der Morgen die Welt inzwischen ganz erobert hatte. Jeder Stein, jeder Busch, jede kleine Furche in der Erde, die ihm im Dunkeln und im Zwielicht so tückisch erschienen war, gab sich jetzt unter der milden Morgensonne klar und deutlich zu erkennen.

»Was wollen Sie von mir?«, fragte er und streckte die Hand so weit, wie es ging, nach unten in Richtung seines Revolvers. Er hob unmerklich das Knie, um den Abstand zwischen Hand und Waffe zu verringern. Er dachte daran, mit der Linken nach der Klinge zu greifen, während er die entscheidende Bewegung machte. Er rechnete damit, einen Schnitt abzubekommen, doch wenn er schnell und unerwartet handelte, war es vielleicht nicht tödlich. Er bewegte die Finger und spannte die Muskeln, um sich für die Explosion zu wappnen.

»Was ich von Ihnen will, Detective? Ich möchte, dass Sie eine Botschaft überbringen.«

Martin schwieg einen Moment. »Was?«

»Ich möchte, dass Sie meinem Sohn eine Nachricht überbringen – wie auch meiner Tochter und meiner Exfrau. Meinen Sie, dass Sie das tun können, Detective?«

Martin war erstaunt. Er schöpfte Hoffnung. *Er lässt mich am Leben!*

»Sie wollen, dass ich eine Botschaft überbringe …«

»Sie sind der Einzige, dem ich diese Aufgabe anvertrauen kann, Detective. Sehen Sie sich dazu in der Lage?«

»Eine Nachricht zu überbringen? Natürlich.«

»Gut. Ausgezeichnet. Halten Sie Ihre linke Hand hoch, Detective.«

Martin gehorchte. Ein großer weißer Briefumschlag schob sich zwischen seine Finger.

»Nehmen Sie den«, wies ihn der Mörder an. »Gut. Halten Sie ihn fest.«

Wieder gehorchte Martin. Er packte den Briefumschlag und wartete auf weitere Instruktionen. Es vergingen ein, zwei Sekunden, in denen er hinter sich auf dem Rücksitz das vertraute Klicken seiner eigenen Waffe hörte, als eine Kugel in die Kammer der Halbautomatik geschoben wurde.

»Ist das die Botschaft, die ich überbringen soll?«

»Ein Teil davon«, erwiderte der Mörder. »Da wäre noch etwas.«

ACHTZEHN
FRÜHSPORT

Diana war von den leisen Geräuschen aufgewacht, die ihre Tochter machte, als sie noch vor dem Morgengrauen aufstand – von der Dusche, dem Hantieren in der Küche, dem sorgfältigen Schließen der Haustür. Ein paar Sekunden lang hatte sie darüber nachgedacht, Susan bis zu ihrer Abfahrt Gesellschaft zu leisten, doch die Möglichkeit, noch ein bisschen zu schlafen, war zu verführerisch gewesen; sie hatte sich mit einem Seufzer auf die Seite gerollt und war erst mehrere Stunden später aufgewacht. Sie träumte glücklich davon, noch einmal Kind zu sein.

Die ältere Frau hatte in dem Stadthaus das Elternschlafzimmer übernommen. Sie schwang die Beine über die Bettkante, wackelte mit den Zehen und räkelte sich, bevor sie sich eine Decke um die Schulter legte und barfuß auf den kleinen Balkon tappte. Eine Weile blieb sie stehen und atmete die Morgenluft ein. Sie war schneidend kalt. Trotz der Windstille drang sie ihr durch das dünne Nachthemd, so dass Diana eine Gänsehaut bekam. In der ersten Wintersonne nahm die Welt vor ihren Augen klare Konturen an; das hatte sie im feuchtwarmen Florida vermisst. Sie roch die Berge in der Ferne und sah die großen Kumuluswolken am blauen Himmel, die mit dem Jetstream ostwärts wanderten, als suchten sie einen Ruheplatz auf den schneebedeckten Gipfeln.

Sie zitterte und dachte: Hier könnte ich mich zu Hause fühlen. Diana sog die Luft in tiefen Zügen ein, als wäre sie Medizin. Sie ließ den Blick über das Gelände schweifen. Das Haus lag nicht hoch genug, als dass man die Stadt hätte erkennen können. Stattdessen sah sie das abschüssige Gelände hinter dem hohen Zaun und dem Graben, in denen sich braune Erde mit grünem Gestrüpp abwechselte. Sie lauschte, hörte Stimmen und den rhythmischen, eher zarten als beherzten Aufschlag von Tennisbällen und schätzte, dass die Frauen des Viertels zum Frühsport draußen waren.

Diana stand einfach da und lauschte, wobei ihr der Gedanke kam, wie seltsam still es war. Selbst auf den Keys herrschte immer Lärm; die Laster auf dem Highway 1, die schwertförmigen Zweige der Palmen, die sich gegen die Brise sträubten. Sie hatte angenommen, auch die übrige Welt wäre ständig laut. Jedenfalls galt das schon einmal für Miami und die anderen großen Städte. Verkehr, Sirenen, Schüsse, Wutausbrüche bis zur Raserei. In der modernen Welt, dachte sie, stand Krach für Gewalt.

Doch an diesem Morgen hörte sie nur die Geräusche des normalen Lebens und erkannte darin die große Vision des Einundfünfzigsten Bundesstaats. Sie hatte angenommen, dass sie die Normalität banal oder irritierend finden würde, doch das war nicht der Fall. Sie war angenehm. Hätte sie ihre Tochter ein paar Tage zuvor bei deren Zufallsbesuch im Hospiz begleitet, so hätte Diana festgestellt, dass die bewusst gewählte Stille jenes Ortes sich von der an diesem kalten Morgen kaum unterschied.

Sie kehrte ins Schlafzimmer zurück, ließ jedoch die Schiebetür zum Balkon hinter sich offen, um die frische Luft ins Zimmer zu lassen. Zu Hause hätte sie das nicht getan. Sie zog sich rasch an und ging in die Küche.

Der Kaffee, den Susan in der Maschine gelassen hatte, reichte für eine Tasse, und sie rührte Milch und Zucker unter, um die bittere Flüssigkeit zu versüßen. Sie hatte keinen Hunger und verschob das Frühstück, obwohl sie wusste, dass sie etwas essen sollte.

Als sie mit der Tasse ins Wohnzimmer kam, sah Diana, dass im Briefkastenschlitz der Haustür ein Umschlag steckte. Sie fand das seltsam und zog ihn heraus.

Der Brief war unbeschriftet, ohne Absender und Adresse.

Diana zögerte. Zum ersten Mal an diesem Morgen rief sie sich ins Gedächtnis, weshalb sie in den Einundfünfzigsten Staat gekommen war, und ebenfalls zum ersten Mal an diesem Tag machte sie sich klar, dass sie wahrscheinlich bis zum Abend allein sein würde.

Da sie Vorsicht mit Schwäche in Verbindung brachte, riss sie den Umschlag auf.

Innen steckte ein Bogen Papier. Sie faltete ihn auf und las:

Guten Morgen, Mrs. Clayton:

Es tut mir leid, dass ich Sie heute nicht persönlich auf eine zweite Stadtrundfahrt mitnehmen kann, aber wegen unserer gemeinsamen Aufgabe bin ich anderweitig unabkömmlich. Natürlich verfügen Sie nach freiem Belieben über Ihre Zeit, aber ich möchte Ihnen ans Herz legen, unsere frische Luft zumindest bei einem kurzen, zügigen Spaziergang zu genießen. Hier die beste Route:

Halten Sie sich, wenn Sie aus der Haustür kommen, links und lassen Sie Schwimmbad und Tennisplätze rechts liegen. Biegen Sie rechts auf den Donner-Boulevard ein. Ist es nicht erstaunlich, wie viele Dinge im Westen nach diesem tragischen Siedlertreck benannt sind? Gehen Sie eine halbe Meile in dieser Richtung weiter. Wie Sie sehen werden, endet die geteerte Straße nach etwa vierhundert Metern. Doch fünfzig Meter davor biegt rechts ein Feldweg ab. Den schlagen Sie ein.

Folgen Sie ihm eine halbe Meile lang. Der Pfad wird steiler, doch die Mühe lohnt sich. Der Blick von der Anhöhe – nur nochmals zweihundert Meter weiter – ist einmalig. Und sind Sie erst da, haben Sie eine Aussicht, die besonders Ihr Sohn Jeffrey faszinierend finden wird.

Mit den besten Grüßen,
Robert Martin,
Special Agent, Staatssicherheit

Der Brief war ebenso wie die Unterschrift getippt.

Diana starrte auf die Wegbeschreibung und dachte, dass ein Morgenspaziergang eigentlich eine schöne Sache wäre und ihr die Bewegung sicher guttun würde; außerdem verstand sie den Brief in ihrer Hand weniger als eine Empfehlung denn als einen Befehl.

Worum es dabei allerdings ging, hätte sie nicht sagen können. Außerdem verwirrte sie der letzte Satz, und sie überlegte, was für ein Blick von dieser Anhöhe aus wohl Jeffrey interessieren könnte. Da musste sie passen.

Sie las den Brief noch einmal durch, warf einen Blick aufs Telefon und dachte daran, Agent Martin anzurufen und zu fragen, was genau er meinte. Sie rief sich erneut ins Gedächtnis, wozu sie in den Einundfünfzigsten Staat gekommen war, und wer sich außer ihr noch dort aufhielt.

Diana kehrte in die Küche zurück und stellte die Kaffeetasse in den Ausguss. Ohne zu zögern, ging sie zu dem Schrank, in dem Susan den Revolver versteckt hatte. Sie nahm ihn heraus, wog ihn in der offenen Hand, klappte die Trommel auf, um sicherzustellen, dass die Waffe geladen war, und machte sich auf die Suche nach ihren Straßenschuhen.

Es war das erste Mal seit fast zwei Jahren, dass sie ihren Bruder berühren konnte. Da sie erst vor wenigen Stunden seine Stimme gehört und sein Bild über das Videotelefon gesehen hatte, war ihr dieses Wiedersehen nicht bedeutsam erschienen, doch das änderte sich, als das kleine Shuttle-Flugzeug in eine scharfe Kurve ging, die Landeklappen und das Fahrgestell ausfuhr und ihr bewusst wurde, dass er da unten auf sie wartete.

Susan stieg in eine Welt der Zweifel hinab. Sie hätte sich gewünscht, zu wissen, wie es dazu gekommen war, dass sie beide sich auseinandergelebt hatten, doch ihr fiel kein bestimmtes Ereignis ein. Es hatte nie einen Krach, einen lauten Streit oder Tränen gegeben, die der Distanz zwischen ihnen vorausgegangen wären. Stattdessen war es – wurde ihr klar – ein schleichender Prozess gewesen, bis am Ende eine Wand aus Zweifel und Isolation zwischen ihnen stand. Wenn sie versuchte, ihre Empfindungen zu analysieren, so lief es auf das vage Gefühl hinaus, dass er sie im Stich gelassen und ihr die Verantwortung für ihre Mutter zugeschoben hatte.

Als das Flugzeug auf die geteerte Rollbahn aufsetzte, schärfte sich Susan ein, dass die Ereignisse der kommenden Tage die Beziehung zu ihrem Bruder nicht berührten, und so verbannte sie alle damit zusammenhängenden Gefühle in einen hinteren Winkel ihres Bewusstseins, wo sie ihr, bis es vorbei war, nicht in die Quere kommen konnten. Für eine Frau, die komplizierte Rätsel meisterte, war dies ein seltsamer Trugschluss.

Jeffrey wartete an der Gangway. Er war in Begleitung eines schlaksigen Texas-Rangers – eine perfekte Karikatur. Er trug Sonnenbrille mit Spiegelglas, einen breitkrempigen Cowboyhut, dazu aufwendig beschlagene spitze Stiefel. Außerdem hing dem Ranger eine Automatik über der Schulter und eine kalte Zigarette zwischen den Lippen.

Bruder und Schwester umarmten sich zaghaft. Dann sahen sie sich auf Armeslänge ein paar Sekunden an.

»Du hast dich verändert«, stellte Susan fest. »Sehe ich das erste graue Haar?«

»Nicht ein einziges«, protestierte Jeffrey. Er grinste. »Hast du abgenommen?«

Jetzt war es an Susan zu schmunzeln. »Nicht ein einziges Pfund, verdammt.«

»Dann vielleicht zugenommen?«, fragte er.

»Nicht ein einziges Pfündchen, Gott sei Dank«, erwiderte Susan.

Er ließ ihre Arme los. »Wir müssen los«, sagte er. »Wenn wir noch heute Nachmittag zurück wollen, bleibt uns nicht viel Zeit.«

Der Ranger deutete zum Ausgang. Auf Susans unausgesprochene Frage erklärte Jeffrey: »Die Behörden in diesem Staat schulden mir einen Gefallen, deshalb der Geleitschutz und ein schneller Fahrer.«

Susan sah sich die Waffe des Mannes an. »Das ist eine Ingram, oder? Passen zweiundzwanzig Hochdruckpatronen Kaliber fünfundvierzig in den Ladestreifen. Feuert den gesamten Streifen in weniger als zwei Sekunden ab, stimmt's?«

»Ja, Ma'am«, bestätigte der Ranger staunend.

»Mir ist 'ne Uzi lieber«, meinte sie.

»Nur dass die manchmal klemmen, Ma'am«, gab er zu bedenken.

»Meine nicht«, hielt sie dagegen. »Wieso ist die Zigarette nicht angezündet?«

»Wissen Sie denn nicht, dass Rauchen gefährlich ist, Ma'am?«

Susan lachte und gab Jeffrey einen Klaps auf die Schulter. »Der Ranger hat Sinn für Humor«, sagte sie. »Fahren wir los.«

Sie stiegen in das Fahrzeug ihres Beschützers und fuhren binnen weniger Minuten mit über hundert Stundenmeilen durch den Staub von Südtexas.

Eine Weile starrte Susan aus dem Fenster und betrachtete die endlose Weite, bevor sie sich an ihren Bruder wandte. »Und der Mann, den wir treffen?«

»Er heißt Hart. Achtzehn Morde konnte ich direkt mit ihm in Verbindung bringen. Es gibt wahrscheinlich noch einige mehr, von denen ich nichts weiß und die er auch anderen nicht auf die Nase gebunden hat. Hat wahrscheinlich auch einige vergessen. Ich habe bei seiner Verhaftung geholfen. Er war gerade dabei, ein Opfer auszuweiden, als wir kamen, und er war von der Störung nicht begeistert. Er hat mir mit einem ziemlich großen Jagdmesser einen Schnitt erster Güte im Oberschenkel beigebracht, bevor er wegen seines eigenen Blutverlusts in Ohnmacht fiel. Zwei Salven von einem der Detectives, die er getötet hatte. Teflonbeschichtete Hochgeschwindigkeitsgeschosse, Neun-Millimeter-Patronen. Ich hätte gedacht, die würden ein Rhinozeros zur Strecke bringen, aber nicht ihn. Jedenfalls hat man ihn in der Notaufnahme verdammt schnell zusammengeflickt und ihn durchgebracht, damit er seinen Wohnsitz im Todestrakt beziehen kann.«

»Und nicht mehr für lange, Professor«, unterbrach ihn der Ranger. »Der Gouverneur unterschreibt übermorgen einige Todesurteile, und was man so aus Austin hört, führt der gute alte Hart die Hitparade an. Hat sowieso den ganzen juristischen Scheiß ausgeschöpft, wenn Sie meine Ausdrucksweise verzeihen, Ma'am.«

»Texas hat, wie eine Menge Staaten, bei Todesurteilen Berufungsverfahren beschleunigt«, erklärte Jeffrey seiner Schwester.

»Damit geht alles ein bisschen schneller«, sagte der Ranger in sarkastisch langgezogenem Ton. »Nicht wie in den guten alten Zeiten, wo man es zehn Jahre oder länger rauszögern konnte. Selbst wenn man einen Cop getötet hatte.«

»Andererseits ist ein Schnellverfahren nicht so gut, wenn man den falschen Mann erwischt hat«, warf Susan ein.

»Himmel, Miss, das kommt selten vor.«

»Und wenn doch?«

Der Ranger zuckte die Achseln und grinste. »Irren ist menschlich, Ma'am.«

Susan wandte sich ihrem Bruder zu, der den kleinen Schlagabtausch genoss. »Wieso glaubst du, dass der Kerl uns helfen kann?«, wollte sie wissen.

»Ich bin mir nicht sicher, ob er es tun wird. Vor etwa einem Jahr hat er einem Reporter von den *Dallas Morning News* ein Interview gegeben und gesagt, er wollte mich umbringen. Der Reporter hat mir eine Kopie von der Videoaufzeichnung geschickt. War ein Festtag für mich, wie du dir denken kannst.«

»Und weil er dich umbringen will, meinst du, dass er dir helfen wird?«

»Ja.«

»Interessante Logik.«

»Für ihn ist das vollkommen logisch.«

»Wird sich ja zeigen. Und was hoffst du, aus diesem Mann rauszukriegen?«

»Mr. Hart besitzt eine Eigenschaft, die er, wie ich glaube …«, Jeffrey zögerte und suchte nach dem richtigen Wort, »mit unserer Zielperson gemein hat.«

»Und das wäre?«

»Er hat sich einen besonderen Ort geschaffen. Eine Tötungsstätte. Und ich glaube, der Mann, den wir jagen, hat sich auch irgendwo was Ähnliches eingerichtet. Das ist ein ungewöhnliches, aber nicht einmaliges Phänomen. Die forensische Literatur gibt über solche Orte nicht viel her. Ich will nur wissen, wonach ich zu suchen habe und wie – und dieser Mann kann es uns vielleicht sagen.«

»Wenn er will.«

»Das ist richtig. Wenn er will.«

Diana trug eine leichte Windjacke gegen die kühle Luft am Morgen, merkte aber bald, dass die Sonne schon hoch genug stand, um die Kälte der Nacht zu vertreiben. Sie hatte noch keinen halben Block zurückgelegt, als sie den Anorak auszog und sich mit den Ärmeln um die Taille band. Sie hatte einen kleinen Rucksack mit ihrem Ausweis, einem Schmerzmittel, einer Flasche Mineralwasser und der Magnum .357 umgeschnallt. In der Hand hielt sie den Brief mit der Wegbeschreibung.

Rechts sah sie ein paar Kinder auf dem Spielplatz tollen. Sie blieb eine Weile stehen, um ihnen zuzusehen, und ging dann weiter. Sie wirbelte bei jedem Schritt kleine braune Staubwölkchen auf. Links von ihr kam eine junge Frau mit einem Tennisschläger aus dem Haus. Diana schätzte sie auf ähnlich alt wie ihre Tochter. Die Frau sah sie und winkte ihr kurz zu, als würden sie sich kennen. Ein vertrauter Moment zwischen Fremden. Diana winkte zurück und lief weiter.

Am Ende der Straße bog sie, wie es in der Beschreibung stand, nach rechts ab. Sie sah ein braunes Straßenschild und wusste, dass sie tatsächlich auf dem Donner-Boulevard war. Nach wenigen Metern erkannte sie, dass diese Reihenhäuser die letzte Siedlung in der Gegend war und dass der Boulevard ins Leere stieß. Ebenso sah man der Straße an, dass sie im Unterschied zu anderen Straßen lange nicht instand gesetzt worden war. Die Fahrbahn hatte Schlaglöcher; der Bürgersteig, auf dem sie lief, war voller Risse; zwischen den schlecht verfugten Betonplatten wuchs Unkraut.

Diana setzte ihren Ausflug in den Morgen fort, bis sie rechts den unbefestigten Feldweg fand. Wie in dem Brief beschrieben, konnte sie an dieser Stelle bis zum Ende des Donner-Boulevard blicken. Die Straße endete in einem Erdhaufen, der an einen Hang geschaufelt war. An einer Barriere mit blinkenden gelben Lampen hing ein großes rotes Schild mit der Aufschrift STRASSE ENDET HIER, eine überflüssige Information.

Sie blieb stehen, schraubte die Flasche Quellwasser auf und nahm einen bescheidenen Schluck, bevor sie sich an den Aufstieg machte. Sie machte eine kurze innere Inventur: Sie war ein bisschen außer Atem, aber nicht schlimm. Sie war nicht müde, fühlte sich sogar stark. Sie hatte einen leichten Schweißfilm auf der Stirn, aber nichts, was einen plötzlichen Erschöpfungsanfall ankündigte. Der Schmerz in ihrem Bauch hatte nachgelassen, als gestattete er ihr die Freude des morgendlichen Ausflugs. Sie lächelte und dachte: Er wartet geduldig ab, bis seine Zeit gekommen ist.

Einen Moment lang drehte sie sich in alle Richtungen um und genoss die Einsamkeit und Stille.

Dann trat sie auf den losen, sandigen Boden und machte sich langsam auf den einsamen, steilen Weg.

Der Todestrakt in Texas hatte wie in den meisten Staaten nichts von einem Trakt. Der Name war geblieben, doch der Ort hatte sich verändert. Der Staat hatte ein Gefängnis gebaut, das dem einzigen Zweck diente, Gewaltverbrecher zu töten. Es lag auf einem flachen Ranchgelände, fern von jeder Stadt und war nur durch eine einzige zweispurige Asphaltstraße, die sich durch die Ebene zog, mit dem Rest der Welt verbunden. Das Gefängnis selbst war ein ultramoderner Bau hinter drei getrennten Maschen- und Natodrahtzäunen. Die Institution ähnelte einem riesigen Schlafsaal oder kleinen Hotel, nur dass sämtliche Fenster nicht mehr als Schlitze in den Betonwänden von kaum fünfzehn Zentimetern Breite waren. Es gab einen Bereich für körperliche Ertüchtigung und eine Bibliothek, mehrere hochgesicherte Aufenthaltsräume sowie ein Dutzend Zellenreihen, zwanzig in jedem Block. Alle waren belegt. Alle grenzten an einen zentralen Raum, der auf den ersten Blick an ein Krankenhauszimmer erinnerte, ohne es zu sein. Dort stand eine Liege mit Fesseln und eine Tötungsapparatur. Der Mann, der hier exekutiert werden sollte, wurde an Armen und Beinen auf die Bahre geschnallt, und ein intravenös eingeführter Schlauch führte von der Arterie in seinem linken Arm über den Boden zu einem Kasten in der Wand. Darin befanden sich drei Behälter, die alle Flüssigkeiten in den Schlauch abgaben. Nur einer enthielt die tödliche Substanz. Drei Beamte drückten jeweils auf ein Zeichen des Gefängniswärters hin auf je einen Knopf, um die Mixturen gleichzeitig abzugeben. Die Methode folgte derselben Theorie wie ein Exekutionskommando, bei dem ein Mann eine Platzpatrone bekam. Auf diese Weise wusste niemand mit Sicherheit, ob er das Gift gespritzt hatte.

Außerdem hatte man die todbringenden Mittel verbessert, die Wirkung beschleunigt. Augen schließen und von hundert rückwärts bis eins zählen. Tot, gewöhnlich schon bei sechsundneunzig. Gelegentlich schaffte es ein fülliger Delinquent bis vierundneunzig. Noch niemand hatte zweiundneunzig überlebt.

Innen war das Gefängnis genauso modern; jeder Winkel wurde von Kameras mit geschlossenem Stromkreis überwacht. Das Ganze wirkte hochpoliert und antiseptisch sauber; es war, als beträte man eine Welt, die den Natodraht der Zäune imitierte: effizient, blitzblank und tödlich.

Jeffrey Clayton und seine Schwester wurden von einem Gefängniswärter in eins der Vernehmungszimmer geführt. Auf jeder Seite des Metalltischs befanden sich zwei Stühle. Sonst nichts. Alles war im Boden verankert. Auf einer Seite des Tischs gab es außerdem einen Stahlring, der an der Platte befestigt war.

Jeffrey machte, während sie warteten, nur eine Bemerkung: »Er ist intelligent, sogar sehr. Näher an hochintelligent als am Durchschnitt. Er hat die Schule in der achten Klasse geschmissen, weil er von anderen Kindern wegen seiner deformierten Genitalien gehänselt wurde. Zehn Jahre lang hat er dann nichts weiter gemacht als zu lesen. Dann folgten weitere zehn, in denen er nichts anderes tat als zu töten. Unterschätz ihn nicht, keine Sekunde lang.«

Mit einem elektronischen Geräusch öffnete sich eine Nebentür, und ein Wärter brachte einen frettchenartigen Mann mit tätowierten Armen und einem Büschel weißem Haar über den roten Augen in den Raum. Ein Albino. Wortlos befestigte der Wärter die Handschellenkette des Gefangenen an dem Ring im Tisch. Dann richtete er sich auf und sagte: »Ganz zu Ihrer freien Verfügung, Professor.« Der Wärter nickte Susan Clayton zu und ging.

Der Gefangene trug einen weißen Overall. Er war dünn, mit Hühnerbrust und unverhältnismäßig großen, klauenartigen Pranken, die ein wenig zitterten, als er sich vorbeugte und sich eine Zigarette anzündete. Susan sah, dass er ein Hängelid hatte, während am anderen Auge die Braue hochschoss, als er sie mit wachem Blick musterte.

Mehrere Sekunden lang starrte er Susan an. Dann wandte er sich an Jeffrey.

»Hallo, Professor, nie damit gerechnet, Sie wiederzusehen. Wie geht's dem Bein?« Der Mann hatte eine seltsam hohe Stimme, fast wie ein Kind. Sie vermutete, dass er damit geschickt all seine Wut kaschierte.

»Es ist schnell verheilt. Sie haben die Arterie nicht getroffen. Und auch keine Bänder.«

»Das hat man mir auch erzählt. Zu dumm. Ich war in Eile. Hätte ein bisschen mehr Zeit gebraucht.«

Der Mann lachte schrullig bizarr, indem er einen Mundwinkel zu einem Zucken verzog. Dann wandte er sich an Susan.

»Wer sind Sie?«

»Meine Assistentin«, antwortete Jeffrey hastig.

Der Mörder zögerte und hörte die Lüge aus der allzu schnellen Antwort heraus. »Ich glaube, nicht, Jeffrey. Sie hat deine Augen. Kalte Augen. Ein wenig wie meine, wage ich zu behaupten. Da bekommt man ja so richtig das Zittern und Zagen und möchte sich in ein Loch verkriechen. Auch ein bisschen was von deinem Kinn, aber das Kinn sagt nur etwas über Sturheit und Ausdauer aus, im Unterschied zu den Augen, die erzählen mir, was in der Seele vor sich geht. Oh, ich sehe eine klare Ähnlichkeit. Wer auch nur die geringste Beobachtungsgabe hat, sieht das auf Anhieb. Und meine ist, wie Sie zweifellos wissen, Professor, überaus scharf.«

»Das ist meine Schwester Susan.«

Der Killer lächelte. »Hallo Susan. Ich bin David Hart. Es ist uns nicht gestattet, jemandem die Hand zu schütteln, das wäre ein Verstoß gegen die Regeln, aber Sie können mich David nennen. Ihr Bruder andererseits, dieser Lügner, dieses Abschaum schlürfende Schwein, muss mich mit Mr. Hart anreden.«

»Hallo David«, sagte Susan ruhig.

»Nett, Sie kennenzulernen, Susan«, wiederholte der Mörder und fügte einen kleinen Singsang hinzu, der den Raum erfüllte. »Susan, Susie, Susie-Q. Was für ein hübscher Name. Sagen Sie, Susan, sind Sie eine Hure?«

»Wie bitte?«

»Ach, Sie wissen schon«, fuhr der Mörder fort, »eine Prostituierte. Ein Straßenmädchen, eine Frau für gewisse Stunden oder ein leichtes Mädchen. Eine Dirne, ein Flittchen, eine Schlampe. Eine Frau, die dafür bezahlt wird, den Männern die Reinheit auszusaugen. Die ihnen ihre Lebensflüssigkeit stiehlt. Ein dreckiges Stück Scheiße, das Krankheiten überträgt und einen nur anwidern kann. Ein Parasit. Eine Küchenschabe. Sagen Sie, Susan, sind Sie das?«

»Nein.«

»Was sind Sie dann?«

»Ich erfinde Spiele.«

»Was für Spiele?«

»Wortspiele, Rätsel. Anagramme. Kreuzworträtsel.«

Der Mörder überlegte einen Moment. »Das ist interessant«, meinte er. »Demnach sind Sie keine Hure?«

»Nein.«

»Huren habe ich nämlich gerne getötet. Ich habe sie aufgeschlitzt, vom ...« Er unterbrach sich und lächelte. »Aber das hat Ihnen Ihr Bruder vermutlich erzählt.«

»Ja.«

David Harts Augenbraue schoss wieder hoch, und sein Gesicht verzog sich zu einem eigentümlich schiefen Lächeln. »Er ist eine Hure, und ich würde ihn am liebsten in zwei Hälften zerteilen. Das würde mir eine große Befriedigung verschaffen.«

Der Mörder schwieg und hüstelte kurz, bevor er hinzufügte: »Ach, zum Teufel, Susie, wahrscheinlich würde ich Sie auch am liebsten von der Muschi bis zum Kinn aufschlitzen. Wozu Ihnen etwas vormachen? Sie aufzuschneiden wäre mir ein Vergnügen. Ihren Bruder zu bearbeiten, na ja, das wäre eher eine geschäftliche Angelegenheit. Eine Pflichtübung. Um eine Schuld zu begleichen.«

Er wandte sich an Jeffrey. »Also, Professor, was führt Sie her?«

»Ich bräuchte Ihre Hilfe. Wir beide.«

Der Mörder schüttelte den Kopf. »Sie können mich mal, Professor. Interview beendet. Gibt nichts mehr zu sagen.«

Hart erhob sich halb auf seinem Stuhl und deutete zugleich mit seiner gefesselten Hand in Richtung eines Spiegels an einer Wand. Es war offensichtlich ein Einwegspiegel, hinter dem das Gespräch von Gefängnispersonal beobachtet wurde.

Jeffrey rührte sich nicht. »Vor gar nicht langer Zeit haben Sie einem Gefängnisreporter gesagt, Sie wollten mich umbringen, weil ich derjenige bin, der Sie gefunden hat. Sie haben ihm erklärt, wenn ich nicht gewesen wäre, dann hätte die Stadt jetzt keine einzige Hure mehr. Und wegen mir seien noch Dutzende übrig, die ungestraft ihrem Gewerbe nachgingen, und Sie hätten Ihre Arbeit nie zu Ende bringen können ... und dafür – dafür, dass ich mich zwischen Sie und Ihr Verlangen gestellt habe, hätte ich den Tod verdient.« Jeffrey schwieg und beobachtete, welche Wirkung seine Worte auf den Mörder hatten. »Nun, Mr. Hart, dies ist Ihre einzige und letzte Chance.«

Einen Moment lang schwebte der Hintern des Mörders über seinem Sitz. »Meine Chance, Sie zu töten?« Hart hielt die gefesselte Hand hoch und rasselte mit den Ketten. »Eine wunderbare Idee. Und wie bitteschön?«

»Das hier ist eine Gelegenheit für Sie.«

Der Mörder blieb stumm. Lächelte. Setzte sich. »Ich werde es mir anhören. Ein paar Sekunden lang. Ihrer reizenden Schwester zuliebe. Sind Sie sicher, dass Sie keine Hure sind, Susan?«

Sie antwortete nicht, und Hart zuckte grinsend die Achseln.

»Also gut, Professor, dann sagen Sie mir, wie ich Sie töten kann, indem ich Ihnen helfe.«

»Ganz einfach, Mr. Hart. Wenn ich es mit Ihrer Hilfe schaffe, den Mann zu finden, den ich suche, dann wird er dasselbe mit mir machen wollen, was Ihnen vorschwebt, Mr. Hart. Er ist genauso intelligent wie Sie und keinen Deut weniger tödlich. Das einzige Risiko ist, dass ich ihn fasse, bevor er mich erwischt. Beides ist möglich. Aber da liegt Ihre Chance, Mr. Hart. Die beste, die Sie in der kurzen Zeit, die Ihnen noch verbleibt, bekommen. Nehmen Sie sie wahr oder lassen Sie es bleiben.«

Der Mörder schaukelte auf dem Metallstuhl vor und zurück und überlegte. »Ein höchst ungewöhnlicher Vorschlag, Professor. Überaus interessant.«

Er starrte auf die Glut seiner Zigarette. »Sehr clever. Ich kann Ihnen helfen und Sie damit der Gefahr aussetzen. Sie ein bisschen näher an die Flamme ranbringen, wie? Die Herausforderung für mich ist demnach, Ihnen gerade so viel Informationen zu geben, dass Sie zugleich Erfolg haben und scheitern.«

Hart holte einmal tief und keuchend Luft. Wieder lächelte er. »Meinetwegen. Das Interview geht weiter. Vielleicht. Was weiß ich denn, was Sie so interessiert?«

»Sie haben Ihre sämtlichen Verbrechen an einem einzigen Ort begangen. Ich glaube, der Mann, den wir suchen, hält es genauso. Wir wollen etwas über diesen Ort wissen. Wie Sie ihn gewählt haben. Was daran wichtig ist. Welches die entscheidenden Kriterien sind. Welches die entscheidenden Ausstattungsmerkmale sind. Und wieso Sie nur einen einzigen Ort brauchten. Das sind die Dinge, die wir wissen wollen.«

Der Mörder überlegte. »Sie glauben, wenn ich Ihnen sage, weshalb ich mir diesen speziellen Ort geschaffen habe, lässt das für Sie genügend Rückschlüsse auf die Höhle Ihres Löwen zu, so dass Sie ihn finden?«

»Richtig.«

Hart nickte. »Der Mann, den Sie suchen, ist demnach jemand so recht nach meinem Geschmack.«

Diana Clayton war kaum fünfzig Meter gegangen, als sie stolperte und sich gerade noch fangen konnte, bevor sie auf die staubige, steinige Straße fiel. Sie blieb, ein wenig außer Atem, stehen und trat gegen den lockeren Boden zu ihren Füßen, so dass sich die Spitzen ihrer weißen Schuhe mit graubraunem Staub überzogen. Sie atmete ein-, zweimal heftig ein und warf einen Blick auf die endlose Weite des Himmels über sich, als suchte sie in dieser Bläue die Antwort auf eine noch nicht gestellte Frage. Das gleißende Licht der Sonne tat ihr in den Augen weh, und sie merkte, dass sich die Schweißschicht auf ihrer Stirn verdoppelt hatte. Sie wischte sich darüber und sah ihren Handrücken feucht in der Sonne glitzern.

Sie rief sich ins Gedächtnis, dass sie alt war. Und krank.

Dann fragte sie sich, wieso sie weiterging. Falls es ihr um die körperliche Ertüchtigung ging, hatte sie schon genug getan. Eine Stimme in ihr fand es am vernünftigsten, umzukehren und den Blick zu vergessen, egal, wie einmalig er nach Agent Martins Meinung war.

Doch ebenso schnell legte eine andere Stimme Protest ein.

Sie griff nach dem gefalteten Brief in ihrer Tasche, als könnte die Lektüre ihre Erschöpfung vertreiben, zögerte jedoch mitten in der Bewegung. Die Waffe in ihrem Rucksack wog weit schwerer, als sie erwartet hätte, und sie fragte sich, weshalb sie sie mitgenommen hatte. Sie dachte darüber nach, ob sie die Pistole auf irgendeinem Stein ablegen sollte, um sie auf dem Rückweg wieder einzusammeln, entschied sich aber dagegen.

Diana wusste nicht, was sie dazu trieb, die Stelle zu erreichen, die Agent Martin ihr empfohlen hatte. Ebenso wenig wusste sie, was an der Aussicht so wichtig sein sollte. Doch sie merkte, wie eine gewisse Sturheit sie weitertrieb, und sagte sich, dass daran nichts Verkehrtes sei. Also lief sie weiter, nachdem sie sich noch einen lauwarmen Schluck aus der Wasserflasche genehmigt hatte.

Sie erklärte sich, die Welt des Einundfünfzigsten Staates sei schließlich neu für sie und sie würde sich nicht von Erschöpfung, Krankheit und Halbherzigkeit unterkriegen lassen.

Auf dem lockeren Boden kam sie schwer voran, und sie stieß ein paar lange, laute Flüche aus, die ihr den Takt vorgaben. »Verfluchter Dreck«, murrte sie. »Verdammte Steine. Scheißstraße.«

Sie grinste, während sie sich weiter die Anhöhe hinauf kämpfte. Diana Clayton benutzte selten solche Worte, so dass sie den Reiz des Exotischen, Verbotenen hatten. Sie stolperte wieder, wenn auch nicht so schlimm wie beim ersten Mal. »Leck mich, fick dich ins Knie!« Sie kicherte und dehnte jedes Wort, so dass sie zu ihrem Rhythmus einen Fuß vor den anderen setzen konnte.

Der Weg bog nach links und duckte sich wie ein widerspenstiges Kind unter ihren Augen weg.

»Kann ja nicht mehr allzu weit sein«, überlegte sie laut. »Er hat gesagt, eine halbe Meile. Muss jeden Moment da sein.«

Sie lief weiter, immer den Pfad entlang und hatte den Eindruck, ein gutes Stück oberhalb der Straße zu sein, von der sie gestartet war. Einen Moment lang fühlte sie sich an ihr Zuhause auf den Keys erinnert und dachte, dass es hier nicht viel anders war als dort: Eben noch schillerten die Einkaufsstraßen in den rosigsten Farben, und im nächsten Moment machte das Meer dem allen ein Ende und erinnerte einen daran, dass die Natur und die Wildnis, allen hastigen und entschlossenen Anstrengungen des Menschen zum Trotz, nur Sekunden entfernt waren. Hier schien es ähnlich zu sein. Es herrschte einsame Stille. Sie war gern allein und hielt dieses Bedürfnis für eine der wenigen Eigenschaften, die sie ihrer Tochter mitgegeben hatte.

Sie holte tief Luft und sang ein paar Takte eines alten Liedes. »We are marching to Pretoria, Pretoria …«

Zwar klang ihre Stimme vor Anstrengung ein wenig abgehackt, doch immerhin traf sie einigermaßen die Töne, und sie bildete sich ein, dass ihr Lied von den Felsen widerhallte und in die Lüfte stieg.

»When Johnny comes marching home again, hoorah, hoorah. When Johnny comes marching home again, hoorah, hoorah. When Johnny comes marching home again, we'll give him a mighty cheer again, and we'll all feel glad when Johnny comes marching home …«

Sie lief schneller und nahm die Arme dazu.

»Off we go into the wild blue yonder. Climbing high into the sky ...«

Sie warf den Kopf zurück und straffte die Schultern.

»Marschtempo«, befahl sie. »Eins, zwei, drei, vier. Eins, zwei, drei, vier –«

Sie hatte die Kurve hinter sich und blieb stehen.

»Eins, zwei ...«

Etwa fünfzig Meter vor ihr stand ein Wagen am Wegesrand.

Es war eine weiße, viertürige Regierungslimousine, dieselbe, mit der Agent Martin Susan und sie am Flughafen abgeholt hatte. Sie sah den roten Aufkleber: »Unbeschränkter Zugang«.

Wieso sollte er bis hier hoch gefahren sein, um sich mit ihr zu treffen? Sie rührte sich nicht vom Fleck, während ihr zahlreiche Fragen durch den Kopf schwirrten. Als ihr klar wurde, dass sie keine Antworten erwarten durfte, ohne näher heranzutreten, wichen die Fragen der Angst.

Langsam griff sie in ihren Rucksack und zog die Pistole heraus.

Sie entsicherte die Waffe mit dem Daumen.

Sie ließ von der Stelle aus, an der sie wie angewurzelt stehen geblieben war, so gut es ging den Blick in alle Richtungen schweifen und spitzte die Ohren, um zu hören, ob außer ihr noch jemand in der Nähe war, hörte aber nur ihren eigenen keuchenden Atem. Sehr langsam und vorsichtig trat sie vor, als liefe sie auf einmal am sehr schmalen Rand eines steilen, schlüpfrigen Abgrunds entlang.

»Na schön«, meinte Hart, »erzählen Sie mir zuerst ein bisschen über den Mann, nach dem Sie suchen. Was wissen Sie über ihn?«

»Er ist älter als Sie«, antwortete Jeffrey, »über sechzig, und er macht das schon seit Jahren.«

Der Mörder nickte. »Klingt schon mal interessant.«

Susan sah auf. Sie machte sich Notizen und versuchte, nicht nur auf die Worte des Mörders zu achten, sondern auch auf seine Modulation und seine Betonung, die ihr, wie sie hoffte, letztlich noch mehr verraten würde. An einer der Wände hing eine Videokamera, die das ganze Gespräch aufnahm, doch sie traute der Technik nicht zu, einzufangen, was sie hören konnte, wenn sie nur wenige Zentimeter von dem Mann entfernt saß.

»Was ist daran interessant?«, erkundigte sie sich.

Hart verzog den Mund zu seinem typischen schiefen Grinsen. »Ihr Bruder weiß das. Er weiß, dass der klassische Serienmörder, das Profil, an dem Wissenschaftler wie er seit Jahrzehnten feilen, wenig Platz für ältere Männer hat. Da passen Jüngere rein, jemand wie ich. Wir sind stark. Fest entschlossen. Männer der Tat. Ältere Männer werden nachdenklicher, Susan. Die stellen sich das Töten lieber vor. Sie *fantasieren* darüber. Sie haben nicht mehr die Energie, um es wirklich *auszuführen*. Folglich müssen Ihren Mann da draußen von Anfang an mächtige Kräfte getrieben haben. Immense Begierden. Denn sonst hätte er sich vermutlich vor vielleicht zehn oder fünfzehn Jahren aus dem Geschäft zurückgezogen. Er hätte sich von den größten Serienmördern von allen schnappen und töten lassen können …« Hart warf einen raschen Blick auf den Einwegspiegel, »oder er hätte sich selbst umgebracht oder es einfach aufgegeben und wäre in den Ruhestand getreten. Jemand, der noch aktiv ist, wenn andere längst ihre Pension kassieren, also das nenne ich einen Mann von Charakter.«

Der Mörder griff mit seinen gefesselten Händen nach dem Päckchen vor ihm auf dem Tisch und zog eine weitere Zigarette heraus. »Aber das ist Ihnen ja nicht neu, Professor …« Hart beugte sich vor, steckte sich die Zigarette zwischen die Lippen und entzündete ein Streichholz.

»Schlechte Gewohnheit«, meinte er. »Ich mag schlechte Gewohnheiten.«

Jeffrey bewahrte sich einen kalten, klaren Ton. Er fühlte sich wie in einem Zoo, wo er durch eine Glasscheibe in die Augen einer afrikanischen Mamba starrte. Etwas so Tödlichem so nahe zu sein, flößte ihm einen seltsamen inneren Frieden ein. »Seine Opfer sind nach wie vor jung.«

»Frisch«, sagte der Mörder.

»Ohne Zeugen entführt …«

»Ein sehr umsichtiger und selbstbeherrschter Mann.«

»Werden an einsamen Orten gefunden, aber nicht versteckt. Bewusst arrangiert.«

»Hm, ein Mann, der etwas mitteilen will. Er will, dass seine Arbeit gewürdigt wird.«

»Keinerlei Verbindung zu einem Tatort.«

Der Mörder schnaubte. »Natürlich nicht. Es ist ein Spiel, nicht wahr, Susan? Der Tod ist immer ein Spiel. Nehmen wir nicht Medikamente, wenn wir krank sind, um den Sensenmann auszutricksen? Rüsten wir nicht unsere Autos mit Airbags aus und schnallen uns an, damit er uns nicht überraschend holen kann?«

Susan nickte.

»Ich bin der Tod«, erklärte Hart ruhig. »Ihre Zielperson ist der Tod. Lassen Sie sich auf das Spiel ein. Deshalb hat Sie Ihr Bruder vermutlich hergeholt. Sie müssen das Spiel durchschauen und mitspielen.«

Der Mörder wandte sich wieder Jeffrey zu.

»Sie waren verdammt clever bei mir. Ich ziehe meinen Hut vor Ihnen, Professor. Ich hatte so viel vorausgesehen: polizeiliche Überwachung, Lockvögel – die üblichen Fallen der Ermittlungsbehörden. Aber dass Sie einfach all diese Frauen als Köder mit Ortungsgeräten ausstatten, darauf wäre ich nie gekommen. Das war ein echter Geniestreich, Professor. Und so grausam, also, fast so grausam wie ich. Sie konnten nicht davon ausgehen, dass die Erste es schafft, den Knopf zu drücken. Vielleicht nicht mal die Dritte. Oder die Fünfte. Ich hab mich das immer gefragt, Professor. Wie viele Frauen hätten Sie geopfert, damit die Falle zuschnappte?«

Jeffrey überlegte einen Moment und antwortete dann: »So viele wie nötig.«

Der Mörder grinste. »Hundert?«

»Wenn es nicht anders gegangen wäre.«

»Ich hab Ihnen keine Wahl gelassen, nicht wahr?«

»Zumindest sah ich keine.«

David Hart kicherte wieder. »Hat Ihnen genauso viel Spaß gemacht wie mir, sie zu töten, stimmt's, Professor?«

»Nein.«

Hart schüttelte den Kopf. »Na schön, Professor. Sicher nicht.«

Es herrschte kurzes Schweigen im Raum. Susan hätte sich gerne zu ihrem Bruder umgedreht, um zu sehen, was ihm durch den Kopf ging, doch sie hatte Angst, den Mörder vor ihr aus den Augen zu lassen, als könnte der Wortschwall irgendetwas zum Bersten bringen, wie ein Felsen, der zu hohen Temperaturen ausgesetzt wird. Er wird uns sagen, was wir wissen wollen, dachte sie.

Der Mörder hob den Kopf. »Zunächst einmal müssen Sie begreifen, dass es ein Fahrzeug gibt.«

»Was für eins?«, fragte Susan.

»Ein Transportfahrzeug. Es muss groß genug sein, um das Opfer zu verstauen. Es muss normal genug sein, um nicht aufzufallen. Es muss zuverlässig sein. Diese abgelegenen Stellen – Vierradantrieb?«

»Ja, höchstwahrscheinlich«, erwiderte Jeffrey.

»Es wird ein paar Extras haben, für besondere Zwecke. Getönte Scheiben.«

Jeffrey nickte. Kein Truck, nahm er an, der würde in Wohngegenden nicht unbemerkt bleiben. Auch kein aufgemotzter Geländewagen, denn dann müsste er die Leiche entweder auf den Rücksitz packen oder in einen hohen Kofferraum wuchten. Was würde passen? Er wusste die Antwort auf seine eigene stumme Frage. Es gab mehrere Modelle von Kleintransportern mit Vierradantrieb. Perfekt für die Stadt, in Wohnvierteln, in denen Eltern ständig Heerscharen von Kindern zu Sportveranstaltungen kutschierten, ein vertrauter Anblick.

»Fahren Sie fort«, forderte Jeffrey Hart auf.

»Hat die Polizei jemals Reifenspuren gefunden?«

»Spuren haben sie durchaus gesichert, aber nie übereinstimmende Profile.«

»Aha, das sagt mir etwas.«

»Was?«

»Ist es Ihnen nie in den Sinn gekommen, dass Ihr Mann vielleicht nach jedem Abenteuer die Reifen an seinem Fahrzeug wechselt, weil er weiß, dass die Profile sich zurückverfolgen lassen?«

»Doch.«

Der Mörder grinste. »Das ist das erste Problem. Das Transportmittel. Das Nächste ist die Isolation. Ihre Zielperson, ist er vermögend?«

»Ja.«

»Aha, das hilft. Ungemein.« Hart wandte sich wieder an Susan. »Ich hatte nicht den Luxus unbegrenzter finanzieller Mittel. Deshalb musste ich mir ein verlassenes Gelände aussuchen.«

»Erzählen Sie mir was über diese Wahl«, bat Jeffrey.

»Das erfordert Umsicht. Man muss sich davon überzeugen, dass man nicht zu sehen ist. Nicht zu hören ist. Dass man völlig unbemerkt bleibt. Dass man keine Aufmerksamkeit auf sich lenkt, wenn man kommt und geht. Es gibt viele Kriterien. Ich habe wochenlang gesucht, bis ich meinen Ort gefunden hatte.«

»Und dann?«

»Ein vorsichtiger Mann kennt sein eigenes Territorium. Ich hab es abgemessen und mir eingeprägt. Ich habe jeden Zentimeter dieses Lagerhauses genau studiert, bevor ich mit, ähm, meinen Gerätschaften eingezogen bin.«

»Was ist mit Sicherheitsmaßnahmen?«

»Der Ort selbst sollte sicher sein, das liegt in der Natur der Sache. Aber ich habe kleine Fallstricke und Krachmacher eingebaut – hier und da einen Stolperdraht, Dosen mit Nägeln, so was in der Art. Natürlich habe ich die immer umgangen. Aber ein ungeschickter Professor und zwei stolpernde Detectives, na ja, die haben einen Riesenkrawall gemacht, als sie da reingestürmt sind. All dieser Krach kam sie teuer zu stehen, Susan.«

»Dachte ich mir.«

Hart lachte wieder. »Ich mag Sie, Susan. Wissen Sie, auch wenn ich Sie gerne in zwei Hälften schlitzen würde, heißt das noch lange nicht, dass ich jemand anderem dieses einmalige Vergnügen gönne. Also, Susan, eine kleine Warnung von Ihrem Bewunderer. Wenn Sie Ihren Mann finden, seien Sie still. Sehr still. Sehr vorsichtig. Und gehen Sie immer davon aus, Susie-Q, dass er im nächsten Schatten auf Sie lauert.«

Der Mörder senkte die Stimme ein wenig, so dass der quengelige Kinderton plötzlich einer Kälte wich, die sie erstaunte. »Und Ihr Bruder kann Ihnen aus eigener Anschauung bestätigen, dass Sie niemals zögern dürfen. Nicht eine Sekunde. Falls Sie die Gelegenheit haben, Susan, dann packen Sie sie beim Schopf, denn wir sind alle sehr schnell bei der Hand, wenn es darum geht, den Tod zu bringen. Sie merken sich das, nicht wahr?«

»Ja«, antwortete sie mit wackeliger Stimme.

Hart nickte. »Gut. Jetzt hab ich Ihnen eine kleine Chance eröffnet.« Er wandte sich wieder an Jeffrey.

»Aber Sie, Professor, bei Ihnen bin ich mir sicher, dass Sie, obwohl Sie das alles wissen, zögern werden, und das kostet Sie das Leben. Sie interessieren sich zu sehr dafür, etwas zu sehen. Das treibt Sie an, nicht wahr? Sie wollen der Beobachter sein. Sie wollen es in seiner ganzen Einmaligkeit, in seiner ganzen Pracht und Herrlichkeit vor sich sehen. Sie sind der geborene Voyeur und kein Mann der Tat, und wenn es so weit ist, tappen Sie in die Falle Ihrer Zögerlichkeit. Das kostet Sie Kopf und Kragen. Ich reserviere Ihnen schon mal einen Platz in der Hölle, Professor.«

»Ich habe Sie geschnappt.«

»Nein, Professor, Sie haben mich *gefunden*. Und hätte dieser sterbende Detective nicht noch zwei Schuss abgegeben, die mich bedauerlicherweise zu viel Blut gekostet haben, dann säße diese Narbe an Ihrem Oberschenkel jetzt woanders.«

Der Mörder deutete auf Jeffreys Brust, indem er mit seinem klauenartigen Finger bedächtig eine Linie in der Luft zog.

Jeffrey merkte, wie er mit der rechten Hand unwillkürlich an sein Bein und die Stelle fuhr, an der Harts Messer ihn getroffen hatte.

Er entsann sich, wie er reglos stehen geblieben war, als der Mörder zu seinen Füßen das Bewusstsein verlor, nachdem er ein einziges Mal mit seinem Jagdmesser ausgeholt und ihn übel verletzt hatte.

Jeffrey wäre am liebsten augenblicklich aufgestanden und hätte den Raum verlassen. Er ertappte sich dabei, wie er sich schon eine Entschuldigung für seine Schwester zurecht legte. Doch im selben Moment machte er sich klar, dass er noch nicht erfahren hatte, was er wissen musste. Er glaubte, dass diese Auskunft nicht mehr lange auf sich warten lassen würde, und so wechselte er nur nervös die Stellung, ohne aufzustehen. Es kostete ihn einiges an Willenskraft, nicht aus dem kleinen Raum zu flüchten.

Dem Mörder war nicht aufgefallen, dass Jeffrey heftig atmete, dafür aber seiner Schwester, auch wenn sie sich nicht zu ihm umdrehte, um Hart nicht darauf zu stoßen. Stattdessen platzte sie heraus: »Sie brauchten also Sicherheit und Isolation. Was noch?«

Hart beäugte sie. »Privatsphäre, Susan. Vollkommene Privatsphäre.« Er lächelte. »Man muss sich konzentrieren können und hundert Prozent sicher sein, dass man ungestört bleibt. Deine ganze Aufmerksamkeit, deine ganze Kraft, dein ganzes Sein ist auf diesen einen Ort gerichtet. Habe ich nicht recht, Professor?«

»Ja.«

»Sehen Sie, Susan, es geht um einen ganz besonderen Moment. Er ist einmalig. Mächtig. Überwältigend. Alles in einem verdichtet sich in diesem Moment. Er gehört dir und ihr und niemandem sonst. Aber zugleich weiß man, dass das, was man vollbringen will, wie alle großen Leistungen in der langen und mühseligen Geschichte unserer Welt voller Gefahren ist; Körperflüssigkeiten, Fingerabdrücke, Haarfasern, DNA-fähiges Material – all diese kleinen Details, die von der Polizei so gewissenhaft bei jedem Fall eingesammelt werden. Demnach muss Ihr Ort so beschaffen sein, dass Sie dies alles unter Kontrolle haben. Andererseits soll das Abenteuer nicht, hm ... zu steril werden. Das würde die Spannung verderben.«

Wieder legte Hart eine Pause ein und zog eine Augenbraue hoch. »Verstehen Sie das alles, Susan? Verstehen Sie, was ich meine?«

»So allmählich.«

»Sie spielen nach Ihrer eigenen Melodie«, sagte der Mörder.

Susan nickte, doch Jeffrey saß plötzlich kerzengerade.

»Sagen Sie das noch einmal«, forderte er Hart auf.

Hart sah ihn an. »Was?«

Doch diesmal winkte Jeffrey nur ab. »Nein, nein, schon gut.« Er stand auf und hob die Hand Richtung Spiegel. »Wir sind fertig. Danke, Mr. Hart.«

»Ich bin noch nicht fertig«, erklärte Hart langsam. »Wir sind fertig, wenn ich es sage.«

»Nein«, widersprach Jeffrey. »Ich habe, was ich brauche. Ende des Interviews.«

Einen Moment lang traten die Augen des Mörders stark hervor, und Susan schreckte fast vor diesem plötzlichen Hass zurück. Die Handschellen rasselten in der Metallhalterung. Zwei stämmige Gefängniswärter betraten den Raum. Sie warfen beide einen Blick auf den verspannten Mann am Tisch, der vor Wut fast zu bersten schien, und einer von ihnen ging zu einer Gegensprechanlage an der Wand, um in nüchternem Ton eine »Sondereskorte« anzufordern. Dann wandte er sich an die Claytons und sagte: »Er scheint erregt zu sein. Wäre vielleicht besser, wenn Sie beide zuerst gehen würden.«

Susan sah, wie an der Stirn des Mörders eine Ader vorstand.

Er war zusammengesackt, doch seine Nackenmuskeln waren verhärtet.

»Was habe ich gesagt, Professor?«, fragte Hart. »Ich dachte, ich wäre vorsichtig.«

»Sie haben mich auf was gebracht.«

»Auf was gebracht? Professor«, Hart hob kaum merklich den Kopf, »wir sehen uns in der Hölle.«

Jeffrey legte seiner Schwester eine Hand auf den Rücken und schob sie beinah aus der Tür. In dem angrenzenden Korridor sah sie eine etwa sechsköpfige Gruppe Wärter mit Schlagstöcken, Schutzhelmen mit getöntem Visier und Splitterschutzwesten in ihre Richtung kommen. Die Stahlspitzen ihrer Stiefel klackten auf dem gewachsten Linoleum.

»Mag sein«, erwiderte Jeffrey und drehte sich noch einmal um. »Aber Sie kommen schneller hin als ich.«

Hart kicherte wieder, doch diesmal klang es freudlos. Susan stellte sich vor, dass dies das Letzte war, was eine Reihe junger Frauen auf dieser Erde zu hören bekommen hatten.

»Darauf würde ich mich nicht verlassen«, gab er zurück. »Ich könnte mir denken, dass Sie schon unterwegs sind. Beeilen Sie sich, Professor, ein bisschen hopp, hopp.«

Die Wärter drängten sich an ihnen vorbei in den Raum.

»Nichts wie raus hier«, meinte Jeffrey und packte Susan am Ellbogen, um sie durch den Flur zu geleiten. Hinter ihnen ertönte ein gewaltiges Wutgebrüll und mehrere sehr laute Stimmen. Ein paar Obszönitäten flogen durch die Luft, dann hörte man das Geräusch von um sich tretenden Füßen am Boden und das dumpfe Aufeinanderprallen von menschlichen Körpern.

Sie hörten noch einen Schrei, eine Mischung aus Wut und Schmerz.

»Sie haben ihn betäubt«, erklärte Jeffrey.

Als sie in eine Schleuse traten, verstummte das Geräusch mit einem Schlag. Draußen wartete der große Texas-Ranger, der sie zum Gefängnis gefahren hatte.

Er schüttelte den Kopf. »Mann, ist das ein kranker Typ«, meinte der Ranger. »Ich hab durchs Kontrollfenster zugesehen. Miss, ich fand, Sie waren in einigen heiklen Momenten verdammt cool. Falls Sie sich je mit dem Gedanken tragen, sich beruflich zu verändern und ein Texas-Ranger zu werden, also meine Stimme ist Ihnen sicher.«

»Danke«, sagte Susan. Sie holte einmal tief Luft und hielt plötzlich den Atem an. Sie drehte sich zu ihrem Bruder um.

»Du hast es gewusst, nicht wahr?«

»Was gewusst?«

»Du wusstest, er würde sich nicht auf ein Treffen einlassen, außer vielleicht, um dir ins Gesicht zu spucken. Aber du hast auch gewusst, dass er der Versuchung nicht widerstehen könnte, vor mir zu prahlen. Deshalb wolltest du mich dabeihaben, richtig? Meine Anwesenheit sollte ihm die Zunge lösen.« Ihre Stimme zitterte ein wenig.

Er nickte. »Das schien mir die richtige Strategie zu sein.«

Susan stieß einen langen, leisen Seufzer aus. Dann flüsterte sie ihrem Bruder zu: »Na schön. Was zum Teufel hat er gesagt?«

»Sie spielen nach Ihrer eigenen Melodie.«

Susan nickte. »Okay. Das hab ich auch gehört. Aber was schließt du daraus?«

Sie marschierten im Eilschritt durch das Gefängnis, als sei jede Sekunde so wichtig wie gefährlich. »Weißt du noch, als wir klein waren, die absolute Regel? Ihn niemals zu stören, wenn er Geige spielte? Unten im Keller?«

»Ja. Wieso da? Wieso nicht in seinem Arbeitszimmer? Oder im Wohnzimmer? Stattdessen ist er mit der Geige in den Keller gegangen.« Kaum wurde Susan klar, was das bedeutete, überschlugen sich ihre Worte. »Demnach suchen wir nach –«

»Seinem Musikzimmer.«

Professor Tod biss die Zähne zusammen.

»Nur dass er dort nicht Geige spielt.«

Diana Clayton war auf halbe Distanz an das Auto herangekommen, als sie die Gestalt sah, die hinter dem Lenkrad kauerte. Sie blieb noch einmal stehen und lauschte auf Geräusche. Dann ging sie vorsichtig weiter. Sie hatte das Gefühl, als sei es plötzlich heißer geworden, und sie hielt sich die Hand über die Augen, um sie vor der Sonnenspiegelung in der Metallkarosserie zu schützen.

Sie spürte, wie es ihr in den Ohren pochte und wie sich ihr Herzschlag beschleunigte. Sie wischte sich den Schweiß aus den Augen und hatte das Bedürfnis, den Atem anzuhalten. Sie musste sich zwingen, wachsam zu bleiben, statt nur auf die Gestalt im Wagen zu starren. Sie versuchte, sich zu erinnern, wann sie schon einmal einen Toten gesehen hatte, erkannte aber, dass alle Opfer von willkürlicher Gewalt oder von Autounfällen, die sie bislang gesehen hatte, nur einen flüchtigen Eindruck hinterlassen hatten – eine Gestalt unter einem Tuch, ein kurzer Blick auf lebloses Fleisch, bevor es im Leichensack verschwand. Mit einer Ausnahme hatte sie sich noch nie einem Toten genähert, und schon gar nicht allein und schon gar nicht als Erste und erst recht nicht einem Opfer von tückischer Gewalt.

Sie überlegte, was ihr Sohn jetzt machen würde.

Er wäre vorsichtig, sagte sie sich. Er würde am Fundort nichts anrühren, um kein Beweismaterial zu zerstören. Ihm würde keine Nuance der Szene entgehen, weil ihm jedes Detail etwas mitteilte. Er würde die Umgebung lesen wie ein Mönch eine Handschrift.

Langsam trat sie vor und fühlte sich vollkommen überfordert.

Als sie nur noch drei Meter entfernt war, sah sie, dass die Scheibe im Seitenfenster auf der Fahrerseite zersplittert war und die Scherben auf dem Boden lagen. Die wenigen Glasreste, die noch im Rahmen steckten, waren mit rotem Blut sowie grauer Gehirn- und Knochenmasse verklebt.

Das Gesicht des Mannes konnte sie immer noch nicht sehen.

Er war nach vorne auf das Lenkrad gesackt. Sie wünschte, sie hätte anhand der Schultern oder auch Schnitt und Farbe der Kleidung sagen können, wer es war, doch sie musste passen. Sie sah ein, dass sie noch näher herantreten musste.

Ihre Hände legten sich fester um den Revolver. Sie drehte sich einmal um die eigene Achse und spähte erneut in alle Richtungen.

Wie eine Mutter ans Bett ihres schlafenden Kindes schleicht, pirschte sich Diana auf Zehenspitzen seitlich an den Wagen heran. Ein rascher Blick auf den Rücksitz sagte ihr, dass er leer war. Erst jetzt zwang sie sich, die Leiche anzusehen.

In der Rechten baumelte dem Mann eine große halbautomatische Pistole mit einem großen Kaliber. In der Linken hielt er einen blutbespritzten Umschlag.

Sie ging noch ein Stück vor. Der Mann hatte die Augen geöffnet, und sie schnappte laut nach Luft.

Als sie ihn erkannte, taumelte Diana zurück.

Wie ein Partybesucher, der merkt, dass er einen zu viel intus hatte, schwankte sie ein wenig, als sie den Rückzug antrat; sie lehnte sich an einen großen Felsen, ohne den Blick von dem Toten zu lassen. Sie brauchte nicht den Brief aus der Tasche zu ziehen, um sich zu erinnern, was darin stand. Ebenso wenig glaubte sie noch, dass der Brief, der ihr einen netten Morgenspaziergang empfahl, von dem Toten stammte.

Sie wusste, wer ihn geschrieben hatte und wer ihr diesen Ausblick bescherte. Bei dem Gedanken hatte sie einen säuerlichen, bitteren Geschmack im Mund, und sie griff nach der Wasserflasche. Sie nahm einen Schluck, um sich mit der lauen Flüssigkeit die Zunge zu spülen. Er hatte gesagt, der Anblick, der sie erwartete, sei *einmalig*. Und sie räumte ein, dass der Tod vielleicht das Einzige war, das zugleich alltäglich wie einmalig war.

NEUNZEHN
DIE ARCHITEKTUR DES TODES

Die Nachmittagsluft war rau und trocken gewesen, so dass bei Einbruch der Dunkelheit die Temperatur erheblich sank. Die frühabendliche Kälte schlug Jeffrey und Susan Clayton entgegen, als sie zu der Stelle geleitet wurden, an der ihre Mutter an diesem Morgen die Leiche von Agent Martin gefunden hatte. Nach ihrer Landung hatten sie keine näheren Einzelheiten über die Todesumstände erfahren, sondern waren nur unterrichtet worden, es hätte »einen Unfall« gegeben.

Susan entdeckte die Einfahrt zu ihrem Stadthaus und gab diese Information flüsternd an ihren Bruder weiter. Ein Stück die Straße hinauf, da, wo ihre Mutter in den Donner-Boulevard eingebogen war, parkten zwei Streifenwagen der Staatssicherheit. Zwei uniformierte Beamte bewachten den Zugang, hatten jedoch wenig zu tun. Es gab keine Traube aufgeregter oder neugieriger Schaulustiger. Der Agent, der Bruder und Schwester begleitete, wurde schnell durchgewinkt. Er wirkte bedrückt und zurückgezogen und hatte sich auf der gesamten Fahrt vom Flughafen auf kein Gespräch eingelassen. Sein Auto holperte ein paar hundert Meter weit über die buckelige Straße und kam dann schlitternd zum Stehen.

Ein halbes Dutzend Fahrzeuge stand am Ende des alten Wanderwegs in einem ungeordneten Knäuel. Jeffrey sah dieselbe Fahrzeuge der Spurensuche wie am Fundort des letzten Opfers. Er erkannte viele der Beamten wieder, die – offenbar unsicher darüber, worin ihre Aufgabe bestand – etwas planlos hin und her liefen.

»Ich lass den Wagen hier stehen«, meinte der Agent. »Die brauchen Sie da oben.« Er deutete auf das Treiben geradeaus.

»Wo ist meine Mutter?«, wollte Susan wissen, und es klang ein wenig wie ein Befehl.

»Sie ist da oben. Soll eine Aussage machen, aber soweit ich gehört habe, besteht sie darauf zu warten, bis Sie da sind. Scheiße«, entfuhr es dem Agent. »Bob Martin war ein Freund von mir. Dieser Scheißkerl.«

Jeffrey und Susan stiegen aus. Jeffrey ging in die Knie, nahm eine Handvoll von dem lockeren Boden auf und ließ ihn sich durch die Finger rieseln wie ein Farmer der Dust-Bowl-Region während der Weltwirtschaftskrise seinen Ruin.

»Eine schlechte Stelle«, folgerte er. »Trocken und windig. Schlecht für Indizien. Schlecht für Anhaltspunkte.«

»Ein anderer Ort wäre besser gewesen?«

»Ein feuchter Ort. Es gibt Leichenfundorte, wo man fast den gesamten Tathergang an der Erde ablesen kann. Die ganze Geschichte. Man lernt, in der Umgebung zu lesen wie in einem Buch. Das hier ist anders. Hier wird alles so schnell ausradiert, wie es geschrieben wird. Verdammt. Komm, suchen wir Mutter.«

Er entdeckte Diana an einen staatlichen Truck gelehnt, wo sie aus einem Isolierbecher warmen Kaffee trank. Im selben Moment drehte sich Diana Clayton um, sah die beiden kommen und winkte ihnen mit einer Geste zu, in der sich der Ernst der Situation mit der Freude über das Wiedersehen mit Sohn und Tochter mischte. Jeffrey war über ihr Aussehen erstaunt. Er hatte das Gefühl, als sei ihr ganzer Körper durch und durch so bleich wie ihr Gesicht. Ihr Anblick auf dem Monitor hatte nicht so erschreckend vermittelt, wie sehr die Krankheit sie ausgezehrt hatte. Sie schien dünn und zerbrechlich, als würde sie nur noch von Haut und Sehnen zusammengehalten. Er versuchte, seine Irritation zu verbergen, doch Diana bemerkte es sofort.

»Komm schon, Jeffrey«, meinte sie in gespielt vorwurfsvollem Ton. »So schlimm sehe ich nun auch wieder nicht aus.«

Er lächelte, schüttelte den Kopf und lief in ihre ausgebreiteten Arme. »Nein, nein, ganz und gar nicht. Du siehst prächtig aus.«

Sie umarmten sich, und Diana flüsterte ihrem Sohn die Wahrheit ins Ohr. »Es ist, als ob ich den Tod in den Knochen hätte.«

Sie hielt ihn immer noch an den Armen, lehnte sich zurück und sah ihn sich genau an. Dann nahm sie ihre Hand von seinem Ellbogen und strich ihm über die Wange. »Mein wunderbarer Junge«, murmelte sie leise. »Du bist immer mein wunderbarer Junge gewesen. Es wird gut sein, sich in den kommenden Tagen daran zu erinnern.«

Dann drehte sich Diana halb um und winkte Susan, die ein Stück zurück geblieben war, mit einer stummen Geste, sie zu umarmen. »Und mein perfektes Mädchen«, seufzte sie. Ihr stand eine Träne im Augenwinkel.

»Ach Mutter«, entfuhr es Susan, fast im Ton eines Teenagers, dem Zuneigung peinlich war, obwohl sie sie in Wahrheit genoss.

Diana trat zurück, zwang sich zu einem Lächeln und hielt alle anderen Emotionen auf Abstand. »Ich hasse das, was uns alle zusammengebracht hat«, stellte sie fest, »aber ich liebe es, dass wir drei beieinander sind.«

Sie verharrten einen Moment, dann sah Jeffrey auf.

»Es gibt Arbeit für mich«, entschuldigte er sich. »Wie hat –«

Diana drückte ihm den Brief, mit der Wegbeschreibung in die Hand. Susan sah ihm über die Schulter und las mit.

»Ich hab mich an die Anweisungen gehalten. Es klang alles ganz harmlos, bis ich hier herauf kam und den armen Agent Martin dort drüben in seinem Wagen fand. Er hatte sich erschossen, zumindest sieht es so aus. Ich bin nicht allzu nah heran gegangen ...«

»Sonst hast du niemanden gesehen?«

»Wenn du *ihn* meinst, nein ...« Diana zögerte, dann fügte sie hinzu: »Aber ich hab ihn gespürt. Seine Gegenwart gespürt. Vielleicht auch gerochen. Ich hatte die ganze Zeit, die ich allein hier oben war, das Gefühl, beobachtet zu werden, aber natürlich war niemand da. Jedenfalls hätte ich nichts tun können, also habe ich die Polizei gerufen und dann auf eure Rückkehr gewartet. Ich muss sagen, alle sind sehr höflich gewesen. Besonders der leitende Agent …«

Den Brief immer noch geöffnet in der Hand, drehte sich Jeffrey um und sah den Beamten, den er Manson nannte, neben dem Wagen von Detective Martin stehen und auf die Leiche starren.

Susan las noch. »Das hat nie im Leben Agent Martin geschrieben«, stellte sie fest. »Das ist weder sein Stil noch seine Wortwahl. Zu geheimniskrämerisch, zu langatmig.« Sie zögerte. »Wir wissen, wer das geschrieben hat.«

Jeffrey nickte.

»Ich frage mich, wieso er wollte, dass ich hier raufkomme«, sagte Diana.

»Vielleicht, weil du sehen solltest, wozu er fähig ist«, erwiderte Susan.

Jeffrey nickte. »Susie, Mom, bleibt bitte in der Nähe, ich brauche vielleicht eure Hilfe.« Dann ging er zu Agent Martins Wagen.

Manson starrte konzentriert auf das blutbespritzte Glas, das unterhalb des Fahrerfensters über den Boden verstreut lag. Als er Jeffrey kommen sah, huschte ein schwaches Politikerlächeln über sein Gesicht. Dann griff er in die Tasche seines Sportmantels und zog ein Paar Latexhandschuhe heraus, die er Jeffrey in hohem Bogen zuwarf. »Hier. Jetzt kann ich dem berühmten Professor Tod bei seiner eigentlichen Arbeit zusehen.«

Jeffrey fing die Handschuhe wortlos auf.

»Natürlich gibt es offiziell nichts darüber zu berichten. Jedenfalls nicht viel«, fuhr Manson fort. »Wegen beruflicher Schwierigkeiten entmutigt, ohne den Halt einer Familie wählte der zuverlässige und aufopferungsvolle Staatsdiener tragischerweise den Freitod. Selbst hier, wo so vieles wieder ins Lot kommt, können wir gegen Depressionen wenig tun. Es mag die Übrigen von uns daran erinnern, wie glücklich wir uns schätzen dürfen …«

»Er hat sich nicht das Leben genommen, das wissen Sie.«

Manson schüttelte den Kopf. »Manchmal erfordert unsere Welt zwei unterschiedliche Interpretationen der Ereignisse. Natürlich liegt die eben zitierte nahe. Und dann gibt es noch die weniger offensichtliche. Die bleibt, wie soll ich sagen, eher privat? Unter uns.« Er sah zu den Leuten der Spurensicherung hinüber. »Die haben nur die Aufgabe, etwas zu untersuchen, das Ihnen für die Ermittlungen wichtig erscheint. Ansonsten ist das hier ein Selbstmord und wird von der Staatssicherheit auch als solcher behandelt. Tragisch.«

Manson trat vom Wagen zurück. Mit einer leichten Verbeugung und einer Armbewegung machte er Jeffrey Zeichen, mitzukommen. »Sagen Sie mir, was passiert ist, Professor. Sagen Sie mir genau, was Sie sehen. Und sagen Sie es nur mir.«

Jeffrey ging zur Beifahrerseite des Wagens und öffnete die Tür. Er ließ den Blick schnell, doch gründlich über das Wageninnere schweifen. Er bemerkte die beiden Ferngläser auf dem Sitz. Dann wandte er sich Agent Martins Leiche zu. Er blieb unberührt, als betrachtete er in einer Galerie das Gemälde eines zweitrangigen Malers. Je länger er hinsah und die Leinwand inspizierte, desto klarer traten die Fehler in dem Porträt zutage. Der Körper des Agent war unter der Wucht des Schusses nach links gesackt. Augen und Mund waren aufgerissen, als könne er den Tod nicht fassen. Die Wunde als solche war gewaltig; ein beträchtlicher Teil des Schädels zertrümmert, wodurch der Ausdruck in dem blutüberströmten Gesicht noch schauriger und grotesker wirkte.

Immer noch über den Sitz gelehnt, sah Jeffrey, dass der Tote in der linken Hand einen Brief hielt, der ebenfalls mit Blut verschmiert und mit zähflüssiger, farbloser Gehirnmasse überzogen war. Die rechte Hand, die mit lockerem Griff die Neun-Millimeter-Pistole hielt, hing schlaff auf den Sitz. Er suchte die Leiche weiter ab, ohne sie zu berühren, und entdeckte den Riss in Martins Hose, unter dem ein aufgeschürftes Knie zum Vorschein kam, das vor seinem Tod geblutet hatte. Er beugte sich weiter hinein und zog das Hosenbein vom Knöchel des Detective zurück. Das flache Wurfmesser, das er an dem Nachmittag ihrer ersten Begegnung getragen hatte, war einer kurzläufigen Pistole Kaliber achtunddreißig gewichen, die in einem ledernen Knöchelholster steckte.

Er ließ das Hosenbein wieder herunter.

Es dürfte nicht allzu viele Menschen geben, die zu ihrem Selbstmord mehr als eine Waffe mitnehmen, dachte er.

Er blickte wieder auf Martins Augen.

War das dein letzter Gedanke? Wie du an die Pistole kommst? Wie du dich wehren kannst? Er schüttelte den Kopf. Du hattest keine Chance.

Durchs Fenster blickte Jeffrey zu Manson hinüber, der von der Todesszene zurückgetreten war. Er sagte nichts, auch wenn er dachte: Jetzt ist also der Killer, der euer Problem lösen sollte, nachdem ich ihm meinen Vater ausgeliefert habe, selbst in einen Hinterhalt getappt und ermordet worden. War nicht ganz so gewieft, nicht ganz so clever, nicht ganz so tödlich, wie ihr vermutet hattet.

Er sah, wie Manson das Gesicht verzog, als wäre ihm im selben Moment der gleiche Gedanke gekommen.

Und jetzt müsst ihr eure ganzen Hoffnungen in jemanden setzen, den ihr nicht unter eurer Kontrolle habt. Das findet ihr wahrscheinlich ziemlich unangenehm, nicht wahr? Allerdings nicht ganz so unangenehm wie die Folgen, die sich ergeben, wenn ich meinen Vater nicht finde. Trotzdem verdrießlich.

Er grinste einen Moment angesichts der Situation.

Jeffrey richtete sich halb auf und untersuchte kurz den Rücksitz, konnte jedoch nichts Auffälliges feststellen, auch wenn er wusste, dass sein Vater, der Mörder, dort gesessen hatte. Er hing der bescheidenen Hoffnung nach, dass sich dort vielleicht mikroskopisch feine Kleiderfasern oder Haarrückstände finden ließen. Womöglich sogar ein Fingerabdruck. Doch er bezweifelte es. Außerdem zweifelte er, dass man ihm – trotz der Bemerkung von Manson – eine vollständige forensische Untersuchung des Autos bewilligen würde.

Jeffrey stand auf und griff in eine Jackentasche, aus der er ein kleines Lederetui mit ein paar Metallwerkzeugen zog. Er nahm eine blitzende Stahlpinzette und lehnte sich über den Beifahrersitz hinweg. Behutsam, aber entschlossen zog er den Brief aus Martins toten Fingern. Ohne ihn zu berühren, las er in schwarzen Bleistiftlettern die Initialen J. C. auf der Vorderseite.

Er wollte den Umschlag gerade öffnen, als er es sich anders überlegte.

Er drehte sich um und winkte seine Schwester heran, die nur zwanzig Meter entfernt stand. Sie sah ihn, nickte und verließ Diana, die immer noch an ihrem Kaffee nippte.

»Was ist das?«, fragte Susan, als sie herüberkam.

Jeffrey sah, dass sie den Blick vom Wagen abwandte. Doch dann beugte sie sich vor und schaute hinein.

Nach einer Weile richtete sie sich auf. »Hässlich«, erklärte sie.

»Er war ein hässlicher Mann.«

»Und hat ein hässliches Ende genommen. Trotzdem ...«

»Den hatte er in der Hand. Du kennst dich am besten mit Worten aus. Ich dachte, du solltest ihn vielleicht mit mir zusammen lesen.«

Susan betrachtete eingehend den Umschlag mit den Initialen J. C. »Na ja«, meinte sie, »wohl ziemlich eindeutig, an wen er gerichtet ist, es sei denn, Jesus Christus stünde auf der Adressliste unseres lieben alten Dad. Mach ihn auf.«

Jeffrey nahm vorsichtig wie ein Assistenzarzt, der seiner ruhigen Hand noch nicht ganz traut, die Pinzette und öffnete den

Umschlag. Er war mit Tesafilm und nicht mit Spucke zugeklebt, stellte Jeffrey mit Bedauern fest. Bruder und Schwester sahen, dass darin ein Blatt gewöhnliches weißes Notizpapier steckte. Er packte es behutsam an der Ecke und entfaltete es auf der Kühlerhaube.

Einen Moment lang schwiegen sie beide.

»Da hol mich der Teufel«, fluchte Susan, indem sie die Worte durch die Zähne pfiff.

Das Papier war leer.

Jeffrey zog die Stirn in Falten. »Das ist mir zu hoch«, stellte er ruhig fest.

Er drehte das Blatt um und sah, dass auch die Rückseite unbeschriftet war. Er hielt das Papier in die Höhe, gegen die untergehende Sonne, und suchte nach irgendwelchen Zeichen dafür, dass es beschrieben worden war, und sei es mit Zitronensaft oder einer anderen Substanz, die unter Röntgenlicht erscheinen würde.

»Ich werde ihn wohl in ein Labor mitnehmen müssen«, überlegte er. »Es gibt Techniken, um eine unsichtbare Schrift sichtbar zu machen. Schwarzlicht, Laser, alles Mögliche. Ich frage mich nur, wieso er das, was er geschrieben hat, versteckt.«

Susan schüttelte den Kopf. »Du stehst auf deiner Leitung, nicht wahr?«

»Wie meinst du das?«

»Das unbeschriebene Blatt. Das *ist* seine Botschaft an dich.«

Jeffrey schnappte nach der zunehmend kalten Luft. »Das musst du mir erklären«, bat er leise.

»Ein unbeschriebenes Blatt sagt so viel wie eins, das vollgeschrieben ist. Wahrscheinlich sogar mehr. Es sagt, du weißt nichts. Es soll dir sagen, er ist eine unbekannte Größe, Tabula rasa. Es sagt dir auch, du sollst aus dem, was du siehst, lernen, und nicht aus dem, was man dir sagt. Was ist ein Kind für einen Vater? Du fängst mit einem unbeschriebenen Blatt an und formst das Kind zu einer Persönlichkeit. Steckt eine ganze Menge drin.

Die weiße Leinwand, die auf den ersten Pinselstrich des Malers wartet. Die ersten Worte des Autors auf einer leeren Seite. Es ist alles symbolisch. Das, was er nicht sagt, wirkt viel stärker als das, was er vielleicht hätte sagen können. Symbolik. Symbolik. Symbolik.«

Langsam nickte ihr Bruder. »Der Detective ist ein Mann der handfesten Dinge ...«, sinnierte er.

»Aber der Mörder drückt sich in Bildern aus.«

Wieder nahm Jeffrey einen tiefen Zug von der kühlen Luft des windstillen Abends. »Und der Professor, der Lehrer ...«, begann er.

»Sollte in der Lage sein, beides zu überbrücken«, brachte Susan den Satz zu Ende.

Jeffrey wandte sich vom Wagen ab und machte ein paar energische Schritte zurück zum Weg. Susan zögerte und ließ ihm einen Vorsprung, dann rannte sie ihm hinterher.

Beide gingen in zügigen Laufschritt über, während sie schweigend ihren Gedanken nachhingen. Susan kroch die Angst den Rücken hoch, als sie sah, wie ihr Bruder mit seinen aufgewühlten Gefühlen kämpfte.

»Wir sollten einfach schleunigst abhauen«, rief er und blieb abrupt stehen.

»Nein«, widersprach sie. »Er hat uns gefunden. Wir können uns nicht wieder verstecken.«

»Aber was sollen wir machen? Ihn verhaften? Töten? Ihn bitten, uns in Frieden zu lassen?«

»Ich weiß es nicht.«

»Er ist bösartig.«

»Ich weiß.«

»Und er ist ein Teil von uns. Oder meinetwegen auch wir von ihm.«

»Und?«

»Ich weiß nicht, Susie?«

Wieder trat Schweigen ein.

Jeffrey wandte sich von seiner Schwester ab und starrte den Pfad hinauf.

»Was zum Teufel hat Martin da oben verloren?«, fragte er unvermittelt.

In diesem Moment entdeckte er eine kleine schwarze Form auf dem losen Sand. Sie ähnelte einem Stein, war aber für einen natürlichen Gegenstand viel zu rund. Jeffrey hob das Ding auf und klopfte den Staub ab. Es war die Schutzkappe eines der Ferngläser. Er blickte zum Wagen zurück und lief dann weiter, während seine Schwester mit ihm Schritt hielt.

Sie marschierten zügig um die kleine Kurve, dann den Pfad hinunter. »Wonach hat er hier oben gesucht?«, fragte Jeffrey.

Susan blieb stehen. Sie zeigte geradeaus, und Jeffrey sah unter sich den Komplex der Reihenhäuser.

»Nach uns«, erklärte sie. »Der gute Agent hat uns ausspioniert! Wieso?«

Jeffrey überlegte einen Moment. »Weil er damit gerechnet hat, dass die Zielperson auftauchen würde. Deshalb war er da oben.«

Er suchte die Stelle ab und entdeckte in der Nähe eines Felsens die zerknüllte Zellophanhülle von Agent Martins Keksen. »Hier hat er gewartet und hinübergesehen. Und dann hat er aus irgendeinem Grund kehrtgemacht und ist im Eiltempo den Weg zurückgelaufen. Ich würde sagen, so schnell er konnte, denn er hat einen Kratzer an seinem Knie, den er sich nur geholt haben kann, indem er gestolpert oder gefallen ist. Wahrscheinlich da, wo ich die Schutzkappe gefunden habe.«

»Ein Mann, der es mit seinem eigenen Selbstmord so eilig hat?«

»Nein, ein Mann, der glaubt, er hätte etwas gesehen, dann aber etwas anderes entdeckt.«

»Eine Falle?«

»Ein Mann, der anderen eine Falle stellt, wiegt sich gewöhnlich in einer trügerischen Sicherheit, was ihn in den meisten

Fällen daran hindert, die Falle zu sehen, in die er tappt. Jedenfalls ist das eine plausible Vermutung. Er ist hier allein hochgekommen, um euch auszuspionieren, nur dass er nicht allein war. Ich könnte mir verschiedene Szenarios denken. Er hat versucht, wegzurennen. Vielleicht. Er steigt in den Wagen, aber da hat er bereits eine Pistole am Kopf. Vielleicht. Oder der Mörder hat im Wagen auf ihn gewartet. Vielleicht. Jedenfalls stirbt er dort. Er wird ermordet. Ein Knall, und der Mörder steckt dem Detective die Pistole – seine eigene Waffe – in die Hand. Höchst einfach. Der Schein, den er erweckt, reicht gerade aus, damit der Staat sagen kann, er hätte sich umgebracht …«

Jeffrey ertappte sich bei dem Gedanken an junge Frauen, die verschwanden und angeblich von wilden Hunden angefallen wurden. Das sagte er nicht laut. Ihm kam der Gedanke, dass es für den Mörder ein unglaublicher Luxus sein musste, an einem Ort zu töten, der alles daran setzte, die Wahrheit zu verdunkeln. Er hob den Kopf und blickte zu den Bergen in der Ferne hinüber, wo er die Kämme zählte, an denen sich das letzte Tageslicht fing, so dass sie in unberührter Schönheit in sattem Grün und Rot aufleuchteten. Ein Stück Erde wartet nur darauf, dass hier ein neues Kapitel in der Geschichte geschrieben wurde. Der sicherste Ort zum Leben in dieser Nation war auch der sicherste Ort zum Töten.

Er bezweifelte, dass Manson sich dieser Ironie bewusst war.

»Wir müssen es nicht genau wissen …« Susan sprach langsam, und Jeffrey drehte sich zu ihr um und hörte zu. »Manchmal steckt die Botschaft in der Gegenüberstellung von Ereignissen. Von Ideen. Wir sollen erkennen, wie er über die Details des Sterbens bestimmt.«

Jeffrey nickte.

»Er stellt raffinierte Fallen. Er möchte, dass man in eine bestimmte Richtung denkt, bis man erkennt, dass genau nach seinem Plan etwas ganz anderes passiert.«

»Allerdings. Die besten Puzzles sind immer Labyrinthe. Mit Wegweisern, die in die falsche Richtung führen.«

Während Susan schwieg, legte sich ein schiefes Grinsen um ihre Mundwinkel. Jeffrey sah eine Härte in ihren Augen, die er an ihr nicht kannte. »Mir fällt noch etwas ein«, verkündete sie.

»Nämlich?«

»Siehst du nicht, wie er mit uns kommuniziert?«

Jeffrey schüttelte den Kopf. »Ich kann dir nicht folgen.«

Susans Stimme wurde vom Wind gedämpft, als würde jedes Wort erst einmal durchgeschüttelt und herumgewirbelt. »Mir hat er Rätsel geschickt. Er hat mit Worten gespielt, das heißt, er hat sich der Sprache bedient, die ich kenne. *Mata Hari.* Die Rätselkönigin. Dir was anderes. Dir schickt er Botschaften in deiner Sprache: Gewalt und Mord. *Professor Tod.* Das sind Rätsel anderer Art, aber trotzdem Rätsel. Ist das nicht typisch für Eltern? Dass man die Art der Kommunikation auf die besonderen Fähigkeiten des Kindes abstimmt?«

Jeffrey war plötzlich flau im Magen. »Verdammt«, flüsterte er.

»Was?«

»Vor sieben Jahren, kurz nach meiner Berufung an die Universität, verschwand eine meiner Studentinnen. Eine junge Frau, die ich eigentlich nicht kannte, ein Gesicht unter vielen in einem großen Hörsaal. Man fand sie in einer sehr ähnlichen Haltung wie das Mädchen, das ermordet wurde, als wir New Jersey verließen, als wir noch klein waren. Und genauso wie das erste Opfer hier im Einundfünfzigsten Staat. Wegen dieser Übereinstimmung hat mich Agent Martin hergebracht …«

»Nur dass in Wahrheit nicht Agent Martin dich geholt hat, sondern er«, fügte Susan hinzu. »Das war er.«

»Hat er auch gewusst, dass ich dich und Mutter herbringen würde?«

Susan überlegte. »Ich denke, das nehmen wir besser an. Vielleicht ging es bei all seinen Botschaften an mich ebenfalls darum.«

Sie schwiegen beide einen Moment.

»Die Frage ist nur nach wie vor: Wieso?«, meinte Susan.

»Ich weiß die Antwort nicht. Noch nicht«, sagte Jeffrey zögerlich. »Eines allerdings weiß ich genau.«

»Nämlich?«

»Wir täten verdammt gut daran, ihn unsererseits zu finden, bevor wir die Antwort auf die Frage von ihm erhalten.«

Diana zog sich in das kleine Zimmer mit dem Klappbett zurück, um sich auszuruhen, aber das fiel ihr schwer. Nicht nur die Schmerzen, die sich just in diesem Moment zurückmeldeten, sondern auch der beunruhigende Tod des Polizisten sowie ihre Angst davor, was die nächsten Stunden oder Tage für sie und ihre Kinder bringen würden – das alles verschwor sich gegen sie und gönnte ihr keinen Schlaf. Sie wusste, dass ihre beiden Kinder im angrenzenden Zimmer versuchten, denjenigen zu finden, der sie alle drei bedrohte, und sie war ein wenig enttäuscht, nicht mit einbezogen zu sein.

Bruder und Schwester saßen an den Computern in Jeffreys Büro im Gebäude der Staatssicherheit und sondierten die Faktoren, nach denen sie suchen wollten.

»Auf den Bauplänen«, überlegte Jeffrey, »wird es als Musikzimmer aufgeführt sein.«

»Oder als Arbeitszimmer? Als Heimkino?«

»Nein. Musikzimmer. Weil er eine Schalldämmung einbauen wird.«

»Das würde auch für ein Heimkino gelten.«

»Das stimmt. Wir sollten auch danach suchen.«

»Aber die Lage innerhalb des Hauses ist ganz entscheidend«, fügte Susan hinzu. »Ein Pianist oder auch ein Cellist würde etwas Zentrales wollen. Hauptgeschoss, vielleicht neben dem Wohnzimmer. So etwas in der Art. Weil er nämlich das, was er tut, nicht verstecken will, sondern sich nur die Möglichkeit des Rückzugs schafft. Privatsphäre, aber auch die Möglichkeit zur Öffnung.«

Jeffrey nickte. »Isolation. Von den Haupträumen des Hauses deutlich entfernt. Aber auch nicht vergraben, er will leichten Zugang. So ungefähr. Vielleicht außerdem noch ein geheimer zweiter Ausgang.«

»Meinst du, er würde ein Gästehaus bauen und es für seine Musik nutzen?«, fragte sie.

»Nein, eher nicht. Ein Gästehaus kommt mir zu exponiert vor. Denk dran, was dein Freund, Mr. Hart, darüber gesagt hat, die Umgebung unter Kontrolle zu haben. Damals in Hopewell hat er es im Keller gemacht – entlegen, aber nicht abgetrennt. Es gibt noch etwas, das hier eine Rolle spielt.«

»Was?«

»Die Psychologie des Tötens. Seine Morde sind ein Teil von ihm. Sie gehören zu seinem Wesenskern. Er wird sich wünschen, den Tod immer in seiner Nähe zu haben.«

»Aber die Leichen waren über den ganzen Bundesstaat verstreut ...«

»Die Leichen sind für ihn nur Abfall. Müll. Sie haben nichts mehr mit dem zu tun, wer und was er ist. Aber was in diesem Zimmer passiert ...«

»... macht ihn zu dem, was er ist«, führte Susan seinen Gedanken zu Ende. »Das leuchtet mir ein. Mehr oder weniger entspricht das dem, was *dein* Freund Mr. Hart gesagt hat.« Sie seufzte und starrte ihren Bruder an. »Es muss dir wehtun«, sagte sie ruhig.

»Was?«

»Dass es dir so leichtfällt, dich in diese Dinge hineinzuversetzen.«

Er reagierte nicht sofort, und sie schloss daraus, dass ihm die Antwort schwer fiel. Schließlich nickte er. »Ich habe Angst, Susie. Schreckliche Angst.«

»Vor ihm?«

Jeffrey schüttelte den Kopf. »Nein. Davor, wie er zu sein.«

Sie hatte schon einen Protest auf den Lippen, schluckte die Bemerkung jedoch herunter, wobei sie hörbar die Luft einsog.

Jeffrey griff in eine Schublade und zog langsam eine große halbautomatische Handfeuerwaffe hervor. Mit einem Klicken löste er die Sperre und ließ den vollen Ladestreifen auf den Boden fallen. Dann zog er den Spannabzug und löste die Patrone aus der Kammer, so dass sie zuerst mit lautem Klappern auf den Schreibtisch fiel und dann geräuschlos auf den Teppich rollte. »Ich besitze mehrere Waffen«, erklärte er.

»Das tut jeder«, antwortete seine Schwester.

»Aber bei mir ist es anders. Ich erlaube mir nicht zu schießen«, fuhr er fort. »Ich hab noch nie abgedrückt.«

»Aber du bist bei so vielen Verhaftungen dabei gewesen...«

»Ich habe nie gefeuert. Sicher, ich hab die Waffe auf jemanden gerichtet. Jemanden bedroht. Aber tatsächlich abgedrückt? Kein einziges Mal. Auch nicht zu Übungszwecken.«

»Und wieso nicht?«

»Ich habe Angst, es könnte mir gefallen.«

Er schwieg eine Weile. Dann legte er die Waffe vor sich auf die Kante des Schreibtischs.

»Ich fuchtele nie mit Messern herum«, sprach er weiter. »Zu verführerisch. Ist es dir noch nie so gegangen?«

»Nein.«

»Und du hättest keine Zweifel? Du würdest nicht zögern?«

»Nein ...«, erwiderte sie mit weniger Nachdruck. »Andererseits habe ich es noch nie von dieser Warte aus gesehen.«

Jeffrey nickte. »Macht einen nachdenklich, oder?«

»Ein bisschen.«

»Susie, wenn es dazu kommt, zögere nicht. Schieß. Warte nicht auf mich. Erwarte nicht von mir, dass ich handle. Erwarte nicht, dass ich entschlossen bin. Du bist von uns beiden immer die Draufgängerin gewesen ...«

»Sicher«, fuhr sie sarkastisch dazwischen. »Diejenige, die mit Mom zu Hause geblieben ist, während du in die große weite Welt hinausgezogen bist und etwas aus dir gemacht hast ...«

»Trotzdem ist es so. War es schon immer. Du warst diejenige, die Risiken eingeht. Ich war Herr Studiosus. Mr. Arbeitsbiene. Bücherwurm und sonst kein Leben. Zähle nicht auf mich, wenn Action gefragt ist. Du übernimmst. Verstehst du, was ich dir sagen will?«

Susan nickte. »Natürlich.«

Doch innerlich hatte sie Zweifel.

Sie schwiegen, bis Jeffrey sich auf seinem Sitz wieder zum Computermonitor umdrehte. »Also«, sagte er in einem scharfen Ton, der nach Entschlossenheit klang. »Dann schauen wir mal, ob all diese Vorschriften und Verordnungen, Verträge und Verbote, die es in dieser brandneuen Welt von morgen gibt, uns tatsächlich dabei helfen, ihn zu finden.«

Er tippte ein paar Tasten, und wenig später erschienen die Worte auf dem Monitor:

BAUGENEHMIGUNGEN/EINUNDFÜNFZIGSTER BUNDESSTAAT.

Die Baupläne durchzusehen, war ein mühseliges Geschäft. Sie beschränkten sich auf Häuser, die in blauen Wohngebieten errichtet worden waren, da sie davon ausgingen, dass Eigenheime in weniger privilegierten Vierteln nicht im selben Maße Privatsphäre boten. Allerdings konnten sie mit der Vermutung auch falsch liegen; denn Jeffrey konnte durchaus die Befriedigung nachempfinden, die der Mörder wahrscheinlich dabei empfand, wenn er seine Taten in gefährlicher Nähe zu Nachbarn beging. Die Literatur über Mord war, wie er seiner Schwester erzählte, voller Beispiele von Nachbarn, die aus einem Haus ganz in der Nähe herzzerreißende Schreie gehört hatten, sie aber ignorierten oder einer harmlosen, wenn auch eher unglaubwürdigen Quelle wie Hunden und Katzen zuschrieben. Das Abgeschirmtsein, erklärte er, musste nicht unbedingt physisch, sondern konnte auch psychisch begründet sein. Doch da sie seit Jeffreys Reise nach New Jersey wussten, dass ihr Vater über viel Geld verfügte, hielten sie sich an die nach den Wünschen der Bauherren geplanten Häuser der teuersten Kategorie.

Per Computer kamen sie an die Unterlagen und Pläne zu jeder freistehenden Villa oder Reihenhaus, jeder Wohnanlage, jedem Einkaufszentrum, jeder Kirche, Schule, Sporthalle und jeder Station der Staatssicherheit innerhalb des ganzen Territoriums. Darüber hinaus waren die Pläne zu jedem älteren Haus gespeichert, das nach der Einverleibung fertiger Wohngebiete in den neuen Staat aufgrund von behördlichen Auflagen umgebaut worden waren. Mit dieser Kategorie hielt sich Jeffrey nicht lange auf; er ging eher davon aus, dass sein Vater mit einem präzisen Plan im Einundfünfzigsten Bundesstaat eingetroffen war und diesem seinen Vorstellungen entsprechend umsetzen wollte. Es wird ein neues Haus sein, sagte er sich, das in den frühesten Entstehungsjahren des neuen Territoriums gebaut wurde, als die Kräfte von Geld und Sicherheit zusammentrafen, um das neue Gebilde zu schaffen.

Das Problem war nur, dass es knapp viertausend Eigenheime der obersten Kategorie im neuen Bundesstaat gab. Nachdem sie sämtliche Häuser ausgeschlossen hatten, die nach dem Verschwinden des ersten jungen Opfers errichtet worden waren, konnten sie diese Zahl auf sieben- bis achthundert reduzieren.

Für Jeffrey entbehrte das nicht der Ironie. Ihr Vater war ein Mann, der Planung und Spontaneität vereinte. Er war anpassungsfähig und doch unbeirrbar.

Er wird hier erst getötet haben, nachdem alles fertig war, überlegte Jeffrey. Nachdem er die Sicherheitskriterien in seinem Plan zu seiner vollen Zufriedenheit verwirklicht hatte. Er wird sich auch ein umfassendes Wissen über den Staat und seine Funktionsweise angeeignet haben. Die Vorbereitungen zu einem Mord sind vermutlich fast genauso fesselnd und erregend für ihn wie das Töten selbst. Und wenn es dann glatt und präzise ausgeführt wird, muss es für ihn der vollkommene Nervenkitzel sein.

Jeffrey dachte an die Violine in den Händen seines Vaters: erst die Läufe, dann die Tonleiter herauf und herunter, dann die Griffe und Fingerpositionen, dann jeder Ton einzeln, bis er saß – und erst dann spielte er die ganze Symphonie von Anfang bis Ende.

Jeffrey holte sich einen weiteren Bauplan auf den Bildschirm. Er versuchte, sich an die Kinder großer Musiker zu erinnern – eines Komponisten, dessen Werke die Jahrhunderte überdauert hatten, und dessen Kind sich mit dem Genie des Vaters hätte messen können. Er musste passen. Er dachte an Künstler, Schriftsteller, Dichter, Filmemacher – doch ein Beispiel von einem Kind, das den Vater übertraf, fiel ihm nicht ein.

Bin ich wie er?, fragte er sich.

Er betrachtete die Pläne vor sich auf dem Monitor. Ein schönes Haus, dachte er. Lichtdurchflutet, voll eleganter Formelemente und einer Raumgestaltung, die wie so viele Häuser im Einundfünfzigsten Bundesstaat optimistisch von der Zukunft und nicht der Vergangenheit kündeten.

Er drückte eine Taste und schickte die Pläne auf Nimmerwiedersehen in den elektronischen Speicher zurück. Der nicht. Er warf seiner Schwester einen Seitenblick zu. Auch sie schüttelte den Kopf und ging zum nächsten Haus über.

So saßen Bruder und Schwester stundenlang beisammen und arbeiteten.

Jedes Mal, wenn einer von ihnen einen Bauplan mit Grundrissen aufrief, die zu ihrer Hypothese passten, merkten sie ihn vor. Dann überprüften sie die Lage, um zu sehen, wie sich dieses Haus in die Nachbarschaft einfügte. Als Letztes bot der Computer ihnen eine dreidimensionale Ansicht des Eigenheims. Erfüllte der entscheidende Raum die Kriterien der richtigen Lage, Isolation und gleichzeitiger Zugänglichkeit, sahen sie sich die genaueren Angaben des Architekten zu Materialien an, die den Schall im Raum dämpfen würden.

Bei diesem Ausschlussverfahren blieben am Ende nur wenige Häuser übrig, die über ein Zimmer verfügten, das für die Musik des Todes geeignet war.

Erst in den frühen Morgenstunden hatten sie ihre Liste auf sechsundvierzig Häuser reduziert.

Susan streckte sich. »Jetzt stellt sich die Frage«, überlegte sie, »wie wir – ohne an jede Tür zu klopfen – herausfinden, welches davon unserem Vater gehört, immer vorausgesetzt, unsere These ist richtig. Wie können wir sie noch weiter eingrenzen?«

Bevor Jeffrey die Frage seiner Schwester beantworten konnte, hörte er ein Geräusch hinter sich. Er drehte sich auf seinem Stuhl um und sah seine Mutter im Eingang stehen. »Du wolltest dich doch ausruhen«, sagte er.

»Mir ist eine Idee gekommen. Eigentlich zwei«, erwiderte Diana. Sie durchquerte das Zimmer, blieb stehen und betrachtete die letzte schematische Zeichnung auf dem Bildschirm vor Susan.

»Was denn?«, erkundigte sich Susan.

»Zunächst einmal sind wir hier, weil er will, dass wir ihn finden. Weil er drei verschiedene Vorhaben hat. Das hat er uns schon deutlich gezeigt.«

»Sprich weiter«, bat Jeffrey bedächtig. »Wie meinst du das?«

»Also, er hat schon einmal versucht, mich umzubringen. Seine Bitterkeit mir gegenüber müsste einer einzigen kalten Wut gewichen sein. Ich hab ihm euch weggenommen. Und jetzt habt ihr beide mich, wenn man so will, wieder zu ihm gebracht. Er wird mich töten und meinen Tod genießen.«

Diana schwieg, als sich ihr ein Bild aufdrängte. Für ihn ist die Vorstellung, mich zu töten, wohl so, wie für einen Mann, der an einem heißen Sommertag das durstlöschende Glas Wasser vor sich sieht, dachte sie.

»Dann musst du hier weg«, bestimmte Susan. »Es war von vornherein ein Fehler, dich herzubringen …«

Diana schüttelte den Kopf. »Ich bin genau da, wo ich hingehöre«, erklärte sie entschieden. »Aber was er mit euch beiden vorhat, ist etwas anderes. Susan, ich glaube, für dich stellt er die geringste Bedrohung dar.«

»Für mich? Wieso?«

»Weil er derjenige war, der dich in der Bar gerettet hat, und möglicherweise gab es schon andere Gelegenheiten, von denen wir nicht wissen. Für die meisten Väter ist eine Tochter etwas Besonderes, egal, wie schrecklich der Vater sein mag. Viele haben einen Beschützerinstinkt. Sie sind, auf ihre Weise, verliebt. Ich glaube, so abstrus das auch sein mag, er will, dass du ihn liebst. Deshalb glaube ich nicht, dass er dich töten will. Ich denke eher, dass er dich auf seine Seite ziehen will. In diese Richtung zielten die Rätselspiele.«

Susan schnaubte empört, erwiderte aber nichts. Es wäre ein lahmer Protest gewesen.

»Bleibe nur noch ich«, sagte Jeffrey. »Was, glaubst du, hat er mit mir vor?«

»Da bin ich mir nicht so sicher. Väter und Söhne kämpfen. Viele Väter behaupten, sie wollten, dass es ihre Söhne einmal weiter bringen als sie, aber ich glaube, die meisten Männer lügen, wenn sie das sagen. Nicht alle, aber die meisten. Sie würden lieber ihre Überlegenheit unter Beweis stellen, so wie umgekehrt der Sohn den Vater übertrumpfen will.«

»Klingt für mich nach einer Menge freudianischem Koks«, warf Susan ein.

»Aber sollten wir es deshalb ignorieren?«, entgegnete Diana.

Darauf reagiert Susan nicht.

Diana seufzte. »Ich glaube, ihr seid wegen des elementarsten Wettstreits hier«, sagte sie. »Beweisen, wer besser ist. Der Vater oder der Sohn. Der Mörder oder der Ermittler. In dieses Spiel hat er uns hereingezogen, schon lange bevor wir es ahnten.« Sie streckte die Hand aus und legte sie Jeffrey auf die Schulter. »Ich weiß nur nicht, wie man diesen Wettstreit gewinnt.«

Jeffrey schrumpfte unter jedem ihrer Worte zusammen und fühlte sich wie ein Kind, immer kleiner, immer unbedeutender und schwächer. Er hatte das Gefühl, seine Stimme könnte krächzen und zittern, und war erleichtert, als es nicht so war. Im selben Moment wurde er sich jedoch einer gewaltigen Wut bewusst, die er sein ganzes Leben lang verdrängt und missachtet hatte. Dieser Zorn wallte plötzlich in ihm auf, und er fühlte, wie sich seine Muskeln an Bauch und Armen spannten.

Sie hat recht, dachte er. Dies ist der eine, entscheidende Kampf meines Lebens, und ich muss ihn gewinnen. »Da war noch was, hast du gesagt, Mutter? Noch eine Idee?«, fragte Jeffrey.

Diana runzelte die Stirn. Sie betrachtete den Grundriss auf dem Computerbildschirm und deutete mit dem knöchernen Finger auf die Dimensionen. »Ganz schön groß, oder?«

»Ja«, stimmte Susan zu.

»Und dazu haben sie hier ihre Vorschriften, nicht wahr?«

»Ja«, bestätigte Jeffrey.

»So ein Haus ist für einen einzigen Mann zu groß, und der Staat lässt unverheiratete Männer nur unter ganz besonderen Umständen herein. Außerdem, was waren wir vor fünfundzwanzig Jahren? Tarnung. Die Pufferzone zur Normalität. Die Fiktion einer Vorstadtidylle. Seht ihr denn nicht, was er hier haben muss?«

Susan und Jeffrey blieben beide stumm.

»Er hat eine Familie. Wie uns.« Diana sprach leise, fast in verschwörerischem Ton. »Doch diese Familie wird sich von uns in einem wichtigen Punkt unterscheiden.« Diana drehte sich zu Jeffrey um und sah ihn mit einem eindringlichen, düsteren Blick an. »Er wird eine Familie gefunden haben, die ihm *hilft*«, erklärte sie.

Sie unterbrach sich, und ihr Gesicht verriet, dass sie von ihren eigenen Worten überrascht war. »Jeffrey, ist so etwas möglich?«

Der Professor ging rasch im Kopf die Geschichte der Mörder durch. Er kramte Namen hervor: der Schuhmacher Kallinger aus Philadelphia, der seinen dreizehnjährigen Sohn auf seine schaurigen Sex- und Mordorgien mitnahm; Ian Brady und Myra Hindley und die Moormorde in England; Douglas Clark und seine Geliebte Carol Bundy in Kalifornien; Raymond Fernandez und die fürchterliche sexuelle Sadistin Martha Beck auf Hawaii. Studien und Statistiken gingen ihm durch den Kopf.

»Ja«, sagte er zögerlich, »das ist nicht nur möglich, es ist sogar wahrscheinlich.«

ZWANZIG
DER NEUNZEHNTE NAME

Am späteren Vormittag wurde Jeffrey zu Manson zitiert. Er, seine Mutter und seine Schwester hatten die übrige Nacht in seinem Büro verbracht, zwischendurch unruhig geschlafen, vor allem aber versucht, die Faktoren zu benennen, mit deren Hilfe sie die Liste der möglichen Häuser noch weiter eingrenzen und ihren Vater finden konnten. Die Erkenntnis ihrer Mutter, dass ihr Mann sich möglicherweise eine zweite Familie zugelegt hatte, stürzte sie alle drei in eine Verwirrung, die an Verzweiflung grenzte. Besonders Jeffrey war sich bewusst, wie gefährlich es für sie werden würde, falls der Mann, der sie verfolgte, Komplizen hatte; andererseits lag darin auch eine Chance. Unwillkürlich ging er im Kopf sein umfangreiches Wissen über Serienmörder durch. Er fragte sich, ob diese Gehilfen, die Stellvertreter seines Vaters, egal, wie viele es waren, genauso clever und gefährlich waren wie er selbst. Er bezweifelte, dass sein Vater Fehler gemacht hatte; ob dasselbe allerdings auch für seine Frau oder seine neuen Kinder galt, war eine andere Sache.

Auf seinem Weg zum Direktor der Staatssicherheit tappten seine Sohlen leise auf dem glänzenden Boden. Was gibt ihm die Familie?, fragte er sich. Die Antwort lautete: Sicherheit. Einhaltung der Vorschriften im Einundfünfzigsten Staat. Die Tünche der Normalität, genau wie wir seinerzeit. Was noch? Er hegte nicht den geringsten Zweifel, dass sein Vater alles daran setzen würde, nicht noch einmal – wie damals von ihrer Mutter – verraten zu werden. Und so leuchtete ihm die Vorstellung immer mehr ein, dass der- oder diejenigen, die sein Vater bei sich hatte, bei der Planung und Ausführung seiner Perversionen eine aktive Rolle einnahm.

Eine Frau mit einem entscheidenden Charakterfehler, dachte er. Aber auch mit Talenten.

Eine Sadistin wie er. Eine Mörderin wie er.

Andererseits kein selbstständiger Mensch. Keine kreative Persönlichkeit. Keine Person, die die Wünsche ihres Mannes auch nur für einen Moment infrage stellen würde.

Eine Frau, die ihm Treue und Hingabe entgegenbrachte. So jemanden hat er gefunden und hierher mitgebracht, um sich in einem neuen Leben einzurichten. Wie ein höllisches Pilgerpaar, das an den Gestaden der neuen Welt an Land gegangen war.

Aber wo mochte er sie gefunden haben?

Diese letzte Frage ließ Jeffrey nicht mehr los. Sein Vater suchte sich zweifellos wie so viele andere Wiederholungstäter mit schlafwandlerischer Sicherheit seine Opfer aus und fand unter noch so vielen jungen Frauen mit teuflischem Gespür die Schwachen, Unentschlossenen und Anfälligen. Doch die Wahl einer Partnerin war etwas vollkommen anderes. Es erforderte eine gründliche Überprüfung.

Jeffrey hielt in seinen Gedanken inne. *Und was ist aus dieser Verbindung hervorgegangen?*

Er öffnete die Tür zu dem riesigen Labyrinth der Bürokabinen in der Abteilung Sicherheit und ließ das stete Treiben auf sich wirken. Ihm kam plötzlich eine Idee, die ihn zum Schmunzeln brachte.

Er durchquerte eilig den Raum und grüßte beschwingt verschiedene Sekretärinnen oder Computerexperten, die aufsahen, um ihm im Vorübergehen zuzunicken.

Vor dem Büro des Direktors blieb er stehen, und die Empfangsdame winkte ihn mit den Worten durch: »Er erwartet Sie schon seit einer Stunde. Gehen Sie direkt rein.«

Jeffrey nickte und machte einen Schritt in Richtung Tür, blieb aber plötzlich stehen und drehte sich um, als wäre ihm gerade etwas eingefallen. »Sagen Sie«, fragte er die Sekretärin wie beiläufig, »ob Sie mir vielleicht einen kleinen Gefallen tun könnten? Ich bräuchte für diese Besprechung mit dem Direktor ein Dokument, aber ich hatte bis jetzt noch keine Zeit, es mir zu besorgen. Könnten Sie es mir vielleicht über Ihren Computer ausdrucken?«

Die Sekretärin lächelte. »Natürlich, Professor Clayton, worum handelt es sich denn?«

»Ich hätte gerne eine Liste mit sämtlichen Leuten, die für die Staatssicherheit arbeiten.«

Die Sekretärin sah ihn entgeistert an. »Mr. Clayton, das sind auf den ganzen Staat gerechnet fast zehntausend Menschen. Meinen Sie, in jeder Nebenstelle und in jedem Büro der Staatssicherheit? Und was ist mit den Sicherheitskräften, die bei der Einwanderungsbehörde arbeiten? Wollen Sie die auch, das wären nämlich mehr als –«

»Ach so«, meinte Jeffrey immer noch lächelnd. »Tut mir leid. Nur die Frauen bitte. Und nur diejenigen, die Zugang zu Computercodes haben. Das sollte die Zahl um einiges reduzieren.«

»Über vierzig Prozent der Staatssicherheit sind Frauen«, wandte die Sekretärin ein. »Und von denen kennen fast alle zumindest einige der Computerverschlüsselungen und Passwörter.«

»Ich brauche die Liste trotzdem.«

»Selbst auf dem Schnelldrucker wird das eine Weile dauern …«

Jeffrey überlegte. »Wie viele verschiedenen Stufen gibt es bei den elektronischen Sicherheitssperren? Ich meine, je höher Sie die Informationsleiter in der Staatssicherheit erklimmen, wie viele Kontrollstufen sind da eingebaut?«

»Es gibt zwölf, von der Eingangsebene, auf der man nur Zugang zu Routineinformationen über das Sicherheitsnetzwerk hat, bis ganz nach oben, wo man sich in jeden Computer einloggen kann, einschließlich dem meines Chefs. Aber auf den obersten Ebenen sind zusätzlich individuelle Verschlüsselungen eingebaut, um Dokumente vertraulich zu behandeln.«

»Also gut, dann drucken Sie mir eben nur die Namen der Frauen auf den obersten drei Genehmigungsstufen aus. Nein, sagen wir, vier. Ich vermute, dass jeder, der auf einer so hohem Niveau arbeitet, im Umgang mit Datensystemen sehr versiert ist?«

»Ja, unbedingt.«

»Gut. Das sind die Namen, die ich gerne hätte.«

»Es wird trotzdem eine Weile dauern. Und eine solche Abfrage wird einige Aufmerksamkeit auf sich lenken. Wer auf dieser Liste ist, wird höchstwahrscheinlich mitbekommen, dass ein Computer in diesem Büro Namen und Adressen angefordert hat. Ist es eine Geheimsache? Hat es irgendetwas mit dem zu tun, was Sie hergebracht hat?«

»Die Antwort auf diese Frage lautet, vielleicht. Versuchen Sie, die Aktion so routinemäßig wie möglich aussehen zu lassen, geht das?«

Die Sekretärin nickte, obwohl sie große Augen machte, als ihr bewusst wurde, was diese Bitte nahelegte. »Sie meinen, jemand in der Staatssicherheit –«, fing sie an, doch er fiel ihr ins Wort.

»*Wissen* tue ich gar nichts. Ich habe nur den einen oder anderen Verdacht. Und das hier ist ein einer von vielen.«

»Ich werde meinen Chef davon unterrichten müssen.«

»Warten Sie damit bis zum Ende unserer Unterredung. Und machen Sie ihm nicht zu viel Hoffnung.«

»Und wenn ich nun sämtliche Männer- und Frauennamen abrufen würde?«, fragte sie. »das wäre vielleicht weniger auffällig. Und ich kann eine Anmerkung einfügen, wonach zum Beispiel die Staatssicherheit und besonders das Büro des Direktors ein zusätzliches Sicherheitslevel erwägt. Das machen wir tatsächlich von Zeit zu Zeit …«

»Klingt gut. So normal und alltäglich wie möglich. Sonst –

na ja, am besten denken wir nicht einmal an das Sonst. Ich wäre Ihnen dankbar. Und es ist wichtig, dass außerhalb dieses Büros niemand davon Kenntnis bekommt.«

Die Sekretärin bedachte ihn mit einem Blick, als sei die Vorstellung, sie könnte irgendwelche Informationen über ihren Job oder den ihres Chefs oder über irgendjemandem sonst gegenüber irgendeinem anderen Menschen ausplaudern – einschließlich einem Ehemann, einem Freund oder Haustier – purer Irrsinn. Sie schüttelte den Kopf und deutete dann auf die Tür zum Direktorenzimmer. »Er wartet«, sagte sie knapp.

Im Innern des Büros hatte sich Manson wieder einmal auf seinem Schreibtischstuhl herumgedreht, um aus seinem Panoramafenster zu starren.

»Wissen Sie, es ist schon seltsam, Professor Clayton«, grübelte der Direktor, ohne sich zu ihm umzudrehen. »Die Maler lieben den Spätnachmittag. Liebende die Nacht. Die romantischen Tageszeiten. Und ich? Ich liebe den Mittag. Strahlenden Sonnenschein. Wenn alle Welt bei der Arbeit ist. Wenn man zusehen kann, wie diese Welt Gestalt annimmt. Stein auf Stein ...« Er wandte sich vom Fenster ab. »Oder Idee um Idee.«

Er griff über die Schreibtischplatte, nahm ein Wasserglas von einem Tablett und füllte es aus einem glänzenden Metallkrug. Jeffrey bot er keines an. »Und Sie, Professor? Was ist Ihre bevorzugte Tageszeit?«

Jeffrey überlegte einen Moment angestrengt. »Ich mag es tief in der Nacht. Kurz vor dem Morgengrauen.«

Der Direktor lächelte. »Eine seltsame Vorliebe. Wieso?«

»Das ist die stillste Zeit. Eine geheimnisvolle Zeit. Eine Zeit, die ahnen lässt, was im klaren Licht des Morgens geschehen wird.«

»Ah.« Der Direktor nickte. »Hätte ich mir denken können. Die Antwort eines Wahrheitssuchers.«

Manson blickte einen Moment auf ein Papier, das genau in der Mitte seiner Schreibunterlage platziert war. Er nahm die

Ecke des Blattes zwischen die Finger, ohne Jeffrey jedoch etwas über den Inhalt des Schriftstücks mitzuteilen. »Dann verraten Sie mir, Mr. Wahrheitssucher, die Wahrheit über den Tod von Agent Martin.«

»Die Wahrheit? Die Wahrheit ist, dass er in eine Falle getappt ist, die ihm im Gegenzug zu seiner eigenen Falle gestellt wurde, von der er sich erhofft hatte, dass sie das Dilemma des Staates lösen möge. Er war da oben auf den Felsen und observierte das Haus, in dem er meine Mutter und meine Schwester untergebracht hatte, so wie ein Angler auf den Schwimmer seiner Angel starrt. Ich gehe davon aus, dass er die Anweisung missachtet hat, die ich ihm gegeben habe, nämlich die Anwesenheit und den Aufenthaltsort meiner Familie geheim zu halten ...«

»Die Annahme ist korrekt. Er hat ihre Ankunft bei der Einwanderungsbehörde und der Staatssicherheit gemeldet.«

»Über das Computernetzwerk?«

»So macht man das nun mal.«

»Und mit Ihrer Genehmigung vermutlich ...«

Der Direktor zögerte, und sein kurzes Schweigen sprach Bände. »Es wäre leicht für mich, Sie zu belügen«, erklärte er. »Ich könnte sagen, Agent Martin hätte auf eigene Faust gehandelt, was im Großen und Ganzen auch der Wahrheit entspräche. Ich könnte auch sagen, dass seine gesamte Vorgehensweise allein auf seinem Mist gewachsen sei. Auch das wäre richtig.«

»Aber Sie würden nie von mir erwarten, dass ich das ganz und gar glaube.«

»Meine Überredungskünste sind subtil. Vielleicht habe ich auch nur ein paar Zweifel gesät.«

»Agent Martin hatte nie die Aufgabe, mir bei irgendwelchen Ermittlungen zu helfen. Seine Fähigkeiten als Detective waren begrenzt. Er war von Anfang an als der Mann gedacht, der abdrückt, wenn es so weit ist. Das weiß ich nicht erst seit heute.«

»Tja, ich dachte mir schon, dass er sich mit seinem Benehmen verraten könnte. Aber sein Können als, sagen wir, Brachialgewalt bei größeren Problemen des Staates war überragend. Er war der Beste, den wir hatten, auch wenn sich darüber streiten lässt, ob das Beste in diesem Fall gut genug war.«

»Jedenfalls ist Ihr Killer jetzt tot.«

»Ja.« Der Direktor überlegte wieder einen Moment und lächelte. »Jetzt werden Sie sich Ihr Geld wohl wirklich verdienen müssen, da ich keinen unerschöpflichen Vorrat an Agent Martins habe ...«

»Sind Ihnen die Killer ausgegangen?«

»Das nicht unbedingt.«

Jeffrey starrte den Direktor an. »Verstehe«, sagte er. »Sie wollen damit sagen, der Ersatzmann für Agent Martin wird nicht ganz so sichtbar für mich sein. Ich jage und werde dabei von jemandem beobachtet, den ich nicht kenne.«

»Dem will ich nicht widersprechen. Aber ich vertraue darauf«, meinte Manson kalt, »dass Sie mit meinem Problem genauso fertig werden wie mit Ihrem eigenen, denn es ist immer noch ein und dasselbe.«

Der Direktor nahm einen weiteren Schluck Wasser aus seinem Glas und blickte Clayton unverwandt an. »Das hat geradezu etwas Mittelalterliches, nicht wahr? Entweder du bringst mir seinen Kopf oder du sagst mir, wo ich ihn finde, um ihn mir selbst zu holen. Sie verstehen? Wir haben es hier mit einer Gerechtigkeit zu tun, die noch schneller greift als sonst. Finden Sie ihn. Töten Sie ihn. Und wenn Sie es nicht selbst über sich bringen, dann finden Sie ihn eben nur, und wir töten ihn.«

Wieder senkte der Direktor für Sekunden den Blick. »Uns bleibt keine Zeit.«

»Ich habe einige Ideen. Ein paar Ansätze, die sich als fruchtbar erweisen könnten.«

»Uns bleibt keine Zeit.«

»Nun, ich denke –«

Manson schlug mit der flachen Hand so heftig auf den Tisch,

dass es wie ein Schuss klang. »Nein! Keine Zeit! Finden Sie ihn jetzt! Töten Sie ihn jetzt!«

Jeffrey schwieg. »Ich habe Sie gewarnt«, erklärte er nervtötend kühl. »Diese Art von Ermittlungen sind ein langwieriges Unterfangen ...«

Mansons Oberlippe schien sich wie bei einem zähnefletschenden Tier zu spannen. Doch die ganze Wucht seiner Wut machte sich in den betont bedachten Worten Luft, die er sorgsam wählte: »In ungefähr zwei Wochen wird der Kongress der USA darüber befinden, ob wir ein eigenständiger Staat werden oder nicht. Wir erwarten, dass diese Abstimmung klar zu unseren Gunsten ausfällt. Wir genießen die massive Unterstützung großer Unternehmen. Gewaltige Summen sind bereits in das Projekt geflossen. Doch bei aller Unterstützung, bei allem Lobbyismus, bei aller Bestechung und bei allem Einfluss, den wir mobilisieren konnten, hängt es nach wie vor an einem seidenen Faden. Immerhin bitten wir diese Kongressabgeordneten, einem Gemeinwesen die Staatswürde zu verleihen, das gewisse wichtige Rechte beschneidet. Unveräußerliche Rechte, wie sie unsere Vorväter nannten. Wir verweigern sie, weil sie zu einer Anarchie der Kriminalität führen, die inzwischen die ganze Nation infiziert hat. Das bringt diese Kongressidioten in eine heikle Situation. Das erkennen Sie doch sicher, Professor?«

»Ja, ich sehe durchaus, dass Ihre Situation prekär ist.«

»Wir sind schließlich kein neues Land, Professor. Wir sind eine neue Idee, die wir innerhalb des alten Landes verwirklichen.«

»Ja.«

»Und unsere Eigenstaatlichkeit – offiziell, wahlberechtigt, an einem Tisch mit den anderen Staaten – bedeutet für die ganze Nation einen großen Schritt nach vorne. Einen unverzichtbaren Schritt in eine klare und entscheidende Richtung. Damit beginnt der Prozess, an dessen Ende die anderen Staaten so sein werden wie wir. Und nicht umgekehrt. Das kann ich nicht genug betonen, Professor!«

»Ja, das kann ich verstehen ...«

»Dann stellen Sie sich mal vor, welche Wirkung *das* hier haben wird!«

Damit schob Manson das Blatt Papier, das mitten auf seinem Schreibtisch lag, mit einer heftigen Bewegung Jeffrey entgegen. Es flatterte einen Moment in der Luft, doch Jeffrey fing es auf, bevor es wegfliegen konnte.

Das Blatt war ein an den Direktor gerichteter Brief.

Mein lieber Direktor,

Im Oktober 1888 schickte Jack the Ripper George Lusk, dem Vorsitzenden des Bürgerwehrausschusses von Whitechapel, ein kleines Präsent, nämlich ein Stück menschliche Leber. Ich nehme an, dass er damit seiner Botschaft, wie immer sie lauten mochte, starken Nachdruck verliehen hat. Weiterhin schickte Jack the Ripper zu seiner Kurzweil einen Brief an eine der renommiertesten Zeitungen in der Fleet Street, in dem er versprach, ihnen ein Ohr seines nächsten Opfers zuzusenden. Dieses Versprechen hielt er allerdings nicht, auch wenn kaum zu bezweifeln ist, dass es ihm ein Leichtes gewesen wäre, hätte er nur gewollt.

Sein Brief an die Zeitung, sein Geschenk an Mr. Lusk hatten beide zusammen die zu erwartende Wirkung. Ganz London war in wilde Angst und Panik versetzt. Es gab kaum noch ein anderes Thema: der Ripper und was er als Nächstes plante. Interessant, meinen Sie nicht?

Malen Sie sich also selbst aus, welche Wirkung die folgenden Namen und Daten hätten, wenn ich sie an die richtige Washington Post – und nicht dieses Feigenblatt der Staatssicherheit hier in New Washington – oder die New York Times und vielleicht an ein, zwei Fernsehanstalten schicken würde. Genau das habe ich in Bälde vor.

Das Verblüffende an diesem Brief ist, dass er keine Drohung enthält. Ebenso wenig ist er der plumpe Versuch einer Erpressung. Sie haben nichts, was ich mir wünsche. Zumindest nichts, womit Sie mich kaufen können. Er soll Ihnen lediglich vor Augen führen, wie ohnmächtig Sie in Wahrheit sind. Vielleicht erinnern Sie sich auch daran, dass man den Ripper nie gefasst hat. Und doch weiß heute jeder, wer er ist.

Unter dieser letzten Erklärung standen neunzehn Namen von jungen Frauen, jeweils gefolgt von einer Auflistung des Jahres, Monats und Tages ihres Verschwindens sowie des Orts, an dem sie zum letzten Mal von jemand anderem als dem Mörder gesehen worden waren. Doch bevor Jeffrey alle Namen der Liste durchgehen konnte, wanderte sein Blick unwillkürlich zum letzten Eintrag. Am Ende der Liste stand ein zwanzigster Name in großen Druckbuchstaben: PROFESSOR JEFFREY CLAYTON, UNIVERSITÄT MASSACHUSETTS. Mit einem Sternchen versehen stand darunter die sarkastische Bemerkung: ORT UND DATUM NOCH UNBEKANNT.

Manson musterte Jeffreys Gesicht genau. »Ich vermute, der letzte Eintrag stellt für Sie einen zusätzlichen Ansporn dar«, meinte er trocken.

Jeffrey antwortete nicht.

»Mir scheint, dass wir uns beide einer akuten Bedrohung gegenüber sehen«, fuhr Manson fort, »die in Ihrem Fall noch ein persönliches, besonders provozierendes Element enthält.«

Jeffrey wollte etwas entgegnen, doch der Direktor der Staatssicherheit fiel ihm ins Wort. »Oh, ich weiß, was Sie sagen wollen. Sie werden wieder damit drohen, einfach die Flucht zu ergreifen. Mir sagen, das sei die Sache nicht wert. Lieber sähen Sie zu, dass Sie wegkämen. Schnappen sich Ihre Mutter und Ihre Schwester und versuchen, wieder unterzutauchen. Aber man muss Ihren alten Herrn durchaus auch bewundern, so sehr man ihn hasst – wie den Ripper, nehme ich an. Denn indem er Sie auf die Liste setzt, sät er, egal, was seine tatsächlichen Absichten sind, einen interessanten Zweifel in Ihrem Kopf. Und zwar für immer, nicht wahr? Ich meine, egal, wo Sie sich verstecken, werden Sie sich jedes Mal, wenn die Post kommt, das Telefon klingelt oder es an der Haustür klopft, fragen, ob er es ist, nicht wahr?«

Der Direktor schüttelte den Kopf und fuhr fort. »Ziemlich leicht zu durchschauen, aber wirkungsvoll. Wenn er tatsächlich diesen Brief abschickt – und Sie ihn nicht finden –, nun ja, dann ist Ihre berufliche Laufbahn mehr oder weniger am Ende, oder sehe ich das falsch?«

»Ja«, erwiderte Jeffrey nach einiger Zeit. »Ich vermute, ja.«

»Und ich stelle noch etwas fest«, setzte der Direktor seine Überlegungen fort. »Ihr Vater spielt gern auf der psychologischen Klaviatur, nicht wahr? Ich meine, wenn er Sie auf dieser Liste platziert und diese an die Öffentlichkeit bringt, dann bestimmt er mehr oder weniger über den Rest Ihres Lebens. Egal, wo Sie hingehen, egal, was Sie machen – glauben Sie, irgendjemand verbindet Sie von da an noch mit Professor Clayton, dem Experten, dem Akademiker? Wird nicht jeder in Ihnen nur noch den Sohn des Mörders sehen? Und sich wie ich in diesem Moment fragen, welchen Einfluss die Gene tatsächlich haben?«

Manson wippte in seinem Sessel und beobachtete, wie Clayton sich innerlich unter Qualen wand.

»Wissen Sie, Professor«, sagte der Direktor bedächtig, »stünde nicht für uns alle so viel auf dem Spiel – Milliardensummen, eine neue Lebensart, eine Philosophie für die Zukunft –, dann würde ich die Sache äußerst faszinierend finden. Kann der Sohn eine Hälfte von sich auslöschen, indem er den Vater tötet?« Er zuckte die Achseln. »Die Antwort findet sich wohl allenfalls in einer dieser blutrünstigen griechischen Tragödien. Oder in einer biblischen Geschichte.«

Der Direktor der Staatssicherheit lächelte bitter. »Ich bin in den griechischen Tragödien nicht mehr so ganz auf dem Laufenden. Und meine Bibellektüre hat, sagen wir, in den letzten Monaten gelitten. Wie sieht das bei Ihnen aus, Professor?«

»Ich werde tun, was ich tun muss.«

»Davon gehe ich aus. Und schnell. Finden Sie es nicht auch interessant, dass er schreibt, er hätte den Brief noch nicht abgeschickt? Dazu fällt mir nur ein einziger Grund ein.«

»Und der wäre?«

»Er gibt Ihnen eine Chance. Wohl eher eine Chance und einen Fluch zugleich.«

»Wie das?«

»Sehen Sie den nicht, Professor? Wenn Sie ihn finden und wir siegen, dann haben wir alles gerettet, wofür so viele Menschen so hart gearbeitet haben. Falls nicht – falls Ort und Zeitpunkt Ihres Ablebens am Ende der Liste hinzugefügt werden –, nun ja, das ist dann allerdings eine Nachricht, die auf jeder Titelseite erscheinen wird. Und Ihrem Vater einen Ehrenplatz direkt neben dem Ripper einräumt. Meinen Sie nicht?«

Jeffrey zermarterte sich das Hirn. In seinem Kopf arbeitete es fieberhaft wie in einem Rechner, der bei der Lösung einer Aufgabe mit Zahlen und Faktoren jongliert und sich durch die komplexe Welt mathematischer Formeln wühlt.

»Ja«, sagte er schließlich. »Und das ist das Spiel, um das es hier geht. Indem er Sie und mich ruiniert, erlangt er selbst eine herausragende Stellung. Er geht in die Geschichte ein.«

Manson nickte. »Das ist ein ziemlich ehrgeiziges Spiel. Kann sich Ihr Ehrgeiz damit messen?«

Jeffrey faltete die Liste und steckte sie in seine Hemdtasche. »Finden wir es heraus«, antwortete er.

Die Sekretärin wartete mit einem Computerausdruck, den sie Jeffrey entgegenhielt, sobald er aus dem Direktorenzimmer trat. Er nahm die schwere, umfangreiche Liste an sich und sagte: »Das müssen um die tausend Namen sein.«

»Tausendeinhundertundzweiundzwanzig, um präzise zu sein. Die obersten vier Sicherheitsstufen.« Sie reichte ihm einen zweiten Ausdruck von gleicher Stärke. »Eintausenddreihundertsiebenundvierzig. Alles Männer.«

»Nur eine kurze Frage«, meinte Jeffrey. »Die elektronische Mail des Direktors. Wer könnte wissen, wie man ihm ein Memo oder einen Brief zuschicken kann?«

»Er hat zwei elektronische Mailkonten. Ein allgemeines für Kommentare und Vorschläge. Und dann noch ein zweites, selektiveres –«

»Die Nachricht, die er bekommen hat –«

»Von Ihrer Zielperson?«, fiel ihm die Sekretärin ins Wort. »Die habe ich abgerufen und dabei sichergestellt, dass sie direkt an ihn geht, ohne dass sonst irgendjemand davon erfährt.«

»An welches Mailkonto wurde sie geschickt?«

Die Sekretärin lächelte. »Wäre hilfreich gewesen, wenn sie auf dem privaten gelandet wäre, nicht? Die Adresse haben nur die obersten beiden Sicherheitsstufen. Das hätte Ihre Aufgabe erleichtert. Leider kam es aber an die allgemeine Adresse. Heute Morgen. Die Eingangszeit war mit 6:59 angegeben. Das ist eigentlich interessant …«

»Wieso?«

»Na ja, ich treffe gewöhnlich um sieben an meinem Schreibtisch ein, und es gehört zu meinen ersten Aufgaben, die elektronische Mail abzurufen, die über Nacht eingegangen ist. Normalerweise ist das eine Sache von wenigen Minuten; ich leite einfach die Kommentare und Empfehlungen an den jeweiligen Abteilungsleiter weiter oder an den Schiedsmann der Staatssicherheit. Dazu brauche ich nur ein paar Tasten zu drücken. Jedenfalls war da dieser Brief, ganz oben, vor den üblichen Anfragen wie ›Wir müssen das Budget erhöhen‹ oder ›Wieso kann die Sicherheit nicht in dieser Nebenstelle das Farbschema ändern?‹ …«

»Demnach«, schlussfolgerte Jeffrey zögernd, »hat derjenige,

der Ihnen die Mail geschickt hat, gewusst, was Sie morgens als Erstes tun und wann Sie es tun.«

»Ich bin Frühaufsteher«, sagte die Sekretärin.

»Er offenbar auch«, erwiderte Jeffrey.

Susan brütete über den Fallakten der entführten und ermordeten jungen Frauen, als ihr Bruder von dem Treffen mit dem Direktor der Sicherheit zurückkam. Sie hatte Leichenfundort-Fotos und die entsprechenden Polizeiberichte wie eine makabre Einfriedung rund um ihren Schreibtisch auf dem Boden verteilt. Diana stand außerhalb des Totenkreises und hatte die Arme vor sich verschränkt, als müsste sie etwas in ihrer Brust festhalten. Als Jeffrey hereinkam, sahen sie beide auf.

»Fortschritte?«, fragte Susan sofort.

»Vielleicht«, antwortete ihr Bruder, »aber auch Ärger.«

Er warf einen kurzen Blick auf Diana, die in einer einzigen Sekunde in seinen Augen, seiner Stimme und seiner Körperhaltung las und sagte: »Lasst euch ja nicht einfallen, mich auszuschließen. Dich bedrückt was, Jeffrey, und dein erster Gedanke ist es, mich irgendwie zu beschützen. Keine Chance.«

»Das ist hart«, meinte Jeffrey.

»Für uns alle«, ergänzte seine Schwester.

»Vielleicht. Aber seht euch das an ...«

Er reichte den Frauen die Kopie des elektronischen Briefs, den der Sicherheitsdirektor an diesem Morgen bekommen hatte. »Mein Name steht ganz unten auf der Liste, Mutter«, warnte Jeffrey. »Hat zumindest das eine Gute, dass du nicht drauf bist.«

Susan starrte unentwegt auf den Brief. »Da stimmt irgendwas nicht«, grübelte sie. »Kann ich den behalten?«

Jeffrey nickte. »Um mal was Erfreuliches zu sagen, ich hatte eine Idee. Eine Möglichkeit, vielleicht ...«

»Und was?«, wollte Susan wissen und hob den Kopf.

»Ich musste daran denken, was Mutter gesagt hat. Über eine

neue Frau für unseren alten Dad. Und ich habe mich gefragt: Wonach würde er bei einer Frau suchen?«

»Du liebe Güte. Nach jemandem wie ihm?«, schlug Susan vor.

Diana schwieg.

Jeffrey nickte. »In der Literatur über Serienmörder gibt es einige; immerhin ein nennenswerter Prozentsatz, der als Paar arbeitet. Gewöhnlich sind das zwei klapsmühlenreife Männer, die sich auf eine schwer zu definierende, kranke Art und Weise gefunden haben. Das Zusammenspiel ihrer Persönlichkeiten beflügelt ihre gemeinsamen mörderischen Perversionen –«

»Hör endlich mit dem Dozieren auf«, unterbrach ihn Susan, »und komm zur Sache.«

»Aber es hat zahlreiche Fälle von Männern und Frauen gegeben.«

»Das sagtest du bereits. Gestern Abend. Und?«

»Die Sache ist die: Fast ausnahmslos ist es die Perversion des Mannes, von der die Beziehung lebt. Die Frau ist nur eine Gehilfin. Aber sobald die Beziehung sich vertieft, wächst auch ihr Vergnügen an der Folter und am Morden, so dass die beiden schließlich in wahren Sinne des Wortes Partner werden.«

»Und?«

Diana unterbrach sie. »Ich weiß, worauf er hinauswill«, sagte sie leise. »Die Frau hilft ihm …«

»Richtig. Und wobei braucht er Hilfe?« Jeffrey machte eine ausladende Bewegung. »Bei all dem hier braucht er Hilfe. Er musste sich Zugang verschaffen, sowohl physisch wie elektronisch. Auf diese Weise hat er mich observiert. Von Anfang an. Ich denke, die neue Frau an seiner Seite arbeitet für die Regierung. Bei der Staatssicherheit.«

Er warf den Computerausdruck auf den Schreibtisch, der mit einem dumpfen Knall auf der Metallplatte landete. »Wäre zumindest ein Ansatz. Und unsere Zeit ist begrenzt.«

Susan nickte. »Triangulierung«, flüsterte sie.

»Wie?«

»So haben Seeleute früher ihre Position auf dem Meer gefunden, mit Funksignalfeuern. Wenn sie die Richtung von drei verschiedenen Linien wussten, konnten sie an jedem Punkt der Erde ihre Position bestimmen. Das Entscheidende ist natürlich, dass man die drei Signale erkennt. Was wir hier machen, läuft auf etwas Ähnliches hinaus.«

Diana meldete sich zu Wort. »Wir wissen, nach was für einer Art Haus wir suchen müssen, wir kennen die räumlichen Gegebenheiten, die er für seine Verbrechen benötigt ...«

»Jetzt brauchen wir nur noch einen Namen von dieser Liste ...«, ergänzte Jeffrey.

Susan überlegte einen Moment, dann platzte sie heraus: »Und denkt dran, was Hart gesagt hat, im Gefängnis! Ein Fahrzeug! Das geeignete Fahrzeug, um darin ein entführtes Opfer zu transportieren. Einen Mini-Van. Getönte Scheiben. Vierradantrieb. Können wir dazu auch eine Liste bekommen?«

Jeffrey hatte sich an den Computer gesetzt. »Das dürfte kein Problem sein«, vermutete er.

Susan griff nach dem Ausdruck mit den Angestellten der Staatssicherheit. Sie fing mit der ersten Seite oben an, doch dann hörte sie plötzlich auf. Sie legte den Ausdruck beiseite und nahm den Brief zur Hand, der am Morgen eingetroffen war. Ihr Blick schweifte über die Bilder der toten Frauen. »Irgendetwas stimmt hier nicht«, wiederholte sie. »Das spüre ich.«

Sie sah abwechselnd ihre Mutter und ihren Bruder an. »Ich täusche mich bei so etwas nicht«, versicherte sie. »Es ist wie bei diesen alten Bilderrätseln in Kinderzeitschriften, wo es heißt, ›Was stimmt hier nicht?‹, ihr wisst schon, wo der Clown zwei linke Füße hat oder der Footballspieler hält einen Baseball in der Hand.«

Wieder ging sie die Fotos der Toten durch. »Ich irre mich bei so was nie«, bekräftigte sie.

Jeffrey drückte ein paar Computertasten, und auf einem anderen Tisch spuckte der Drucker eine andere Liste aus, diesmal von Autos. Dann drehte er sich zu seiner Schwester um. »Was siehst du denn?«, fragte er.

»Es ist alles ein Rätsel, oder?«, wiederholte sie.

»Das gilt für jedes Verbrechen. Für Wiederholungstaten erst recht.«

»Die Position der Leichen«, wollte Susan wissen, »wieso ist die wichtig?«

»Ich weiß nicht. Schneeengel. Wenn Mörder derart großen Wert darauf legen, wie ihre Verbrechen wahrgenommen und ausgelegt werden, hat das fast immer einen besonderen psychologischen Hintergrund. Mit anderen Worten, es bedeutet etwas ...«

»Schneeengel. Die Art, wie sie jeweils drapiert worden waren, hat dich auf den Plan gerufen, richtig?«

»Ja.«

»Und das hat zu Spekulationen geführt, auch richtig? Hast du nicht einige Zeit darauf verwendet zu entziffern, was mit der Position gemeint war?«

»Ja. Meine ersten Wochen hier. Das war ein wichtiger Grund, weshalb ich nicht glauben konnte, dass –«

»Und dann ist eine Leiche plötzlich ...«

»Die war praktisch genau anders herum. Wie ein kleiner Test.«

Susan wippte auf ihrem Stuhl zurück und blickte noch einmal zu den toten Frauen. »Es hat nichts zu bedeuten, und es bedeutet alles.« Mit einer abrupten Bewegung drehte sie sich zu ihrer Mutter um. »Du hast ihn gekannt. Besser als jeder andere. Schneeengel. Junge Frauen, die ausgestreckt werden, als wären sie gekreuzigt? Hat er jemals ...« Sie brachte es nicht über sich, die Frage ganz auszusprechen.

Diana wusste, was sie meinte. »Nein, dazu fällt mir nichts ein. Wenn wir zusammen waren, war es immer kalt und ohne Leidenschaft. Und schnell. Wie eine Pflichtübung. So wie man eine Arbeit zu Ende bringt. Ohne Vergnügen.«

Jeffrey machte schon den Mund auf, als wollte er etwas erwidern, doch dann überlegte er es sich anders. Er sah sich noch einmal die Bilder an und trat neben seine Schwester. »Vielleicht hast du recht. Es könnte ein Täuschungsmanöver sein.«

Er holte tief Luft und schüttelte den Kopf, als wollte er den Gedanken, der ihm kam, von sich weisen, was ihm aber nicht gelang. »Das wäre allerdings ziemlich schlau«, überlegte er. »Jeder Detective – oder auch Psychologe – musste von dieser besonderen Art, wie die Opfer lagen, geradezu besessen sein. Wir sind dazu ausgebildet zu analysieren. Es würde unser Denken beherrschen, gerade weil es ein Rätsel ist, und wir sähen uns gezwungen, es zu lösen ...«

Susan nickte. »Und jetzt nimm mal an, die Lösung wäre, dass das, was uns so wesentlich erscheint, in Wahrheit gar nichts zu bedeuten hat.«

Jeffrey holte tief Luft. »Ich hasse das alles«, erklärte er und betonte jedes Wort. Er schloss die Augen. »Die Zeigefinger, das ist alles, was er wirklich wollte. Das genügte ihm, um sich daran zu erinnern. Für ihn ist die Tat als solche wichtig. Das Übrige ist einfach nur Teil der Verschleierungstaktik.«

Jeffrey atmete in einem langen Pfeifton aus und legte seiner Schwester die Hand auf den Arm. »Wir können das, siehst du?«

»Können was?«, fragte Susan. Ihre Stimme war plötzlich unsicher, da sie im selben Moment sah, was ihr Bruder meinte.

»Denken wie er«, erwiderte Jeffrey.

Diana schnappte nach Luft. Sie schüttelte energisch den Kopf. »Ihr seid meine Kinder«, widersprach sie. »Nicht seine. Vergesst das nie.«

Jeffrey und Susan drehten sich beide zu ihrer Mutter um und versuchten, sie mit einem Lächeln zu beruhigen. Doch in ihren Augen war ein schwaches Flackern zu erkennen, aus dem die Angst davor sprach, was sie gerade über sich selbst lernten.

Diana geriet darüber fast in Panik. »Susan!«, rief sie in scharfem Ton. »Steck diese Bilder weg! Und hört sofort auf, nur noch über –« Sie sprach nicht weiter. Sie merkte, dass sie nur noch über genau das reden *konnten*, was ihr solche Angst einjagte.

Susan griff nach den Fotos und den Akten der toten Mädchen und machte sich langsam daran, sie aufzusammeln und in braune Umschläge zu stecken, die Dokumente jeweils zu den passenden Bildern. Sie war betrübt, betroffen und besorgt, auch wenn sie nicht recht wusste, worüber.

Sie griff nach dem letzten Foto und steckte es in die passende Mappe. »So, Mutter, das war's.« Dann drehte sie sich mit einem wilden Blick zu ihrem Bruder um und fühlte sich plötzlich wie gelähmt vor Angst.

Er sah sie, und im selben Moment traf ihn genau die gleiche Angst.

Einen Moment lang hielt sie seinem Blick stand, und Jeffrey sah förmlich, wie es fieberhaft in ihr arbeitete. Dann drehte Susan sich um und fing an zu zählen. »Da stimmt was nicht, da stimmt was nicht, Jeffrey, oh mein Gott ...« Sie stöhnte.

»Was ist?«

»Zweiundzwanzig Fallakten. Zweiundzwanzig junge Frauen entweder tot oder verschwunden.«

»Richtig. Und?«

»Neunzehn Namen auf dem Brief.«

»Ja. Statistisch hatte ich immer geschätzt, dass zehn bis zwanzig Prozent der Toten oder Vermissten auf normalem Wege, bei wirklichen Unfällen ums Leben gekommen sind –«

»Jeffrey!«

»Tut mir leid. Ich soll das Dozieren lassen. Geht klar. Was siehst du?«

Susan schnappte sich energisch den Brief auf der Schreibtischplatte. Sie stöhnte. »Nummer neunzehn«, flüsterte sie und krümmte sich, als hätte ihr jemand in den Magen geboxt. »Der Name direkt über deinem.«

Jeffrey sah sich den Namen und die Zahl daneben an. »Oh

nein«, rief er und griff hastig nach den Akten, um sie durchzublättern.

»Was habt ihr?«, wollte Diana wissen, und aus ihrem Ton war jetzt dieselbe Angst herauszuhören, die bereits an den beiden anderen zerrte.

Jeffrey wandte sich an seine Mutter. Aus seinen Worten sprach eine kalte, harte Bitterkeit.

»Der neunzehnte Name ist nirgends in diesem Stapel. Und das Datum ist dreizehn Punkt elf. Kein Jahr. Das ist heute. Als Ort ist einfach nur *Abode Street* angegeben. Ich habe das nicht gesehen«, sagte er, und seine Unterlippe zitterte ein wenig, »weil ich nur Augen für meinen eigenen Namen hatte, der als nächster kommt.«

EINUNDZWANZIG
VERMISST

Jeffrey und Susan standen an der Ecke der Abode Street in einer kleinen Gemeinde namens Sierra, etwa anderthalb Stunden nördlich von New Washington. Ein Fahrer von der Staatssicherheit lehnte einen halben Häuserblock entfernt an einem Wagen und sah ihnen dabei zu, wie sie die Straße in beide Richtungen absuchten. Für einen Moment hatte Jeffrey sich gefragt, ob dieser Agent der neue Auftragskiller sei, der ihnen wie ein Schatten folgen sollte, um den richtigen Moment abzupassen, in dem er ihren Vater in die Schusslinie bekam. Doch er bezweifelte es. Der Ersatzkiller wird im Verborgenen arbeiten, dachte er. Versteckt und anonym. Er würde ihnen folgen und seine Chance abpassen, um aufzutauchen. Vermutlich waren solche Fähigkeiten im Einundfünfzigsten Bundesstaat eher rar gesät, auch wenn es in den übrigen Staaten ein Überangebot gab. In dem neuen Gebilde verfügte die Polizei eher über Bürohengste, die den Kugelschreiber und keine Knarre schwingen konnten. Deshalb, vermutete er, wog der Verlust von Agent Martin schwer.

Er wirbelte herum, als könne er irgendwo den Doppelgänger des Agenten in einer Ecke lauern sehen. Er entdeckte jedoch niemanden, womit er eigentlich auch gerechnet hatte. Manson war nicht der Mann, der denselben Fehler zweimal machen würde.

Ein paar Meter von Bruder und Schwester entfernt standen lediglich ein Mann und eine Frau mittleren Alters. Sie scharrten nervös mit den Füßen, während sie unverwandt auf die Claytons starrten, ohne miteinander zu sprechen. Es handelte sich um den Direktor und seine Stellvertreterin der Highschool von Sierra. Der Mann war eine Karikatur seiner Spezies: klein, mit runden Schultern, Stirnglatze und der nervösen Angewohnheit, sich ständig die Hände zu reiben, als wären sie kalt. Dazu räusperte er sich immerzu, um die Aufmerksamkeit auf sich zu lenken, ohne andererseits ein Wort zu sagen; gelegentlich warf er dem Polizisten einen Blick zu, als wollte er ihm erklären, weshalb sie beide so jäh aus ihrer Alltagsroutine gerissen worden und in dieser kleinen Straße vierhundert Meter von der Schule entfernt gelandet waren.

Die Straße selbst war kaum mehr als ein Streifen staubbedeckten Teers, nicht einmal zwei Häuserblocks lang. Es schien fast übertrieben, ihr einen Namen zu geben. Auf halber Höhe des zweiten Blocks befand sich eine glänzend weiß und dunkelgrün gestrichene Wellblechgarage – wohl die Farben der Schule, nahm Susan an. Einen Teil des Dachs zierte eine riesige Zeichnung von einem Baum mit Armen, Beinen, Gesicht und gefletschten Zähnen und dem Versprechen: KAMPF UM DIE FICHTEN AN DER SIERRA HIGH.

Jeffrey und Susan liefen langsam die Straße hinunter und ließen den Blick in alle Richtungen schweifen, um irgendeinen Anhaltspunkt dafür zu finden, was am Morgen geschehen war. Die Straße endete an einem gelben Metalltor, das eine kleine, unbefestigte Zufahrt verschloss. Sonst gab es keinen Zaun oder dergleichen, sondern nur ein paar Haufen losen Schotter am Tor. Neben einem der Betonpfeiler, an denen die Torpfosten befestigt waren, entdeckte Jeffrey einen farbigen Gegenstand. Er ging hinüber und fand einen roten Schnellhefter aus Plastik. Er hob ihn an einer Ecke hoch und sah, dass sich darin ein halbes Dutzend gedruckte Seiten befanden. Wortlos zeigte er ihn seiner Schwester.

Sie wandten sich beide um und nahmen die Garage unter die Lupe. Sie hatte die Größe eines Basketball-Spielfelds, mit anderthalb Geschossen. Es gab keine Fenster, und an der großen Doppelschwingtür befand sich ein Vorhängeschloss. Die Geschwister liefen um das Gebäude herum. Jeffrey suchte den Boden ab, in der Hoffnung, vielleicht auf Reifenspuren zu stoßen, doch es war staubtrocken und alles vom Wind sauber gefegt.

Als sie wieder hinter dem Gebäude hervortraten, kam der Schuldirektor auf sie zu.

»In dem Schuppen lagern wir unser schweres Gerät«, erklärte er, »ein paar Traktoren mit Mähvorrichtungen, eine Schneefräse, die wir nie benutzen, Schläuche und Sprinkleranlagen. All die Sachen zur Pflege der Football- und Fußballplätze. Dann noch die Linienmarkierer. Ein paar der Trainer bewahren da außerdem Dinge wie Fußballtore und Schlagtunnel auf.«

»Und das Vorhängeschloss?«

»Die Kombination kennen ein paar Leute, vor allem so ziemlich jeder in der Hausmeisterei. Das Ding dient eigentlich nur dazu, überagile Schüler daran zu hindern, sich einen Traktor für einen wilden Samstagabend auszuleihen.«

Jeffrey drehte sich um. Der unbefestigte Weg, der durch das Tor versperrt war, führte durch eine dichte Baumgruppe. »Hier durch?«, fragte er und zeigte darauf.

»Der Weg endet an den Sportplätzen hinter der Schule«, sagte der Direktor und rieb sich vehement die Hände. »Das Tor soll Schülerfahrzeuge draußen halten. Weiter nichts. Tatsächlich hatten wir noch nie ein Problem, aber Sie wissen schon, bei Teenagern ist Vorsicht besser als Nachsicht.«

»Bestimmt«, pflichtete Jeffrey bei.

Die stellvertretende Direktorin, eine Frau in Khakihose und blauem Blazer, mit einer Brille an einem Goldkettchen um den Hals, kam auf Susan und Jeffrey zu. Sie war vielleicht fünfzehn Zentimeter größer als der Direktor und sprach in einem amtlich sachlichen Ton, der von Selbstdisziplin kündete.

»Sie dürfen eigentlich nicht über diesen Weg zur Schule kommen. Das ist zwar keine klare Vorschrift, aber ...«

»Es ist eine Abkürzung, nicht wahr?«

»Ein paar von den Schülern, die in den braunen Wohngebieten nicht weit von hier leben, nehmen den Weg, statt ganz um das Gelände herum zu laufen. Vor allem, wenn sie spät dran sind. Ich meine, wir legen natürlich Wert darauf, dass sie pünktlich in der Schule erscheinen …«

Susan blickte auf ihren Notizblock. »Kimberly Lewis, wann hatte sie heute ihre erste Stunde?«

Die stellvertretende Direktorin öffnete eine Aktentasche aus Billigleder und zog einen gelben Schnellhefter heraus. Sie öffnete ihn, überflog eine Seite und sagte dann: »Zum Schulbeginn läutet es um zwanzig nach sieben. Sie hatte die erste Stunde im Lesesaal. Die geht dann bis viertel nach acht. Um zwanzig nach acht hätte sie im Leistungskurs amerikanische Geschichte sein müssen. Da ist sie nicht erschienen.«

Susan nickte. »Sie musste heute ein Referat abliefern, oder?«

Die Direktorin sah sie erstaunt an. »Ja, tatsächlich.«

Bevor sie weitersprach, warf Susan einen Blick auf die Mappe, die Jeffrey neben dem Tor aufgelesen hatte. »Über den ›Kompromiss von 1850‹. Und was ist mit dem Lesesaal? Sie ist in der Oberstufe, nicht wahr? Musste sie denn da sein?«

»Nein. Sie war auf der Liste der Vertrauensschüler. Für die ist die Stillarbeit nicht obligatorisch …«

»Demnach könnte sie später als das Gros der Schüler gekommen sein?«

»Heute ja. Da waren so ziemlich alle anderen schon im Unterricht.«

»Sagen Sie, gab es Reparaturarbeiten? Welche Handwerker waren in der Schule?«

»Heute werden im Spindraum der Jungen die Wände gestrichen. Wir mussten den Kindern eine Nachricht schicken, dass der Spindraum für heute geschlossen bleibt. Bis die Farbe trocken ist. Damit keiner reinkommt. Die Malerutensilien stehen in der Hausmeisterei in der Schule.«

Susan blickte zu ihrem Bruder hinüber und sah, dass jede Bemerkung ihn traf wie ein Stilett – jedes Wort war ein schmerzhafter Stich: das Zusammenspiel kleiner Details, die sich unerbittlich zu einer Gelegenheit für den Mörder zusammenfügten. Sie selbst empfand dagegen nur kalte Wut, als ob jede neue Information dem Zorn in ihrem Innern neue Nahrung gäbe. Es war genauso wie das Gefühl, das in ihr hochgekocht war, als sie die Bilder der ermordeten jungen Frauen angestarrt hatte.

»Also«, schaltete sich Jeffrey in die Unterhaltung ein, »was passierte, nachdem sie nicht aufgetaucht war?« Sein Ton klang ein wenig hart.

»Nun, ich bin erst in der Mitte des Vormittags dazu gekommen, die Abwesenheitsmeldungen durchzugehen«, berichtete die stellvertretende Direktorin. »Die übliche Verfahrensweise sieht einen Anruf bei den Eltern vor, falls ein Schüler sich bis dahin nicht schon von sich aus gemeldet hat. Kurz vor Mittag hab ich bei den Lewis zu Hause angerufen …«

»Aber es hat sich niemand gemeldet, richtig?«

»Beide Elternteile arbeiten, und ich wollte sie nicht im Büro stören. Ich dachte, ich bekomme Kim ans Telefon. Ich nahm an, sie sei krank. Bei uns ging eine Grippe um, hat die Kinder wirklich schlimm erwischt. Meistens schlafen sie sich einfach gesund …«

»Aber es ging keiner ran, richtig?«, hakte Jeffrey eindringlicher nach.

Die Direktorin sah ihn ärgerlich an. »Korrekt.«

»Was haben Sie dann getan?«

»Nun, ich dachte, ich versuche es später noch mal, wenn sie aufgewacht ist.«

»Haben Sie bei der Staatssicherheit angerufen und dort gemeldet, dass eine Schülerin vermisst wird?«

Die Direktorin beugte sich mit einem Ruck nach vorn. »Jetzt hören Sie mir mal gut zu, Mr. Clayton. Wieso sollten wir das tun? Unentschuldigtes Fehlen ist keine Sicherheitsfrage, sondern eine Frage der Disziplin. Die intern geregelt wird.«

Jeffrey zögerte, doch seine Schwester antwortete für ihn.

»Es kommt drauf an, um was für eine Art von unentschuldigtem Fehlen es sich handelt«, schränkte sie bitter ein.

»Also«, schnaubte die Direktorin, »Kimberly Lewis gehört nicht zu den Schülerinnen, die sich in Schwierigkeiten bringen. Sie ist eine erstklassige Schülerin und sehr beliebt –«

»Hat sie Freunde? Einen Freund?«, fragte Susan.

Zuerst zögerte die Direktorin. »Nein. Keinen Freund. Dieses Jahr nicht. Sie ist durch und durch ein gutes Mädchen. Wahrscheinlich auf dem Weg zu einem Spitzencollege.«

»Jetzt nicht mehr«, murmelte Susan so leise, dass es nur ihr Bruder hören konnte.

»Letztes Jahr hatte sie einen Freund?«, fragte Jeffrey plötzlich neugierig.

Die stellvertretende Direktorin zögerte wieder. »Ja. Letztes Jahr schon. Sie hatte eine intensive Beziehung von der Art, von der wir eher abraten. Glücklicherweise war der fragliche junge Mann eine Klasse über ihr. Er ging ans College, und die Beziehung brach damit ab, nehme ich an.«

»Sie mochten den Jungen nicht?«, vermutete Jeffrey.

Susan drehte sich zu ihm um und sah ihn an. »Und wenn schon?«, flüsterte sie ihm zu. »Wir wissen doch, was hier passiert ist, oder?«

Jeffrey bat die Direktorin mit der erhobenen Hand um eine Pause, nahm seine Schwester am Ellbogen und trat mit ihr ein Stück zur Seite. »Ja«, pflichtete er leise bei, »wir wissen, was hier passiert ist. Aber wann hat er sich dieses Mädchen ausgesucht? Auf welchem Wege hat er seine Informationen eingeholt? Vielleicht weiß der Exfreund etwas. Vielleicht war die Beziehung, von der die Direktorin meint, sie hätte sich aufgelöst, noch gar nicht vorbei. Jedenfalls könnten wir hier ein bisschen tiefer nachhaken.«

Susan nickte. »Ich bin ungeduldig«, sah sie ein.

»Nein«, erwiderte ihr Bruder, »du bist nur konzentriert.«

Sie kehrten zu den beiden Schulleitern zurück.

»Sie mochten den Jungen nicht?«, wiederholte Jeffrey seine Frage.

»Ein schwieriger, aber äußerst intelligenter junger Mann. Ist irgendwo an der Ostküste ans College gegangen.«

»Wie schwierig?«

»Grausam«, erklärte die Frau, »manipulativ. Man hatte immer das Gefühl, als machte er sich über einen lustig. Ich habe ihm keine Träne nachgeweint, als er seinen Abschluss gemacht hat. Gute Zensuren, Spitzenergebnisse in den Klausuren. Und der Hauptverdächtige bei einem Laborbrand, den wir letztes Frühjahr hatten. Man konnte ihm natürlich nie etwas nachweisen. Mehr als ein Dutzend Labortiere, Meerschweinchen und weiße Ratten sind bei lebendigem Leib verbrannt. Nun, jedenfalls, jetzt ist er nicht mehr hier. Er wird vermutlich eine Karriere draußen in den anderen fünfzig Staaten vorantreiben, ich glaube nicht, dass dieser Staat das Richtige für ihn ist.«

»Haben Sie noch seine Schülerakte?«

Die Direktorin nickte.

»In die würde ich gern einmal hineinschauen. Vielleicht muss ich mit ihm reden.«

Nun mischte sich der Direktor ein. »Ich brauche eine Verfügung der Staatssicherheit, um sie Ihnen rauszugeben«, erhob er salbungsvoll Einspruch.

Jeffrey schenkte ihm ein gemeines Lächeln. »Wie wäre es, wenn ich Ihnen gleich ein Team Agents herüberschicke, um danach zu suchen? Die könnten geradewegs in Ihr Büro marschieren. Dann hat wenigstens die gesamte Schülerschaft Gesprächsstoff für mehrere Tage.«

Der Direktor funkelte den Professor wütend an. Er warf einen kurzen Hilfe suchenden Blick auf den Fahrer der Staatssicherheit, der nur stumm nickte.

»Sie sollen Ihre Akte haben«, gab der Direktor nach. »Ich schicke sie Ihnen elektronisch.«

»Die ganze Datei«, stellte Jeffrey klar.

Der Mann nickte mit zusammengekniffenen Lippen, als hielte er den einen oder anderen Kraftausdruck zurück. »Na schön, wir haben Ihre Fragen beantwortet. Jetzt wäre es wohl an der Zeit, dass Sie uns sagen, was hier eigentlich vor sich geht.«

Susan trat näher heran und sagte in einem schroffen Ton, den sie sonst nicht an sich kannte, an den sie sich aber wohl gewöhnen musste: »Ganz einfach.« Sie deutete um sich. »Sehen Sie? Schauen Sie sich richtig gründlich um.«

»Ja«, gab der Direktor in einem genervten Ton zurück, den er wohl bei seinen Schülern bis zur Perfektion kultiviert hatte, der aber bei Susan nicht verfing. »Was genau soll ich denn sehen?«

»Ihren schlimmsten Albtraum.«

In den ersten Minuten ihrer Fahrt zurück nach New Washington saßen sie beide im Fond des staatseigenen Wagens und schwiegen sich an, während der Agent Gas gab, sobald die Autobahn in Sicht war. Susan klappte das Referat des vermissten Mädchens auf und las in der Hoffnung, durch den Aufsatz ein Gefühl für die junge Frau zu bekommen, ein paar Abschnitte daraus. Doch das brachte keine Erkenntnisse. Sie erfuhr nur nüchterne Daten über Sklavenstaaten und freie Staaten und den Kompromiss, der ihnen Zugang in den Bund verschaffte. Entbehrt nicht der Ironie, dachte sie.

Sie ergriff als Erste das Wort: »Also, Jeffrey, du bist der Experte. Ist Kimberly Lewis noch am Leben?«

»Wahrscheinlich nicht«, erwiderte ihr Bruder gedrückt.

»Dachte ich mir«, erwiderte Susan ruhig. Sie stöhnte frustriert. »Und was nun? Warten, bis irgendwo die Leiche auftaucht?«

»Ja. So hart das auch klingt. Wir machen schlicht da weiter, wo wir gerade waren. Es gibt allerdings ein einziges Szenario, das ich mir vorstellen kann, bei dem sie vielleicht noch am Leben ist.«

»Nämlich?«

»Ich möchte nicht ausschließen, dass sie Teil dieses Spiels ist. Vielleicht ist sie der Preis.«

Er blies langsam die Luft durch die Nase. »Der Gewinner bekommt alles.«

Jeffrey sprach leise und niedergeschlagen. »Das tut verdammt weh«, meinte er. »Siebzehn Jahre alt, und sie ist entweder bereits tot, einfach weil er sich über mich lustig macht, weil er mir zeigen will, dass er sozusagen direkt unter der Nase des berühmten Professor Tod jemanden kidnappen kann – und außerdem kündigt er es auch noch an, und ich bin zu dämlich und zu sehr mit mir selbst beschäftigt, um es zu sehen.« Er schüttelte den Kopf. »Oder aber dieses Mädchen sitzt irgendwo mit Handschellen gefesselt in einem Zimmer und fragt sich, wann sie sterben wird, und hofft, dass jemand kommt, um sie zu retten. Die Einzigen weit und breit, die dazu in der Lage wären, sind wir. Und ich sitze hier und sage: ›Wir müssen sorgsam vorgehen. Das braucht seine Zeit.‹ Wirklich«, stieß Jeffrey wütend hervor, »das nenne ich Draufgängertum.«

»Gottverdammt«, fluchte Susan und betonte jede Silbe, um ihrer Hilflosigkeit Luft zu machen. »Was sollen wir nur machen?«

»Was können wir überhaupt unternehmen, ich meine, über das hinaus, was wir ohnehin schon tun?«, brachte Jeffrey zwischen den Zähnen hervor. »Wir nehmen die Liste mit den Häusern, vergleichen sie mit jedem Namen auf der Liste der Staatssicherheit und dann mit jedem Fahrzeug, in dem Opfer transportiert werden können. Sehen wir mal, was dabei rauskommt.«

»Und gehen einfach davon aus, dass die junge Miss Kimberly, während wir all das tun, noch am Leben ist?«

»Sie ist tot«, antwortete Jeffrey schroff. »Sie war in dem Moment tot, als sie heute Morgen den Fuß vor die Tür setzte – allein und spät genug dran, um die Abkürzung über eine menschenleere Straße zu nehmen. Sie wusste es zwar noch nicht, aber da war sie schon tot.«

Zuerst schwieg Susan, auch wenn sie sich die winzige Hoffnung gönnte, ihr Bruder könnte sich irren. Dann entgegnete sie ruhig: »Nein, ich denke, wir sollten so schnell wie möglich handeln. Sobald wir ein Haus gefunden haben, das passen könnte. Dann handeln wir. Denn wenn wir auch nur eine Minute zu lange warten, könnte das eine Minute zu spät sein, und das würden wir uns nie verzeihen. Niemals.«

Jeffrey zuckte die Achseln. »Natürlich hast du recht. Wir unternehmen was, sobald wir können. Das will er vermutlich. Das ist wahrscheinlich der einzige Grund, weshalb die arme Kimberly Lewis in die Sache hineingeraten ist. Er hat sie nicht entführt, um seine perversen Gelüste zu befriedigen, sondern als Auslöser für eine Kurzschlusshandlung meinerseits.« Jeffrey klang resigniert. »Da hat er wohl schon gewonnen.«

Susan kam plötzlich ein Gedanke, der sie wie ein Blitz durchzuckte. »Jeffrey«, flüsterte sie. »Wenn er sie entführt hat, damit du handelst – was durchaus logisch klingt, auch wenn wir es nicht sicher wissen, weil wir eigentlich gar nichts sicher wissen –, aber falls ja, ist es dann nicht genauso logisch, dass er uns mit irgendeinem Detail dieser Entführung etwas darüber verrät, wo wir nach ihr suchen müssen?«

Jeffrey wollte etwas erwidern, überlegte aber erst. Er lächelte. »Susie, Susie, die Rätselkönigin. Mata Hari. Falls ich das hier überlebe, musst du raufkommen und mit mir zusammen eins meiner Oberseminare halten. Dieser Ranger in Texas hatte recht. Du wärst eine umwerfende Ermittlerin. Und ich bin überzeugt, du hast hier den absolut richtigen Riecher.«

Er klopfte seiner Schwester liebevoll aufs Knie. »Das Schreckliche an der ganzen Sache ist, dass jede neue Erkenntnis uns ihm einerseits ein Stück näher bringt, es andererseits aber alles nur noch schlimmer macht.« Er lächelte wieder, doch diesmal war es ein trauriges Lächeln.

Für den Rest der Fahrt zurück zu den Büros der Staatssicherheit blieben sie stumm. Susan beschloss widerstrebend, ihr gesamtes Waffenarsenal aus dem Stadthaus zu holen, wo sie es versteckt hatte, und während ihres gesamten übrigen Aufenthalts im Einundfünfzigsten Bundesstaat grundsätzlich genügend Schusswaffen und Munition bei sich zu haben, um ein für alle Mal die moralischen und psychologischen Rätsel zu lösen, die sie und ihre Familie verfolgten.

Diana Clayton beobachtete, wie ihr Sohn gewissenhaft die ausgedruckte Liste mit den Angestellten der Staatssicherheit durchforstete. Sie sah, wie mit jedem Namen, den er las, die Frustration in ihm wuchs. Die Frauen mit Zugang zu den höheren Sicherheitsstufen waren vorwiegend Sekretärinnen und Angestellte niedrigen Ranges. Daneben stieß er auf ein paar Abteilungsleiterinnen und eine Anzahl Agentinnen.

Ein Problem, mit dem sich Jeffrey herumschlug, ergab sich daraus, dass die Grenzen zwischen den Zugangsebenen fließend waren. Ihm leuchtete ein, dass jemand mit Stufe acht vermutlich auch einen begrenzten Zugang zu Ebene neun haben musste – so funktionierten Bürokratien. Und wenn die Frau seines Vaters wirklich clever war, dann würde sie auf einem niedrigeren Level bleiben und zugleich lernen, wie sie die höheren knacken konnte. Auf diese Weise würde sie ihr Geheimnis bewahren.

Diana sprach wenig, während ihr Sohn in die Ausdrucke vertieft war. Sie hatte darauf bestanden, dass er und Susan sie über das, was an der Schule vorgefallen war, informierten, und das hatten sie getan, wenn auch nur in knappster Form. Sie war nicht in sie gedrungen. Sie erkannte, dass ihre Kinder Angst um sie hatten und sie vermutlich für das schwächste Glied in der Kette hielten. Ihr war auch bewusst, dass sie mit ihrer Gegenwart und dadurch, dass sie ihrer Meinung nach auf der Abschussliste ihres Mannes ganz oben stand, sie alle drei in Gefahr brachte. Dennoch klammerte sie sich an den Gedanken, noch gebraucht zu werden. Sie rief sich ins Gedächtnis, dass sie vor fünfundzwanzig Jahren, als ihre Kinder darauf angewiesen waren, dass sie etwas unternahm, gehandelt hatte. Und eine innere Stimme sagte ihr, dass sie jetzt noch einmal gefordert war.

Und so behielt sie ihre Gedanken für sich und versuchte, nicht im Weg zu stehen, was ihr keineswegs leichtfiel. Sie hatte nicht einmal protestiert, als Susan verkündete, sie wollte mit dem Wagen und dem Fahrer noch einmal zum Haus zurückkehren, um ein paar Kleider sowie Medikamente zu holen, die sie dort gelassen hatten, und noch ein paar Dinge, die sie nicht näher benannte, auch wenn ihre Mutter wusste, was sie meinte.

Jeffrey hatte sich im Alphabet bis F durchgewühlt und dabei jeden Namen gelb markiert, der mit einer Adresse in einer blauen Siedlung verzeichnet war. Anschließend würde er die Liste der markierten Namen mit der Liste der sechsundvierzig Häuser abgleichen, die sie als mögliche Tatorte eingegrenzt hatten. Bis dahin hatte er dreizehn solche Übereinstimmungen festgestellt und sich für eine genauere Überprüfung vorgemerkt, sobald er die mühselige Kleinarbeit mit der Liste hinter sich hatte. Im Interesse der Gründlichkeit, und weil er hinsichtlich der Liste mit sechsundvierzig Häusern gewisse Zweifel hegte, nahm er sich manchmal einen Namen und kehrte zu der Hauptliste im Computer zurück, wo er unter den Tausenden Bauplänen den ursprünglichen Grundriss zu dem Haus der jeweiligen Frau herauszog, um sich zu vergewissern, dass er nichts übersehen hatte. Das kostete zusätzlich Zeit, und er wischte den Gedanken beiseite, dass er sie einem siebzehnjährigen Mädchen in Todesangst stahl.

Während er an der Arbeit saß, piepte der Computer neben ihm dreimal.

»Das muss eine E-Mail sein«, sagte er zu seiner Mutter. »Kannst du sie bitte für mich abrufen?« Er sah kaum auf.

Diana ging zur Tastatur und gab ein Passwort ein. Sie las einen Moment, dann wandte sie sich an ihren Sohn. »Du hast um eine Akte der Highschool Sierra gebeten?«

»Ja. Der Freund des Mädchens. Ist es das?«

»Ja. Es ist eine kurze Anmerkung von einem Mr. Williams dabei, offenbar der Direktor, die nicht gerade freundlich ist ...«

»Was sagt er denn?«

»Er erinnert dich daran, dass es ein Verstoß Stufe gelb ist, wenn du vertrauliche Schülerakten unerlaubt benutzt, auf den eine Geldbuße und gemeinnützige Arbeit stehen ...«

»Trottel.« Jeffrey grinste. »Noch was?«

»Nein ...«

»Druckst du es dann aus? Ich guck's mir gleich an.«

Diana folgte seiner Bitte. Sie las ein bisschen in den Anfang der Akte hinein und bemerkte, während der Drucker in Schwung kam: »Der junge Mr. Curtin hier scheint ein höchst bemerkenswertes Kind zu sein. Lauter Einsen und ebenso viele Probleme wegen auffälligen Betragens. Stört in der Klasse. Spielt Streiche. Wird beschuldigt, rassistische Graffiti zu sprühen, auch wenn es ihm nicht nachgewiesen werden kann. Soll hinter einer sexuellen Belästigung eines schwulen Mitschülers stecken, aber wieder können sie nichts beweisen. Hauptverdächtiger bei einem Laborbrand. Keine Maßnahmen ergriffen. Vorübergehend der Schule verwiesen, weil er ein Messer mitbringt ... ich dachte, so etwas gibt es in diesem Staat nicht. Erzählt einem Klassenkameraden, er hätte eine Handfeuerwaffe in seinem Spind, doch die anschließende Suche erweist sich als negativ. Die Liste setzt sich endlos fort ...«

»Wie heißt er noch mal?«

»Curtin.«

»Und mit Vornamen?«

»Das ist seltsam«, entfuhr es Diana. »Genau wie du. Nur anders geschrieben: G-E-O-«

»Geoffrey Curtin«, sagte Jeffrey langsam. »Könnte das …«

»Hier ist noch der Bericht eines Schulpsychologen, der nahelegt, ihn in eine psychologische Behandlung zu schicken, und die Empfehlung, ihn einer ganzen Reihe von Tests zu unterziehen. Hier steht auch, dass seine Eltern jede Form von psychologischen Untersuchungen abgelehnt haben …«

Jeffrey drehte sich mit Schwung auf seinem Bürostuhl um und beugte sich zu seiner Mutter hinüber. »Wie schreibt sich der Nachname?«

»C-U-R-T-I-N.«

»Stehen da die Namen der Eltern drin?«

Diana nickte. »Ja. Der Vater heißt … Moment, muss hier irgendwo sein. Ja: Peter. Die Mutter Caril Ann. Aber sie schreibt sich I-L. Das ist eine ungewöhnliche Schreibweise für den Namen.«

Jeffrey stand auf und trat neben seine Mutter. Er starrte auf die Datei im Monitor, während sie nebenan auf Papier erschien. Er nickte langsam. »Das stimmt«, stimmte er bedächtig zu. »Die Schreibweise habe ich, soweit ich mich entsinne, erst ein einziges Mal gesehen.«

»Wo?«

»Bei Caril Ann Fugate. Der jungen Frau, die 1958 Charles Starkweather auf seiner Mordorgie quer durch Nebraska begleitete. Elf Tote.«

Diana sah ihren Sohn erschrocken an.

»Und Curtin«, nahm er den Faden wieder auf, immer noch auf der Hut wie ein Tier, das die Nase in eine unerwartete Böe hält und eine gefährliche Witterung aufnimmt, »na ja, das ist die amerikanisierte Form des deutschen Namens Kürten.«

»Und hat das etwas zu bedeuten?«

Wieder nickte Jeffrey. »Düsseldorf in Deutschland. Um die

letzte Jahrhundertwende. Peter Kürten. Der Schlächter von Düsseldorf. Kindermörder. Perverser. Vergewaltiger. Gnadenlos. In diesem berühmten Film *M – Eine Stadt sucht einen Mörder* geht es um ihn.«

Jeffrey atmete langsam aus. »Hallo Vater«, sagte er. »Hallo Stiefmutter und Halbbruder.«

ZWEIUNDZWANZIG
LEICHTSINN

Jeffrey arbeitete hart und zügig. Das Haus der Familie Curtin lag am Buena Vista Drive, Nummer hundertfünfunddreißig, in der blauen Vorstadt außerhalb von Sierra. Dem Namen zum Trotz war die Straße auf keiner Karte wegen irgendeiner nennenswerten Aussicht verzeichnet. Sie lag etwas abgelegen in einem Waldstück als ein Vorposten staatlicher Bautätigkeit inmitten einer nahezu wilden Landschaft. Außerdem stand das Haus als Nummer neununddreißig auf Jeffreys Liste der Bauherrenhäuser. In kurzer Zeit trug er eine Reihe von Informationen zusammen: Caril Ann Curtin war die Chefsekretärin des stellvertretenden Direktors der Passkontrolle, einer Abteilung der Staatssicherheit. Es war ihre dritte Stelle innerhalb des Regierungsapparats; jedes Mal war sie mit überschwänglichem Lob hinsichtlich ihrer Arbeitsmoral und ihres Pflichtgefühls befördert worden. Gleichzeitig hatte sie einen Sicherheitszugang Stufe elf erreicht. Außerdem stand in ihrer Akte, ihr Mann sei ein Investor im Ruhestand, der sich vor allem auf Immobilien spezialisiert hatte. Ebenso ging daraus hervor, dass er beträchtliche Summen für den Fonds zur Verwirklichung des Einundfünfzigsten Staates gespendet hatte, den finanziellen Arm der Lobby für den neuen Bundesstaat.

Im Verzeichnis der Behörde fand Jeffrey Caril Ann Curtins Telefondurchwahl. Es klingelte dreimal, bevor jemand abnahm.

»Mrs. Curtin bitte«, sagte er.

»Hier spricht ihre Assistentin. Sie ist heute leider nicht im Haus. Kann ich ihr etwas ausrichten?«

»Nein danke, ich versuch's später noch mal.«

Er legte auf. Viel zu beschäftigt heute, um zur Arbeit zu gehen. Wahrscheinlich hat sie sich einen Tag für die Familie freigenommen, dachte er mit einem zynischen Lächeln.

Als Nächstes forderte Jeffrey ihre vertrauliche Personalakte von der Staatssicherheit an.

Gleichzeitig brachte er bei der Kraftfahrzeugstelle in Erfahrung, dass die Familie Curtin drei Autos besaß: zwei teure europäische Limousinen neusten Baujahrs sowie den älteren Mini-Van mit Allradantrieb, auf den Jeffrey gewettet hatte. Hier überlegte er einen Moment. Er hätte vier erwartet, je einen für Vater, Mutter, Kind, so wie bei jeder wohlhabenden Upperclass-Familie. Und dann den vierten für den höchst spezialisierten Zweck. Er nahm sich vor, der Sache nachzugehen.

Von einer anderen Zweigstelle der Staatssicherheit forderte er eine Liste der Waffen an, die die Familie Curtin besaß. Unter den staatlichen Waffengesetzen wurde die Familie sowohl als Sammler wie auch als Hobbyjäger geführt – eine Bezeichnung, die Jeffrey ironisch fand, wenn man bedachte, wie nahe sie der Wahrheit kam –, und ihr Arsenal sowohl an antiken wie an modernen Waffen war beträchtlich.

Schließlich bestellte er bei der Passkontrolle Fotos von jedem Familienmitglied. Seine Anfrage erforderte eine gewisse Bearbeitungszeit und wurde nicht sofort beantwortet. Er erfuhr, dass man das Genehmigungsverfahren zügig vorantreiben werde. Also wartete er.

Er hatte keine Ahnung, welche seiner zahlreichen Computeranfragen die Falle enthielt, doch dass es eine Falle gab, daran bestand für ihn kein Zweifel, und er ging davon aus, dass es diese letzte war. Es war nicht kompliziert, ein entsprechendes Computerprogramm zu schreiben, besonders wenn man so wie Caril Ann Curtin zu den obersten Rängen der Regierungshierarchie Zugang hatte. Jeffrey ahnte, dass sie irgendwo eine Computeranweisung eingegeben hatte, informiert zu werden, wenn jemand

Auskünfte über sie oder irgendein Mitglied ihrer Familie abrief. Das war eine ganz normale Vorsichtsmaßnahme, besonders bei jemandem, der – in einer Gesellschaft, in der es offiziell keine Geheimnisse gab – viel zu verbergen hatte. Ihm wurde klar, dass er wahrscheinlich die Warnung ausgelöst hatte, doch er sah keine Möglichkeit, es zu vermeiden. Er versuchte, bei seiner Suche zumindest zu verschleiern, von wem die Anfragen kamen, hoffte jedoch bestenfalls auf eine aufschiebende Wirkung.

Er hatte begriffen. Es blieb nicht viel Zeit.

Außerdem wusste er, dass sein Vater sich nicht nur für diesen Tag gewappnet, sondern ihn wahrscheinlich auch von vorn bis hinten geplant hatte. Einen anderen Grund für die Entführung der ehemaligen Freundin des zweiten Sohnes konnte Jeffrey nicht erkennen. Die Wahl von Kimberly Lewis war bewusst provokativ; sie musste zwingend zur Enttarnung führen und zwang ihn zu reagieren. Je mehr er darüber nachdachte, desto unbehaglicher fühlte er sich. Eine beharrliche Stimme in ihm bestand darauf, dass der Mörder bei dieser Entführung gar nicht damit rechnete, unerkannt davonzukommen. Es fehlte die Anonymität seiner früheren Taten. Die Verbrechen seines Vaters schlugen gewöhnlich wie der Blitz ein – unerwartet, schnell und wie eine Naturgewalt. Dieses hingegen zielte auf etwas anderes ab.

Jeffrey wippte auf seinem Schreibtischstuhl und dachte, dass wahrscheinlich in der gesamten Kriminalgeschichte noch kein Verfolger so viel über seine Zielperson gewusst hatte wie er. Selbst das berühmte FBI-Profil des Universitäts- und Airline-Bombers Mitte der Neunzigerjahre, das fast jedes Detail der Persönlichkeit des Bombers vorweggenommen hatte, konnte an die intime Kenntnis nicht heranreichen, die er sich teilweise angeeignet hatte, teilweise aus den tiefsten Schichten seines Unterbewusstseins hervorholen konnte. Doch all dieses Wissen und dieses Verstehen war, fürchtete er, von geringem Nutzen, da sein Vater, der Mörder, ein entscheidendes Element verdunkelt hatte: Sinn und Zweck seiner Taten.

Einiges schien darauf hinzudeuten, dass seine Morde politische Motive hatten und dazu dienten, den neuen Staat zu unterminieren. Vielleicht waren sie aber auch persönlicher Natur – Botschaften, die an seinen Sohn, den Professor, gerichtet waren. Vielleicht gehörten sie zu einem Wettstreit, vielleicht zu einem Plan. Natürlich konnten sie beides oder keines davon sein. Vieles sprach dafür, dass die Morde der Perversion entsprangen. Ein ritualistischer Hintergrund war nicht auszuschließen. Sie konnten der reinen Bösartigkeit oder der reinen Gier entspringen. Es waren zwar seine Taten, doch er ließ sich dabei helfen. Sie waren einzigartig und doch so alt wie die Kriminalgeschichte.

Sie waren wie die Partitur eines modernen Musikers für eine Symphonie: Mit ihren Klängen beschworen sie die Vergangenheit und wiesen in die Zukunft. Sie waren antik und futuristisch zugleich.

Was wird er tun?, fragte er sich. Du solltest es besser wissen. Du kennst ihn und doch wieder nicht. Ihm schwirrten verschiedene Möglichkeiten durch den Kopf: Er wird einen speziellen Hinterhalt legen. Sie werden die junge Frau exekutieren. Sie werden verschwinden.

Diese letzte Möglichkeit machte ihm am meisten Angst.

Auch wenn er es nicht laut aussprach, so hatte sich Jeffrey zu einer einzigen, unwiderruflichen Entscheidung durchgerungen: Egal, welche Schrecken die Beziehung zwischen der neuen Familie und der alten mit sich bringen würde, sie sollte an diesem Tag enden. Für immer. Er streckte die Hand aus und griff nach der automatischen Pistole auf seinem Schreibtisch. Er schob sachte den Finger in den Abzugbügel und versuchte, sich das Gefühl auszumalen, wenn die Waffe abgefeuert wurde. Bringe es zu Ende, schärfte er sich ein. Letztes Kapitel. Letzte Strophe. Schlussakkord.

Das Problem war nur, dass sein Vater sich vielleicht dasselbe wünschte.

Er legte die Waffe hin und nahm seine Arbeit am Computer wieder auf. Binnen Sekunden hatte er die dreidimensionalen Pläne für den Wohnsitz der Familie Curtin auf dem Monitor. Er machte sich mit der Inbrunst eines Studenten kurz vor dem Examen daran, sie genau zu studieren.

Er sah, dass das »Musikzimmer« keine Fenster hatte und in einem ausgebauten Keller an einen anderen Raum grenzte, der als »Hobbyraum« bezeichnet war. Dem Plan zufolge verfügte er nur über eine einzige Innentür, was ihn überraschte. Er sah genauer hin. Das ergibt keinen Sinn, dachte er. Nicht bei dem, wofür er den Raum benutzt. Hatte er seine Aufgabe erfüllt, so wollte er die Leiche, selbst sorgfältig eingehüllt, nicht quer durchs Haus tragen müssen. Das wäre das Gegenteil von perfekter Kontrolle. Er wusste, dass sein Vater dafür viel zu clever war.

Der Name des Bauleiters stand auf den Plänen. Jeffrey griff zum Telefon und rief in seiner Firma an. Er brauchte ein paar Minuten, um sich über verschiedene Telefonistinnen an ihn heranzuarbeiten, doch am Ende wurde er zum Chef des Unternehmens durchgestellt, der sich gerade auf der Baustelle zu einer neuen Grundschule befand.

»Was gibt's?«, fragte der Mann barsch. In dem Ton klang die ganze Frustration, die vielen Schlamassel eines langen Arbeitstages durch und die eindeutige Botschaft, für weiteren Ärger nicht zu haben zu sein.

Jeffrey stellte sich als Special Agent bei der Staatssicherheit vor, was an der mürrischen Laune des Mannes wenig änderte. »Ich interessiere mich für ein Haus, das Sie vor über sechs Jahren gebaut haben, und zwar am Buena Vista Drive außerhalb von Sierra …«

»Sie erwarten von mir, dass ich mich an ein bestimmtes Haus erinnere? Nach so langer Zeit? Hören Sie, mein Freund, wir bauen 'ne ganze Menge, nicht nur Privathäuser, sondern auch Bürogebäude, Schulen und –«

Jeffrey unterbrach ihn. »An dieses Haus werden Sie sich erinnern. Familie hieß Curtin. War ein Bauherrenhaus. Teuer.«

»Nicht dass ich wüsste. Hören Sie, tut mir leid, wenn ich Ihnen nicht weiterhelfen kann, aber ich hab zu tun –«

»Dann strengen Sie sich an«, bat Jeffrey.

Noch während er sprach, ging die Tür zu seinem Büro auf, und seine Schwester kam mit einer Tasche herein, in der es metallisch klirrte, als sie sie auf dem Boden absetzte.

Diana drehte sich zu ihrer Tochter um und sagte ruhig und kryptisch: »Wir haben sie gefunden.«

Susan schnappte nach Luft und wollte gerade etwas erwidern, als Jeffrey lebhaft auf den Stapel Dokumente deutete, die aus den Druckern kamen.

»Was zum Teufel wollen Sie überhaupt wissen?«, fragte der Bauunternehmer in scharfem Ton.

»Ich will wissen, welche Veränderungen Sie vorgenommen haben.«

»Was?«

»Ich will wissen, inwiefern sich das Haus von den offiziellen Plänen unterscheidet, die beim Bauamt zur Genehmigung eingereicht wurden.«

»Hören Sie, junger Freund, ich hab keine Ahnung, wovon Sie da faseln. Das wäre gegen die Vorschriften. Ich könnte meine Lizenz verlieren –«

Jeffrey war abrupt und kalt. »Die verlieren Sie sowieso, wenn Sie mir nicht augenblicklich sagen, was ich wissen will. Welche Änderungen sind nicht auf den Plänen? Und kommen Sie mir ja nicht damit, Sie könnten sich nicht erinnern, das kaufe ich Ihnen nicht ab. Denn ich weiß, dass der Mann, der dieses Haus gebaut hat, zu Ihnen gekommen ist und Sie um ein paar Veränderungen gebeten hat, die auf den Architektenplänen nirgends eingezeichnet sind. Und er hat Sie vermutlich fürstlich dafür entlohnt, einfach nur diese Änderungen vorzunehmen, ohne sie in den offiziellen Plänen zu vermerken. Sie haben jetzt die Wahl.

Sagen Sie es mir auf der Stelle, und ich werde das als eine Gefälligkeit werten, die Bauaufsichtsbehörde braucht dann nichts davon zu erfahren. Oder Sie schweigen sich aus, und Sie können Ihre Lizenz vergessen; dann haben Sie das letzte Haus zu diesen künstlich aufgeblähten Preisen des Einundfünfzigsten Staates gebaut, die Sie so reich gemacht haben, wie Sie es sich nie hätten träumen lassen. Bis morgen Vormittag ist es damit aus und vorbei.«

Jeffrey legte eine kleine Pause ein und fügte hinzu: »So. Habe ich mich deutlich ausgedrückt? Jetzt denken Sie dreißig Sekunden drüber nach und dann beantworten Sie mir meine gottverdammte Frage.«

Der Bauunternehmer überlegte einen Moment, bevor er antwortete: »Ich brauch die dreißig Sekunden nicht. Scheiß drauf. Sie wollen wissen, was anders ist? Okay. Von dem Kellerstudio geht eine verborgene Tür nach draußen. Mein Angestellter hat 'ne Menge Arbeit damit gehabt; ist praktisch nicht zu sehen. Außerdem gibt es eine nicht genehmigte Alarmanlage, die als Klimaanlage getarnt ist. Die ganze Hardware steckt in der Decke, und im Arbeitszimmer im Erdgeschoss sind hinter der Attrappe eines Bücherregals Videomonitore. Überall auf dem Gelände sind Infrarot-Thermodetektoren. Musste extra nach Los Angeles, um die Dinger zu besorgen. Verstoßen hier gegen das Gesetz. Und sind völlig überflüssig, das hab ich dem Kerl auch gesagt. Ich glaube, der Typ hat gedacht, dieses Nest würde mal ein zweites Dodge City. Verrückt. Alles, was Sie brauchen, ist ein Riegelschloss an der Tür, aber der wollte ja nicht hören. Ich meine, schließlich geht's genau darum, oder? Aber er war bereit zu zahlen. Und zwar gut, und, verflucht noch mal, damals in den ersten Jahren konnte noch keiner sagen, ob das mit diesem Staat funktionieren würde oder nicht, also hab ich mitgemacht. Ich wette, ich war nicht der Einzige, damals am Anfang. Was noch? Ach so, das ist auch nicht in den Plänen, aber es gibt einen kleinen Schuppen oder ein Gästehaus, zweihundert Meter vom Haus entfernt. Das Haus liegt auf einer kleinen Anhöhe, und der Schuppen ist weiter den Hang runter, grenzt direkt an unzählige Quadratmeilen Naturschutzgebiet. Keine Ahnung, wozu sie es benutzen. Wir haben den Zementboden gegossen, den Dachstuhl errichtet, die Wände und die Isolierung übernommen. Er wollte, dass wir die Materialien für den Innenausbau nur anliefern. Er wollte es nach eigenen Wünschen selbst zu Ende bringen.«

»Noch etwas?«

»Nein. Das war das einzige Mal, dass ich solche Änderungen vorgenommen habe. Heutzutage schicken die Behörden jemanden von der Bauaufsicht raus, der vor Einzug mit den Plänen da durchmarschiert. Aber das liegt weit zurück, in den Anfängen, und damals wurde alles ein bisschen laxer gehandhabt. Vielleicht hat er auch jemanden von der Aufsichtsbehörde geschmiert. Ist angeblich nicht möglich, aber man hört so dies und das. Also jetzt wissen Sie's, Freund. Ich hoffe, Sie halten sich an Ihr Versprechen.«

Während Jeffrey auflegte, kam ihm für einen Moment der Gedanke, ob der Baulöwe minderwertigen Zement in die Schule goss, die er gerade baute. Doch er hatte erfahren, was er wissen wollte.

Hinter sich hörte er seine Mutter ruhig sagen: »Jeffrey, Susan. Die Fotos kommen gerade rein.«

Sie standen alle drei vor dem Drucker, als die Maschine surrte und das Passfoto von Geoffrey Curtin auswarf. Er war ein Teenager von normaler Größe mit tief liegenden braunen Augen und einem kaum gekämmten braunen Haarschopf. Sein Gesicht war flach, sein Kinn sowie die Wangenknochen vorstehend und der Mund zu einem affektierten Lächeln für die Kamera verzogen. Außerdem trug er einen struppigen Ziegenbart. In den behördlichen Unterlagen war er mit seinem ersten Wohnsitz an der Cornell University in Ithaca, New York, gemeldet.

Susan nahm das Foto und starrte es an. Doch bevor sie etwas sagen konnte, erschien das zweite Bild – von Caril Ann Curtin.

Sie war klein und dürr wie ein Gerippe, mit einem verkniffenen Gesicht und hohen Wangenknochen, die sie ihrem Kind weitervererbt hatte. Das blonde Haar hatte sie aus dem Gesicht gekämmt und zu einem Pferdeschwanz gebunden, und sie trug eine altmodische Brille mit Drahtgestell. Sie war nicht hübsch, aber auch nicht das Gegenteil; sie war auf unbehagliche Weise intensiv. Sie lächelte nicht, was ihr die professionelle Strenge einer Sekretärin verlieh.

»Wer bist du bloß«, fragte Diana, als sie das Bild betrachtete.

Jeffrey nahm es ihr aus den Händen. Er schüttelte den Kopf. »Ich weiß, wer sie ist«, fiel ihm ein. »Der Anwalt in Trenton hat es mir erzählt, aber ich habe die Sache nicht verfolgt. Sie ist eine Frau, die vor zwanzig Jahren in West Virginia gestorben ist, und zwar kurz nachdem sie dort aus dem Gefängnis entlassen worden war. Dumm, dumm, dumm. Ich bin dumm.«

Er war noch nicht fertig, als der Drucker das dritte Foto in Angriff nahm, das Bild von Peter Curtin.

Diana meldete sich als Erste zu Wort. »Hallo Jeff«, sagte sie ruhig. »Du liebe Zeit, hast du dich verändert.«

In den ersten Sekunden sah jeder von ihnen teils dasselbe, teils etwas anderes. Ob es die Augen waren, die so durchdringend starrten, oder die Stirn mit dem gelichteten Haaransatz, das Kinn, die Wangen, die Ohren, die dicht am ovalen Gesicht anlagen, oder die Lippen, die sich ganz leicht zu einem spöttischen Lächeln verzogen – sie alle sahen eine Erinnerung, eine Gestalt, die ihnen gemeinsam im Gedächtnis haftete, wenn auch in den hintersten Winkel verdrängt.

Der Mann wirkte jünger und kräftiger, als man bei seinen mehr als sechzig Jahren vermutet hätte; das versetzte Diana Clayton einen Stich, da es sie daran erinnerte, wie alt und todgeweiht sie selbst wirken musste.

Jeffrey senkte den Blick und sah, aus Angst, sich selbst darauf wiederzuerkennen, das Bild nur widerstrebend an.

Je länger Susan das Gesicht auf dem weißen Hochglanzpapier anstarrte, merkte sie, wie sich eine Wut in ihr zusammenbraute, die jeder Beschreibung spottete, denn in diesem Zorn ballte sich nicht nur der Hass auf seine Verbrechen zusammen, sondern auch die Einsamkeit und Verzweiflung, die sie ihr ganzes Leben lang begleitet hatten. Sie hätte schwer sagen können, welcher Zorn der größere war.

Jeffrey wandte sich an seine Mutter. »Hat er sich wirklich verändert?«

Sie nickte. »Ja«, bestätigte sie zögerlich. »Fast alles in seinem Gesicht hat er ändern lassen, so viel, wie nötig war, um ein neues zu kreieren. Abgesehen von den Augen natürlich. Die sind unverändert.«

»Hättest du ihn wiedererkannt?«

»Ja.« Sie holte tief Luft. »Nein. Vielleicht doch nicht.« Diana seufzte. »Die Antwort lautet wahrscheinlich: Ich weiß es nicht. Ich hoffe, ja. Vielleicht aber auch nicht.«

»Er sieht nach nichts Besonderem aus«, erklärte Susan schroff.

»Das tun sie nie«, erwiderte Jeffrey. »Wäre zu schön, wenn man den schlimmsten Kerlen all ihre Bösartigkeit vom Gesicht ablesen könnte, kann man aber nicht. Sie sind unscheinbar und gewöhnlich, freundlich und unauffällig – bis zu dem Moment, in dem sie die vollkommene Kontrolle über dein Leben haben und dich mit Genuss töten. Dann werden sie allerdings zu etwas Besonderem und setzen sich von anderen ab. Manchmal sieht man es für einen Moment aufblitzen – wie bei David Hart unten in Texas. Aber gewöhnlich nicht. Sie gehen in der Menge unter. Das ist vielleicht das Schlimmste. Dass sie aussehen wie du und ich.«

»Nun denn«, sagte Susan mit einem kurzen, trockenen Lachen, »danke für den lehrreichen Vortrag, Bruderherz. Und jetzt schnappen wir ihn uns.«

»Müssen wir nicht«, widersprach Jeffrey barsch. »Ein einziger Anruf von mir beim Direktor der Staatssicherheit genügt, und er schickt ein SWAT-Team hin, um das ganze Haus in die Luft zu jagen, mitsamt den Bewohnern. Wir können uns im Sessel zurücklehnen und aus sicherer Entfernung zuschauen.«

Diana sah ihren Sohn an und schüttelte den Kopf. »Es hat nie eine sichere Entfernung gegeben«, gab sie zu bedenken.

Susan nickte. »Wie kommst du darauf, dass der Staat unser Problem zu unserer Zufriedenheit lösen wird?«, fragte sie. »Wann hätte denn schon mal irgendeine staatliche Behörde so etwas getan?«

»Das hier ist unser Problem. Wir sollten es selbst lösen«, meinte Diana. »Ich kann mich nur wundern, dass du eine andere Möglichkeit in Betracht ziehst.«

Jeffrey schien verwirrt. Er sah besonders seine Schwester eindringlich an. »Ihr verkennt die Gefahr dabei«, warnte er. »Verdammt, was sag' ich, ihr ignoriert sie. Glaubt ihr, er würde davor zurückschrecken, uns zu töten?«

»Nein«, antwortete sie. »Na ja, vielleicht. Immerhin sind wir seine Kinder.«

Sie schwiegen alle drei, bevor Susan den Faden wieder aufnahm: »Er hat mit jedem von uns ein Spiel getrieben, das uns an seine Türschwelle bringen sollte. Wir haben jeden Wegweiser gefunden, alles, was er getan hat, richtig gedeutet, haben jeden Köder geschluckt, und nachdem wir alles zusammengesetzt haben, wissen wir, wer er ist und wo er lebt und wer zu seiner Familie gehört. Und du glaubst im Ernst, wir sollten es an den Staat delegieren, nachdem wir so weit gekommen sind? Mach dich nicht lächerlich. Das Spiel war für uns alle gedacht. Also spielen wir es bis zum Ende.«

Diana nickte. »Ich frage mich, ob er diese Unterhaltung auch bereits vorausgesehen hat.«

»Wahrscheinlich ja«, erwiderte Jeffrey düster. »Ich verstehe ja, was du sagst, ich bewundere deine Entschlossenheit. Aber was wäre gewonnen, wenn wir ihn uns selbst vorknöpfen?«

»Unsere Freiheit«, antwortete Diana lapidar.

Jeffrey hielt seine Mutter für romantisch und seine Schwester für ungestüm. Irgendwie bewunderte er diese Eigenschaften. Doch ihr Verständnis vom einstigen Jeffrey Mitchell und dem heutigen Peter Curtin sowie von dem, wozu er fähig war, erschien ihm abstrakt und unrealistisch. Er dagegen wusste bis ins letzte Detail, womit sie es zu tun hatten, folglich machte es ihm auch mehr Angst. Seine Schwester und seine Mutter hatten sich die Fotos angesehen und geschaudert, doch das war nicht dasselbe, wie den gequälten Leichnam eines Opfers mit eigenen Augen zu sehen und anhand dessen zu begreifen, welche Raserei und welch ungezügelte Gier jedem Schnitt und jedem Stich diese Wucht verliehen hatten. Der Umstand, dass er eine Komplizin gefunden hatte, die ihm bei diesen Taten zur Seite stand, machte die Situation noch komplizierter. Und dass es auch noch einen Sohn gab, erhöhte die Explosivität dieser Mischung. Aus seiner Sicht war er zusammen mit seiner Mutter und seiner Schwester dabei, sich blindlings in die größte Gefahr zu stürzen. Andererseits hatten sie vielleicht keine andere Wahl.

Jeffrey ließ den Kopf in die Hände sinken und fühlte sich plötzlich vollkommen erschöpft. Er konnte nur noch einen Gedanken fassen: So war es geplant, so sollte es von Anfang an enden.

»Vergiss nicht den anderen Faktor«, sagte Susan unvermittelt. »Kimberly Lewis. Einserschülerin. Der ganze Stolz und Sonnenschein eines völlig verwirrten Elternpaars, das sich in diesem Moment fragt, was zum Teufel hier vor sich geht und wo ihre Tochter stecken mag.«

»Sie ist tot. Und selbst wenn noch nicht, ist sie es doch so gut wie.«

»Jeffrey!«, protestierte Diana.

»Es tut mir leid, Mutter, aber was dieses junge Mädchen

betrifft – frag dich doch selbst, ob sie noch einmal davonkommen kann. Ich meine, gibt es so viel atemberaubendes, unbegreifliches Glück? Wird ein gütiger Gott mit einem milden Lächeln auf sie herunter sehen? Falls ja, dann wird sie aus dieser Sache so viele Narben davontragen, dass sie für den Rest ihres Lebens gezeichnet ist. Aber für unsere Überlegungen gehe besser davon aus, dass sie tot ist. Selbst wenn du sie um Hilfe rufen hörst, gehe davon aus, dass sie tot ist. Wenn du sie flehen und schreien hörst, dass es dir das Herz zerreißt, geh davon aus, dass sie tot ist. Andernfalls verschaffen wir ihm einen Vorteil, den wir uns nicht leisten können.«

»Ich glaube nicht, dass ich so zynisch denken kann«, erwiderte seine Mutter.

»Und wenn schon, uns bleibt nichts anderes übrig.«

»Das verstehe ich«, begann sie, »aber –«

Jeffrey fiel ihr mit der erhobenen Hand ins Wort. Er sah zuerst seine Mutter, dann seine Schwester unerbittlich an. »Ich sag' euch eins«, flüsterte er. »Wenn ihr euch mit der Realität auseinandersetzen wollt, statt mit einer abstrakten Idee, dann müsst ihr einiges begreifen. Wir müssen unsere ganze Menschlichkeit über Bord werfen, alles, was unseren Charakter ausmacht. Wir nehmen nichts weiter mit als ein paar Waffen und unseren unumstößlichen Entschluss. Wir gehen einzig und allein dorthin, um diesen Mann zu töten. Und darüber hinaus müssen wir begreifen, dass diese neue Frau und dieses neue Kind nichts weiter sind als sein verlängerter Arm – seine Schöpfungen, sein Ebenbild sozusagen. Sie sind genauso gefährlich wie er. Schaffst du das, Mutter? Kannst du vergessen, wer du bist, und dich auf die verborgensten Instinkte verlassen, die irgendwo tief in dir ruhen? Die Wut und den Hass? Nur das wird uns helfen, sonst nichts. Kannst du das, ohne zu zögern, ohne die geringsten Gewissensbisse, den geringsten Zweifel? Denn eine zweite Gelegenheit bekommen wir nicht. Niemals, wohlgemerkt. Wenn wir also in seine Welt eindringen, dann müssen wir darauf gefasst sein, dass wir nach seinen Regeln spielen und ihm in nichts nachstehen dürfen. Schaffst du das?«

Er sah seine Mutter an, doch sie blieb stumm. »Kannst du so sein wie er?« Er drehte sich mit einer abrupten Bewegung zu seiner Schwester um und stellte ihr dieselbe Frage. »Kannst du das?«

Susan wollte nicht antworten. Sie glaubte, dass ihr Bruder mit jedem Wort, das er sagte, richtig lag. Ihm ist bewusst, wie leichtsinnig wir sind, dachte sie. Andererseits ist Leichtsinn zuweilen die einzige Alternative, die das Leben einem lässt.

»Nun denn«, sagte sie und setzte ein falsches Grinsen auf. Sie leckte sich über die trockenen Lippen. Ihre Kehle war wie ausgedörrt, als lechzte sie nach einem Schluck Wasser. Sie trat an den Monitor, um sich nicht anmerken zu lassen, wie nervös sie war, und machte sich daran, den Grundriss des Hauses am Buena Vista Drive zu studieren, während sie sich tollkühn und tapfer gab. »Wir werden ja sehen, nicht wahr? Noch heute Abend.«

DREIUNDZWANZIG
DIE ZWEITE TÜR WIRD GEÖFFNET

Als Jeffrey seine Mutter und seine Schwester an diesem Abend, den er für seinen Abschied vom Einundfünfzigsten Bundesstaat hielt, aus dem riesigen, wuchtigen Bürogebäude führte, war es längst dunkel geworden. Genau wie seine Schwester trug er eine mittelgroße, dunkelblaue Sporttasche über der Schulter. Diana hielt eine Aktentasche aus Segeltuch in der rechten Hand. Kaum traten sie in die schwarze Nacht, schluckte sie heimlich mehrere Schmerztabletten und hoffte, dass keins ihrer Kinder es mitbekam. Sie sog heftig die Luft ein und genoss die würzige Kühle kurz vor dem ersten Frost. Es war ein wundervoller, ungewohnter Geschmack auf der Zunge. Für Sekunden blickte sie in die Ferne – diesmal nicht zu den Bergen, die sich im Norden erhoben, sondern nach Süden. Eine einzige Wüste, dachte sie. Sand, Staubverwehungen und Steppenläufer, dazwischen ein paar Büschel dürres Gras. Und Hitze. Durchdringende Hitze und trockene Luft. Diese Nacht nicht; diese Nacht war anders, ein Widerspruch zwischen dem, was sie sah, und dem was sie erwartete. Kälte statt Wärme.

Die Parkplätze waren bis auf die Fahrzeuge der Nachtschwärmer größtenteils leer. Im Gebäude hinter ihnen brannten nur wenige Lichter; die meisten Mitarbeiter der Staatssicherheit hatten ihre Sachen gepackt und waren nach Hause gegangen. Abendessen im Kreis der Familie, danach vielleicht ein Film, eine Sitcom im Fernsehen oder ein bisschen Hausaufgabenhilfe für die Kinder. Dann ins Bett. Schlaf und die Aussicht auf dieselbe Routine am nächsten Tag. Vor dem Bürogebäude war es angenehm still, so dass sie das schabende Geräusch ihrer Schritte auf dem Bürgersteig hören konnten.

Jeffrey brauchte nur ein paar Sekunden, um ihren Wagen und den Agenten von der Sicherheit ausfindig zu machen, der sie fahren sollte. Es war derselbe Beamte, der sie zur Abode Street begleitet hatte, wo Kimberly Lewis verschwunden war. Der stämmige Mann mit dem kurz geschorenen Haar stierte mürrisch und gelangweilt geradeaus; er gab sich wenig Mühe zu verbergen, dass er lieber woanders wäre, um etwas anderes zu tun. Jeffrey vermutete, dass der Agent nur dürftige Kenntnis davon hatte, wer Jeffrey war, und wozu er sich im Territorium aufhielt. Wie immer vermutete er, dass irgendwo hinter ihnen, außerhalb seines Gesichtsfelds, Agent Martins Ersatzmann lauerte, ihnen in angemessenem Abstand folgte und nur darauf wartete, dass Jeffrey mit dem Finger auf einen Mann zeigte, den er töten sollte. Für Sekunden legte er den Kopf in den Nacken, als rechnete er mit dem dumpfen Pochen der Rotoren eines Helikopters am Himmel. Er senkte den Blick und versuchte, sich auszumalen, mit welchen Methoden die Staatssicherheit ihre Spur verfolgte. Der Wagen verfügte zum Beispiel über einen elektronischen Sender. Außerdem gab es die Möglichkeit, Kleidung mit einer unsichtbaren Infrarotsubstanz zu markieren, wodurch sie aus einer sicheren Entfernung zu erkennen war. Es gab noch andere geheime Techniken aus dem militärischen Bereich, Laser und Hightech, doch Jeffrey bezweifelte, dass die Behörden des Einundfünfzigsten Staates über derlei Ausrüstung verfügten. In ein paar Wochen vielleicht, wenn sie in die US-Flagge einen weiteren Stern einstickten; jetzt, vor der Abstimmung, wohl eher nicht.

Jeffrey beäugte den Fahrer. Ein Niemand. Er vermutete, dass der Mann eine einfache Order hatte: sie überallhin zu begleiten und den Direktor über jeden ihrer Schritte auf dem Laufenden zu halten. Zumindest rechnete er damit.

Sie hatten einen Plan, doch der war höchst bescheiden. Der

Versuch, die Spinne in ihrem eigenen Netz auszutricksen, in das sie einen lockte, war wohl von vornherein ein verwegenes Ziel. Man begab sich wohl eher in der Hoffnung hinein, dass die Fäden unter dem eigenen Gewicht reißen würden, statt einen zu ersticken.

Der Fahrer trat vor. »Die sagen, Sie hätten für heute Feierabend gemacht. Niemand hat noch eine Fahrt genehmigt.«

»Wenn dem so ist, wieso sind Sie dann noch hier?«, fragte Susan prompt. »Machen Sie bitte den Kofferraum auf, sind Sie so freundlich?«

Der Fahrer folgte ihrer Aufforderung. »Das ist Vorschrift«, erklärte er. »Muss warten, bis ich ausdrücklich entlassen bin, erst dann kann ich fahren. Sie wollen noch wo hin?«

»Wieder nach Sierra«, antwortete Jeffrey, während er seine Tasche auf die seiner Schwester warf.

»Muss ich aber melden«, sagte der Agent. »Mit Fahrtziel und Zeitangabe. Ausdrücklicher Befehl.«

»Ich glaube nicht«, entgegnete Jeffrey. Mit einer einzigen, geschmeidigen Bewegung zog er seine noch nie benutzte Neun-Millimeter aus dem Schulterholster und hielt dem Agenten den Lauf unter die Nase; der Mann fuhr unwillkürlich zurück und hob die Hände. »Heute Nacht wird improvisiert.«

Susan lachte, doch es klang hohl. Sie schob den Agenten sanft in Richtung Lenkrad. »Steigen Sie ein«, forderte sie ihn auf. »Sie fahren, Mr. Agent. Mutter, du vorne. Zeit fürs Familientreffen.«

Jeffrey legte die Pistole auf den Sitz zwischen sich und seiner Schwester. Die Aktentasche, die seine Mutter getragen hatte, hielt er auf dem Schoß. Aus der Innentasche seines Jacketts zog er eine kleine Taschenlampe in der Form eines Kugelschreibers, die einen roten Nachtlichtstrahl aussandte. Die schaltete er an und entnahm der Tasche zwei Akten. Jede enthielt vielleicht ein halbes Dutzend Blätter.

Bei der Ersten handelte es sich um das geheime Dossier der

Staatssicherheit über Caril Ann Curtin. Er überflog es auf der Suche nach irgendeinem Hinweis darauf, wie sie angesichts der Wahrheit reagieren würde. Doch diese Hoffnung konnte er begraben. Das Dossier kündete nur von einer engagierten, wenn auch etwas zugeknöpften Angestellten im öffentlichen Dienst. Bei Beförderungstests und Leistungskontrollen schnitt sie hervorragend ab, arbeitete effizient und reibungslos mit Kollegen zusammen und bekam die besten Noten von Vorgesetzten. Über gesellige Aktivitäten in ihrer Freizeit gab das Dossier wenig her, auch wenn ein Eintrag Jeffrey Kopfzerbrechen machte: Caril Ann Curtin war Mitglied in einem Schützenverein für Frauen, wo sie für ihre Schießleistungen schon mehrere Auszeichnungen erhalten hatte. Darüber hinaus war sie in kirchlichen Vereinen und Bürgerorganisationen aktiv, war Mitglied in mehreren Fitnessclubs und im Vorjahr beim Marathon von New Washington unter vier Stunden gelaufen.

In Bezug auf ihr Leben vor ihrer Ankunft im Einundfünfzigsten Bundesstaat schwieg sich das Dossier weitestgehend aus. Es hieß darin, sie habe einen Collegeabschluss in Betriebswirtschaft, vom Community College in Georgia. Ihre berufliche Laufbahn war relativ kurz, zeugte jedoch von ihren beträchtlichen Fähigkeiten als Sekretärin. Die Akte enthielt zwei Briefe von früheren Vorgesetzten, die sie wärmstens empfahlen. Einer kam von dem Anwalt in Trenton – ein Detail, das der gute Mann in dem unfreiwilligen Gespräch mit Jeffrey Clayton tunlichst verschwiegen hatte. Die andere war, wie Jeffrey vermutete, entweder erzwungen oder gefälscht, aber für die damalige Situation, als der neue Staat erste Konturen annahm, wohl mehr als angemessen. Sie war scheinbar qualifiziert und scheinbar perfekt. Ihr Mann verfügte über Geld und knauserte nicht damit. Nachdem sie in der Bürokratie erst einmal Fuß gefasst hatte, kämpfte sie sich mit der Entschlossenheit eines Lachses, der gegen den Strom zur Brutstätte schwimmt, die Karriereleiter empor.

Jeffrey legte diese Akte beiseite und öffnete die Zweite.

Die war sogar noch kürzer. Es war ein Computerausdruck vom National Crime Information Center. Die erste Zeile lautete: *Elizabeth Wilson: verstorben.*

Jeffrey schüttelte den Kopf.

Nicht verstorben, dachte er. Sondern wiedergeboren.

Der Eintrag in der bundesstaatlichen Datenbank beschrieb eine junge Frau, die im ländlichen West Virginia aufgewachsen war. Ihr Jugendstrafregister war beträchtlich: Einbruch, Brandstiftung, Raubüberfall, Körperverletzung und Prostitution. Ein kurzer Bericht vom Amt für Bewährungshilfe im Lincoln County erwähnte, es gebe starke, wenn auch unbewiesene Anhaltspunkte dafür, dass sie als Kind wiederholt von ihrem Stiefvater missbraucht worden sei.

Elizabeth Wilson war mit neunzehn Jahren wegen Totschlags hinter Gitter gekommen. Als ein betrunkener Freier sich nach dem Sex weigerte, sie zu bezahlen, habe sie zur Rasierklinge gegriffen. Der Freier hatte sie mehrmals mit der Faust geschlagen, bevor er merkte, dass sie ihn vom Bauch bis zur Hüfte aufgeschlitzt hatte. Nachdem sie drei Jahre in der Strafanstalt in Morgantown verbüßt hatte, kam sie auf Bewährung frei. Ein halbes Jahr nach ihrer Entlassung, so der Bericht, nahm sie eine Stelle in einer Biker-Bar in einer ländlichen Gegend des Staates an, etwa siebzig Meilen von der Stadt entfernt. An dem Abend, an dem sie ihren Dienst antrat, hatte sie mit einem Mann das Lokal verlassen und wurde nie wieder gesehen. In einer nahegelegenen Höhle entdeckte die Polizei zerrissene, blutverschmierte Kleider, doch ihre Leiche wurde nie gefunden. Es war später Winter und das Gelände schwer zugänglich. Selbst eine Hundestaffel war unverrichteter Dinge zurückgekehrt: Daraufhin verhörte die Polizei mehrere Männer, die an jenem Abend in der Bar mit ihr gesprochen hatten, und einer von ihnen wurde verhaftet, nachdem man auf dem Sitz seines Pick-ups Blutspuren gefunden hatte. Sie passten zu Elizabeths Blutgruppe, und die DNA-Analyse bestätigte schließlich, dass es von ihr stammte.

Die Durchsuchung des Trucks förderte außerdem unter einer zerbrochenen Bodenplatte ein großes Jagdmesser zutage, das ebenfalls Blutspuren an der Klinge aufwies. Obwohl der Mann beteuerte, an dem Abend betrunken gewesen zu sein und sich deshalb an nichts zu erinnern, geschweige denn an einen Mord, wurde er zu einer lebenslänglichen Haftstrafe verurteilt.

Jeffrey konnte sich vorstellen, wie viel Spaß sein Vater gehabt haben musste, als er einem Fremden den Wagen mit Blut verschmierte und ihm auch noch das Messer unterjubelte, ein geschickter Schachzug, räumte Jeffrey ein. Er fragte sich, ob sein Vater Elizabeth Wilson vor jenem Abend erklärt hatte, was zu tun sei, bevor er ihr Blut abzapfte: Lenke die Aufmerksamkeit auf dich; flirte ein bisschen, brich einen Streit vom Zaun, dann geh mit einem Mann, der sich kaum noch auf den Beinen halten kann, einem Mann, der sich später an nichts mehr erinnern kann, nach draußen.

Anschließend hatte sein Vater die junge Frau, deren Tod er inszeniert hatte, um sie neu zu erschaffen, kurzerhand mitgenommen. Sie muss sich in jener Nacht wie ein Baby gefühlt haben, nackt, die Kleider zerrissen und mit ihrem eigenen Blut besudelt, vor Kälte zitternd und voller Angst.

Jeffrey schloss die Akte und dachte: Sie verdankt ihm alles.

Er warf einen kurzen Blick auf seine Schwester und dann auf seine Mutter.

Sie wissen nicht, wie gefährlich diese Frau sein kann, dachte er. Alles in ihrem Leben ist das Werk meines Vaters. Sie wird ihm so hörig sein wie ein bösartiger Wachhund. Vielleicht noch schlimmer.

Zusammen mit der Akte war ein altes Foto geschickt worden. Darauf war ein junges, wütendes Gesicht mit einem schiefen Grinsen zu sehen, das eine Zahnlücke entblößte; eine gebrochene Nase war schlecht gerichtet worden, und das strähnige blonde Haar hing ihr zerzaust auf die Schulter.

Im Geist verglich er dieses Bild mit dem auf dem Pass von

Caril Ann Curtin. Es war kaum zu glauben, dass die junge Frau, die auf dem Polizeirevier ihre Identifikationsnummer in die Kamera hielt, mit der selbstbewussten Erwachsenen identisch sein sollte, die sich bei so vielen amtlichen Tätigkeiten unentbehrlich gemacht hatte. Die Zähne waren gerichtet, das Kinn weicher modelliert; auch die gebrochene Nase operiert und umgeformt. Sie war von einem Experten neu erschaffen worden – physisch, emotional und psychologisch. Eliza Doolittle und Henry Higgins. Ein mörderischer Henry Higgins.

Jeffrey steckte die beiden Akten wieder zurück in die Leinentasche, wo sie dem Schuldossier über Geoffrey Curtin und dem Foto von Peter Curtin Gesellschaft leisteten. Über ihn gaben die Computer, mit Ausnahme der Querverweise in den Akten seiner Frau und seines Sohn, keinerlei Informationen her.

Das Auto verfügte über ein Telefon der Staatssicherheit; Jeffrey nahm es und tippte mehrere Nummern ein. Erst beim dritten Versuch erreichte er endlich den Campus-Wachdienst an der Cornell University. Er nannte seinen Namen und bat darum, mit dem diensthabenden Beamten zu sprechen. Es dauerte ein paar Sekunden, bis der Mann gefunden war, doch als er den Hörer abnahm, schien seine Stimme viel näher, als es die große Entfernung vermuten ließ.

»Hier spricht der Captain des Sicherheitsdienstes, gibt es ein Problem?«

»Captain, ich müsste in Erfahrung bringen, ob ein Student der Cornell derzeit dort anwesend ist.«

»Das kann ich überprüfen. Wozu müssen Sie das wissen?«

»Hier draußen hat es einen Autounfall gegeben«, log Jeffrey, »und wir kämpfen uns immer noch durch einen Haufen brennender Wrackteile hindurch. Könnte sein, dass wir schnellstens die nächsten Angehörigen unterrichten müssen. Aber wir haben auch einige nicht identifizierte Leichen. Es würde uns schon weiterhelfen, wenn wir wenigstens eine Person ausschließen könnten ...«

»Wie heißt der Student?«

»Geoffrey, mit G, Curtin, schreibt sich C-U-R-T-I-N …«

»Ich werd' das für Sie raussuchen, Mr. …«

»Clayton. Special Agent Clayton.«

»Wissen Sie, wir kriegen immer mehr Anträge von Kids aus dem Einundfünfzigsten Staat. Gute Kinder. Gute Studenten. Aber, Mann, ich sag' Ihnen, die gehen in den ersten Wochen hier auf dem Campus erst mal durch die Hölle …«

Der Leiter des Wachdienstes schwieg einen Moment, dann fügte er hinzu: »He, sind Sie sicher, dass Sie den richtigen Namen haben?«

»Ja. Geoffrey Curtin. Aus Sierra im Einundfünfzigsten Bundesstaat.«

»Also, mit dem Namen hab' ich hier keinen.«

»Können Sie vorsichtshalber noch mal nachsehen?«

»Habe ich schon. Keiner da. Ich hab' das Gesamtverzeichnis, wissen Sie. Alle Studenten, Dozenten, Campus-Personal – jeder Universitätsangehörige. Den gibt es nicht. Vielleicht fragen Sie mal beim Ithaca College nach. Wir werden manchmal verwechselt, wissen Sie, ist ein Stück die Straße runter.«

Nachdem Jeffrey aufgelegt hatte, griff er nach dem Schuldossier. Dem Bericht war ein Annahmebescheid von Cornell beigefügt, mit der handschriftlichen Notiz eines Vertrauenslehrers: *Einzahlung postalisch erfolgt.*

Jeffrey merkte plötzlich, dass sowohl seine Mutter als auch seine Schwester ihn beobachteten. »Er ist nicht da«, berichtete er. »Sollte er aber. Das könnte heißen, er ist hier …«

Der mürrische Agent am Lenkrad murmelte: »Versuchen Sie's bei der Passkontrolle. Die wissen, ob er im Staat ist oder nicht.«

Jeffrey nickte.

Im Flüsterton fügte der Agent hinzu: »Ich will Ihnen schließlich helfen, aber Sie müssen mir ja 'ne Knarre unter die Nase halten, verflucht noch mal …«

Jeffrey machte den Anruf. Dank seiner hohen Zugangsstufe

bekam er eine schnelle Antwort: Geoffrey Curtin, achtzehn Jahre alt, wohnhaft 135 Buena Vista Drive, Sierra, hatte den Staat am vierten September verlassen; als Reiseziel hatte er Ithaca, New York angegeben; er war noch nicht zurückgekehrt.

»Also«, sagte Susan, »was meinst du? Ist er hier? Oder nicht?«

»Ich glaube, eher nicht, aber wir sind besser auf der Hut.«

»Ich bin die Vorsicht in Person«, witzelte Susan.

»Nein, das bist du nicht«, widersprach Diana düster. »Bist du noch nie gewesen.«

Die zweispurige Hauptstraße von Sierra war verstopft; Scheinwerfer blendeten, dazu ertönte ein ohrenbetäubendes Hupkonzert. Jugendliche hatten sich scharenweise in Autos gezwängt, hingen am Heck der Pick-ups oder winkten aus den Fenstern – ein einziges wildes Getöse. In der Mitte des zentralen Platzes brannte ein Freudenfeuer, von dem eine orangerote Flamme vielleicht zehn Meter hoch in den nachtblauen Himmel stach. In einer diskreten Entfernung von circa fünfzig Metern parkte ein Löschzug, während ein halbes Dutzend Feuerwehrleute, einen leeren Schlauch zu ihren Füßen, mit verschränkten Armen grinsend dastanden und zusahen, wie eine Reihe junger Leute im Kreis um das Feuer tanzte. Zwei Streifenwagen von der Staatssicherheit standen ebenfalls mit blinkendem Blaurotlicht am Rande der Menge. Nicht nur Teenager nahmen an dem Ereignis teil, sondern auch kleinere Kinder, die länger aufbleiben durften, und Erwachsene, die sich nicht alle so schwungvoll bewegten und auch ein wenig lächerlich wirkten, sich den Tanz aber nicht nehmen ließen. Aus einem halben Dutzend voll aufgedrehten Autostereoanlagen dröhnte stampfende Musik. Nach einer Weile wurde sie jedoch von einer Blaskapelle übertönt, die im Marschschritt um die Ecke kam, so dass die Blechinstrumente im Licht des Feuers und der Autos in der Dunkelheit blitzten.

»Entscheidungsspiel der Highschool-Football-Saison«, erklärte der Agent am Lenkrad, während er den Wagen behutsam durch die Menge lavierte. »Sierra muss demnach heute Abend gewonnen haben. Dann wären sie beim Schüler-Superbowl. Nicht schlecht. Wirklich nicht schlecht.«

Der Agent hupte ein Cabrio voller Teenager an, das vor ihnen zum Stehen gekommen war. Die Jugendlichen drehten sich um, lachten und gestikulierten wild, aber nicht aggressiv. Mit einem Ruck und quietschenden Reifen gelang es dem Mädchen am Steuer, zur Seite zu fahren.

»Wir haben das gleich hinter uns. Sieht so aus, als wäre heute jeder von Rang und Namen hier dabei.«

»Wie lange geht das wohl noch?«, fragte Susan.

Der Agent zuckte die Achseln. »Dieses Feuer sieht aus, als hätten sie's gerade erst entzündet, und ich kann auch noch keine Mannschaft entdecken. Müssen schließlich auf sie warten. Und auf den Trainer. Und wahrscheinlich auf den Bürgermeister, den Stadtrat und wer sonst noch ein Megafon zwischen die Finger kriegt, um ein paar Worte zu sagen. Ich denke, die Party fängt gerade erst an.« Der Agent kurbelte seine Scheibe herunter und brüllte einer kleinen Schar junger Mädchen zu: »Hey, Ladies! Wie ist es ausgegangen?«

Sämtliche Mädchen drehten sich um und sahen den Agenten an, als käme er vom Mars. Eine brüllte zurück: »Vierundzwanzig zu zweiundzwanzig. Klare Sache von Anfang an«, und die Gruppe lachte.

Der Agent grinste. »Wer ist als Nächster dran?«

»Das nächste Opfer, meinen Sie?«, schrien die Mädchen wie aus einem Mund. »New Washington!«

Der Agent kurbelte das Fenster wieder hoch. »Sehen Sie? Manche Dinge bleiben immer gleich. Zum Beispiel Highschool-Football.«

Jeffrey spähte zu der Menge hinaus und hielt das Ganze für einen Glücksfall. Falls ihnen jemand folgte, wäre es praktisch unmöglich, nicht abgehängt zu werden.

Der Fahrer bog von der Hauptstraße ab und rollte unter einem

Banner durch, auf dem in großen Lettern stand: KUNDGEBUNG FÜR DIE STAATLICHE ANERKENNUNG 24. NOVEMBER.

Jeffrey drehte sich nach hinten um und sah nach, ob jemand ihnen hinterherfuhr. Der Lärm verebbte, und die Dunkelheit nahm zu. Sie kamen an ein paar Menschentrauben vorbei, die zum Zentrum eilten, dann ließen sie die Stadt ganz hinter sich und folgten einer schmalen Straße in die Nacht. Die Bäume krochen dicht an den Teerweg heran, und die Scheinwerfer schienen von ihren schwarzen Stämmen blockiert zu werden. Binnen Minuten wurde die Welt um sie her enger, verworrener und verknäulter. Sie ließen mehrere Einfahrten zu Wohnhäusern hinter sich, die so tief in die umliegenden Wälder vorgedrungen waren, dass sie nur durch den matten Schimmer ihrer Lichter von ferne auszumachen waren. Endlich brach Jeffrey das Schweigen. »Halten Sie an. Jetzt.«

Der Agent folgte der Aufforderung. Die Reifen knirschten im Schotter am Rand der Straßendecke.

Jeffrey hatte die Pistole in der Hand. »Aussteigen«, wies er ihn an.

Der Agent zögerte, dann entdeckte er die Pistole. Er schnallte den Sitzgurt ab und verließ den Wagen. Draußen holte Jeffrey einmal tief Luft und blickte die Straße entlang, als versuchte er, über den Kegel der Scheinwerfer hinaus etwas zu erkennen, dann machte er kehrt.

»Gut«, meinte er. »Danke für Ihre Hilfe. Tut mir leid, dass ich so unhöflich gewesen bin. Sagen Sie mir nur noch eins: Wie verfolgen die unsere Route?«

Der Agent zuckte die Achseln. »Ich soll Ihren Aufenthaltsort einem Spezialteam im Stundentakt durchgeben. Rund um die Uhr.«

»Was für einem Team?«

»Einem Säuberungsteam. Wie Bob Martin.«

Jeffrey nickte. »Und wenn die nichts von Ihnen hören?«

»Das darf eben nicht sein.«

»Na schön. Dann wird es Zeit, dass Sie diesen Anruf machen.«

»Hier draußen am Arsch der Welt?«, fragte der Agent. »Ich versteh wohl nicht richtig.«

»Nein.« Jeffrey schüttelte den Kopf. »Nicht von hier. Können Sie rennen?«

»Was?«

»Wie sind Sie in Form? Können Sie rennen?«

»Klar«, antwortete der Mann. »Klar, kann ich rennen.«

»Gut. Bis in die Stadt sind es nur vier, fünf Meilen. Sollte Sie in den Schuhen da nicht mehr als eine halbe bis eine Dreiviertelstunde kosten. Höchstens eine Stunde, weil Sie nämlich die hier bei sich haben ...«

Er reichte dem Agent die Leinenaktentasche.

Der Mann sah Jeffrey – mehr aus Frust als aus Ärger – unverwandt an. »Ich soll Sie nicht verlassen«, beklagte er sich. »Das ist meine Dienstanweisung. Sie bringen mich in Schwierigkeiten.«

»Sagen Sie ihnen, ich hätte Sie dazu gezwungen. Das entspricht im Übrigen der Wahrheit.« Jeffrey winkte mit der Pistole. »Und außerdem haben die vermutlich viel zu viel um die Ohren, um allzu sauer auf Sie zu sein.«

»Was soll ich damit machen?« Der Agent schüttelte die Aktentasche.

»Die dürfen Sie nicht verlieren«, sagte Jeffrey mit dem Anflug eines Lächelns, dann fuhr er fort: »Wenn Sie in die Stadt kommen, werden Sie Folgendes tun: Egal, wie sehr Sie außer Puste sind und wie viele Blasen Sie sich gelaufen haben, gehen Sie augenblicklich zur dortigen Nebenstelle der Staatssicherheit. Vergessen Sie das Freudenfeuer und die Party. Gehen Sie schnurstracks zur Station. Sobald Sie da sind, machen Sie Ihren Anruf bei dem Killerteam. Dann lassen Sie sich mit dem Direktor verbinden. Rufen Sie nicht Ihren Vorgesetzten an und auch nicht den Kommandeur der Wache, weder Ihre Frau noch irgendjemanden sonst. Klingeln Sie den Direktor der Staatssicherheit raus. Egal, wo er gerade ist, oder was er gerade tut, er wird mit Ihnen sprechen wollen. Glauben Sie mir. Wenn Sie das tun, retten Sie Ihre Karriere. Denn in den nächsten Minuten werden Sie zu dem *einzigen* Menschen auf der Welt, von dem er hören möchte. Verstanden? Also, wenn Sie ihn am Telefon haben – und niemanden sonst, nicht seine Sekretärin, nicht seine Assistentin, niemanden sonst –, dann erzählen Sie ihm genau, was heute Abend passiert ist. Und sagen Sie dem Direktor, ich hätte Ihnen eine Aktentasche mitgegeben, in der er die Identität des Mannes findet, den ich suchen soll, mitsamt Adresse und einigen Informationen zu seiner Familie. Er wird wahrscheinlich von Ihnen wissen wollen, wohin wir gefahren sind, und dann sagen Sie ihm, die Anschrift wäre da in diesen Dossiers, wir wären aber schon mal vorgegangen, weil in diesem Moment sein Problem und unseres auseinandergehen. Können Sie sich das merken und ihm genau so wiedergeben?«

Selbst im matten Licht, das von den Scheinwerfern kam, sah Jeffrey, dass der Agent große Augen machte. »*Auseinandergehen*, richtig? Das ist wichtig, oder? Das muss mit dem zu tun haben, weshalb Sie überhaupt hergekommen sind, oder?«

»Ja, auf beide Fragen. Und vielleicht haben wir am Ende dieser Nacht auch ein paar Antworten gefunden«, sagte Jeffrey. Er blickte in das allumfassende Dunkel. »Möglicherweise finden die Antworten aber auch uns.«

Er deutete mit dem Pistolenlauf auf die Straße Richtung Stadt. Der Agent zögerte, Jeffrey wiederholte die Geste, und der Mann setzte sich, die Tasche an die Brust gedrückt, im Laufschritt in Bewegung.

Susan war ausgestiegen und stand jetzt an der offenen Tür. »Nun denn«, meinte sie. »Nu-nu-nun denn.« Dann verkroch sie sich wieder im Wagen.

Die Abzweigung in den Buena Vista Drive kam kaum eine halbe Meile weiter. Das Haus, das sie suchten, war das letzte von dreien und das isolierteste. Jeffrey hätte es vorgezogen, zuerst mit einem kleinen Flugzeug oder Hubschrauber darüber hinweg zu fliegen, doch das war unmöglich gewesen. Stattdessen hatte er sich auf die topografischen Karten der Staatssicherheit verlassen, die, wie er vermutete, nur so genau waren, wie der Eigentümer und der Bauunternehmer es wollten, was in diesem Fall bedeutete, dass er seine Erwartungen nicht allzu hoch schrauben durfte. Es bereitete ihm Kopfzerbrechen, wie sie, besonders angesichts der heimlichen Alarmsensoren, an das Haus herankommen sollten, und er dachte an die versteckte Hütte, die auf keinem Plan erschien, von der ihm der Unternehmer aber berichtet hatte. Er hatte sich das Hirn zermartert, wozu sie dienen mochte, und musste jedes Mal passen. Er wusste, dass es für seinen Vater von zentraler Bedeutung sein musste, doch wozu, entzog sich seiner Kenntnis.

Das ließ ihm keine Ruhe.

Jeffrey fuhr mit dem Wagen der Staatssicherheit an den Straßenrand und machte genau an der schmalen Einfahrt zur Nummer hundertfünfunddreißig die Scheinwerfer aus. Das Einzige, was auf ein Haus dort hinten im Wald hindeutete, war eine kleine Nummer an einer Holzplakette am Rand der Sackgasse. Nirgends gab es einen Zaun oder ein Tor, sondern nur einen einzigen schwarz geteerten Weg, der zwischen den Bäumen verschwand.

Eine Weile saßen sie alle drei schweigend in der Dunkelheit. Ihr Plan war einfach, vielleicht zu einfach, denn er ließ vieles offen.

Jeffrey sollte sich bewaffnen, die Einfahrt entlang zum Haus hinüber laufen und irgendwie von der Eingangsseite her hineingelangen – selbst wenn das bedeutete, an die Tür zu klopfen. Er war davon ausgegangen, dass er dabei schon ziemlich früh die Alarmanlage auslösen würde, so dass er zuerst observiert und dann gestellt werden würde. Darum ging es bei diesem Plan: die ganze Aufmerksamkeit der Bewohner des Bungalows auf sich zu lenken. Falls ihm das gelang, ohne entwaffnet zu werden, umso besser. War er erst einmal drinnen, sollten Susan und Diana folgen, und zwar so unerkannt wie möglich. Jeffrey war der Überzeugung, dass die Bewohner des Hauses, wenn sie erst mit ihm beschäftigt waren, nicht mehr ganz so wachsam auf eine zweite Welle achten würden. Susan und Diana sollten sich von der Rückseite heranschleichen und einen Überraschungsangriff versuchen. Der Bauunternehmer hatte ihm verraten, dass die Überwachungsmonitore im Obergeschoss waren, folglich wusste Jeffrey, dass er die Familie unten festhalten musste. So einfach war das.

Der Angriff auf das Haus beruhte auf dem unzuverlässigsten psychologischen Faktor, der sich denken ließ: Wenn er alleine käme, so hoffte Jeffrey, würde sein Vater annehmen, er wollte seine Mutter und Schwester schützen, indem er sie in sicherer Entfernung zurückließ. Selbstlos und im Alleingang. Eine Konfrontation des Sohnes mit dem Vater und der möglichen Gefahr, die er verkörperte.

Er traute sich zu, ihm eine solche Lüge überzeugend auftischen zu können.

Die Wahrheit war natürlich das Gegenteil. Mutter und Schwester waren der Schnappriegel an der Falle, er selbst lediglich die Wippe.

Alle drei stiegen sie stumm aus dem Wagen und scharten sich um den Kofferraum. Sie trugen dunkle Kleidung, Jeans und Sweatshirts sowie bequeme Schuhe. Jeffrey öffnete den Kofferraum und zog aus der ersten Sporttasche drei kevlarverstärkte kugelsichere Westen, die sie sich schnell um den Oberkörper schnürten. Susan musste ihrer Mutter helfen, die darin ungeübt war.

»Bringt das was?«, fragte Diana. »Auf jeden Fall ist es saunbequem.«

»Gegen konventionelle Waffen und Munition schützt sie, aber –«

»Es gibt immer ein Aber«, entgegnete Diana knapp. »Und könnt ihr mir irgendetwas über euren Vater sagen, woraus zu schließen wäre, dass er auch nur im Mindesten konventionell sein wird?«

Die Frage rang Jeffrey ein nervöses Lächeln ab. »Ich denke, es ist klug, sie in jedem Fall zu tragen. Nehmt all das Zeug hier als Agent Martins Abschiedsgeschenk. Es stammt aus seinem Spind im Büro.« Über den Galgenhumor mussten sie alle grinsen. Er griff nach der zweiten Tasche, machte den Reißverschluss auf und holte die Waffen heraus.

Jeffrey half seiner Schwester, ihre Pistole im Schulterholster zu befestigen, dann überprüfte er seine eigene Waffe. Als Nächstes schwangen sich die Geschwister Maschinenpistolen über den Arm und zogen sich schwarze Strickmützen über den Kopf. Zuletzt holte Jeffrey zwei Nachtsichtgeräte aus der Tasche und hängte sich selbst und seiner Schwester je eines um den Hals. Schließlich kramte er von ganz unten zwei Brecheisen hervor, von denen er eins in den eigenen Gürtel steckte, das andere seiner Schwester reichte.

Diana fühlte sich für einen Moment daran erinnert, wie die beiden als Kinder zusammen Räuber und Gendarm gespielt hatten, als wäre dies heute nur eine besonders finstere Variante. Doch gerade als dieser tröstliche Gedanke ihr das Herz erwärmte, drehte ihr Sohn sich plötzlich um, reichte ihr eine ähnliche Mütze und half ihr dabei, sich ein Pistolenhalfter um die Brust zu schnallen. Sie bekam den Revolver, den Susan aus Florida mitgebracht hatte.

Jeffrey verweilte einen Moment, die Arme halb um seine Mutter gelegt. In diesem Augenblick erschien sie ihm klein und zerbrechlich, älter, als er es je für möglich gehalten hätte, von der Krankheit und allem, was passiert war, geschwächt. Es gab nicht viel Licht, doch in dem matten Schimmer sah er die Sorgenfalten auf ihrer Stirn.

Diana hingegen empfand nichts von alledem.

Sie atmete tief die kühle Luft ein und dachte, dass sie in diesen Minuten nirgendwo sonst sein wollte. Zum ersten Mal seit Wochen oder gar Monaten war sie in der Lage, innere Kraftreserven zu mobilisieren und ihre Krankheit mit schierer Willenskraft in einen verborgenen Winkel zu verdrängen, als schlüge sie die Tür hinter ihr zu. Ihr gesamtes Leben als Erwachsene hatte sie in der Angst gelebt, der Mensch, der einmal ihr Ehemann gewesen war, könnte sie und ihre Kinder in die Enge treiben und vernichten. Es bereitete ihr eine gewaltige, stille Hoffnung und Befriedigung, dass jetzt sie es war, die ihm in dieser Nacht auflauerte, statt umgekehrt, und dass sie bewaffnet und somit möglicherweise zum ersten Mal in ihrem Leben gefährlicher war als er.

Susan überprüfte den Abzug an der Maschinenpistole. Sie wandte sich an ihren Bruder. »Was ist mit der Frau und dem Sohn?«

»Caril Ann Curtin ist eine Schlange. Zögere keinen Moment.«

Diana schüttelte den Kopf. »Sie ist genauso wie wir ein Opfer. Sogar schlimmer. Wieso sollten wir –«

Jeffrey fiel ihr ins Wort. »Vielleicht war sie das früher einmal. Vielleicht, wenn sie vor langer Zeit geflohen wäre, so wie du mit uns. Wenn sie spätestens dann weggelaufen wäre, als sie erkannte, weshalb er sie brauchte und wozu er sie unterrichtete und wobei sie ihn unterstützen sollte. Dann hätte sie sich vielleicht noch retten können. Die Frau, nach der sie benannt ist, Caril Ann Fugate, hat dem Staatspolizisten von Nebraska eine Warnung zugerufen, als er zufällig über sie und Starkweather gestolpert ist. Dass sie den Polizisten vor ihrem Liebhaber rettete, hat ihr möglicherweise den Galgen erspart. Also, vielleicht, vielleicht. Vielleicht beschließt auch unsere Caril Ann bei unserer Ankunft, sich in Sicherheit zu bringen ...«

Er sah seine Mutter eindringlich an.

»... aber verlass dich nicht darauf.« Sein Ton war so kalt wie die Nachtluft.

»Und Geoffrey?«, beharrte Diana. »Dein Namensvetter? Er ist noch ein Teenager. Was wissen wir schon über ihn?«

»Wirklich wissen? Nichts. Jedenfalls nicht sicher. Ich hoffe tatsächlich, er ist heute nicht hier. Drei gegen zwei ist günstiger. Drei gegen drei könnte schwierig werden. Jedenfalls vermute ich, er ist wohl nicht hier, ich glaube, die Passkontrolle ist in diesem Staat ziemlich zuverlässig.«

»Aber …«, fing Susan an. Sie machte eine Pause, bevor sie die Frage aussprach. »Und wenn nun doch? Ist er gefährlich? Ist er wie *er*, oder ist er wie *wir*?«

»Na ja«, antwortete Jeffrey, »den Unterschied werden wir alle heute Nacht kennenlernen, nicht wahr?«

Er wartete die Antwort seiner Schwester nicht ab, sondern fügte hinzu: »Sieh mal, es ist ein langer Prozess. Es wächst allmählich. Es muss kultiviert werden. Es ist wie ein wissenschaftliches Experiment, das Jahre braucht, um Früchte zu tragen. Wenn du jeweils zum entscheidenden Zeitpunkt die entsprechenden Eindrücke vermittelst – Grausamkeit, Folter, Perversion, Erniedrigung –, dann gibt es, während das Kind größer wird, bleibende Verwachsungen und Bösartigkeit. Mutter hat uns genau in dem Moment da rausgeholt, als es anfing. Dieses Kind? Keine Ahnung. Er ist von Anfang an dabei. Hoffen wir einfach, dass er an der Uni ist.«

»Klar doch, an der Uni, nur dass er nicht an der Uni ist, an der er sein sollte«, entgegnete Susan in sarkastischem Ton.

»Nichts ist so, wie es sein sollte«, sagte Jeffrey. »Weder du, noch ich oder er oder dieser ganze Staat. Ich schätze, uns bleiben eine bis anderthalb Stunden, bis die Staatssicherheit eintrifft. Dann kommen sie mit Hubschraubern und SWAT-Einheiten, automatischen Waffen und Tränengas. Ihre Anweisung lautet, das Problem zu beseitigen. Es wäre klug, dann nicht mehr im Weg zu sein. Egal, was wir tun, es muss in der nächsten Stunde passieren. Alles klar?«

Mutter und Tochter nickten.

Diana erinnerte sie an den anderen Grund ihres Kommens. »Was ist mit Kimberly Lewis? Nehmen wir an, sie ist am Leben, was dann?«

»Falls wir können, retten wir sie. Aber wir müssen uns zuerst um unser eigenes Problem kümmern.«

Das war für Diana verstörend. Susan schien es besser zu verstehen. Sie quittierte diese Anweisung ihres Bruders mit einem Achselzucken.

»Wir tun, was wir können«, sagte sie.

Jeffrey lächelte schwach, legte den Arm um seine Schwester und drückte sie. Dann drehte er sich zu seiner Mutter um und nahm sie einmal kurz in die Arme – nicht demonstrativ, sondern wie eine bedeutungslose, routinemäßige Geste, als wäre dieser schwere Gang die normalste Sache der Welt.

»Ich bilde die Vorhut«, erklärte er und versuchte, möglichst viel Ruhe und Entschlossenheit in seinen Ton zu legen. »Achtet darauf, dass ihr mir genügend Zeit gebt, um seine Aufmerksamkeit auf mich zu lenken.«

Damit kehrte Jeffrey ihnen den Rücken und machte sich, die Waffen wie zum Rapport bereit, im Laufschritt auf den Weg zum Haus.

Seine Augen brauchten einige Zeit, um sich an die Dunkelheit zu gewöhnen, doch nach einer Weile erkannte er die gewundene Einfahrt, auch wenn sie unter dem tunnelartigen dichten Blätterwerk der Bäume, die sich darüber wölbten, fast ebenso verschwand wie Mond und Sterne über ihnen. Er horchte in die Nacht, auf das gelegentliche Rascheln von Zweigen, die sich in einer schneidenden Böe aneinanderrieben, und auf seinen eigenen keuchenden Atem. Er fühlte eine winterliche Trockenheit in seiner Kehle und im Widerspruch dazu die verschwitzten Achselhöhlen wie an einem heißen Sommertag. Er rannte weiter und fühlte sich wie jemand, der seine eigene Gruft besichtigen soll.

Er vermutete, dass er im Haus bereits einen Alarm ausgelöst hatte; die Sensoren würden auf Wärme und Volumen reagieren, so dass sie das gelegentliche Opossum oder den Waschbär, der durch die Wälder zog, ignorierten, dagegen einen Maultierhirsch, der sich zu nah ans Haus heranwagte, meldeten. Irgendwo in den Bäumen befanden sich die Nachtsichtkameras, die ihn verfolgten. Dennoch bewegte er sich vorsichtig und bedächtig, als fühlte er sich unbeobachtet. Das war wichtig, um die Illusion aufrechtzuerhalten. Ihn in dem Glauben zu wiegen, er käme allein und wäre nicht in der Lage, eine Falle zu erkennen oder zu umgehen.

Die Einfahrt bog um etwa neunzig Grad nach rechts, und Jeffrey merkte, wie er unter den letzten Bäumen, die ihn vielleicht noch verdeckten, langsamer ging, bevor er am Fuß einer Anhöhe vor einer sorgsam gemähten Rasenfläche stand. Das Haus lag vielleicht fünfzig Meter weiter hinten, in der Mitte der kleinen Erhebung. Auf diesem letzten Stück gab es keine Büsche oder sonstigen Gewächse, um dahinter Deckung zu finden. Der Mond verlieh dem Gras einen silbrigen Schimmer, fast so, als wäre es ein großer, stiller Teich.

Das zweistöckige Haus war im Neowesternstil gehalten – weitläufig, modern, eine elegante, einladende Front, die von Geld und der Liebe zum Detail kündete. Es lag vollständig im Dunkeln, es brannte kein einziges Licht.

Immer noch am Rand der Rasenfläche atmete Jeffrey tief durch und starrte geradeaus.

Er versuchte sich das Haus als Festung vorzustellen, als militärisches Zielobjekt. Er hob das Nachtsichtgerät an die Augen und begann, die Fassade abzusuchen. Unter jedem Erdgeschossfenster befanden sich Büsche. Vermutlich keine gewöhnlichen Büsche, dachte er, sondern gespickt mit spitzen, rasiermesserscharfen Dornen. Außerdem waren sie wohl auf einer losen Kiesfläche gepflanzt, die ein unüberhörbares knirschendes Geräusch verursachte, wenn jemand darüber lief. Auf der einen Seite sah er einen Wintergarten, doch selbst dieser offene, gläserne Raum war von dichtem Gebüsch umzingelt.

Jeffrey schüttelte den Kopf. Es blieben nur wenige Möglichkeiten. Ein Weg führte durch die Haustür; ein zweiter durch die Hintertür und ein dritter durch die Geheimtür, durch die Kimberly Lewis wohl erfahren hatte, dass die Welt nicht ganz so sicher war, wie man es ihr eingeredet hatte. Die Tür an der Rückseite konnte er nicht sehen, erinnerte sich jedoch an ihre Lage auf den Plänen – sie führte in die Küche. Doch das war zweifellos nicht der springende Punkt. Sie bot vermutlich eine ungehinderte Schusslinie, sowohl drinnen wie draußen.

Jeffrey ließ das Fernglas sinken und suchte das Gebäude weiter nach irgendeinem Zugang außer den beiden Türen vorne und hinten ab, auch wenn er wusste, dass er keinen finden würde. Er zuckte die Achseln und sagte sich, dass davon die Welt nicht unterginge: Wenn man sich etwas Bösem entgegenstellte, dann war es psychologisch vielleicht sogar das Beste, mit der Tür ins Haus zu fallen, statt sich von hinten anzuschleichen. Natürlich hoffte er, dass seine Schwester so klug sein würde, sich von der Rückseite her anzupirschen, so wie sie es besprochen hatten. Über dieses Detail machte er sich Gedanken. Susan konnte zuweilen unberechenbar sein und es sich vielleicht noch anders überlegen. Seltsamerweise zählte er darauf.

Wieder starrte er auf das dunkle Haus.

Dass er kein Licht sah, hatte nichts zu bedeuten. Er glaubte nicht, dass sein Vater geflohen war oder sich schon zu Bett begeben hatte. Er wusste nur, dass er gut mit der Dunkelheit zurechtkam und niemals ungeduldig wurde, wenn er darauf wartete, dass seine Beute zu ihm kam.

Jeffrey hielt die Automatik eng an die Brust gedrückt. Sie war hauptsächlich als Showeffekt gedacht. Er rechnete nicht damit, davon Gebrauch zu machen. Doch bewaffnet am Haus einzutreffen gehörte zum Täuschungsmanöver.

Wieder ließ er laut die Luft entweichen. Er hatte lange genug am Rand des Rasens und gleichsam an der Peripherie seines Lebens gestanden: Jetzt war es an der Zeit, Flagge zu zeigen. Mit einem tiefen Atemzug duckte er den Oberkörper, löste sich aus dem Schutz der Bäume und rannte, so schnell er konnte, zum Haus. Ein kurzer Gedanke streifte ihn: Sein ganzes Leben als Erwachsener hatte er als Lehrer und Wissenschaftler verbracht, eine Welt der Planung und folgerichtigen Ergebnisse, des Studiums und des Kalküls; in diesem Moment jedoch hatte er sich in eine ganz und gar andere Welt gestürzt, in der völlige Ungewissheit herrschte. Er erinnerte sich, wie er sich schon einmal an einen solchen Ort vorgewagt hatte, in einem verlassenen Lagerhaus in Galveston, auf der Suche nach David Hart. Damals allerdings hatten ihn zwei eiskalte Detectives begleitet, und die Dringlichkeit, die er dabei empfunden hatte, konnte sich in keiner Weise mit dem immensen Druck messen, der in dieser Nacht auf ihm lastete. Diesmal war er außerdem – auch wenn seine Schwester und seine Mutter irgendwo hinter ihm durch die Dunkelheit schlichen – vollkommen allein. Er dachte unwillkürlich an das, was er Susan vor einigen Tagen gesagt hatte: »Wenn du das Monster besiegen willst, dann musst du bereit sein, in Grendels Höhle vorzudringen.« Er spürte das Metall seiner Waffe in den vor Angst feuchten Händen.

Keuchend rannte er vorwärts.

Die Entfernung schien sich auszudehnen. Seine Füße tappten durchs feuchte, glitschige Gras wie über Eis. Er schnappte nach Luft, und plötzlich schien die Haustür schlagartig näher gerückt zu sein. Er rannte die letzten Meter und warf sich schließlich mit dem Rücken an das dicke Holz, versuchte sich klein zu machen und erst einmal Luft zu bekommen.

Einen Moment lang zögerte er.

Er wollte gerade nach der Brechstange greifen, um sich gewaltsam Zugang zu verschaffen, doch dann hielt er inne. Er dachte an seine eigene Wohnungstür in Massachusetts, die unter Strom stand. Jeder, der einbrechen möchte, rief er sich ins Gedächtnis, versucht es unweigerlich erst einmal mit dem Türknauf. Also legte er, bevor er die Brechstange zu Hilfe nahm, die Hand auf den Knauf.

Er ließ sich drehen.

Nicht abgeschlossen.

Er hielt den Knauf in der Hand und biss sich auf die Lippe. Der Drehmechanismus verursachte nur ein kaum hörbares Geräusch. Langsam drückte er gegen die massive Tür.

Eine Einladung, dachte er.

Ich werde erwartet.

Er zögerte und ließ diese Erkenntnis in einer Mischung aus Faszination und Angst langsam sinken. Ihm wurde bewusst, dass er keineswegs nur die Tür zu einem Wohnhaus öffnete, sondern vielleicht die Tür zu allen Fragen über sich selbst. Immer noch geduckt schlich er sich in den offenen Raum, der ihn drinnen erwartete. Eine Sekunde lang wollte er die Haustür hinter sich offen lassen, doch er wusste, wie unsinnig das war. Indem er beide Hände benutzte, machte er sie lautlos zu und schloss damit auch das Mondlicht aus, so dass es noch dunkler um ihn herum wurde.

Mit dem Rücken zur Eingangsfront tappte er ein paar Schritte weiter und richtete die Maschinenpistole in seinen Händen nach vorn. Er holte noch einmal tief Luft und bewegte sich langsam im Krebsgang durch die Diele. Er strengte sich an, im Geist den Grundriss vor Augen zu haben, und ging noch einmal jede Räumlichkeit durch. Die Eingangshalle führt ins Wohnzimmer, dann weiter ins Esszimmer und in die Küche. Rechts geht eine Treppe nach oben, zu den Schlafzimmern und einem kleinen Arbeitszimmer in der Mitte, da hat er die Monitore der Alarmanlage. Hinter der Treppe befindet sich die Tür zum Keller. Im Haus war es pechschwarz; er hatte plötzlich panische Angst, gegen einen Tisch oder Stuhl zu stolpern, mit lautem Klirren eine Lampe oder Vase umzustoßen und durch ein solches Missgeschick auf sich aufmerksam zu machen.

Er blieb stehen, tastete nach der Wand und versuchte erneut, die Augen an das Dunkel zu gewöhnen. Er kramte in der Tasche nach der Kugelschreiberlampe, die er bereits auf der Fahrt im Wagen verwendet hatte. Er konnte kaum der Versuchung widerstehen, sie einzuschalten, um sich zu orientieren. Doch er wusste, dass er selbst mit dem bescheidensten Lichtstrahl verraten würde, wo er war.

Wo ist er?, fragte er sich.

Oben? Im Keller?

Jeffrey machte noch einen Schritt nach vorn, bewegte sich ganz langsam, lauschte auf irgendein Geräusch, das ihm bei seiner Jagd vielleicht helfen könnte, und konzentrierte sich mit aller Macht. Er blieb abrupt stehen und reckte sich unwillkürlich vor, als irgendwo aus ferner Tiefe ein leiser, heiserer Laut zu ihm drang, ein Schrei oder Stöhnen. Sein erster Gedanke war, dass er von dem Mädchen im Musikzimmer kommen musste. Er machte noch einen Schritt und streckte auf der Suche nach der gegenüberliegenden Wand die Hand vor sich aus.

Dann hörte er ein zweites Geräusch. Es war wie ein eiskalter Stich in den Magen – ein leises Klicken hinter seinem rechten Ohr, gefolgt vom plötzlichen, schrecklichen Gefühl eines Pistolenlaufs, der sich ihm wie ein Eissplitter in den Nacken bohrte.

Dann eine Stimme, halb Zischen, halb Flüstern: »Eine Bewegung, und du bist tot.«

Wie erstarrt blieb er stehen.

Mit einem schleifenden Geräusch schob sich an der Wand, an der er sich soeben noch entlanggetastet hatte, eine Schranktür auf, und eine kleine, schwarz gekleidete Gestalt glitt in die Diele hinaus. Die Gestalt, die Stimme, der Druck des Laufs an seinem Hals schienen alle Teil der Nacht zu sein. Wieder hörte er die Stimme hinter sich: »Nimm die Hände auf den Kopf.«

Er folgte dem Befehl.

»Gut«, lobte die Stimme. Dann ein wenig lauter: »Ich hab' ihn.«

Eine zweite, tiefere Stimme kam aus dem angrenzenden Zimmer.

»Ausgezeichnet. Nimm die Brille ab.«

Wie bei einer Explosion war das Haus im Bruchteil einer Sekunde grell erleuchtet, so dass es Jeffrey in die Augen stach wie ein Hitzeschwall aus einem Ofen, der dicht vor seinem Gesicht geöffnet wurde. Jeffrey blinzelte heftig, als ihn eine Flut an Eindrücken bestürmte: Mobiliar, Kunst und andere Einrichtungsgegenstände sowie Teppiche. Die weißen Wände des Hauses schienen zu gleißen. Er fühlte sich benommen, als hätte ihn ein Schlag getroffen. Eine Sekunde lang kniff er die Lider zu, als bereitete ihm das Licht physisch Schmerzen. Als er sie öffnete, starrte er in Augen, die ihm einen Moment lang wie seine eigenen erschienen, als blickte er in einen Spiegel. Er schnappte heftig nach Luft.

»Hallo Jeffrey«, begrüßte ihn sein Vater ruhig. »Wir warten schon den ganzen Abend auf dich.«

VIERUNDZWANZIG
DER LETZTE FREIE MANN

Als im Haus die Lichter angingen, verschlug es Diana Clayton den Atem, und Susan brachte nur ein kurzes »Gott!« heraus, als sei vor ihnen in der Dunkelheit ein Feuer ausgebrochen. Beide Frauen wichen von der erleuchteten Rasenfläche zurück, um nicht genau an der Stelle, an der vor wenigen Minuten Jeffrey gezögert hatte, gesehen zu werden. Susan ließ langsam das Nachtsichtgerät sinken und warf es zu Boden. »Das bringt nichts mehr«, murmelte sie.

Diana kroch zu der Stelle und hängte sich das Fernglas um. Die beiden Frauen lagen zwischen wildem Gestrüpp bäuchlings auf dem modrig feuchten Boden, der nach faulenden Blättern roch. Das Haus in der Mitte der Lichtung strahlte weiter in einer gespenstischen Helligkeit, als verspottete es die Nacht.

»Was ist da los?«, flüsterte die ältere Frau.

Susan schüttelte den Kopf. »Entweder hat Jeffrey drinnen irgendeinen Alarm ausgelöst, bei dem automatisch jede Lampe im Haus angeht, oder aber sie haben alles angeschaltet und Jeffrey erwischt. So oder so ist er drinnen, und wir haben noch keine Schüsse gehört, ich vermute also, dass die Sache funktioniert …«

»Dann müssen wir zusehen, dass wir hinters Haus kommen«, meinte Diana.

Susan nickte. »Lauf möglichst gebückt. Und so leise, wie du kannst. Los geht's.«

Sie bewegte sich zügig durch das dichte Unterholz der Bäume und das Gestrüpp und nutzte das gedämpfte Licht, das vom

Haus her durch die Äste sickerte. Einen Moment lang kam es Susan unheimlich vor, dass die Lampen vom Haus den Mond überstrahlten. Es gab ihr das Gefühl, als seien sie nicht mehr allein, sondern ständig in Gefahr, entdeckt zu werden. Sie bewegte sich, vornübergebeugt, geschickt und schnell, indem sie wie ein nachtaktives Tier, das vor dem Morgengrauen flüchtet, von einem Baum zum nächsten huschte, um nicht gesehen zu werden. Hinter ihr kämpfte sich ihre Mutter durch das Unterholz, indem sie Zweige und Büsche zur Seite bog und gelegentlich einen Kraftausdruck vom Stapel ließ, wenn sie mit den Kleidern an Dornen hängen blieb oder ein Zweig zurückschnellte und sie im Gesicht traf. Susan drosselte ihr Tempo aus Rücksicht auf ihre Mutter, wenn auch nur ein wenig, denn sie wusste nicht, ob sie ihnen viel Zeit blieb oder keine; ihr Instinkt hämmerte ihr ein, sich zu beeilen, wenn auch nicht zu hetzen, ein heikler Unterschied, dachte sie, wenn das Leben von Menschen auf dem Spiel steht.

Sie blieb einen Moment mit dem Rücken an einen Baum gelehnt stehen, allerdings nicht vor Erschöpfung. Während sie wartete, bis Diana sie eingeholt hatte, bemerkte sie nicht weit von ihr eine beinah unsichtbare Infrarotkamera, kaum fünfzehn Zentimeter lang, wie ein winziges Teleskop. Doch sie nahm es als ein böses Zeichen und wusste, dass sie aus triftigen Gründen dort hing. Dass sie sie entdeckt hatte, war reines Glück. Wahrscheinlich hatte sie auf ihrer Pirsch durch den Wald den Strahl von einem halben Dutzend anderer Vorrichtungen gekreuzt. Alle drei hatten sie damit gerechnet. Es war Aufgabe ihres Bruders, die Menschen im Haus beschäftigt zu halten, so dass sie die zweite Angriffswelle überraschend traf.

Diana sackte neben ihr an einen Stamm, und Susan zeigte auf die Kamera.

»Meinst du, sie haben uns gesehen?«, fragte Diana.

»Nein, ich glaube, sie interessieren sich mehr für Jeffrey.« Was sie tatsächlich glaubte, sprach sie nicht aus: Falls ihr Bruder sich in diesem Punkt geirrt hatte, starben sie vielleicht alle in dieser Nacht.

Diana Clayton nickte und flüsterte: »Lass mir nur einen Moment, damit ich wieder zu Atem komme …«

»Alles in Ordnung, Mutter? Geht's noch?«

Diana griff nach Susans Hand und drückte sie fest. »Werd' nur langsam ein bisschen alt. Bin offenbar nicht ganz so fit für eine Nachtwanderung mitten durch den Wald wie du. Also, auf geht's.«

Susan überlegte, was sie antworten sollte, doch alles schien völlig aberwitzig, wenn auch nicht aberwitziger als die Tatsache, dass ihre todkranke Mutter sich mit mörderischer Entschlossenheit durch dieses Dickicht kämpfte. Sie warf einen einzigen verstohlenen Blick auf Diana, wie um die Kraftreserven der älteren Frau zu taxieren. Doch sie wusste, dass ein Blick dafür nicht genügte und dass es außerdem in der Natur von Kindern lag – wie erwachsen sie auch waren –, ihre Eltern grundsätzlich entweder für stärker oder für schwächer zu halten, für idealer oder fehlerhafter, als sie tatsächlich waren. Und so vertraute Susan einfach darauf, dass ihre Mutter über Energien verfügte, von denen sie nichts ahnte.

Sie drehte sich um und spähte wieder zum Haus ihres Vaters hinüber. Ihr kam der Gedanke, dass sie noch vor wenigen Wochen ihrem Bruder ziemlich verworrene Gefühle entgegengebracht hatte und sich nunmehr bewaffnet durch feuchtes Moos und struppiges Gebüsch vorankämpfte, während er sich der allergrößten Gefahr aussetzte und darauf vertraute, dass sie die Situation zu seinen Gunsten wendete. Sie biss sich heftig auf die Lippe und lief weiter.

Diana folgte ihrer Tochter und umschiffte alle Hindernisse. Ausgerechnet in diesem Moment kam ihr der seltsamste Gedanke: Susan war so schön, wie sie ihre Tochter noch nie gesehen hatte. Dann peitschte ein Zweig zurück, sie duckte sich und murmelte einen Fluch, bevor sie weiterlief.

Die Waffen fest im Griff, kämpften sie sich langsam, aber sicher weiter zwischen den Bäumen voran zur Rückseite des Hauses und hofften, dass sie von drinnen nicht gesehen wurden.

Jeffrey saß auf der Kante eines üppigen, dunklen Ledersofas im großen Wohnzimmer seines Vaters, inmitten teurer Gemälde an den Wänden, einer Mischung aus moderner Kunst mit leuchtend bunten Farben, die sich über weiße Leinwand ergossen, und traditioneller Kunst des Westens – Cowboys, Indianer, Siedler sowie Pferdewagen der Kolonialzeit in romantisierten edlen Posen. Der ganze Raum mit seiner hohen Decke war voller kleiner Kunstgegenstände: indianische Vasen und Schalen; eine handgetriebene Kupferlampe mit brüniertem Schirm; echte, antike Navajo-Teppiche. Auf einem Sofatisch aus Glas rollte sich neben einem Buch von Georgia O'Keeffe eine mumifizierte Klapperschlange ein und zeigte im aufgerissenen Maul die spitzen Zähne. Es war der Raum eines reichen Mannes und die gewagte Mischung aus verschiedenen Stilen und Formgebungen, die dennoch einen exquisiten, kultivierten Geschmack verriet. Jeffrey bezweifelte, dass es in diesem Haus irgendwelche Reproduktionen gab.

Sein Vater saß ihm gegenüber in einem Sessel aus Holz und Leder. Jeffreys kugelsichere Weste, die Maschinenpistole und die halbautomatische Pistole lagen zu seinen Füßen. Caril Ann Curtin stand direkt hinter ihrem Mann, eine Hand auf seiner Schulter, in der anderen immer noch eine kleine halbautomatische Waffe, entweder Kaliber zweiundzwanzig oder fünfundzwanzig, schätzte er, mit einem Schalldämpfer ausgestattet. Die Waffe eines Attentäters, dachte er. Eine Waffe, die heimlich und mit einem kaum hörbaren dumpfen Knall traf. Beide waren schwarz gekleidet; sein Vater in Jeans und einem Rollkragenpullover aus Kaschmir, Caril Ann in Steghose und einem handgestrickten Wollpullover. Sowohl der Erscheinung als der Ausstrahlung nach wirkte er jünger, als er tatsächlich war. Er war äußerst drahtig, immer noch athletisch; hatte eine weiche Haut, die sich straff über den Muskelpaketen spannte. Seine Bewegungen waren von einer raubtierartigen Geschmeidigkeit und einer lässigen Eleganz, die für Kraft und Schnelligkeit sprachen. Er stieß mit der Zehe gegen die auf den Boden gehäuften Waffen, und machte ein angewidertes Gesicht.

»Bist du hergekommen, um mich zu töten, Jeffrey? Nach all den Jahren?«

Jeffrey hörte seinen Vater reden und merkte, wie der Ton an alte Erinnerungen rührte, so wie einem nach Jahren plötzlich ein gefährlicher Moment hinter dem Lenkrad wieder vor Augen steht, eine vereiste Autobahn, auf der man ins Schleudern geriet und nur mit knapper Not überlebte.

»Nein, nicht unbedingt. Aber zumindest *bereit*, dich zu töten«, antwortete er bedächtig.

Sein Vater lächelte. »Willst du damit sagen, selbst wenn dein ziemlich stümperhaftes Eindringen ins Haus von uns nicht bemerkt worden wäre, hättest du mich nicht automatisch erschossen?«

»Ich war noch zu keinem Schluss gekommen.« Jeffrey schwieg, dann fügte er hinzu: »Bin ich immer noch nicht.«

Der Mann, der jetzt als Peter Curtin und früher als Jeffrey Mitchell bekannt war und zwischendurch vermutlich unter anderem Namen gelebt hatte, schüttelte den Kopf und warf seiner Frau einen Blick zu, die ihn nicht erwiderte, sondern den abendlichen Eindringling mit dem ungezügelten Hass eines Gespenstes anstarrte.

»Nein, tatsächlich? Du hast ernsthaft geglaubt, dass diese Nacht vorübergehen könnte, ohne dass einer von uns stirbt? Das kann ich kaum glauben.«

Jeffrey zuckte die Achseln. »Glaub, was du willst«, entgegnete er brüsk.

»Da hast du nun wieder recht«, stimmte Peter Curtin zu.

»Ich habe immer geglaubt, was ich wollte. Und auch getan, was ich wollte.« Er sah seinem Sohn mit einem stahlharten Blick in die Augen. »Ich bin vielleicht der letzte wirklich freie Mann. Mit Sicherheit der letzte freie Mann, dem du begegnen wirst.«

»Kommt ganz darauf an, wie man Freiheit definiert«, gab Jeffrey zu bedenken.

»Meinst du wirklich? Dann sag mir eins, Jeffrey. Du hast unsere Welt hier gesehen. Verlieren wir nicht jede Minute und jeden Tag Stück für Stück unsere Freiheit? Und zwar, indem wir hinter Mauern und Sicherheitsvorkehrungen leben müssen, um unsere letzten Freiheiten zu verteidigen, oder aber indem wir hierher, in diesen neuen Staat ziehen, der seine Mauern in Form von Vorschriften und Gesetzen errichtet. Die mir alle nichts anhaben können. Nein, diese Freiheiten sind Illusionen. Meine sind real.«

Er sagte das mit einer Kälte, die den Raum ausfüllte. Jeffrey dachte, er sollte eigentlich etwas antworten, etwas dagegen halten, doch er blieb stumm. Er wartete, bis das leicht schiefe, höhnische Grinsen um die Mundwinkel seines Vaters verschwunden war und seine Züge neutral zu sein schienen.

»Wir vermissen deine Mutter und deine Schwester«, sagte Peter Curtin nach einer Weile. Jeffrey bemerkte einen leichten Singsang in seinem Tonfall, eine Mischung aus Sarkasmus und spöttelnder Selbstgefälligkeit. »Ich hatte mich auf euch alle gefreut. Dann wären wir alle wieder beisammen.«

»Du hast doch nicht wirklich erwartet, dass ich sie mitkommen lasse?«, erwiderte Jeffrey prompt.

»Ich war mir nicht sicher.«

»Sie ohne Not der Gefahr aussetzen? So dass du uns alle hintereinander mit drei Kugeln töten kannst? Meinst du nicht, ich hätte es für klüger gehalten, dafür zu sorgen, dass du dir jeden Tod von uns ein bisschen schwerer erkaufen musst?«

Peter bückte sich nach Jeffreys großer Neun-Millimeter-Pistole und zog sie langsam aus dem Holster. Er betrachtete die

Waffe eine Weile, als fände er daran etwas seltsam, dann schob er wie beiläufig eine Ladung ein, entsicherte und zielte direkt auf Jeffreys Brust.

»Erschieß ihn jetzt«, zischte Caril Ann Curtin. Zur Ermunterung drückte sie die Schulter ihres Mannes so fest, dass ihre Knöchel weiß von seinem Pullover abstachen. »Töte ihn jetzt.«

»Du hast dir keine besondere Mühe gegeben, mir deinen eigenen Tod ein bisschen schwerer zu machen, oder?«, fragte sein Vater.

Jeffrey starrte in den Lauf der Pistole. In ihm tobten zwei gegensätzliche Gedanken. *Er wird es nicht tun. Noch nicht. Er hat von mir noch nicht bekommen, was er haben will.* Und dann ebenso heftig: *Doch, das hat er. Hier werde ich sterben.*

Er holte tief Luft und antwortete so teilnahmslos, wie es ihm mit ausgedörrter Kehle und trockenen Lippen gelang: »Meinst du nicht, wenn ich mein Eindringen in dieses Haus so lange und sorgsam geplant hätte wie du deine Morde, dass dann ich jetzt die Waffe in der Hand halten würde und nicht du?« Er sprach mit Bedacht und gab sich alle Mühe, dass seine Stimme nicht zitterte.

Peter Curtin ließ die Waffe sinken. Seine Frau gab ein leises Stöhnen von sich, rührte sich jedoch nicht vom Fleck.

Als Peter Curtin lächelte, zeigte er glänzende, vollkommen weiße, ebenmäßige Zähne. Er zuckte die Achseln. »Du stellst die typischen Fragen eines Akademikers, der du schließlich auch bist. Mit hübschen rhetorischen Schnörkeln, stelle ich fest. Dieser Ton macht sich zweifellos im Hörsaal gut. Ich frage mich, ob die Studenten an deinen Lippen hängen. Und die jungen Frauen – vielleicht beschleunigt sich ihr Puls, und sie werden feucht zwischen den Beinen, wenn du in den Übungsraum schlenderst? Ich wette ja.« Er lachte und griff nach der Hand seiner Frau, die auf seiner Schulter ruhte. Dann fuhr er in einem kälteren und berechnenderen Ton fort: »Du stellst hier Mutmaßungen über meine Wünsche an, die zutreffen mögen oder auch nicht.

Vielleicht hege ich weder gegen Diana noch gegen Susan böse Absichten.«

»Ach ja?«, fragte Jeffrey und zog eine Braue hoch. »Ich denke doch.«

»Nun denn, das wird sich zeigen, nicht wahr?«, antwortete sein Vater.

»Du wirst sie nicht noch einmal finden«, entgegnete Jeffrey trotzig und legte alle Überzeugungskraft in seine Lüge.

Sein Vater schüttelte langsam den Kopf. »Selbstverständlich werde ich das, wenn ich will. Ich habe jede andere Entscheidung, die du getroffen hast, vorausgesehen, Jeffrey, jeden einzelnen Schritt. Ich war mir lediglich nicht sicher, ob du heute Abend allein hier hereinpoltern und jeden nur denkbaren Alarm auslösen würdest oder ihr drei zusammen. Das Problem war, dass ich letztlich nicht sagen konnte, wie feige du tatsächlich bist.«

»Ich bin gekommen, richtig?«

»Du hattest keine Wahl. Nein, lass es mich anders sagen: *Ich habe dir keine Wahl gelassen …*«

»Ich hätte dir ein SWAT-Team auf den Hals schicken können.«

»Und dir diese Konfrontation entgehen lassen? Nein, ich glaube nicht. Das war nie wirklich eine Option, weder für dich, noch für deine Mutter, noch für deine Schwester.«

»Sie sind in Sicherheit. Susan kümmert sich um Mutter. Die nimmt es sowieso jederzeit mit dir auf. Und außerdem findest du sie nicht. Diesmal nicht. Nie wieder. Ich habe sie an einen vollkommen sicheren Ort geschickt …«

Peter Curtin brach in ein wieherndes, kaltes Lachen aus. »Und wo bitteschön soll das sein? Das hier ist angeblich der letzte sichere Ort. Und ich habe allen gezeigt, was für eine kolossale Lüge sie da verbreiten.«

»Du wirst sie nicht finden. Sie sind gänzlich außer deiner Reichweite. So viel habe ich von dir gelernt.«

»Ich würde meinen, ich hätte dir in den letzten Wochen gezeigt, dass nichts außerhalb meiner Reichweite liegt.«

Wieder lächelte Peter Curtin. Jeffrey holte tief Luft und beschloss, zu einem schnellen, wirkungsvollen Gegenstoß auszuholen.

»Du hast eine zu hohe Meinung von dir –« Er hatte schon das Wort *Vater* auf den Lippen, schluckte es aber herunter. Er beeilte sich, die plötzliche Stille zu füllen, und fügte hinzu: »Das ist bei Mördern wie dir durchaus kein seltenes Phänomen. Ihr wiegt euch in dem illusorischen Glauben, etwas Besonderes zu sein. Einmalig. Außergewöhnlich. In Wahrheit ist natürlich das genaue Gegenteil der Fall. Ihr seid einer von vielen. Jeder ein Routinefall.«

Peter Curtins Gesicht verdunkelte sich für einen Moment, er kniff die Augen zusammen, als starrte er plötzlich an Jeffreys Worten vorbei direkt in seine Gedankengänge. Doch ebenso wie der Ausdruck gekommen war, wich er wieder dem Grinsen und einem amüsierten Ton. »Du reizt mich. Du willst mich wütend machen, bevor ich dazu bereit bin. Ist das nicht typisch Kind? Die Schwächen der Eltern aufdecken und sich zunutze machen. Aber ich vergesse meine gute Erziehung. Bis jetzt hast du deine Stiefmutter erst in ihrer Effizienz kennengelernt. Caril Ann, Liebes, das ist Jeffrey, von dem ich dir so viel erzählt habe …«

Die Frau rührte sich nicht und bequemte sich auch zu keinem Lächeln. Sie starrte Jeffrey Clayton nur weiter mit unverhohlener Wut an.

»Und mein Halbbruder?«, fragte Jeffrey. »Wo mag der wohl stecken?«

»Ach, ich denke, das wirst du früher oder später erfahren.«

»Wie soll ich das verstehen?«

»Er ist nicht hier. Er ist fort … hm, zum Studium.«

Die beiden Männer verfielen für einen Moment in Schweigen und starrten einander an. Jeffrey stieg Hitze ins Gesicht, als wäre es auf einmal im Raum sehr warm geworden. Der Mann, der ihm gegenübersaß, war ebenso fremd wie engstens vertraut, er wusste über ihn alles und nichts. Als jemand, der Mörder studiert und gejagt hatte, als Professor Tod, wusste er eine Menge. Als sein Sohn kannte er nur seine eigenen rätselhaften Gefühle. Er fühlte sich seltsam schwindelig und fragte sich, was sie miteinander teilten und was nicht. Und jede Modulation in der Stimme seines Vaters, jeder kleine Manierismus, der zum Vorschein kam, gab Jeffrey einen Stich, und er fragte sich, ob auch er so sprach und ob auch er so schaute oder handelte. Es war wie das Zerrbild in einem Spiegelkabinett, und er versuchte, auszumachen, wo die Täuschung begann und wo sie endete. Jeffrey hatte das Gefühl, als hätte er mit einem Mann, der an einer hochansteckenden Viruskrankheit litt, dieselbe Luft geatmet und vom selben Glas getrunken; jetzt blieb ihm keine andere Wahl, als die Inkubationszeit abzuwarten und zu sehen, ob er sich angesteckt hatte oder nicht.

Er holte gierig Luft und sagte einfach nur: »Du wirst mich nicht töten.«

Sein Vater grinste wieder, und ihm war anzusehen, dass ihm die Situation das größte Vergnügen bereitete. »Vielleicht werde ich es«, erwiderte er, »vielleicht auch nicht. Aber diesmal stellst du die falsche Frage, mein Sohn.«

»Und was wäre die richtige Frage?«, konterte Jeffrey.

Der Ältere zog eine Augenbraue hoch, als erstaunte ihn entweder der Ton seines Sohnes oder die Tatsache, dass er die Antwort nicht wusste. »Die Frage lautet, ob ich es muss.«

Jeffrey hatte das Gefühl, in einem Glutofen zu sitzen. Seine Lippen waren ausgetrocknet. Er hörte seine eigenen Worte wie von ferne aus dem Mund eines Fremden.

»Ja«, antwortete er. »Ich denke, das musst du.«

Wieder sah sein Vater ihn amüsiert an. »Und wieso?«

»Weil du dir nie wieder sicher sein könntest. Weil du nie wissen würdest, ob ich irgendwo da draußen bin und dich jage.

Und niemals sicher wärst, ob ich dich nicht ein zweites Mal finde. Du funktionierst nicht, solange du dich nicht sicher fühlst, und zwar hundert Prozent. So bist du gestrickt, und solange du wüsstest, dass ich noch am Leben bin, würdest du deine Zweifel nie los.«

Peter Curtin schüttelte den Kopf. »Oh doch«, widersprach er. »Ich hätte die volle Garantie.«

»Und wie?«, fragte Jeffrey in scharfem Ton zurück.

Sein Vater antwortete nicht. Stattdessen beugte er sich zu einem Lesetisch hinüber und nahm ein kleines elektronisches Gerät zur Hand. Er hob es hoch, damit es Jeffrey sehen konnte. »Normalerweise«, erklärte sein Vater, »sind diese Dinger für junge Eltern mit Säuglingen. Ich glaube, deine Mutter hat nach deiner Geburt und der deiner Schwester so ein Ding benutzt, auch wenn ich mich nicht genau erinnern kann. Ist so lange her. Jedenfalls sind sie überaus hilfreich.«

Peter Curtin drückte einen Knopf und sprach dann in das Babyphone. »Kimberly? Bist du da? Kannst du mich hören? Kimberly, ich wollte dir nur sagen: Deine einzige Chance ist endlich eingetroffen.«

Curtin drückte auf einen anderen Knopf, und Jeffrey hörte, wie eine blecherne, verängstigte Stimme durch das Rauschen drang:

»Bitte, jemand soll mir helfen, bitte helft mir –«

Sein Vater drückte auf den Knopf und schnitt die Stimme mitten in ihrer flehentlichen Bitte ab.

»Ich wüsste auch gern, ob sie überleben wird«, sagte er mit einem Lachen. »Kannst du sie retten, Jeffrey? Kannst du sie, deine Schwester, deine Mutter und dich selbst retten? Bist du so stark und so clever?«

Wieder grinste er. »Ich glaube, das ist nicht möglich. Alle kannst du nicht retten.«

Jeffrey antwortete nicht. Sein Vater starrte ihn weiter an.

»Habe ich dich richtig erzogen?«

»Du hattest mit meiner Erziehung nicht das Geringste zu tun.«

Peter Curtin schüttelte den Kopf. »Ich hatte jede Menge mit deiner Erziehung zu tun.«

Wieder hielt er das Babyphone hoch.

»Was hat das mit ihr zu –«, fing Jeffrey an.

»Alles.«

Wieder schwiegen beide Männer.

In diese Stille hinein flüsterte Caril Ann Curtin zum zweiten Mal: »Peter, lass mich alle beide töten. Ich flehe dich an. Noch ist Zeit.«

Doch Peter Curtin winkte nur ab. »Wir werden ein Spiel miteinander spielen, Jeffrey. Ein äußerst gefährliches Spiel. Und sie ist die einzige Spielfigur.«

Jeffrey saß stumm auf seinem Platz.

»Es geht um einen hohen Einsatz. Dein Leben gegen meins. Das Leben deiner Mutter und deiner Schwester gegen meins. Deine Zukunft und ihre Zukunft gegen meine Vergangenheit.«

»Wie lauten die Regeln?«

»Regeln? Es gibt keine Regeln.«

»Worum geht es dann bei dem Spiel?«

»Also, ich muss schon sagen, Jeffrey, es überrascht mich, dass du das nicht erkennst. Es geht um das grundlegendste Spiel überhaupt. Das Spiel um den Tod.«

»Ich verstehe nicht.«

Peter Curtin lächelte sarkastisch. »Aber natürlich tust du das, Professor. Man spielt es im Rettungsboot oder am Berghang, wenn der Hubschrauber der Bergwacht eintrifft. Es wird im Fuchsbau und in brennenden Gebäuden gespielt. Es geht darum, wer lebt und wer stirbt. Es geht darum, eine Wahl zu treffen, auch wenn man weiß, wie katastrophal die Wahl für jemand anderen ist.«

Er wartete, als rechnete er mit einer Reaktion, und fuhr, als sie ausblieb, fort: »In dieser Nacht geht es um Folgendes: Du tötest sie und du gewinnst. Sie stirbt, und du gewinnst dein eigenes Leben, das deiner Schwester, das deiner Mutter und dazu meins, denn es steht dir dann frei, es mir zu nehmen. Oder mich, wenn dir das lieber ist, der Polizei zu übergeben. Du könntest mir auch einfach das Versprechen abverlangen, nie wieder zu töten, und ich würde mich daran halten. Dann könntest du mich am Leben lassen und müsstest dir nicht die Hände mit dem ödipalsten Blut schmutzig machen, das man sich vorstellen kann. Die Wahl liegt bei dir. Du entscheidest. Ich werde mich danach richten. Und um zu gewinnen, brauchst du nichts weiter zu tun, als sie zu töten …«

Es war plötzlich keine Luft zum Atmen mehr im Raum.

»Bring sie für mich um, Jeffrey.«

Der ältere Mann verstummte und beobachtete die Wirkung, die seine Worte im Gesicht seines Sohnes hinterließen. Er hielt das Babyphone hoch, drückte auf den Empfangsknopf und ließ ein paar Sekunden lang das qualvolle Schluchzen einer in Panik versetzten jungen Frau im Zimmer widerhallen.

Die Entfernung zwischen dem Waldrand und der Rückseite des Hauses war nicht so groß wie auf der Eingangsseite; dennoch war ein gewaltiger Lichtkegel zu durchqueren. Susan Clayton betrachtete die Fläche skeptisch; sie hatte etwa die Länge, auf die sie mit einiger Treffsicherheit ihren Köder einem gemächlich dahin schwimmenden Fisch hinwerfen konnte. Fast hörte sie das zischende Geräusch der Angelschnur über ihrem Kopf, bevor sie über die unruhige blaue Wasserfläche ihrer Heimat sauste. Sie war, das wusste sie, gut darin, genau abzuwägen, wie viel Einsatz es erforderte, den Köder mit seiner kleinen Illusion aus Federn, Stahl und Leim genau da zu platzieren, wo sie ihn haben wollte. Jetzt, wo es darum ging, abzuschätzen, wie schnell sie die offene Fläche überqueren konnte, war sie sich weniger sicher.

Auch Diana Clayton versuchte, ihre Situation richtig einzuordnen.

Sie leuchtete ihr nicht gänzlich ein. Sie atmete langsam ein und wieder aus und versuchte, ihre Gedanken zu sortieren. Sie und ihre Tochter lagen beide bäuchlings auf der feuchten Erde und starrten geradeaus, doch mit ihren Gedanken war Diana woanders. Sie versuchte, sich jede Einzelheit eines Lebens vor einem Vierteljahrhundert ins Gedächtnis zu rufen, vor allem aber, jeden Gesichtszug des Mannes, an dessen Seite sie gelebt hatte.

»Ich komm da rüber«, flüsterte Susan, »aber nur, wenn keiner hinsieht.«

Dann schüttelte sie den Kopf. »Falls es doch jemand tut, komme ich keine zwei Meter weit, bevor sie mich entdecken.« Sie überlegte. »Ich denke, mir bleibt nichts anderes übrig.«

Diana griff mit der Hand nach dem Unterarm ihrer Tochter. »Irgendetwas stimmt hier nicht, Susie. Du musst mir auf die Sprünge helfen.«

»Was?«

»Also, erstens wissen wir, dass es hier an der Rückseite zwei Türen gibt. Die übliche Gartentür, die wir sehen und die in die Küche führt. Die ist wie jede andere Gartentür. Sieht zumindest so aus. Und dann gibt es diese Geheimtür, die aus dem Musikzimmer nach draußen führt. Die müssen wir finden. Die müsste da drüben sein, da links, neben der Garage.«

»In Ordnung«, meinte Susan, »dann gehen wir einfach mal davon aus.«

»Nein, da ist noch etwas, das mir zu schaffen macht. Wir hätten eigentlich auf das Nebengebäude stoßen müssen. Du weißt schon, der Schuppen, der laut dem Bauunternehmer nicht in den Plänen ist. Der müsste irgendwo hier hinten sein. Ich denke, wir sollten ihn finden.«

»Aber wieso? Jeffrey ist im Haus, demnach ist er …«

»Ich meine nur«, unterbrach Diana sie bedächtig, »wozu hat man eigentlich eine Alarmanlage? Wieso stellt man sicher, dass man jemanden, der sich durch den Wald anschleicht, auf Schritt und Tritt beobachten kann? Wieso installiert man ein kostspieliges System, das in diesem Staat illegal ist?« Sie schüttelte den Kopf. »Mir fällt dazu nur ein einziger Grund ein. Um Zeit zu gewinnen. Um vorgewarnt zu sein. Für sich genommen beschützt es ihn vor gar nichts, am wenigsten vor der Polizei. Es ist einfach nur ein Frühwarnsystem, das ihm ein paar Minuten Vorsprung gewährt. Wozu mag er das wohl brauchen?«

Die Antwort auf diese Frage lag auf der Hand. Susan antwortete leise, als ihr alles klar wurde: »Zu einem einzigen Zweck: Weil er, falls jemand kommt und ihn sucht – jemand, der weiß, wer er ist, und was er macht –, etwas Zeit braucht, um abzuhauen. Sich aus dem Staub zu machen.«

Diana nickte. »So sehe ich das auch.«

»Ein Fluchtweg«, dachte Susan weiter laut nach. »David Hart, der Mann in Texas, zu dem mich Jeffrey mitgenommen hat – der hat gesagt, wir sollten mit so was rechnen. Einen Weg rein, einen Weg raus.«

Diana rollte sich auf die Seite und spähte in das Dunkel hinter sich. »Was genau soll da laut diesem Bauunternehmer in dieser Richtung sein?«

Susan lächelte. »Es ist wild, leer, unbebaut, Ödland und Berge. Naturschutzgebiet in staatlichem Besitz. Erstreckt sich meilenweit ...«

Diana starrte in die schwarze Nacht, die sich ihnen an die Fersen geheftet und mit ihnen angepirscht hatte. »Vielleicht ist es auch«, sagte sie ruhig, »die Rückzugsroute aus dem Einundfünfzigsten Staat.«

Beide Frauen machten sich auf den Weg in die entgegengesetzte Richtung: vom Rand des Lichtkegels weg, in schräger Linie zum Haus. Sie tasteten sich durch die Bäume, wo das Unterholz dichter schien, als wären es lauter knochige Hände, die nach ihren Kleidern griffen oder ihnen das Gesicht zerkratzten. Trotz der kühlen Nacht waren sie vor Erschöpfung und Anspannung und vermutlich auch Angst verschwitzt. Susan hatte das

Gefühl, als versuchte sie, in einer Kloake zu schwimmen. Sie kämpfte sich entschlossen und wütend durch den Wald, als ob sie gegen einen Feind anging. Das Licht vom Haus war diffus und wenig hilfreich; die Schatten und schwarzen Vertiefungen machten es ihnen nicht leichter. Susan fluchte leise, machte einen Schritt, merkte, dass sich ihr Sweater in einem Dornenbusch verhakte, zog daran und verlor das Gleichgewicht, so dass sie mit einem kurzen Aufschrei vorwärts purzelte. Ihre Mutter, die hinter ihr nicht weniger zu kämpfen hatte, rief ihr etwas lauter, doch immer noch im Flüsterton zu: »Susan, alles in Ordnung?«

Susan reagierte nicht sofort. Ihr gingen verschiedene Dinge durch den Kopf – der Schreck des Falls, ein tiefer Kratzer in der Wange von einer Dorne, ein Schlag gegen das Knie von einem Stein, vor allem aber das Gefühl von kaltem Metall unter ihrer Hand. Die Dunkelheit machte es fast unmöglich, etwas zu erkennen, doch sie tastete sich voran und ignorierte alle anderen Empfindungen, als sie etwas Spitzes fühlte, das ihr in die Handfläche schnitt. Sie stöhnte unter dem plötzlichen Schmerz.

»Was ist?«, fragte Diana.

Susan antwortete nicht gleich. Stattdessen tastete sie die Spitze ab und fand eine zweite, dann eine dritte, alle unter Gestrüpp und Unkraut versteckt.

»Hol mich der Teufel«, murmelte sie. »Mutter, sieh dir das an.«

Diana krabbelte auf Händen und Knien, bis sie neben Susan war. Sie ließ ihre Hand von Susan führen, bis auch sie die Reihe spitzer Pflöcke im Boden fühlte.

»Was meinst du –«

»Wir sind auf der richtigen Spur«, sagte Susan. »Jetzt stell dir vor, du würdest in diese Richtung fliehen, aber du willst nicht, dass dir irgendjemand in irgendeinem Wagen folgen kann. Die hier würden an einem Reifenpaar schon dafür sorgen, oder? Pass auf, hier könnten noch mehr Fallen sein.«

Drei Meter weiter stieß Susan auf einen niedrigen, Achsen

brechenden Graben in der Erde. Sie drehte sich wieder zum Haus um. Vielleicht dreißig Meter entfernt warf es sein Licht in den Himmel. Sie konnte gerade noch eine Art schmalen Trampelpfad erkennen. Es ist ein Weg, dachte sie. Aber einer, der mit genügend Büschen und Gestrüpp getarnt war, um sich wie sie hoffnungslos zu verheddern, es sei denn, man kannte diesen Pfad genau. Hatte man jedoch die richtige Route genau im Kopf, dann konnte man sich schnell durch zunehmend schwieriges Gelände bewegen.

»Da ist es«, sagte ihre Mutter plötzlich.

Susan drehte sich um und ließ ihren Augen Zeit, sich wieder an die Nacht zu gewöhnen, bevor sie sah, wohin Diana zeigte. Weitere sieben Meter von ihnen entfernt befand sich ein kleines Gebäude fast unsichtbar zwischen Unkraut und Farn, die so dicht daran gepflanzt worden waren, dass sie den niedrigen Bau fast bis ans Dach überwucherten. Sie tasteten sich langsam bis zu dem Häuschen vor. An der Vorderseite hatte es ein Tor wie eine Garage. Susan griff danach, dann hielt sie inne.

»Es könnte ein Alarm damit verbunden sein«, überlegte sie. »Oder eine Bombe.«

Auch wenn sie nicht wusste, ob sie damit richtig lag, reichte ihr die pure Möglichkeit, um die Finger davon zu lassen.

Diana hatte sich um den Schuppen herum gekämpft. »Da ist ein Fenster«, rief sie leise.

Susan eilte an ihre Seite. »Sieht man etwas?«

»Ja, ein bisschen.«

Susan drückte die Nase an die kalte Scheibe und starrte hinein. Sie stöhnte leise. »Auf den Nagel getroffen, Mutter. Du hattest recht.«

Die beiden Frauen konnten schemenhaft einen teuren Geländewagen mit Vierradantrieb erkennen. Soweit sie sahen, war er voll bepackt, startklar für die Reise.

Diana trat vom Fenster zurück. »Es muss da hinten irgendwo eine Straße geben oder so was wie eine Piste, immer weiter in den Wald hinein. Ich wette, er hat eine genaue Fluchtroute geplant.«

»Aber was ist mit Flugzeugen oder meinetwegen auch Helikoptern?«

Diana zuckte die Achseln. »Berge, Canyons, Wälder – wer weiß? Er hat bestimmt einkalkuliert, wie und womit er verfolgt wird, und sich darauf eingestellt. Wahrscheinlich gibt es Meilen von hier entfernt eine zweite Garage mit einem weiteren Fahrzeug. Vielleicht sogar ein drittes oben im Norden, nahe der Grenze nach Oregon. Oder auch Richtung Kalifornien. Eher wohl da. Da kann man leicht untertauchen. Auch nicht allzu weit bis nach Mexiko runter, wo man noch weniger Fragen stellt, besonders einem reichen Mann.«

Susan nickte.

»Es muss nicht perfekt sein. Solange niemand davon weiß. Mehr hat er nicht nötig. Nur ein offener Spalt, und er schlüpft durch.«

Susan drehte sich wieder zum Haus um und seufzte. »Ich muss jetzt rein«, sagte sie. »Wir brauchen schon zu lange, und Jeffrey könnte in ernsten Schwierigkeiten stecken.« Sie wandte sich noch einmal ihrer Mutter zu, die gierig die kalte Luft einsog. »Bleib du hier«, wies Susan sie an. »Warte einfach ab, was passiert.«

Diana schüttelte den Kopf. »Ich sollte besser mit dir gehen.«

»Nein«, widersprach Susan. »Wir wollen auf keinen Fall riskieren, dass er abhaut. Egal, was passiert, wir dürfen nicht zulassen, dass er davonkommt. Außerdem kann ich mich, glaube ich, schneller bewegen und auch leichter Entscheidungen treffen, wenn ich weiß, dass du wenigstens hier draußen in Sicherheit bist.«

Diana sah die Logik ein, auch wenn sie ihr nicht gefiel.

Susan deutete auf den obskuren Pfad durch das Unterholz Richtung Haus. »Das ist die Route. Halte ein Auge drauf.«

Einen Moment lang hätte sie ihre Mutter gern umarmt, etwas

Rührseliges und Liebevolles gesagt, doch sie kämpfte dagegen an. »Wir sehen uns gleich«, sagte sie mit aufgesetzter Zuversicht. Dann drehte sie sich um und kehrte, so schnell sie konnte, dorthin zurück, wo höchstwahrscheinlich das Schicksal ihres Bruders an seidenen Nervenfasern hing.

Jeffreys Kehle war so ausgedörrt, als hätte er an einem heißen, trockenen Tag ein schnelles Wettrennen hinter sich gebracht. Er leckte sich über die Lippen, um sie ein bisschen anzufeuchten, doch vergeblich. Seine Stimme klang brüchig. »Und wenn ich mich weigere?«, fragte er.

Sein Vater schüttelte den Kopf. »Ich glaube, das wirst du nicht tun. Nicht, wenn du dir mein Angebot gründlich überlegst.«

»Ich werde es nicht tun.«

Peter Curtin wechselte die Stellung, als fände er die Reaktion seines Sohnes unangemessen und nicht durchdacht. »Das ist eine reflexartige, unkluge Entscheidung, Jeffrey. Überleg es dir gut.«

»Da gibt es nichts zu überlegen.«

Sein Vater runzelte die Stirn. »Das sehe ich ein bisschen anders«, meinte er in halb spöttischem, halb gereizten Ton, als könnte er sich nicht ganz entscheiden, welches die angemessenere Reaktion war. »Die Alternative wäre natürlich, dass ich mich einfach an meine liebe Frau wende und auf ihren Rat höre Rat, den sie mir so eindringlich gibt. Was meinst du, Jeffrey, wie schwer es wohl für mich ist, zu Caril Ann zu sagen: ›Löse du dieses Dilemma für mich?‹ Und du weißt, was sie machen würde.«

Jeffrey sah die Frau mit den harten Augen an, die immer noch wie fest gefroren dastand und kaum merklich den Finger am Abzug ihrer Pistole bewegte. Sie funkelte ihn nach wie vor wütend an, und es schien sie äußerste Mühe zu kosten, ihre Aggression im Zaum zu halten. Er vermutete, dass sie sich genauso wie sein Vater schon lange im Voraus mit dieser Begegnung beschäftigt hatte. Er fragte sich, was Curtin ihr im Lauf der Jahre, in denen sie ihre mörderischen Abenteuer miteinander teilten, zu ihr gesagt hatte, um sie auf diesen letzten Akt vorzubereiten. So wie man langsam aber zielstrebig einen Kampfhund abrichtet. Sie ließ ihn nicht aus den Augen, die Muskeln unter dem Pullover gespannt. Und gleich einem Hund, der mit jeder Faser seines Wesens wie eine gespannte Feder auf das eine Wort seines Herrn wartete, so wartete auch sie. Jeffrey schoss durch den Kopf: Das ist eine Frau, die jeden Gedanken und jedes Gefühl über Bord geworfen hatte, bis nur noch diese Wut übrig geblieben ist. Und dieser ganze Zorn richtet sich auf mich. Das, was von Caril Anns Augen ausging, war wie ein starker, böser Wind, der einem ins Gesicht blies.

»Sträubst du dich immer noch?«, fragte sein Vater. »Kannst du dich immer noch nicht entscheiden?«

»Ich kann das nicht«, erwiderte Jeffrey.

Peter Curtin schüttelte in übertriebener Enttäuschung den Kopf kräftig hin und her.

»Was heißt, du kannst nicht? Lächerlich! Jeder kann töten, wenn er triftige Gründe hat. Mensch, Jeffrey, Soldaten töten aufgrund der fragwürdigsten Befehle von Offizieren, die sie hassen. Und ihr Lohn ist wesentlich bescheidener, als was ich dir heute Abend anbiete. Und überhaupt, Jeffrey, was weißt du schon von diesem Mädchen?«

»Nicht viel. Oberstufenschülerin. Sie war einmal, soweit ich unterrichtet bin, mit deinem anderen Sohn liiert …«

»Ja, deshalb ist meine Wahl auf sie gefallen. Das und der glückliche Umstand, dass sie auf dem Weg zur Schule eine Abkürzung nimmt, und zwar durch ein verlassenes Gelände unserer neuen kleinen Stadt. Eigentlich habe ich sie immer gemocht. Sie ist sympathisch, hat zwar ein wenig verschwommene Vorstellungen vom Leben, aber das gilt ja wohl für die meisten Teenager. Sie ist attraktiv, auf eine frische, unverdorbene Weise. Sie scheint intelligent zu sein – nicht übertrieben, weißt du, nicht phänomenal, aber trotzdem intelligent. Jedenfalls auf dem Weg zu einem guten College. Auch wenn es andererseits schwer zu sagen ist, was für eine Zukunft sie vor sich hat. Nun gibt es natürlich intelligentere, begabtere Kinder, aber Kimberly hat etwas, einen Sinn für Abenteuer. Etwas Rebellisches – ich nehme an, das fand dein Halbbruder an ihr attraktiv –, das macht sie einfach interessanter als die Mehrzahl der schablonenhaften Kids, die dieser Staat heranzüchtet.«

»Wieso erzählst du mir das?«

»Ah, du hast recht. Das sollte ich besser nicht. Wer sie ist, sollte keine Rolle spielen. Dass sie ein Leben, Träume, Hoffnungen und Wünsche hat – was auch immer, das ist wirklich nicht von Belang. Was hat dieses Mädchen, dass du auch nur für einen Augenblick denken kannst, ihr Leben wäre wichtiger als dein eigenes? Als das deiner Schwester und deiner Mutter? Und das Leben wer weiß wie vieler junger Frauen, auf die meine Wahl vielleicht in Zukunft fällt? Ich würde sagen, ich habe dich vor eine denkbar einfache Wahl gestellt. Wenn du sie tötest, rettest du dich selbst. Und als zusätzlicher Anreiz: Du rettest all diese anderen Menschen. Wie gesagt: Du kannst meiner Laufbahn, ja sogar meinem Leben ein Ende setzen. Sie zu töten erscheint in jeder Hinsicht – finanziell, ökonomisch, ästhetisch und emotional absolut sinnvoll. Ein Leben verlierst du, viele andere rettest du dafür. Der Gerechtigkeit ist Genüge getan. Der Kostenaufwand ist höchst bescheiden.«

Peter Curtin lächelte seinen Sohn an. »Jeffrey, sieh mal, du tötest sie, und du wirst berühmt! Du bist ein Held. Ein Held für diese moderne Welt, in der wir leben. Nicht ohne Fehler, aber ein tatkräftiger Mann. Du wirst von Küste zu Küste gefeiert werden, und zwar von praktisch allen, außer vielleicht den nächsten Angehörigen der kleinen Kimberly. Doch deren Protest dürfte leise ausfallen. Falls sie überhaupt jemand hört, was fraglich ist, wenn man bedenkt, wie gekonnt die Kerle, die diesen Staat regieren, Unannehmlichkeiten unter den Teppich kehren. Deshalb kann ich wirklich nicht verstehen, wieso du auch nur für den Bruchteil einer Sekunde zögern kannst.«

Jeffrey sagte nichts.

»Es sei denn ...«, fuhr sein Vater langsam fort, »du hättest Angst vor dem, was du vielleicht über dich selbst rausfinden könntest. Das könnte allerdings ein Problem darstellen. Gibt es irgendwo tief in dir eine Tür, die du lieber nicht aufmachen möchtest? Nicht einmal einen kleinen Spalt breit? Weil du davor Angst hast, was du reinlassen könntest? Rein oder auch raus ...?«

Peter Curtin war offensichtlich in seinem Element. »Nun ja, damit liegt vermutlich der Preis für den Tod dieser ganz und gar unbedeutenden jungen Dame ein wenig höher, als wir zunächst angenommen hatten ...«

Jeffrey war nicht bereit, auf diese Frage zu reagieren.

Er starrte auf das Paar ihm gegenüber und taxierte das Funkeln in den Augen seines Vaters im Vergleich zu dem eisigen Blick seiner Frau. In diesem Moment erschienen sie ihm als ein überaus gegensätzliches Paar. Die Frau bis zum Anschlag gespannt und darauf versessen zu töten. Sein Vater dagegen wirkte gelöst, redselig und unbeschwert, ohne auf die Zeit zu achten, während er es genoss, seinen Sohn in ein wohl kalkuliertes Dilemma zu stürzen. Für ihn war das Töten nur das Dessert: Die Folter war das Hauptgericht. Angesichts seines spöttischen Tons fiel es Jeffrey nicht schwer, sich vorzustellen, wie qualvoll das Ende so vieler Opfer in den letzten Minuten gewesen sein musste.

Die Helligkeit im Zimmer, die Hitze, die immer unerträglicher zu werden schien, der stete Druck, der von den Worten seines Vaters ausging, pressten ihm die Brust zusammen, als wäre er tief unter Wasser. Er wollte an die Oberfläche auftauchen, um zu atmen. Ihm wurde in dieser Sekunde bewusst, dass er in die elementarste Falle gegangen war, die der Mann ihm gegenüber seinem Kind in klarer Absicht stellte: Zwischen ihm und seinem Vater lag eine feine Linie, an der sich ihre Wege schieden – für ihn zählten Menschenleben. Für seinen Vater nicht.

Jeffrey wollte leben.

Seinem Vater, der so vielen den Tod gebracht hatte, war es egal, ob er in dieser Nacht überlebte oder starb. Ihm ging es um etwas anderes.

Jeffrey blieb stumm und versuchte aus jedem mühsamen Atemzug Kraft zu schöpfen, um Haltung zu bewahren.

Zeit, dachte er plötzlich. Du musst Zeit schinden.

Es arbeitete fieberhaft in seinem Kopf. Seine Schwester musste jeden Moment eintreffen, und ihre Ankunft konnte das Kräftespiel so weit verschieben, dass er den Hals aus der Schlinge ziehen konnte, die sein Vater immer enger zog. Und danach wäre bald mit dem Einsatzkommando der Staatssicherheit zu rechnen.

Er fühlte sich wie in einem Schraubstock, der ihm immer unerbittlicher den Brustkorb zusammendrückte.

Er sah seinen Vater an. Gib ihm ausweichende Antworten, dachte er. »Wie kann ich dir trauen?«

Peter Curtin lächelte. »Was? Du vertraust nicht dem Ehrenwort deines eigenen Vaters?«

»Ich traue dem Wort eines Mörders nicht. Denn das ist alles, was du bist. Ich mag mit Fragen hergekommen sein, aber du hast sie mir beantwortet. Jetzt brauche ich mir nur noch selbst ein paar Antworten zu geben.«

»Macht das nicht das Leben aus?«, entgegnete Curtin. »Und wer wüsste mehr über das Spiel von Leben und Tod als ich?«

»Vielleicht ich«, antwortete Jeffrey. »Und vielleicht weiß ich, dass es kein Spiel ist.«

»Nicht? Jeffrey, jetzt verwunderst du mich aber. Es ist das faszinierendste Spiel überhaupt.«

»Weshalb solltest du dann bereit sein, es heute Abend aufzugeben? Wenn ich, wie du behauptest, nichts weiter zu tun brauche, als einer Frau, die mir vollkommen fremd ist, eine Kugel zwischen die Augen zu jagen, wirst du dich mir dann wirklich beugen und akzeptieren, was ich für dich entscheide? Ich glaube nicht. Ich glaube, du lügst. Ich glaube, du spielst falsch. Ich glaube, du verfolgst heute Abend nur eine einzige Absicht, nämlich mich zu töten. Und woher soll ich wissen, ob Kimberly Lewis überhaupt noch am Leben ist? Du könntest mit diesem kleinen Babyphone da jedes Mal ein Tonband abspielen. Vielleicht hast du sie längst wie all die anderen irgendwo wie Müll entsorgt, und sie liegt mit gespreizten Armen und Beinen irgendwo im Wald, wo sie niemand findet –«

Curtin hob blitzschnell die Hand, und in seinem Gesicht zuckte für einen Moment ein Anflug von Ärger auf. »Ich habe sie nie einfach entsorgt! So war es nie geplant.«

»Geplant? Klar doch«, konterte Jeffrey sarkastisch. »Der Plan war, sie erst mit Genuss zu vögeln und dann zu töten, genau wie jeder andere kranke –«

Curtin schnitt energisch mit den flachen Händen durch die Luft. Jeffrey rechnete mit einer wütenden Antwort seines Vaters, doch was er zu hören bekam, wurde im kältesten, berechnendsten Ton gesprochen.

»Ich hätte mehr von dir erwartet«, erklärte Curtin. »Ich hätte dich für intelligenter gehalten. Für gebildeter.« Er legte vor sich die Fingerspitzen zu einer Pyramide aneinander und starrte seinen Sohn durchdringend an. »Was weißt du von mir?«, fragte er plötzlich.

»Ich weiß, du bist ein Mörder –«

»Du weißt rein gar nichts«, unterbrach ihn Curtin. »Du weißt nichts! Du weißt nicht, wie man sich in der Gegenwart von Größe benimmt! Du zeigst keinen Respekt. Du verstehst nichts.«

Sein Vater schüttelte den Kopf. »Es hat nichts damit zu tun, einfach zu töten. Nichts ist so leicht, wie zu töten. Aus sexueller Gier, aus Spaß oder aus irgendeinem anderen Grund. Nichts leichter als das, Jeffrey. Es ist nichts weiter als eine Zerstreuung. Wenn man sich die Mühe macht, es gründlich zu studieren, dann ist es wirklich keine besonders schwere Aufgabe. Die eigentliche Herausforderung besteht darin, dem Tod eine schöpferische Seite abzugewinnen ...« Er überlegte, dann fügte er hinzu: »... und deshalb bin ich etwas Besonderes.«

Einen Augenblick lang starrte der Vater den Sohn mit einem Ausdruck an, als seien dies Dinge, die dieser hätte verstehen müssen.

»Ich war ziemlich aktiv, doch das gilt auch für andere. Ich war brutal, aber auch das ist nichts Weltbewegendes. Hättest du gedacht, Jeffrey, dass ich vor ein paar Jahren, als ich über der Leiche einer jungen Frau stand, an einen Punkt kam, an dem ich begriff, dass ich in dem Moment hätte weggehen können, und niemand hätte auch nur die leiseste Ahnung von der Tiefe des Gefühls gehabt, von der Befriedigung über das, was ich vollbrachte? Und in diesem Augenblick, Jeffrey, da wusste ich, dass ich es mir zu leicht gemacht hatte. Ich lief Gefahr, dass mich künftig das langweilen könnte, was meinem Leben Sinn gab. In jenem Moment dachte ich an Selbstmord. Mir gingen auch andere obskure Möglichkeiten durch den Kopf, Terrorismus, Massenmord, politische Attentate, doch das habe ich alles verworfen, weil ich wusste, dass ich mit all dem in Vergessenheit geraten würde. Und dass mich niemand je verstehen würde. Aber ich strebte nach Höherem, Jeffrey. Ich wollte, dass man mich in Erinnerung behält ...«

Er lächelte wieder. »Und dann erfuhr ich vom Einundfünfzigsten Staat. Dem neuen Territorium, an das sich so viele Hoffnungen und Wünsche knüpfen – der Traum von einer wahrhaft amerikanischen Vision von der Zukunft, auf der Grundlage einer ach so idealisierten Vorstellung von der Vergangenheit. Und wer hätte besser in dieses Konzept gepasst als ich?«

Jeffrey sagte nichts.

»An wen erinnert man sich, Jeffrey? Besonders da draußen, im Westen? Wer sind die Helden? Wer ist uns im Gedächtnis haften geblieben, Billy the Kid mit seinen einundzwanzig Opfern oder sein schändlicher ehemaliger Freund Pat Garrett, der ihn niedergeschossen hat? Wir singen Balladen auf Jesse James, einen äußerst blutrünstigen Mörder, aber nicht über Robert Ford, den Feigling, der ihm eine Kugel in den Rücken gejagt hat. So war es in Amerika schon immer. Melvin Purvis interessiert uns herzlich wenig. Er scheint langweilig und berechnend. Doch die Heldentaten eines John Dillinger leben fort. Beschämt es uns nicht irgendwie, dass eine Drohne wie Eliot Ness Al Capone aus dem Verkehr gezogen hat? Mit einer Anklage wegen Steuerbetrugs und Bestechung des Gerichts? Wie erbärmlich! Weißt du, wer Charlie Manson angeklagt hat? Seien wir doch ehrlich, Jeffrey: Fasziniert es uns nicht viel mehr zu beweisen, dass Bruno Richard Hauptmann es nicht gewesen sein kann, als dass wir Mitleid mit Lindberghs Baby hätten? Hast du gewusst, dass man im Fall River bis heute Lizzie Borden feiert – eine Axtmörderin, verflucht noch mal? Ich könnte dir endlos viele Beispiele nennen. Ich sage dir, wir sind eine Nation, die ihre Kriminellen liebt. Ihre schlechten Taten romantisiert und den Schrecken, den sie verbreitet haben, ignoriert. Stattdessen lassen wir sie in unseren Liedern und Legenden weiterleben, und sogar gelegentlich in Festen wie zum Beispiel mit dem D.-B.-Cooper-Day oben im Nordwesten am Pazifik.«

»Wer sich über das Gesetz hinwegsetzt, hat schon immer eine gewisse Anziehungskraft besessen …«

»Genau. Und das bin ich mein Leben lang gewesen. Jemand, der sich über das Gesetz hinwegsetzt. Denn ich beraube diesen Staat seiner zentralen Eigenschaft: seiner Sicherheit. Und deshalb wird man sich an mich erinnern.«

Peter Curtin seufzte. »Das ist mir bereits jetzt gelungen. Egal, was heute Nacht aus mir wird. Siehst du, ganz gleich, ob ich nun überlebe oder sterbe: Mein Platz in der Geschichte ist mir sicher. Durch deine Anwesenheit und durch die Aufmerksamkeit, die diese Nacht auf sich lenken wird, bevor sie vorbei ist.«

Wieder herrschte einen Augenblick Stille im Raum, dann fuhr

der Mörder fort: »Jetzt sind wir an dem Punkt, an dem die Entscheidung fallen muss, Jeffrey. Du bist ein Teil von mir, das weiß ich. Jetzt musst du in die Tiefe gehen und diesen Teil von dir, der uns gemeinsam ist, aus der Versenkung holen und die naheliegende Wahl treffen. Es ist so weit, Jeffrey. Es ist Zeit, dass du das wahre Wesen des Tötens begreifst.«

Er sah seinen Sohn an. »Töten, Jeffrey, macht dich frei.«

Curtin stand auf. Er beugte sich zu dem kleinen Lesetisch vor und öffnete mit einem kurzen, schabenden Geräusch eine Schublade. Aus dieser holte er ein großes Messer aus Armeebeständen heraus, das er aus einer olivgrünen Scheide zog. Im polierten Stahl der gezackten Klinge spiegelte sich das Licht. Curtin bewunderte die Waffe, streichelte über die stumpfe Kante und drehte die Klinge dann um, um seinen Finger an die scharfe Schneide zu legen. Er hob die Hand und zeigte Jeffrey ein dünnes Rinnsal Blut an seinem Daumen.

Er lauerte auf die Reaktion seines Sohnes. Jeffrey versuchte, ein möglichst ausdrucksloses Gesicht zu wahren, während ihn innerlich die Emotionen wie eine plötzliche Meeresströmung vor dem sommerlichen Strand in die Tiefe zu zerren drohten.

»Was?«, sagte Curtin und grinste wieder. »Hattest du etwa gedacht, ich würde dich diese Erfahrung mit etwas so Sterilem wie einer Schusswaffe machen lassen? Damit du die Augen zukneifst, ein Stoßgebet gen Himmel schickst und abdrückst? So sauber und distanziert wie ein Exekutionskommando? Das würde dir nicht die Augen öffnen.«

Curtin warf das Messer mit Schwung quer durchs Zimmer. Einen Moment blitzte es in der Luft, dann landete es mit einem leisen, dumpfen Geräusch zu Jeffreys Füßen auf dem Teppich, wo es immer noch glitzerte, als wäre es lebendig.

»Es ist Zeit«, sagte sein Vater. »Meine Geduld ist zu Ende. Keine Verzögerungen mehr.«

FÜNFUNDZWANZIG
DAS MUSIKZIMMER

Susan blieb erneut am Rand des Lichtkegels stehen und betrachtete die Rückseite des Hauses. Sie ließ den Blick langsam von der entferntesten Ecke über die weithin sichtbare gewöhnliche Gartentür wandern und von dort bis zum anderen Ende des Hauses. Genau wie zuvor ihr Bruder registrierte sie den Kies unter den Fenstern und die dornigen Büsche rund ums Erdgeschoss. Mit Ausnahme einer einzigen, etwa einen Meter breiten Lücke direkt ihr gegenüber bildeten sie einen dicht ineinander verwachsenen, undurchdringlichen, lebendigen Kordon. Ihr war augenblicklich klar, dass die Lücke in dieser Barriere direkt auf den Pfad durch den Wald führen musste und von dort zu der versteckten Garage, an der Diana geduldig warten würde, bis etwas geschah.

Eine Sekunde starrte Susan auf diese Stelle. Sie wirkte wie ein Versehen bei der Gartenplanung oder als ob eine einzelne Pflanze abgestorben und entfernt worden wäre, und dann war ihr klar, was es tatsächlich war: die geheime Tür.

Aus dieser Entfernung konnte sie weder Gestalt noch Größe dieses Eingangs erkennen. Die Wand des Hauses schien nahtlos weiterzugehen. Ohne die Auskunft des Bauunternehmers hätte sie dort nie eine Tür vermutet. Sie konnte nicht sagen, wo die Klinke oder ein Schloss versteckt war, und ihr war auch klar, dass man sie vielleicht von außen gar nicht öffnen konnte. Doch Susan hielt es für wesentlich wahrscheinlicher, dass es irgendeine versteckte Schließvorrichtung gab.

Und dass sie nicht verriegelt war.

Mir bleibt keine Zeit, dachte sie.

Susan warf einen letzten Blick auf die Fenster, um drinnen ihren Bruder oder sonst etwas auszumachen und irgendeinen Hinweis zu finden, was im Haus vor sich ging, doch es rührte sich nichts. Sie spannte die Muskeln ihrer Arme, dann der Beine, sprach mit ihrem Körper wie mit einem Freund und sagte: »Mach schnell, bitte. Nicht zögern, immer weitergehen, egal, was passiert.« Sie holte tief Luft, packte ihre Maschinenpistole fest mit beiden Händen und merkte im nächsten Moment, wie sie aufstand, vortrat und in halb gebückter Stellung über die erleuchtete Grasfläche rannte. In dieser Sekunde war sie sich nur dieser schrecklichen Helligkeit bewusst; das Gras zu ihrem Füßen schien mit scharfen Klingen gespickt; statt der kühlen Luft des Waldes blieb nur ihr dampfender, keuchender Atem. Ihre Beine fühlten sich bleischwer an, und jedes Mal, wenn sie ihre Sohlen mit einem leisen Geräusch auf dem feuchten Rasen wegrutschten, klang es ihr wie ein Alarmsignal in den Ohren. Sie bildete sich ein, Sirenen aufheulen zu hören. Ein Dutzend Mal hörte sie das Knallen von Schüssen, und ein Dutzend Mal rechnete sie jeden Moment damit, von Kugeln getroffen zu werden. Sie rannte auf des Messers Schneide zwischen Realität und Halluzination. Wie ein Schwimmer, der keine Luft mehr bekommt, verzweifelt ans rettende Ufer will, strebte sie mit letzter Kraft zu der Wand am Ende ihres rasanten Laufs.

Und so schnell, wie sie losgelaufen war, hatte sie plötzlich ihr Ziel erreicht.

Susan warf sich an eine Stelle, die ein wenig im Schatten lag, und kauerte sich an die Holzverkleidung. Nachdem sie bei ihrem Sprint so auffällig, groß und laut gewesen war, versuchte sie jetzt, sich ganz klein zu machen. Ihre Brust hob und senkte sich heftig von der Anstrengung, ihr Gesicht war heiß, und sie schnappte gierig nach der Nacht, um sich zu beruhigen.

Sie wartete einen Moment, bis das Trommeln des Adrenalins in ihren Ohren nachließ, und als sie sich halbwegs wieder unter Kontrolle hatte, drehte sie sich um und tastete kniend die Wand nach der Tür ab, von der sie wusste, dass sie dort sein musste.

Susan fühlte die raue Oberfläche des Holzes unter den Fingern, staunte, wie kalt es war, und stieß auf einen winzigen Wulst, den die Schindeln perfekt kaschierten. Sie suchte weiter und entdeckte zwei Metallscharniere unter dem Holz. Hoffnungsvoll tastete sie jede Platte einzeln ab, um eine zu finden, die sich anheben ließ, um darunter einen Griff oder Knauf zu ergreifen. Sie hatte sich noch keine Gedanken darüber gemacht, was sie tun würde, falls die Tür abgeschlossen war; das kleine Brecheisen steckte immer noch in ihrem Gürtel, doch was es ihr bringen würde, war fraglich.

Sie überprüfte jede Schindel, fand jedoch keinen Knauf oder Knopf.

»Verdammt noch mal«, zischte sie. »Ich weiß, dass es dich hier irgendwo gibt.«

Vergeblich zog sie weiter an jedem Paneel.

»Bitte«, flehte sie. Sie bückte sich weiter nach unten und strich mit den Händen über die Kante der Holzverkleidung, wo sie auf den Betonsockel traf. Dort, unter dem Rand des Holzes, ertastete sie etwas Metallenes, ähnlich einem Pistolenabzug. Sie befingerte es eine Weile, schloss dann die Augen, als rechnete sie damit, das Ding könne jeden Moment eine Bombe zünden, wenn sie daran zog, wusste andererseits jedoch, dass ihr keine Wahl blieb.

»Sesam öffne dich«, flüsterte sie.

Der Riegelmechanismus machte ein leichtes ratschendes Geräusch, und die Tür sprang auf.

Sie verharrte wieder, eben lang genug, um noch einmal in Ruhe und in Freiheit Luft zu holen, vielleicht zum letzten Mal in ihrem Leben. Dann schob sie die Tür behutsam auf. Sie bewegte sich mit einem unangenehmen Schaben, als ob Holz absplitterte. Als sie einen vielleicht zwanzig Zentimeter breiten Spalt geöffnet hatte, spähte sie um die Ecke ins Haus.

Vor ihr war es schwarz. Das einzige Licht, das es gab, drang mit ihr von draußen ein. Sie trat auf einen kleinen Treppenabsatz, dann führten wenige Stufen zu einem spiegelglatten Boden hinunter, der wie Plastik schimmerte – ein leicht zu reinigendes Material. Die Wände des Raums waren kahl und weiß.

Susan öffnete die Tür noch ein Stück, so dass sie hineinschlüpfen konnte, und das zusätzliche Licht reichte bis in die hintersten Winkel des Raums. Sie hörte die Stimme nur eine Sekunde, bevor sie die Gestalt sah, die an der Wand kauerte.

»Bitte«, hörte Susan. »Töten Sie mich nicht.«

»Kimberly?«, fragte Susan. »Kimberly Lewis?«

Das abgewandte Gesicht drehte sich augenblicklich zu ihr um und sah sie hoffnungsvoll an. »Ja, ja, helfen Sie mir, bitte, helfen Sie mir!«

Susan sah, dass die junge Frau mit Hand- und Fußschellen gefesselt war, die mit einer Stahlkette an einem Ring in der Wand befestigt waren. Es gab zwei weitere, noch nicht benutzte Ringe in Schulterhöhe, in einigem Abstand voneinander. Kimberly war nackt. So wie sich ein Hund aus Angst vor Schlägen an den Boden duckte, kauerte sie da; ihre Rippen traten hervor, als wäre sie ausgezehrt.

Susan kam vollends herein, so dass sie einen Moment das schwache Licht blockierte, dann stieg sie die Stufen hinunter und schlich zu dem Mädchen.

»Alles in Ordnung?«, fragte sie und merkte im selben Moment, wie dumm die Frage war. »Ich meine, bist du verletzt?«

Die junge Frau versuchte, Susans Knie zu fassen, doch die Kette hinderte sie daran, sich mehr als vielleicht fünfzig Zentimeter in jede Richtung zu bewegen. Ihre Beine waren mit getrocknetem Blut und Kot verschmiert. Sie roch nach Durchfall und Angst.

»Retten Sie mich, bitte, retten Sie mich«, wiederholte das Mädchen in Panik.

Susan blieb außerhalb der Reichweite ihrer Hände. Manchmal, wurde ihr bewusst, musste man dem Ertrinkenden die Hand reichen. Ein anderes Mal ging man besser auf Distanz, damit er einen nicht mit in die Tiefe zog.

»Bist du verletzt?«, fragte sie in scharfem Ton.

Der Teenager schluchzte und schüttelte den Kopf.

»Ich werde versuchen, dich zu retten«, versprach Susan und staunte selbst über ihren kalten Ton. »Gibt es hier drinnen Licht?«

»Ja, das heißt, nein. Der Schalter ist draußen in dem anderen Zimmer«, erwiderte das Mädchen und deutete mit dem Kopf auf eine Tür an der gegenüberliegenden Wand. Susan nickte und ließ den Blick durch den Raum schweifen. An einer Wand lehnte etwas, das wie eine Rolle Plastikfolie aussah. Die Decke war reichlich mit Schalldämmung versehen. Drei Meter von der Stelle entfernt, an der Kimberly angekettet lag, sah Susan einen Holzstuhl sowie einen blitzenden Notenständer aus Stahlrohr mit mehreren aufgeschlagenen Heften darauf.

Susan ging langsam durch das Zimmer. Behutsam legte sie die Hand an die Tür, die zum Hauptteil des Hauses führte. Der Griff ließ sich nicht drehen. Die Tür war abgeschlossen. Sie sah einen einzigen Schließriegel, doch es gab keinen Schlüssel, um ihn von innen zu öffnen.

Der Schlüssel steckt von außen, dachte sie. Niemand soll diesen Raum verlassen können. In diesem Moment war sie unsicher, weshalb ihr Vater die Geheimtür nach draußen offen gelassen hatte. Plötzlich kroch ihr ein Verdacht eiskalt den Rücken hoch: Er hatte ihr Eindringen von dieser Seite geplant.

In einem Anflug von Panik schnappte sie nach Luft.

Er weiß, dass ich hier bin. Er hat mich über den Rasen laufen sehen. Und jetzt sitze ich genau da, wo er mich haben will, in der Falle.

Sie fuhr hastig herum und blickte sehnsüchtig zum Ausgang, während ihr eine innere Stimme zuflüsterte, sie sollte schnellstens die Flucht ergreifen, ehe es zu spät sei.

Sie kämpfte gegen ihre Emotionen an. Sie schüttelte innerlich den Kopf und schärfte sich ein: *Nein. Es ist alles in Ordnung. Du bist gerannt, und niemand hat dich gesehen. Vorerst ist es sicher.*

Susan blickte zu Kimberly hinüber und erkannte, dass an Flucht nicht zu denken war. Ihr kam der Gedanke, ob das vielleicht das letzte Spiel war, das ihr Vater sich für sie ausgedacht hatte: ein einfaches, tödliches Spiel mit einer einfachen tödlichen Wahl. Rette dich selbst und überlasse sie ihrem Tod. Oder bleib und stelle dich dem, was durch die verschlossene Tür dort kommt.

Susan merkte, wie ihre Unterlippe unter der Wucht ihrer Zweifel zu zittern begann.

Noch einmal sah sie das Mädchen an. Der Blick, den ihre weit aufgerissenen Augen in sie bohrten, war zum Erbarmen. »Keine Angst«, versuchte Susan, sie zu beruhigen, und staunte selbst über die Zuversicht in ihrem Ton, die sie für ziemlich unangebracht hielt. »Wir schaffen das schon.« Noch während sie sprach, sah sie etwas kleines Schwarzes etwa ein, zwei Meter von den Beinen des Mädchens entfernt, so dass sie es nicht erreichen konnte, am Boden liegen.

»Was ist das?«, fragte sie.

Die junge Frau drehte sich, durch die Handschellen behindert, mühsam um und sah in die Richtung. »Ein Babyphone«, flüsterte sie. »Er hört mich gerne.«

Susan riss vor Angst die Augen auf. »Sag nichts!«, flüsterte sie hastig. »Er darf nicht wissen, dass ich hier bin!«

Das Mädchen wollte gerade etwas antworten, doch Susan sprang mit einem Satz zu ihr hinüber und hielt ihr die Hand auf den Mund. Als sie sich zu der Gefesselten hinunterbeugte, wurde ihr von dem Geruch fast übel, und sie wisperte Kimberly ins

Ohr: »Das Einzige, was ich habe, ist das Überraschungsmoment!«

Hoffe ich jedenfalls, fügte sie in Gedanken hinzu.

Sie nahm die Hand erst weg, als Kimberly nickte, um zu zeigen, dass sie begriffen hatte. Susan beugte sich vor und flüsterte ihr zu: »Wie viele sind oben?«

Kimberly hielt zwei Finger hoch.

Susan dachte: zwei plus Jeffrey.

Sie hoffte, dass er noch am Leben war. Sie hoffte, dass ihr Vater nicht über das Babyphone gehört hatte, wie sie zur Tür hereinkam. Sie hoffte, dass er ihrem Bruder seine Trophäe zeigen wollte, denn sie wusste sich keinen anderen Rat, als einfach abzuwarten.

Sie richtete sich auf und prägte sich ein, wo sich die Tür zum übrigen Haus befand. Dann lief sie zu der Treppe und zählte die Schritte, die sie brauchte, bis sie den Aufgang erreicht hatte. Es waren sechs Stufen bis zum Absatz. Sie legte die Hand an die Wand und stieg die Treppe hoch.

Das war für das in Panik aufgelöste Mädchen zu viel.

»Gehen Sie nicht weg!«, weinte sie.

Susan schoss herum und schickte ihr einen wütenden Blick, der das Mädchen sofort zum Verstummen brachte. Dann streckte Susan die Hand aus und schob die Tür nach draußen zu, so dass der Raum vollständig im Dunkeln lag. Sie drehte sich behutsam auf der Treppe um, indem sie sich wieder an der Wand abstützte. Sie zählte zuerst die Stufen und dann die Schritte quer durch den Raum. Der Geruch, der von dem Mädchen ausging, half ihr, sie zu lokalisieren. Kimberly Lewis stieß einen kurzen schluchzenden Schrei aus, in dem sich Angst und Erleichterung mischten, als sie merkte, dass Susan wieder an ihrer Seite war.

Susan ließ sich neben dem gefesselten Mädchen nieder.

Sie lehnte sich mit dem Rücken an die Wand, so dass sie mit dem Gesicht zum Musikzimmer saß. Sie hielt einen Moment die Maschinenpistole in der Hand und erkannte, dass sie ihr in dieser Nacht nicht viel nützen würde. Sie war dazu konzipiert, eine breite Feuergarbe abzugeben und jeden zu töten, der in ihren Radius kam. Das brachte ihr nichts, wenn sie nicht riskieren wollte, neben ihrem Vater und der Frau, mit der er jetzt zusammen war, auch ihren Bruder zu töten. Eine halbe Sekunde lang wog sie das Risiko ab, war sich aber augenblicklich darüber im Klaren, dass sie, wären ihre Rollen vertauscht, von ihrem Bruder erwarten würde, sie dieser Gefahr nicht auszusetzen. Deshalb legte sie die tödlichste Waffe neben sich auf den Boden, nahe genug, um sie zu finden, falls sie darauf angewiesen war, und auch nahe genug an Kimberlys Händen, damit sie vielleicht das Mädchen retten konnte. Dann griff sie nach der Neun-Millimeter-Pistole in ihrem Schulterholster unter ihrer Weste. Es war heiß; sie zog die Mütze vom Kopf und schüttelte ihr Haar. Kimberly zuckte zusammen und schob sich so nah an Susan heran, wie es ihre Fesseln erlaubten. Das völlig verängstigte Mädchen schnappte nach Luft und entspannte sich ein wenig, von Susans Gegenwart getröstet. Susan legte ihr die Hand auf den Arm und versuchte, ihrer beider Nerven zu beruhigen. Dann entsicherte sie ihre Pistole, schob Munition in die Kammer und richtete die Waffe auf den schwarzen Raum vor ihnen, so genau wie möglich in Richtung der Tür. Als wäre Susan mit einem Schlag erschöpft, wog die Pistole schwer in ihren Händen. Sie stützte die Ellbogen auf die Knie, zielte geradeaus und wartete in dieser Stellung wie der Jäger in der Deckung auf das Wild, indem sie sich zu Geduld, zu Umsicht und Wachsamkeit ermahnte. Sie hoffte, dass sie das Richtige tat. Sie sah keine Alternative.

Jeffrey setzte sich mit dem schleppenden Gang eines Mannes auf dem Weg zur Hinrichtung in Bewegung.

Caril Ann Curtin war unmittelbar hinter ihm, und der Druck ihrer Maschinenpistole in der Mulde hinter seinem rechten Ohr vertrieb jeden Gedanken daran, etwas Unvernünftiges zu tun, wie etwa herumzuwirbeln und zu kämpfen. Die Nachhut bildete sein Vater wie ein Priester in der Prozession, nur dass er nicht die Bibel in der Hand hielt, sondern ein Messer. Caril Ann tippte jeweils mit dem Lauf gegen seinen Schädel, wenn er die Richtung ändern sollte.

Das Haus und seine Einrichtung nahm er wie von fern wahr. Er spürte, dass Angst vor dem, was bevorstand, ihn mit einem Gefühl der Ohnmacht überschwemmte, so dass er alle Kraft zusammennehmen musste, um einen einzigen vernünftigen Gedanken fassen zu können.

Nichts war so gelaufen, wie er es erwartet hatte.

Er hatte mit einer einzigen Konfrontation zwischen ihm und seinem Vater gerechnet, doch dazu war es nicht gekommen. Alles war verworren. Diffus. Kein Gefühl, keine Richtung war klar zu fassen. Es war wie die lähmende Angst des kleines Kindes am ersten Schultag, an dem es aus der Haustür und damit aus dem vertrauten, sicheren Hort geschubst wird, den es für selbstverständlich genommen hatte. Er atmete einmal heftig ein und suchte nach dem Erwachsenen in ihm, um den Kampf mit dem Kind aufzunehmen.

Sie erreichten die Tür zum Keller.

»Da runter, wenn ich bitten darf, mein Sohn«, befahl Curtin.

Der Abstieg in die Hölle, dachte Jeffrey.

Caril Ann drückte ihm den Pistolenlauf fest an den Schädel.

»Es gibt eine berühmte Geschichte, Jeffrey«, fuhr Curtin auf der Treppe fort. »›The Lady or the Tiger‹ – ›Die Lady – oder der Tiger?‹ Was befindet sich hinter der Tür? Der sofortige Tod oder die augenblickliche Wonne? Und hast du gewusst, dass es zu der Geschichte eine Fortsetzung gibt? Mit dem Titel ›The Discourager of Hesitency‹ – frei übertragen: ›Die Frau, die einem das Zaudern austreibt‹. Diesen Part übernimmt meine wunderbare Caril Ann. Denn Unentschlossenheit kommt einen in dieser Welt teuer zu stehen. Menschen, die nicht die Gelegenheit beim Schopfe packen, haben schnell das Nachsehen.«

Sie hatten das Kellergeschoss erreicht und standen in einem modern eingerichteten Hobby- und Fitnessraum. An einer Wand befand sich ein Großbildfernseher, in einigem Abstand davor ein bequemes Ledersofa. Sein Vater blieb stehen und nahm die Fernbedienung von einem Beistelltisch. Er hielt sie in Richtung des Apparats, und auf dem Bildschirm erschien ein grauschwarzes Rauschen.

»Amateurfilme«, sagte sein Vater.

Er klickte ein zweites Mal auf die Fernbedienung, und ein verblasstes Video erschien. Sein Vater musste den Ton ausgeschaltet haben, denn die Bilder waren stumm – und umso grauenvoller. Auf der Leinwand sah Jeffrey eine nackte junge Frau, die mit den Handgelenken an Ringen hing, die in die Wand eingelassen waren. Sie flehte denjenigen, der die Kamera hielt, an, und die Tränen strömten ihr über das angstverzerrte Gesicht. Die Kamera zoomte dicht an ihre Augen heran, aus denen das letzte Stadium der Erschöpfung, Angst und Verzweiflung sprach. Jeffrey verschlug es den Atem, als er das lebendige Gesicht des letzten Opfers wiedererkannte, das er nur nach ihrem Tod gesehen hatte. Sein Vater drückte auf einen anderen Knopf, und der Bildschirm erstarrte zum Standbild.

»Es erscheint immer noch weit weg, nicht wahr?«, fragte sein Vater, in dessen Stimme sich freudige Erregung schlich. »Weit weg und unmöglich. Nicht real, obwohl wir beide wissen, dass es einmal sehr real und sehr intensiv gewesen ist. Hyperreal geradezu.«

Sein Vater drückte wieder auf die Fernbedienung, und das Bild verschwand.

Caril Ann drückte Jeffrey den Pistolenlauf schmerzhaft gegen den Kopf und schob ihn quer durch den Hobbyraum in Richtung einer Tür, die, wie Jeffrey wusste, zum Musikzimmer führte.

Curtin lächelte. »Von jetzt an liegen sämtliche Entscheidungen bei dir. Du hast die Wahl, du verfügst über sämtliche Informationen. Du hast alles über Mord gelernt, was es zu lernen gibt, bis auf eins: Wie es ist, jemandem eigenhändig das Leben zu nehmen.«

Curtin trat neben die Tür und drückte auf einen Lichtschalter. Dann drehte er den Schlüssel im Schnappschloss. Wie der Assistent eines Chirurgen nahm er Jeffreys rechte Hand und drückte ihm den Griff des Messers hinein. Jetzt, da er immerhin bewaffnet war, bohrte Caril Ann ihm den Lauf ihrer Pistole noch tiefer ins Fleisch. Curtin sah sich noch einmal grinsend zu Jeffrey um und weidete sich an den Qualen, die er ihm bereitete.

Sein Gesicht glühte von der Erregung, mit der er diesen Augenblick genoss, und Jeffrey erkannte, dass er vor Jahren von seiner Mutter gerettet worden war, doch wie ein uneinsichtiges Kind, das nicht wahrhaben will, was alle ihm sagen, hatte er nie ganz begriffen, dass er befreit, dass er gerettet worden war. Durch seine eigene Widerspenstigkeit, gepaart mit Pech und Unentschlossenheit, hatte er sich genau zu dem Moment zurück katapultiert, als er neun Jahre alt war und über die Schulter noch einmal den Mann anstarrte, der jetzt neben ihm stand. Er hätte nie zurückblicken sollen. Nicht ein einziges Mal in fünfundzwanzig Jahren. Stattdessen hatte er dieses ganze Vierteljahrhundert seines Lebens mit dem Blick über die Schulter verbracht. Jetzt hatte ihn das, was die ganze Zeit in seinem Rücken gelauert hatte, eingeholt, und es versuchte, seine Zukunft zu zerstören.

Er wollte sich wehren, wusste jedoch nicht wie.

»Caril Ann«, versprach Curtin in scharfem Ton, »wird dir jede Zögerlichkeit austreiben.« Wieder begegneten sich die Augen von Vater und Sohn über die Kluft der Jahre und der Verzweiflung hinweg.

»Willkommen daheim, Jeffrey«, sagte er, und die Tür zum Musikzimmer schwang auf.

Die Schalldämmung war wirkungsvoll; weder Susan noch das wimmernde, in Panik aufgelöste Mädchen, das neben ihr kauerte, hatten hören können, dass sich jemand dem Zimmer näherte, so dass beide jungen Frauen nach Luft schnappten, als plötzlich das Deckenlicht anging. Susan konnte einen Schrei nur unterdrücken, indem sie sich fest auf die Lippe biss. Schweiß rann ihr in die Augen, so dass sie brannten, doch Susan rührte sich nur, um den Lauf ihrer Pistole genauer auszurichten.

Als die Tür abrupt aufschwang, straffte sich ihr Finger am Abzug, und sie hielt den Atem an. Sie hörte ein einziges Wort, eine einzige Stimme, die sie um Jahrzehnte zurückversetzte, doch der einzige Mensch, den sie sah, war ihr Bruder, der stolpernd durch die Tür geschoben wurde.

Er blickte durch den Raum, und ihre Augen begegneten sich.

Bei seinem Anblick wurde ihr schlagartig bewusst, dass andere Personen unmittelbar hinter ihm folgten, und in dieser Sekunde rief sie laut:

»Jeffrey, nach rechts!«

Dann drückte sie ab.

Zögerlichkeit lässt sich in kleinsten Zeiteinheiten messen. In Sekundenbruchteilen sogar. Jeffrey hörte den Befehl seiner Schwester und warf sich zu Boden, um aus der Schusslinie zu kommen, doch nicht schnell genug, denn der erste Schuss aus der Neun-Millimeter zerfetzte ihm über der Hüfte seitlich das Fleisch.

Als er sich auf dem Boden wälzte und ihm der Schmerz rot glühend in die Augen stach, sah er, dass Caril Ann augenblicklich vorgetreten und in Schussstellung auf ein Knie gesunken war. Sie feuerte mehrmals schnell hintereinander, was dank des Schalldämpfers so leise klang wie das Ploppen beim Öffnen einer Flasche. Doch jedem ihrer Schüsse folgte das tiefere Donnern der Neun-Millimeter. Die Kugeln schlugen gegen den Türrahmen und zersplitterten das Holz. Sie drangen in die Wände ein, dass sich Staubwolken über das Zimmer breiteten.

Als ein Schuss sein Ziel nicht verfehlte, gab es einen Schrei. Er konnte nicht sagen, von wem er kam. Es folgte eine lange Sekunde. Die Schießerei war ohrenbetäubend gewesen. Er wirbelte herum und stieß, halb aufgerichtet, das Messer der Frau neben ihm in den rechten Unterarm, damit sie die Waffe fallen ließ. Caril Ann heulte vor Schmerz auf und schwang die Waffe in Jeffreys Richtung, so dass er den Lauf nur wenige Zentimeter vor sich sah, als ein letzter donnernder Knall aus Susans Pistole ertönte, der allen anderen Lärm im Raum übertönte, auch Jeffreys eigenen Schreckensschrei. Dieser Schuss traf die Frau mitten in die Stirn, so dass ihr Gesicht direkt vor seinen Augen zu explodieren schien. Bevor sie nach hinten geschleudert wurde, spritzte eine rote Fontäne über ihn.

Der ganze Raum hallte von Schreien und Todesschüssen wider.

Jeffrey sackte rückwärts zu Boden, hörte seine eigene Stimme beim Anblick der ihm fremden Frau mit dem zertrümmerten Gesicht etwas Unverständliches brüllen. Dann drehte er sich zu seiner Schwester um. Sie hatte ein kreideweißes Gesicht, noch immer die Neun-Millimeter im Anschlag und schien in ihrer knienden, schussbereiten Stellung wie festgefroren. Der Ladestreifen war leer, doch sie drückte immer wieder vergeblich den Abzug. An der Wand hinter ihr war Blut, und mehr Blut tropfte ihr aufs Sweatshirt.

»Susan!«

Sie antwortete nicht. Er kroch auf allen vieren zu ihr und streckte die Hand nach ihr aus. Dann hielt er mitten in der Bewegung inne, als hätte er Angst, sie zu berühren, solange er nicht wusste, wo sie getroffen war – als wäre sie ein zartes Geschöpf, das von der geringsten Berührung zerbrechen könnte. Er glaubte zu sehen, dass ein Schuss ihr das Ohrläppchen zerrissen hatte, bevor er in die Wand hinter ihr schlug; ein anderer hatte sie offenbar am Bein gestreift – ihre Jeans verfärbte sich schnell rotbraun – und ein dritter hatte sie an der Schulter getroffen, war jedoch an der kugelsicheren Weste von Agent Martin abgeprallt. Er versuchte, zuversichtlich zu klingen.

»Du bist verwundet«, sagte er. »Das wird schon wieder. Ich hole Hilfe.« Dabei zuckte der Schmerz in seiner eigenen Seite glühend heiß wie elektrischer Strom.

Sie war bleich, ihr Gesicht angstverzerrt.

»Wo ist er?«, fragte sie.

»Ich bin hier«, erhob sich seine Stimme in ihrem Rücken.

In diesem Augenblick gab das junge Mädchen einen lange aufgestauten schrillen Schrei vollkommener Panik von sich, und als Jeffrey sich umdrehte, sah er seinen Vater über der gekrümmten Leiche von Caril Ann Curtin im Türrahmen hocken ... Er hatte die Automatik seiner Frau in der Hand und richtete sie auf Jeffrey und die beiden Frauen.

Diana hörte den Schusswechsel und hatte das Gefühl, als bohrte sich die Angst wie Pfeile in ihren Körper. Die Stille, die auf die Salven folgte, war nicht weniger erschreckend. Sie sprang auf und rannte so schnell sie konnte durch die Dunkelheit des Waldes Richtung Haus. Jeder Zweig, jeder Grashalm, jedes Schlinggewächs auf ihrem Pfad drosselte ihr Tempo. Sie stolperte, rappelte sich auf, drängte voran und versuchte, einen freien Kopf zu bewahren, statt den Horrorvisionen nachzugeben, die auf sie einstürzten und in schrecklichsten Farben ausmalten, was passiert sein könnte. Im Laufen packte sie die Pistole, die ihre Tochter ihr gegeben hatte, entsicherte sie mit dem Daumen und bereitete sich seelisch darauf vor, von ihr Gebrauch zu machen.

Sie erreichte den Rand der Dunkelheit und blieb stehen.

Die Stille, die ihr plötzlich entgegenschlug, war wie eine Wand. Sie atmete die kalte Luft, schmerzhaft wie Glasscherben.

Peter Curtin starrte seine beiden Kinder und das zitternde, schluchzende Mädchen an der Wand gegenüber an. Er sah Susan in die Augen und schüttelte den Kopf.

»Ich hatte mich geirrt«, erklärte er langsam. »Wie sich rausstellt, Jeffrey, ist deine Schwester der Killer.«

Susan, die plötzlich die Erschöpfung der Verwundung und der Anspannung überkam, hob wieder die Pistole und drückte den Abzug.

»Du würdest mich töten?«, fragte sie ihr Vater.

Sie ließ die Neun-Millimeter scheppernd zu Boden fallen.

»Beim Schach«, sagte sie mit geschwächter Stimme, »liegt die Macht bei der Königin, und ihr obliegen alle entscheidenden Züge.«

Curtin nickte. »Der Punkt geht an dich«, gab er beschwingt zu. »Wahrscheinlich wärst du mit dem Kerl in der Damentoilette auch ohne meine Hilfe fertig geworden«, fügte er hinzu. »Ich habe dich unterschätzt.«

Der Mörder hob die Waffe, um zu zielen.

In diesem Bruchteil einer Sekunde wurde Jeffrey bewusst, dass er sich ohne eine Pistole oder ein Messer gegen seinen Vater wehren musste. Die Erkenntnis kam ihm blitzschnell, und er begriff, wie er den Mann ihm gegenüber unschädlich machen konnte.

Trotz seiner Wunde und der Schmerzen lächelte er.

Es kam plötzlich. Unerwartet. Ein Ausdruck, der seinen Vater irritierte.

»Du hast verloren«, meinte der Sohn.

»Verloren?«, wiederholte sein Vater nach kurzem Zögern. »Wieso?«

»Hast du gezählt?«, fragte Jeffrey spitz. »Hast du mitgezählt?«

»Gezählt?«

»Sag selbst, Vater, sind noch drei Kugeln in dieser Pistole? Denn falls nicht, nun ja, dann wirst du hier und jetzt sterben. Hier in diesem Raum, den du geschaffen hast. Das überrascht mich. Hattest du ihn nicht nur für all die anderen, die hier ermordet wurden erdacht, sondern auch für deinen eigenen Tod? Sieht dir eigentlich nicht ähnlich.«

Curtin zögerte wieder.

Jeffrey plapperte beinah mit einem Lachen weiter drauflos.

»Wie viele Schüsse genau hat deine geliebte Frau und Gehilfin aus dieser Waffe abgegeben? Wollen wir doch mal sehen. In einen Ladestreifen gehen wie viel rein? Sieben Schuss? Neun? Ich glaube, sieben. Na ja, es war ihre Waffe, bist du also nicht so richtig damit vertraut? Und hatte sie die Gewohnheit, eine achte einzulegen? Schau dich mal um, du siehst die Löcher in der Wand. Susan blutet auch, an wie vielen Stellen? Wie oft hat deine Frau abgedrückt, bevor Susan ihr den Kopf weggeblasen hat?«

Curtin zuckte die Achseln. »Ist mir egal.«

»Tatsächlich?«, erkundigte sich Jeffrey. »Weil sich nämlich damit die Spielregeln ein bisschen verändert haben, meinst du nicht?«

Sein Vater antwortete nicht gleich, und Jeffrey zeigte auf die gespannte, schussbereite Uzi zu den Füßen seiner Schwester. Er hätte über sie hinweg greifen müssen, um sie zu erreichen. Kimberly Lewis war näher daran, und Jeffrey sah, dass ihre Augen trotz aller Panik die Waffe fixierten. Er wusste auch, dass sein Vater schießen würde, falls eine der Frauen danach griff.

»Du bist zweifellos mit einer solchen Waffe vertraut«, fuhr Jeffrey in ruhigem, ausdruckslosem und selbstsicherem Ton fort. »Es gibt im Grunde keine primitivere Waffe. Macht Kleinholz aus allem. Tötet wahllos, so wie du. Man muss nicht mal richtig zielen, um etwas zu treffen, nur in die Hand nehmen, sie hin und her schwenken und dabei abdrücken. Tötet von links bis rechts alles, was ihr in die Quere kommt. Macht 'ne ziemliche Schweinerei.« Er hoffte, dass das junge Mädchen die Anweisungen verstand.

»Das ist mir nicht neu«, erwiderte Curtin, eine Spur verärgert, »Ich sehe immer noch nicht, wie –«

»Die Wahl liegt also ganz bei dir«, unterbrach ihn Jeffrey,

indem er Ton und Wortwahl seines Vaters nachäffte. »Deine erste Frage lautet: Kann ich alle töten? Denn wenn ich nicht drei Kugeln übrig habe, sterbe ich hier und jetzt. Und wer von uns wird dich wohl töten? Erschieß mich, und Susan ist noch da, die ihr Können bereits unter Beweis gestellt hat. Erschieß uns beide, und die kleine Kimberly schnappt sich die Uzi vom Boden und schickt dich ins Jenseits. Und wäre das nicht ein schmähliches Ende für einen Mann von deiner Größe? Von einem verängstigten Teenager durchsiebt? Das dürfte bei den anderen Mördern in der Hölle für einige Heiterkeit sorgen, wenn du zu ihrer Runde stößt. Ich hör sie jetzt schon feixen. Also, Vater, ab jetzt ist es deine Entscheidung. Was wird funktionieren? Wen willst du töten? Du weißt, dass in einer Minute hier eine Menge Schüsse gefallen sind. Ich frage mich, ob überhaupt noch eine Kugel übrig ist. Eine, mag sein. Vielleicht solltest du dir die selbst geben.«

Jeffrey, Susan und das Mädchen waren wie zu einem Tableau gefroren und rührten sich nicht von der Stelle.

»Du bluffst doch nur«, meinte Curtin.

»Lässt sich leicht feststellen. Du bist der Historiker. Wer hat die Asse und Achter?«

Curtin grinste. »Die Hand des Toten. Eine sehr interessante Pattsituation, Jeffrey. Ich bin beeindruckt.«

Der Mörder betrachtete die Waffe in seiner Hand und versuchte offenbar herauszufinden, wie viele Patronen der Ladestreifen noch enthielt, indem er sie wie ein Stück Obst auf dem Handteller wog. Jeffrey glitt mit der Rechten ein Stück näher an die Uzi auf dem Boden. Susan tat das Gleiche.

Curtin sah seinen Sohn an. »Green-River-Killer«, sagte er langsam. »Kannst du dich an den erinnern? Und dann natürlich mein alter Freund Jack. Warte mal, ach ja, der Zodiac-Killer aus San Francisco. Und dann der Kopfjäger von Houston. Los Angeles verdanken wir den Southside Slayer … Du verstehst, was ich meine?«

Jeffrey atmete tief durch. Er wusste genau, worauf sein Vater anspielte.

Das waren alles Mörder, die spurlos verschwunden waren, und die Polizei fragte sich verblüfft, wer sie waren und wo sie sich versteckten.

»Da irrst du«, widersprach er. »Ich werde dich finden.«

»Das glaube ich nicht«, konterte Curtin. Mit diesen Worten sprintete der Mörder, die kleine Automatik unverwandt auf die drei gerichtet, los. Er durchquerte den Raum, lief die Treppe zum Hinterausgang hoch und blieb noch einmal grinsend stehen. Dann warf er ohne ein weiteres Wort die Tür auf und sprang im selben Moment hinaus, als Sohn und Tochter gleichzeitig nach der Maschinenpistole griffen. Jeffrey war schneller, doch bis er die Waffe hochhielt und auf die Stelle zielte, an der sein Vater eben noch gestanden hatte, war der Mörder draußen, und die Tür schlug hinter ihm zu.

Susan hustete einmal. Sie versuchte das Wort *Mutter* herauszubringen, bevor sie das Bewusstsein verlor, schaffte es aber nicht mehr. Jeffrey war vor Schmerzen ebenfalls wie gelähmt und merkte, wie ihn ein Schwindelgefühl erfasste, das nicht weit von einer Ohnmacht entfernt war. Sein Bluff hatte ihn mehr Kraft gekostet, als ihm eigentlich verblieben war. Indem er die Hand auf die Wunde in der Seite legte, kroch er ein Stück voran und versuchte, vor allem aus Sorge um seine Schwester, sich aufzurappeln. Erst jetzt fiel ihm ein, dass auch seine Mutter irgendwo in der Nähe sein musste. Er schleppte sich zu den Stufen und kämpfte mit der Bewusstlosigkeit wie ein Betrunkener an Deck eines schwankenden Schiffes. Er glaubte nicht, dass er es die Stufen hinauf schaffen würde, musste es aber zumindest versuchen. Vor Anstrengung rauschte es ihm in den Ohren, und seine Augen verdrehten sich. In einem fernen Winkel tief in seinem Innern hoffte er, dass sie alle diese Nacht überlebten, und mit diesem Gedanken sackte er zurück auf den Boden des Mordzimmers in das Dunkel totaler Erschöpfung.

Diana sah, wie die Gestalt eines Mannes aus der Geheimtür trat, und sie erkannte ihn im selben Moment an seinem raubtierartigen Gang. Die Wucht des Wiedererkennens nach so vielen Jahren ließ sie glücklicherweise einen Schritt zurückweichen, so dass sie aus dem Licht des Hauses in den tiefen Schatten eines hohen, breiten Baumes glitt. Sie sah, wie ihr früherer Mann in der Mitte des Rasens stehen blieb und die Waffe überprüfte, die er in Händen hielt. Sie sah, wie er den Ladestreifen herausnahm, und hörte sein kurzes, wieherndes Lachen, bevor er die leere Waffe wegwarf. Dann hob er wie ein Tier, das Witterung aufnimmt, den Kopf. Auch sie reckte sich vor und hörte genau in dem Moment, wie aus der Ferne eine Polizeisirene mit hoher Geschwindigkeit näher kam. Ihr Fahrer hatte somit Jeffreys Auftrag gewissenhaft erfüllt.

Sie drückte sich fester an den Baum und in das undurchdringliche Dunkel des Waldes. Sie sah, wie Peter Curtin die Richtung wechselte und mit großen Sätzen auf sie zu gelaufen kam. Er rannte schnell, doch nicht in Panik, sondern wie ein Sprinter, der die entscheidenden Bewegungsabläufe unendlich oft geübt hatte und jetzt, in den spannenden letzten Wettkampfsekunden, zeigte, was er konnte.

Er schien genau zu wissen, wohin er wollte.

Sie legte beide Hände um den Revolver und machte sich bereit. Plötzlich konnte sie seine Schritte auf dem Boden hören, das Rascheln der Zweige, die an seinen Kleidern zerrten, und dann seinen keuchenden Atem, als er in Richtung der Garage mit dem versteckten Fahrzeug rannte.

Curtin war nur wenige Schritte von ihr entfernt, auf gleicher Höhe mit dem Baum, hinter dem sie sich versteckte, als Diana direkt hinter ihm aus dem Schatten trat und so, wie sie es von Susan gelernt hatte, den Revolver mit beiden Händen hielt. »Möchtest du jetzt sterben, Jeff?«, flüsterte sie.

Die Wucht ihrer Stimme in seinem Nacken, so leise sie auch war, traf ihn wie ein Schlag in die Nieren, so dass er stolperte und fast vornüberfiel. Er fing sich und blieb abrupt stehen. Mit dem Rücken zu seiner früheren Frau hob er die leeren Hände in die Luft. Dann drehte er sich langsam zu ihr um.

»Hallo Diana«, begrüßte er sie. »Ist eine Ewigkeit her, dass mich jemand Jeff genannt hat. Ich hätte mir eigentlich denken können, dass du hier sein würdest, aber ich ging davon aus, dass die beiden dich lieber an einem entschieden sichereren Ort wissen wollten.«

»Ich bin an einem sichereren Ort«, erwiderte Diana. Sie zog den Hahn der Pistole zurück. »Ich habe Schüsse gehört. Sag mir, was passiert ist. Und lüge mich ja nicht an, Jeff, denn dann bringe ich dich auf der Stelle um.«

Curtin zögerte einen Moment, als überlegte er, ob er lieber weglaufen oder sich auf sie stürzen sollte. Er betrachtete die Pistole in ihren Händen und erkannte, dass beides tödlich wäre.

»Sie sind am Leben«, sagte er. »Sie haben gewonnen.«

Sie schwieg.

»Sie werden wieder gesund«, fügte er hinzu, um seiner Aussage mehr Gewicht zu geben. »Susan hat meine zweite Frau getötet. Sie ist eine verdammt gute Schützin. Ich habe meinen Augen nicht getraut. Sehr ruhig, selbst unter schwierigen Bedingungen. Auch Jeffrey hat nicht die Nerven verloren. Du kannst stolz auf sie sein. *Wir* können stolz auf sie sein. Jedenfalls sind sie beide verwundet, aber sie werden es überleben. Werden bald wieder Vorlesungen halten und Rätsel entwerfen, nehme ich an. Ach so, mein kleiner Gast heute Abend, Kimberly, der fehlt ebenfalls nichts, auch wenn sich erst noch zeigen muss, was die Zukunft für sie bereit hält. Diese Nacht ist, denke ich, ausgesprochen schwierig für sie gewesen.«

Diana antwortete nicht, und er starrte auf die Waffe in ihrer Hand.

»Das ist die Wahrheit«, versicherte er und zuckte die Achseln. Er lächelte. »Natürlich könnte es gelogen sein, andererseits, was liegt dran, so oder so?«

Diana erkannte, dass darin eine perverse Logik lag.

Die Sirenen wurden lauter.

»Was hast du jetzt vor, Diana? Willst du mich der Polizei übergeben oder mich auf der Stelle erschießen?«

»Nein«, entgegnete Diana, »ich denke, wir unternehmen zusammen eine kleine Fahrt.«

Mit dem Lauf der Pistole deutete sie Richtung Garage.

Diana saß in Fond des Geländewagens und drückte ihrem Exmann den Lauf der Pistole in den Nacken, während er durch die Enge und die Dunkelheit des Waldes fuhr. Die Lichter und Sirenen, die zum Buena Vista Drive rasten, verebbten hinter ihnen; sie tauchten in eine schwärzere, ältere Welt ein als diejenige, die sie hinter sich ließen. Die Scheinwerfer schnitten bizarre, von Stämmen verzerrte Lichtstrahlen in die Wildnis, während Curtin zwischen Baumgruppen und Büschen hindurch und über Fels und Steine holperte. Sie befanden sich auf einer urtümlichen Piste, die kaum noch etwas von einer Straße hatte und dennoch ein Fluchtweg war, den der Mann am Lenkrad genau geplant und mindestens einmal gefahren war, daran zweifelte Diana keinen Augenblick.

Er hatte sie nervös gebeten, den Hahn nicht gespannt zu lassen, da ein plötzlicher Aufprall des Chassis auf einem Stein ihren Finger am Abzug versehentlich bewegen könne, so dass die Magnum losging, doch sie hatte nur geantwortet: »Du solltest lieber vorsichtig fahren. Wäre doch schade, wegen einer Bodenwelle zu sterben.«

Curtin hatte den Mund geöffnet, dann aber geschwiegen. Er konzentrierte sich auf das Gelände, das vor ihnen im Scheinwerferlicht auftauchte.

Sie fuhren weiter, und der Wagen schaukelte auf dem rauen Terrain wie ein Boot, das sich vom Anker losgerissen hat, im hohem Wellengang. Die Zeit schien im Dunkel zu verfließen. Diana horchte auf den Atem ihres früheren Mannes und erinnerte sich aus längst vergangenen Jahren an das Geräusch, wenn sie von Unentschlossenheit und Angst geplagt wach lag, während er schlief. Er war ihr vollkommen vertraut, so dass sie ihn selbst nach so vielen Jahren, nach so vielen Gesichtsoperationen und mit der ganzen Last des Bösen, das er der Welt gebracht hatte, immer noch vollkommen verstand.

»Wohin fahren wir?«, fragte er, als mehrere Stunden vergangen waren.

»Nach Norden«, erwiderte sie.

»Ödland«, meinte er. »Das ist im Norden. Die Piste wird nur schlimmer.«

»Wohin wolltest du?«

»Nach Süden«, antwortete er, und sie glaubte ihm.

»Gibt es noch eine Garage? Noch ein Fahrzeug, das du irgendwo versteckt hast?«

Curtin nickte mit einem verhaltenen, nervösen Grinsen. »Natürlich. Du warst schon immer schlau«, gestand er ihr zu. »Wir hätten ein äußerst effizientes Team sein können.«

»Nein«, widersprach sie, »hätten wir nicht.«

»Ja, du hast recht. Du warst immer zu schwach und hättest alles ruiniert.«

Diana schnaubte. »Und das habe ich auch getan. Dir alles ruiniert. Es hat mich nur fünfundzwanzig Jahre gekostet.«

Curtin nickte wieder. »Ich hätte dich umbringen sollen, als sich die Gelegenheit bot.«

Diana lächelte. »Also, wenn das nicht die Antwort eines Schwächlings und Feiglings ist. Der verpassten Gelegenheiten nachtrauern.«

Sie drückte ihm die Pistole fester ins Genick.

»Fahr«, befahl sie.

Sie warf einen heimlichen Blick aus dem Fenster. Der Wald war ausgedünnt, die Piste felsiger und staubiger, es gab mehr Gestrüpp. Im Osten kroch das erste schwache Licht über den Kamm der Berge. Sie schienen an Höhe gewonnen zu haben, das Gelände um sie herum wurde rauer. Der Wagen traf auf nacktes Schiefergestein, kam ins Schlingern, und sie hätte fast den Abzug gedrückt.

»Ich denke, das ist weit genug«, meinte Diana. »Halt an.«

Curtin folgte ihrem Befehl.

Sie stiegen aus und machten sich auf den Weg durch das erste matte Grau des Sonnenaufgangs: Ehemann vorweg, die Frau ein paar Schritte hinter ihm, die Schusswaffe in der Hand. Diana sah am fernen Horizont einen rötlich gelben Streifen, und ihr Pfad war im ersten schwachen Morgenlicht bald deutlich zu erkennen.

Wortlos marschierten sie einen kleinen, felsigen Hügel hinauf, der sich über einer schmalen Schlucht erhob. Es schien ein verlassener Ort zu sein, bar jeden Lebens und fern jeder Zivilisation. Diana roch den Moder der Urzeit in der Luft, der mit dem frischen Hauch des neuen Tages kämpfte.

»Das reicht«, entschied sie. »Ich glaube, wir sind weit genug gekommen. Weißt du noch, wie es bei unserer Trauung hieß? Du hast es einmal in einem Brief geschrieben.«

Der Mann, den sie als Jeffrey Mitchell gekannt hatte und jetzt als Peter Curtin, blieb stehen und drehte sich zu seiner Exfrau um. Er antwortete nicht direkt auf ihre Frage, sondern sagte stattdessen: »Fünfundzwanzig Jahre.« Er lächelte. Das Grinsen eines Skeletts.

Er trat ein wenig näher, mit ausgebreiteten Armen, aber auch sprungbereit. »Es ist viel Zeit vergangen. Wir haben einiges durchgemacht. Es gibt eine Menge zu erzählen, nicht wahr?«

»Nein, gibt es nicht«, widersprach sie.

Und dann schoss sie ihm in die Brust.

Der Knall des Schusses schien in die Leere der Schlucht zu stürzen, von den Wänden abzuprallen und im verblassenden Dunkel des Himmels nachzuhallen. Der Mann, den sie einmal geheiratet hatte, taumelte mit ungläubig aufgerissenen Augen zurück, während sich auf seinem schwarzen Pullover ein großer feuchter Fleck ausbreitete. Er öffnete den Mund, als wollte er etwas sagen, doch die Worte blieben ihm im Halse stecken. Dann stolperte er, wie eine Marionette, deren Fäden jemand durchtrennt, bevor er schließlich nach hinten kippte und vom Felsen rutschte. Eine einzige Sekunde lang verharrte er in freiem Fall, dann verschwand er vor ihren Augen. Sie horchte, bis sie irgendwo tief unten den dumpfen Aufschlag seines Körpers auf dem harten Boden hörte.

Diana setzte sich auf einen Findling und ließ mit einem scheppernden Geräusch die Pistole fallen. Sie fühlte sich plötzlich erschöpft. Alt und müde, dachte sie. Alt und müde und sterbend. Sie griff in die Tasche und zog ein Pillendöschen heraus. Sie starrte einen Moment darauf und fand es plötzlich seltsam, dass sie seit Stunden, seit es am Abend dunkel geworden war, nicht den leisesten Anflug von Schmerzen oder von der Krankheit gespürt hatte. Doch sie wusste, wie listig der Krebs war – keinen Deut weniger hinterhältig als der Mann, den sie gerade getötet hatte. Und so schüttete sie sich mit einer einzigen energischen Geste trotzig den gesamten Inhalt des Döschens in die Hand, schloss sie einen Moment zur Faust und schob sich alle Tabletten auf einmal tief in Mund, bevor sie den Kopf zurückwarf und fest schluckte.

Erst jetzt dachte sie an ihre Kinder. Sie wusste, dass ihr einstiger Mann bei all den Lügen in einem Fall die Wahrheit gesagt hatte – sie waren am Leben und frei. Sowohl von ihm als auch von ihr und ihrer Krankheit. Sie glaubte, dass auch sie jetzt endlich ihre Freiheit hatte.

Bei dem Gedanken wurde ihr warm. Sie lehnte sich an den Fels zurück, fand ihn überraschend bequem wie das weichste Bett, mit den bequemsten Kissen. Sie atmete tief ein. Sie fand die Luft so kühl und erfrischend wie das Wasser der kältesten und klarsten Bäche aus ihrer Kindheit. Dann wandte Diana ihr Gesicht langsam der aufgehenden Sonne zu und wartete geduldig, bis ihr alter Gefährte Tod sie fand.

EPILOG
DIE PSYCHOLOGIEKLAUSUR ZUR SEMESTERHALBZEIT

Es dauerte fast zwei Wochen, bis ein Helikopter der Staatssicherheit, der über das weitflächige Naturschutzgebiet im Norden des Staates hinaus seine Rasterfahndung ausgedehnt hatte, Diana Claytons Leiche fand. Die Nachricht kam an dem Morgen, an dem sowohl Jeffrey als auch Susan aus dem Krankenhaus in New Washington entlassen werden sollten – zwei Tage, nachdem der Kongress der Vereinigten Staaten von Amerika mit überwältigender Mehrheit dafür gestimmt hatte, den Einundfünfzigsten Bundesstaat in die Union aufzunehmen.

Frustriert hatte Jeffrey, obwohl noch nicht wieder bei Kräften, mit den Chirurgen gestritten und verlangt, aus dem Krankenhaus entlassen zu werden, um die Suchtrupps der Staatssicherheit zu begleiten, die vom Haus am Buena Vista Drive ausgeschwärmt waren, um unter die Ereignisse jener Nacht einen Schlussstrich zu ziehen – doch dies hatten ihm die Ärzte verweigert. Susan, die sich in ihrem Bett erholte, blieb gelassener, als würde sie auch so bis ins letzte Detail wissen, was in den Stunden nach der Flucht ihres Vaters aus dem Musikzimmer und nachdem sie und ihr Bruder vor Anspannung, Blutverlust und Schock das Bewusstsein verloren hatten, dort draußen geschehen war.

Erstaunlicherweise war es dem Hubschrauberteam gelungen, Dianas Leiche vom Rand der Schlucht zu bergen, während die steile Landschaftsformation es daran hinderte, zu den sterblichen Überresten von Peter Curtin in den Canyon hinab vorzudringen. Gleichwohl hatte man ihn aus der Luft entdeckt, doch für die Bergung wäre ein Team von erfahrenen Bergsteigern nötig gewesen. Einen solchen Aufwand wollte der Direktor der Staatssicherheit, Mr. Manson, nicht bewilligen.

Er hatte sich am Tag ihrer Entlassung bei ihnen im Krankenhaus blicken lassen. In strahlendster Laune wegen der Kongressabstimmung war er an ihr Bett geeilt, und das trotz eines Sitzungsmarathons zur Planung flächendeckender Freudenfeste im Bundesstaat am kommenden Wochenende – Feuerwerke, Löschzüge mit heulenden Sirenen, Blaskapellen, puschelschwingende Cheerleader, Pfadfinderparaden auf den Hauptstraßen sämtlicher neuer Städte, denkwürdige Ansprachen und schulterklopfende Gratulationen. Ein einziges rotweißblaues Straßenfest mit Hotdogs, Limonade und Root Beer wie in den guten alten Zeiten, ein Ereignis, das sich vor dem vierten Juli nicht zu verstecken brauchte, auch wenn ihnen ein kalter Wind um die Ohren pfiff.

»Sie können natürlich leider nicht dabei sein«, erklärte er Bruder und Schwester fröhlich. »Bedauerlicherweise sind Ihre Visa abgelaufen.«

Manson überreichte Jeffrey und Susan Schecks und fügte an Susan gewandt hinzu: »Natürlich hatten wir mit Ihnen kein Arrangement wie mit Ihrem Bruder. Doch es erschien uns nur fair.«

»Schweigegeld«, erwiderte Susan. »Halt-die-Klappe-Knete.«

»Die man«, konterte Manson gewitzt, »genauso gut ausgeben kann wie jedes andere Geld. Vielleicht sogar besser.«

»Ich nehme an, die junge Miss Lewis wird ebenfalls für ihre Verletzungen und ihr Schweigen entschädigt?«

»Vier Jahre Collegestipendium. Ebenso eine Therapie auf Staatskosten. Eine Hochstufung von einem braunen Wohnviertel in ein blaues für ihre Familie, ebenfalls vom Steuerzahler spendiert. Eine neue Stelle, mit Gehaltserhöhung, für den Vater. Dasselbe für die Mutter. Ach so, ja, als kleines Extra haben wir noch ein paar Autos draufgelegt, damit sie etwas stilvoller zu ihren neuen Arbeitsplätzen pendeln können. Genauer gesagt gehörten diese Fahrzeuge Ihrem verstorbenen Vater und Ihrer bösen, bösen Stiefmama. Wir haben noch ein paar kleine Vergünstigungen dazu gepackt. Jedenfalls war es äußerst leicht, sich mit der Familie und der jungen Frau selbst handelseinig zu werden. Ich meine, immerhin gefällt es ihnen hier, und sie hatten wirklich keine Lust, wegzuziehen. Oder in diesem speziellen Fall, die Pferde scheu zu machen.«

»Sie können trotzdem nicht verhindern, dass geredet wird«, beharrte Susan.

»Meinen Sie tatsächlich?«, fragte Manson zurück. »Doch, ich denke schon. Die Leute sprechen nicht gerne über derlei Dinge. Sie wollen nicht glauben, dass sie passieren können. Ausgerechnet hier. Deshalb glaube ich eher, dass sie schweigen werden. Sich vielleicht mit ein paar Albträumen herumschlagen, aber schweigen.«

Manson beugte sich nach unten und öffnete eine Aktentasche. Er zog eine zwei Wochen alte Ausgabe der *New Washington Post* heraus und warf sie Susan hin. Sie las die Schlagzeile: TÖDLICHER UNFALL EINER STAATSBEAMTIN BEI SCHIESSÜBUNG. Neben der Meldung prangte ein Foto von Caril Ann Curtin. Susan starrte es an und drehte sich zu ihrem Bruder um.

Jeffrey schüttelte den Kopf und warf einen Blick auf den Scheck, den Manson ihm übergeben hatte. »Dieses Ende ist teuer erkauft.«

»Sie haben mein ganzes Mitgefühl. Aber Ihrer Mutter wäre, soviel ich weiß, ohnehin nicht viel Zeit ge...«

»Stimmt«, schnitt ihm Jeffrey das Wort ab. In seinem Ton schwang Ärger mit. »Aber wie hoch ist der Preis für ein halbes Jahr? Eine Woche? Einen Tag? Ja, eine Minute? Für ein Kind ist jede Sekunde kostbar.«

Manson lächelte. »Professor, mir scheint, Sie stellen Fragen, die Ihre Mutter bereits mutig beantwortet hat, und alle weiteren Fragen können ihr Verdienst nur schmälern.«

Jeffrey schloss für einen Moment die Augen. Dann nickte er. »Sie sind ein cleverer Mann, Mr. Manson«, musste er zugeben. »Auf Ihre Weise stehen Sie meinem Vater in nichts nach.«

Manson lächelte weiterhin. »Ich nehme an, das war als Kompliment gemeint. Sie verlassen uns bald? Heute wäre ein guter Tag dafür.«

»Er hat diesen Brief nie an die Zeitungen geschickt, oder? Denjenigen, der Sie so in Panik versetzt hat. Und der uns zu seinem Hause geführt hat. Aber Sie hatten noch mal Glück, nicht wahr? Die ganze Wucht dieser negativen Publicity ist Ihnen erspart geblieben.«

»Nein«, sagte Manson und schüttelte den Kopf. »Er hat diesen Brief nicht abgeschickt. Da haben wir wirklich Glück gehabt.«

»Fragt sich bloß, wieso nicht«, warf Susan ein.

»Es gibt mit Sicherheit einen Grund«, überlegte Jeffrey. »Es gab für alles einen Grund. Wir wissen lediglich nicht, was es in diesem Fall war.«

Er wandte sich an den Politiker, der auf einem unbequemen Sessel saß, vor Freude über die glückliche Wendung des Schicksals jedoch gegen solche Härten völlig unempfindlich schien.

»Sie wissen so gut wie ich, dass er gewonnen hätte. Er lag absolut, hundertprozentig richtig in Bezug auf die Wirkung, die sein Brief gehabt hätte. Sie hätten das nächste halbe Jahr damit zugebracht, jedem Käseblatt der Nation fadenscheinige Entschuldigungen und Lügen aufzutischen. Und die Kongressabstimmung? Ich weiß nicht.«

»Oh«, machte Manson mit einer dezenten, abwinkenden Handbewegung. »Das war mir klar. Das war mir schon lange klar. Die öffentliche Meinung ist wankelmütig. Sicherheit ist eine fragile Angelegenheit. Man kann nur bis zu einem gewissen Punkt die Wahrheit verschleiern. Irgendwann kommt sie ans Licht oder, schlimmer noch, es entsteht eine Art Mythos, ein Gerücht oder etwas, das man eine urbane Legende nennt. Für mich, Professor, ist die einzige Frage, die bleibt: Wieso hat er erst alles daran gesetzt, Sie, Ihre Schwester und Ihre verstorbene Mutter hierherzubringen; wieso hat er alles getan, um die Entstehung dieses Bundesstaates zu torpedieren, und dann doch nicht die letzte Konsequenz gezogen? Die ihm tot oder lebendig den gewünschten Erfolg gebracht hätte? Das finde ich höchst eigenartig, Sie nicht?«

»Das macht mir zu schaffen«, gab Jeffrey zu.

Manson lächelte. Er stand auf und streckte die Glieder. »Nun ja«, meinte er in einem Ton, der das Ende der Diskussion signalisierte. »Diese Sorge können Sie mit nach Hause nehmen.« Er nickte Susan Clayton noch einmal zu und verließ, ohne ihnen die Hand zu schütteln, den Raum.

Nicht weit von Lake Placid, tief im Herzen der Adirondack Mountains, gibt es eine Stelle, die man den Bear Pond nennt und die nur mit einem Kanu über den größeren Upper Saint Regis Lake zu erreichen ist. Die Fahrt führt an den handgeschlagenen Holzblöcken der großen, uralten Anwesen vorbei, die sich das ganze Ufer entlang erstrecken, bis man zwischen dem Spalier der dunkelgrünen Kiefern und Fichten an einen kleinen Landesteg gelangt. Dort muss man das Kanu eine halbe Meile weit auf einem schmalen Pfad zu einem kleineren, morastigen Gewässer tragen, das sich über seine gesamte Ausdehnung in eine dichte Seerosendecke und in Schweigen hüllt. Dieser kleinere See ist namenlos. Dann gibt es noch einen zweiten Pfad, auf dem man das Kanu schultern muss: keine achtzig Meter lang, von Kiefernnadeln und dem ersten weißen Pulverschnee bedeckt, der in diesem Teil der Welt mit dem Polarwind aus dem Norden kommt und einen strengen Winter verspricht, denn in dieser Gegend sind alle Winter streng. Am Ende dieses zweiten Pfads beginnt der Bear Pond. Das Ufer ist felsig – grauer Granit, der in die leuchtend grünen Wälder rings um den See übergeht. Das Wasser ist kristallklar und tief; in dieser verborgenen Welt entdeckt man die reglosen, schimmernden Gestalten der Regenbogenforellen. Es ist ein Ort, der nur wenige Kompromisse kennt; von einer frostigen Schönheit und einer Stille, die nur gelegentlich vom überirdischen Lachen eines Seetauchers unterbrochen wird. Fischadler kreisen in der eisblauen Luft über dem kleinen See und lauern auf die eine oder andere Forelle, die sich tollkühn allzu dicht an die Oberfläche wagt.

Es war Susans Idee gewesen, Dianas Asche hierherzubringen.

Bruder und Schwester hatten einen alten Angelführer gefunden, der sich bereit erklärte, sie zu begleiten. Der Morgen war klar, es lag Frost in der Luft. Die Seen waren noch nicht vereist; nur eine kleine Brise, ein kalter Wind, der durch den strahlenden Sonnenschein stob, erinnerte daran, dass diese Welt bald ihre Pforten schließen würde. Die Feriendomizile der Reichen, vor einem Jahrhundert von den Rockefellers und den Roosevelts erbaut, waren jetzt verbrettert und verwaist.

Sie waren allein auf dem See.

Der Führer übernahm das Heck, Jeffrey den Bug, und im Takt paddelten sie zügig gegen die Kälte an. Während die aschfarbenen Paddel ins eisige Wasser tauchten, saß Susan, ein kleines Metallkästchen mit der Asche ihrer Mutter in der Hand, in der Mitte des Kanus unter einer rot karierten Decke und lauschte auf das rhythmische Plätschern des Wassers an der Bootswand.

Als sie das Ufer des Bear Pond erreichten, schien die Brise sich zu legen. Das Kanu knirschte auf dem Kies, und Susan entdeckte das erste dünne Eis, das sich am Rand des Wassers bildete. Der Führer ließ sie allein, um in der Mitte einer bescheidenen Lichtung den nassen Schnee beiseitezuräumen und ein kleines Feuer vorzubereiten.

»Wir sollten etwas sagen«, schlug seine Schwester vor.

»Wozu?«, entgegnete Jeffrey.

Seine Schwester nickte, holte mit dem Arm aus und streute die Asche in großem Bogen in den See.

Sie blieben eine Weile stehen und sahen zu, wie die Asche sich ausbreitete und schließlich wie Rauchwölkchen im klaren Wasser unterging.

»Was hast du jetzt vor?«, fragte Jeffrey.

»Ich denke, ich gehe nach Hause, wo es die ganze verdammte Zeit über warm ist, und sobald ich da bin, werfe ich mein Skiff an. Dann fahre ich bis zu einer seichten Stelle, wo sonst keiner hinkommt, und lasse mich einfach treiben. Ich genieße die Salzluft, bis sich ein alter Pompano blicken lässt, der nach einem Leckerbissen sucht und mir nicht allzu viel Beachtung schenkt. Dann halte ich ihm eine kleine Krabbenfliege direkt unter die Feinschmeckernase und bereite ihm eine Überraschung, wenn er den verdammten Haken zu spüren bekommt. Ich denke, das werde ich tun.«

Jeffrey schmunzelte; er zog gegen die wachsende Kälte die Schultern hoch. »Klingt vernünftig«, meinte er.

»Und du?«, wollte Susan wissen.

»Zurück in den Sklavendienst. Lege die Themen für meine Lehrveranstaltungen fest. Bereite die Seminare fürs Semester vor. Lass mich auf endlose, unglaublich langweilige und letztlich fruchtlose Diskussionen mit den Institutskollegen ein. Stehe für den nächsten Haufen undankbarer, ungebildeter und zumeist verhätschelter Studenten bereit, die an die Uni kommen. Klingt nicht halb so aufregend wie das, was du vorhast.«

Susan lachte. »Zeigt nur, wie sehr wir uns unterscheiden. Nehme ich zumindest an.«

Sie blickte in die endlose Weite des blauen Himmels. »Es ist so klar«, seufzte sie. »Aber ich glaube, es gibt bald heftigen Schnee.«

»Noch heute Abend«, stimmte Jeffrey zu. »Spätestens morgen.«

Sie kehrten zusammen dem See den Rücken.

»Jetzt sind wir wohl Waisen«, sagte sie.

Einhundertsieben Studenten hatten sich für seinen Einführungskurs über Verhaltensstörungen eingeschrieben – den »Mordsspaß« ließ sich keiner entgehen. Er hielt seine üblichen Vorträge über vorsätzlichen Mord und krankhafte Täter und baute einen Exkurs über das Wutsyndrom und Massenmörder ein. Er widmete eine ganze Stunde dem Düsseldorfer Mörder Peter Kürten, der im Einundfünfzigsten Bundesstaat seinem Vater Pate gestanden hatte. Er fragte sich, wieso sein Vater ausgerechnet diesen Mörder zu solchen Ehren kommen ließ. Kürten war ein Unmensch gewesen, war selbst aus einer inzestuösen Beziehung und Missbrauch hervorgegangen, ein Perverser mit charmanten Manieren, der seinen Opfern nicht die geringsten Gefühle entgegenbrachte – mit Ausnahme des letzten Mädchens, das er unerklärlicherweise aus der Folter entließ, nachdem sie ihn angefleht und ihm das Versprechen gegeben hatte, keiner Menschenseele zu erzählen, was er ihr angetan hatte. Wieso er beschloss, sie gehen zu lassen – nachdem zweifellos ein Dutzend anderer nicht minder verzweifelt um Gnade gebettelt hatten – blieb sein Geheimnis. Natürlich war sie geradewegs zur Polizei gelaufen, die wiederum direkt zu Kürten marschierte und ihn zusammen mit seinen Anhängseln verhaftete. Er hatte nicht den geringsten Fluchtversuch unternommen, noch es der Mühe wert gefunden, sich im anschließenden Gerichtsverfahren zu verteidigen. Der bleibende Eindruck, der sich Kürtens Scharfrichtern einprägte, war das Gefühl, dass ihn erregte, sich vorzustellen, wie sein eigenes Blut aus ihm herausspritzte, nachdem das Fallbeil seinen Hals durchtrennt hätte. Kürten schritt grinsend zum Schafott.

Sein Vater, so glaubte Jeffrey, hatte das Böse verehrt.

Die Klausur zu Semesterhalbzeit bestand in einem Essay, der auf Prüfungsbögen innerhalb einer Stunde verfasst werden musste. Die Studenten strömten schweigend in den Hörsaal und machten mürrische Gesichter, als empörte sie die Zumutung, ihre Kenntnisse unter Beweis zu stellen. Sie füllten die Reihen, während er auf die Uhr sah und die Zeit im Auge behielt. Er ließ die allseits bekannten Mappen mit den Prüfungsbögen austeilen und sah zu, wie die Studenten ihre Namen auf die Hüllen schrieben.

»Also«, sagte er. »Es wird nicht geredet. Falls Sie einen zusätzlichen Bogen brauchen, heben Sie die Hand, und ich bringe Ihnen einen. Noch Fragen?«

Ein Mädchen mit gegelter Stachelschweinfrisur hob die Hand. »Können wir gehen, falls wir früher fertig sind?«

»Wenn Sie wollen«, erwiderte Jeffrey. Er nahm an, dass sie entweder einen anderen Termin hatte oder nicht vorbereitet war und nicht den halben Vormittag damit vergeuden wollte, herumzusitzen, ohne die Fragen beantworten zu können. Er schaute sich noch einmal um und sah sonst keine erhobenen Hände. Er ging zur Tafel und fing an, etwas zu schreiben. Er hasste diesen Moment, in dem er mehr als hundert Studenten den Rücken kehren musste, die allesamt wütend waren, eine Klausur schreiben zu müssen. Vollkommen ungeschützt, dachte er. Wenigstens hatte es an diesem Morgen keinen Alarm gegeben.

In der Ecke des Hörsaals saß ein Mann des Campus-Sicherheitsdienstes auf einem Stahlrohrstuhl. Jeffrey hatte sich angewöhnt, zu jeder Prüfung einen Polizisten anzufordern. Der Officer trug kugelsichere Kleidung und ließ einen langen Schlagstock aus Grafit zwischen den Beinen baumeln. Seine Maschinenpistole hing ihm über der Schulter. Der Mann sah gelangweilt aus, und bevor Jeffrey sich zur Wandtafel drehte, gab er ihm mit dem Kopf ein Zeichen, wachsamer auf die Studenten zu achten.

Die Klausur umfasste zwei Teile. Im ersten Teil mussten die Studenten die Menschen charakterisieren und zuordnen, deren Namen Jeffrey an die Tafel schrieb. Es handelte sich dabei um eine Reihe von Mördern, die er alle in seinen Vorlesungen behandelt hatte. Der zweite Teil bestand aus einem Essay zu einer von zwei Fragen:

1. Auch wenn Charles Manson keinem Mörder die Hand führte, wurde er dennoch wegen Mordes verurteilt. Erklären Sie die Gründe und beschreiben Sie, welchen Einfluss er auf die Täter hatte, die entsprechende Verbrechen verübten. Erklären Sie, inwiefern dies Manson von anderen Mördern, über die wir gesprochen haben, unterscheidet.
2. Erklären Sie Ted Bundys Attacke im Haus der Chi-Omega-Studentenverbindung und vergleichen Sie dieses Verbrechen mit Richard Specks Mord an den acht Nonnen in Chicago. Beschreiben Sie Gemeinsamkeiten und Unterschiede. Welchen Einfluss hatten diese Verbrechen jeweils auf das soziale Umfeld?

Er war mit der Aufgabenstellung fertig und kehrte von der Tafel zu seinem Pult zurück. Während die Studenten sich an die Arbeit machten, griff er nach der Tageszeitung. Quer über den unteren Rand der Titelseite fand er einen Artikel, der ihn deprimierte. Ein Professor für Romanistik am benachbarten Smith College war am Abend zuvor auf seinem Weg über den Campus nach Einbruch der Dunkelheit erschossen worden. Offenbar hatte sich der Mörder von hinten angeschlichen, eine kleinkalibrige Pistole gezogen und einen einzigen Schuss in die Schädelbasis abgegeben, bevor er unentdeckt in die Nacht entschwand. Die Polizei vernahm zahlreiche derzeitige und ehemalige Studenten des Professors. Insbesondere diejenigen, die in seinen Seminaren durchgefallen waren. Er hatte zu den wenigen Kollegen gehört, der in einer Zeit, in der selbst klägliche Arbeiten gute Noten einbrachten, dafür bekannt war, streng zu zensieren.

Jeffrey las weiter, bis er zum Sportteil kam – schon wieder ein Bestechungs- und Punktabzugsskandal bei der Basketballmannschaft. Er schlug den Lokalteil auf. Noch während er die Zeitung durchstöberte, schlossen die ersten Studenten die Klausur ab. Er hatte eine kleine Plastikbox vor dem Podium auf den Boden gestellt. Sie warfen die blauen Mappen hinein und verließen den Saal. Gelegentlich verweilte jemand an der Tür, und Jeffrey schnappte ein paar Wortfetzen, ein Lachen oder eine Beschwerde auf. Als schließlich die Klingel das Ende der Stunde einläutete, war der Hörsaal leer.

Er sammelte die Mappen ein, bedankte sich bei dem gelangweilten Polizisten und kehrte in sein kleines Büro im Psychologischen Institut zurück. Wie immer zählte er die Klausuren, bevor er mit den Korrekturen begann, um zu überprüfen, ob jeder Student seine Arbeit abgegeben hatte.

Er war überrascht, als seine Strichliste auf einhundertacht Einträge kam.

Er warf einen neugierigen Blick auf den Stapel. Einhundertsieben Studenten im Kurs. Niemand hatte um ine zweite Mappe in die Plastikbox geworfen. Dennoch einhundertacht Ergebnisse. Sein erster Gedanke war, dies könne nur Teil eines ausgeklügelten Täuschungsmanövers sein. Es wäre nicht der erste Versuch. Bei einigen der kreativeren Tricks hatte Jeffrey sich gefragt, wieso diese Studenten nicht dieselbe Zeit aufs Lernen verwendet und sich den Betrugsversuch erspart hatten. Doch es lag zum Teil, so hatte er längst begriffen, auch in der Natur des modernen Bildungswesens selbst, dass Pfuschen reizvoller als Lernen schien.

Er zählte noch einmal. Es blieb beim selben Ergebnis.

Jeffrey blätterte den Stapel durch und war gespannt, was sich jemand bei diesem Manöver gedacht hatte, als er sah, dass auf einer der blauen Mappen der Name fehlte. Er seufzte und vermutete, er hätte versehentlich eine leere zu den ausgefüllten gelegt. Er zog sie aus dem Stapel.

Nur um sicherzugehen, schlug er sie auf.

In der Mappe lag ein handgeschriebener Zettel:

Offensichtlich wäre es ein Leichtes, den Professor zu töten, der einem so viel genommen hat. Eine Möglichkeit bestünde darin, das wahre Motiv für den Mord zu verschleiern. Zu diesem Zweck könnte man etwa wahllos Professoren nahegelegener anderer Universitäten und Colleges töten. Erst zwei andere, dann die eigentliche Zielperson und dann noch einmal zwei. Du wirst dieses Schema zweifellos erkennen, Professor. Bei Agatha Christie findest du es in *Die Morde des Herrn ABC*. Geschrieben 1935, vor fast einem Jahrhundert. In diesem Buch gelingt es einem klugen Belgier, einem Mann, der eine romanische Sprache spricht, das Komplott zu durchschauen. Ich frage mich, ob der Roman noch aufgelegt wird. Und ich frage mich auch, ob irgendjemand bei der hiesigen Polizei so klug ist wie Hercule Poirot. Aber das ist nur eine Idee.

Ich wüsste noch andere Möglichkeiten.

Unser Vater hat mir eine Menge beigebracht. Er hat mir immer eingeschärft, ich müsste mir eine umfassende Bildung zulegen, um es mit dem Professor Tod aufzunehmen. Die neue Welt zu vernichten, in der ich groß geworden bin, ist vermutlich weniger schwierig, und deshalb denke ich, dass ich entweder morgen oder auch erst nächstes Jahr in den Einundfünfzigsten Staat zurückkehre. An unserem letzten gemeinsamen Abend habe ich mich mit unserem Vater darüber ausgetauscht, wie ich ihre selbstgefällige Wahnvorstellung vollkommener Sicherheit gründlich zunichte machen kann.

Ich wollte dich nur wissen lassen, dass ich mich wieder bei dir melde, wenn ich so weit bin.

Die Nachricht war nicht unterzeichnet, was ihn nicht überraschte.

Jeffrey Clayton hatte das Gefühl einer großen Leere. Es hatte nichts mit der Angst vor einer Bedrohung zu tun oder auch nur mit Enttäuschung. Er hatte das Gefühl, mit einem Schlag viel gelernt zu haben, und ihm kam der Gedanke, dass Wissen vielleicht das Einzige war, was ihn von seinem Vater und Männern seines Schlages unterschied.

Er spürte, wie sich sein Gesicht zu einem trockenen Lächeln verzog, als er endlich begriff, wieso sein Vater seinen sensationellen Brief an die Zeitungen nicht abgeschickt hatte. *Weil er wusste, was er hinterließ*. Eine andere Art von Vermächtnis. Und was er hinterlassen hatte, besaß das Potenzial, seine eigenen Fähigkeiten bei Weitem zu übertreffen. Väter und Söhne.

Jeffrey legte die Mappe beiseite. Er begrüßte die Information, so beunruhigend sie war, mit einem kühlen, unerbittlichen Enthusiasmus. Er starrte ein letztes Mal auf die Botschaft und erkannte, dass der tote Professor auf der Titelseite der Morgenzeitung die handschriftliche Notiz ergänzte. Er vermutete, dass er eigentlich Angst haben sollte, stellte jedoch fest, dass ihn die Situation faszinierte und beflügelte.

Er schüttelte den Kopf. *Es sei denn, ich finde dich zuerst,* sagte er stumm zu dem Phantom seines Bruders.